新編高麗史全文

세가4책

인종-의종 6

目　次

『高麗史』 卷十五 世家卷十五

[輔國崇祿大夫·議政府左贊成·知集賢殿經筵春秋館成均事·世子賓客·臣金宗瑞奉教撰]

正憲大夫·工曹判書·集賢殿大提學·知經筵春秋館事兼成均大司成·臣鄭麟趾奉教修

仁宗 一

仁宗·恭孝·□□[~~克安~~]大王,[1)] 諱楷, 字仁表, 古諱構, 睿宗長子, 母曰順德王后李氏, 睿宗四年十月己亥[~~乙亥~~4日]生,[2)] 性仁孝寬慈, 十年二月, 立爲王太子.

十七年四月丙申[8日], 睿宗薨, 諸弟以王幼, 頗有覬覦心, [門下侍郞]平章事李資謙奉王, 卽位于重光殿, 朝夕奠殯, 哭踊盡哀, 左右侍臣, 哀慟不能止.

丁酉[9日], [小滿]. 王詣景靈殿, 告卽位, 遣使告于大廟[~~太廟~~]·九陵.

[辛丑[13日], 羅城宣義門, 自毁:五行2轉載].

[壬子[24日], 芒種. 奉玉册上尊謚曰文孝大王, 廟號睿宗:追加].[3)]

甲寅[26日], 葬睿宗于裕陵.[4)]

[壬申[某日], 昏時, 有黑雲, 發於乾方, 或有靑氣, 出於雲間, 或有赤氣, 挾於左右, 向巽方, 至初更, 自滅:五行1黑眚黑祥轉載].[5)]

[是月, 赦. 重大師觀奥參登極法會, 以爲夏安居講主:追加].[6)]

五月[戊午朔大盡,丙午], 庚午[13日], 享于大廟[~~太廟~~].

---

1) 이에서 仁宗은 廟號이고, 孝恭大王은 謚號인데, 이는 1146년(毅宗 즉위년) 3월에 仁宗의 陵[長陵]이 마련될 때 붙여진 것이다. 그런데 인종은 1253년(고종40) 10월 3일(戊申) 克安이 덧붙여졌으나, 이 기사에 반영되어 있지 않다.

2) 己亥는 乙亥의 오자이다. 仁宗은 1109년(예종4) 10월 乙亥(4일)에 出生하였고, 『고려사절요』 권9에는 옳게 되어 있다.

3) 이는 『동문선』 권28, 睿王謚册文에 의거하였다.

4) 이 기사는 지18, 禮6, 國恤에도 수록되어 있다.

5) 이달에는 壬申이 없다.

6) 이는 다음의 자료에 의거하였다.

· 「修理寺住持·首座觀奥墓誌銘」, "以壬寅年赦, 赴登極法會功, 加夏講".

辛未14日, 追尊母后睿宗次妃李氏, 爲文敬王太后.[7)]

[癸酉16日, 初更, 月有兩珥, 靑黃交色, 二更末, 變白而滅:天文1轉載].

乙亥18日, 以李資謙[爲協謀協謀安社功臣·:節要轉載]守太師·中書令·邵城侯,[8)] 金景庸爲[同德翊聖功臣·:節要轉載]樂浪郡開國公, 門下侍中致仕李瑋爲[匡國功臣·:節要轉載]桂陽□□□郡開國公, 林有文·金晙△並爲門下侍郞平章事,[9)] 韓安仁爲□守中書侍郞平章事,[10)] 崔弘宰·金若溫△△並爲參知政事,[11)] 李資諒爲樞密院使[·刑部尙書:列傳8李子淵轉載], 金沽△爲知樞密院事, 文公美爲樞密院副使, [~~詹事府主簿~~文公裕·~~詹事府主簿~~金永錫並爲閤門祗候:追加].[12)]

丙子19日, 以尹惟志爲尙書左僕射, 李英闌爲兵部尙書, 崔卓爲戶部尙書.

丁丑20日, 賜太后封崇執事官吏, 職一級.

戊寅21日, 以封崇太后, 御神鳳門, 赦.

[某日, 以王叔父·太原公侾爲贊化功臣·食邑四千戶食·實封五百戶:追加].[13)]

六月戊子朔小盡,丁未, 王如奉恩寺.

己亥12日, 以僧德緣爲國師, 學一爲王師.[14)]

庚子13日, 慮囚.

---

7) 이 시기에 文敬太后 李氏(李資謙의 2女)의 貫鄕인 慶源郡을 知仁州事로 승격시켰다.
 · 지10, 地理1, 仁州, "至肅宗朝, 以皇仁睿太后李氏內鄕, 陞爲慶源郡, 仁宗時, 以皇順德王后李氏內鄕, 改今名, 爲知州事".

8) 李資謙은 4월 24일(壬子) 睿宗의 尊謚를 올릴 때 守太保·門下侍郞同中書門下平章事·判吏部事·兼西京留守使·上柱國·邵城郡開國伯이었다(『동문선』 권28, 睿王諡册文). 또 이때 協謀安社功臣·守太師·中書令·邵城侯, 食邑五千戶, 食實封七百戶에 임명되었다(열전40, 李資謙).

9) 이때 金晙은 門下侍郞平章事·判禮部事에 임명되었던 것 같다(열전10, 金晙).

10) 이때 韓安仁이 辭讓하는 表를 金富軾이 撰하였다(『동문선』 권29, 韓安仁讓守□□□中書侍郞平章事不允批答).

11) 이날 崔弘宰는 尙書左僕射·參知政事·判尙書工部事에 임명되었다고 한다(崔弘宰墓誌銘).

12) 이는 다음의 자료에 의거하였다. 또 이해 6월의 人事移動[小政]은 仁宗의 즉위로 인해 1개월 앞당겨 5월에 실시되었던 것 같다.
 ·「文公裕墓誌銘」, "壬寅仁宗卽位年, 以隨龍功, 授閤門祗侯, …".
 ·「金永錫墓誌銘」, "壬寅, 以隨龍功, 拜閤門祗侯, 尋改殿中內給事".

13) 이는「王侾廟誌銘」에 의거하였다.

14) 이날은 國師·王師가 임명된 날이고 책봉은 이후에 이루어졌던 것 같은데, 王師 學一의 册封式은 7월 12일(戊辰) 擧行되었다(→下記의 脚注).

辛丑[14日], 王受菩薩戒於乾德殿.

丁未[20日], 宋持牒使·進武校尉姚喜等六十九人來.

秋七月[丁巳朔大盡,戊申], 戊午[2日], 參知政事致仕李軌卒.[15] [謚文簡:列傳10李軌轉載]. [軌, 以科第進, 與金黃元, 友善, 俱以文章著名:節要轉載].

[辛酉[5日], 震京城民家園木:五行1雷震轉載].

[癸亥[7日], 遣中使安和寺學一以致書行册禮儀, 明日又如之, 一具狀辭免, 至于再三:追加].[16]

[戊辰[12日], 備儀禮, 册大禪師學一爲王師:追加].[17]

庚午[14日], 親設金剛經道場於乾德殿三七日.

辛未[15日], 醮于崇福殿.

[壬申[16日], 幸明慶殿, 伸弟子之禮於王師學一, 百官拜賀:追加].[18]

[乙亥[19日], 天狗出艮方, 抵坤方:天文1轉載].

己卯[23日], 親行虞祭.[19]

辛巳[25日], 命三品以上官, 會都省, 議重刑.

[某日, 詔曰, "中書令李資謙, 太后之父, 於朕爲外祖, 其班次禮數, 不可與百官同. 宜令兩府·兩制及諸侍從官, 會議聞奏". ○寶文閣學士鄭克永·御史雜端崔濡議曰, "傳曰, '天子有所不臣者三',[20] 后之父母居其一. 今資謙, 當上書表不稱臣, 及君臣大宴會, 不與百官庭賀, 徑詣幕次拜, 上答拜而後坐殿". 衆議雷同. ○寶文閣待制金富軾, 獨上議曰, "漢高祖初定天下, 五日一朝. 太公家令說太公曰, '天無二日, 土無二王. 皇帝雖子, 人主也, 太公雖父, 人臣也. 乃何令人主拜人臣'. 高祖善家令言, 詔曰, '人之至親, 莫親於父子. 故父有天下, 傳歸於子, 子有天下, 尊歸於父, 此人

---

15) 이날은 율리우스曆으로 1122년 8월 5일(그레고리曆 8월 12일)에 해당한다.

16) 이는 「淸道雲門寺圓應國師塔碑」에 의거하였다.

17) 이는 「淸道雲門寺圓應國師塔碑」에 의거하였다.

18) 이는 「淸道雲門寺圓應國師塔碑」에 의거하였다.

19) 이 기사는 지18, 禮6, 國恤에도 수록되어 있다.

20) 이 구절은 다음의 자료에 의거한 것이다.

· 『白虎通』 권3上, 王者不臣, "… 王者臣有不名者五, 先王老臣不名, 親與先王戮力共治國, 同功於天下, 故尊而不名也. …"(『白虎通義』 권21, 王者不臣).

· 『후한서』 권83, 逸民列傳第73, 王霸傳, "霸曰, 天子有所不臣, 諸侯有所不友, …".

道之極也. 今王侯卿大夫, 已尊朕爲皇帝, 而太公未有號, 今上尊太公曰太上皇'.[21]
以此論之, 雖天子之父, 若無尊號, 不可令人主拜. 故後漢獻帝皇后父不其□亭侯伏完. 鄭玄議曰, 不其□亭侯在京師, 禮事出入, 宜從臣禮. 若后息離宮及歸寧父母, 則從子禮. 故伏完朝賀公庭, 如衆臣, 及皇后在宮, 后拜如子. 又東晋穆帝母褚太后, 見父之禮, 衆人駁議不一. 博士徐禪依鄭玄議曰, 王庭, 正君臣之禮, 私覲, 全父子之親, 是大順之道也. 又魏帝父燕王宇, 上表稱臣,[22] 雖父子至親, 禮數尙如此. 而外祖, 按儀禮五服制度, 母之父母, 服小功五月而已.[23] 與己父母, 尊親相遠, 豈得與上亢禮, 宜令上表章, 稱臣, 在王庭, 君臣之禮, 則從衆, 至於宮闈之內, 則以家人禮, 相見. 如此, 則公義私恩, 兩相順矣". ○宰輔以兩議聞. 王遣近臣康侯顯, 問資謙. 資謙奏曰, "臣雖無知識, 今觀富軾之議, 實天下之公論也, 微斯人, 群公幾陷老臣於不義, 伏願從之, 勿疑". 詔可:節要轉載].[24]

[某日, 以侍御史林存爲慶尙道按察使, 旣而停職, 以朴景麟代之:慶尙道營主題名記].[25]

[丙戌30日, □□是月, 蟲食松, 設佛頂道場于會慶殿七日, 以禳之:五行2轉載].[26]

---

21) 이 구절은 다음의 자료와 관련이 있다.
- 『사기』 권8, 高祖本紀第8, 漢 6年, "六年, 高祖, 五日一朝, 太公如家人父子禮. 太公家令說太公曰, '天無二日, 土無二王. 今高祖雖子, 人主也, 太公雖父, 人臣也. 奈何令人主, 拜人臣, 如此, 則威重不行'. 後高祖朝, 太公擁篲, 迎門却行. 高祖大驚, 下扶太公, 太公曰, '帝人主也, 奈何以我, 亂天下法'. 於是, 高祖乃尊太公, 爲太上皇, 心善家令言, 賜金五百斤".
- 『漢紀』(『前漢紀』), 前漢高祖皇帝紀 권3, 六年, "上五日一朝太公, 家令說公曰, '天無二日, 土無二王. 皇帝子, 乃人主也, 太公雖父, 乃人臣也. 奈何令人主, 朝人臣, 如此, 則威重不得申'. 後上朝, 太公擁篲, 迎門却行, 欲拜. 上大驚, 扶太公, 太公曰, '帝人主, 奈何以我, 亂天下法'. 上善家令言, 賜黃金五百斤. 荀悅曰, 孝經云, … 五月丙午, 詔曰, 人之至親, 莫大於父. 故父有天下, 傳歸於子, 子有天下, 尊歸於父, 此人道之極也. 朕平暴亂, 以安天下, 斯皆太公之敎訓也. 尊太公爲太上皇".

22) 이상의 내용은 『通典』 권67, 禮27, 嘉12, 天子敬父, 皇后敬父母의 내용을 적절히 變改한 것으로 판단된다.

23) 이 구절은 『儀禮』 권11, 喪服11에 의거한 것 같으나 적절한 對應 句節이 확인되지 않는다.

24) 이 기사는 열전11, 金富軾에도 수록되어 있으나 자구의 출입이 있으므로 兩者를 『通典』 권67, 禮27, 嘉12, 天子敬父, 皇后敬父母와 함께 참조하는 것이 좋을 것이다. 또 이 기사는 열전40, 李資謙에 壓縮되어 있다
- "下詔, 欲異其禮數, 群臣請, 書表不稱臣, 宴會不與百官庭賀. 待制金富軾以爲不可, 從之".

25) 林存은 이해[是年] 12월 11일(丙申) 李資謙에 의해 韓安仁이 肅淸될 때 遠地에 流配되었다.

26) 原文에는 "睿宗十七年七月, 蟲食松, 丙戌, 設佛頂道場于會慶殿七日, 以禳之"로 되어 있다.

[□□□~~是月頃~~, 李資謙專制國命, 奇遇~~崔巨鱗~~言, "陛下新登寶位, 宜有善政, 以慰民心. 而昵近憸佞, 疏遠學士大夫, 此臣所缺望. 乞常御便殿, 詳延儒臣, 訪問今古, 引見兩府, 咨諏國事, 一遵太祖遺訓":列傳11崔奇遇轉載].

八月[丁亥朔大盡,己酉, 流星出天市東垣, 入尾, 前大後小, 尾長二尺許:天文1轉載].

庚寅4日, 御宣政殿, 決重刑.

己亥13日, [秋分]. 賜羅景純等及第.[27]

壬寅16日, 親行虞祭.[28]

[○月食:天文1轉載].[29]

九月丁巳朔小盡,庚戌, [壬戌6日, 無雲而雷:五行1雷震轉載].

甲子8日, 詔改生辰安貞節, 爲慶龍節.

乙亥19日, 命修'睿宗實錄'. [先是, 中書侍郎平章事韓安仁奏, 睿宗在位十七年事業, 宜載史册, 貽厥後世, 請依宋朝故事, 置實錄編修官. 制:節要轉載], 以寶文閣學士朴昇中·翰林學士鄭克永·寶文閣待制金富軾, 充編修官.[30]

己卯23日, 慮囚.

[某日, 以王叔父·太原公侾爲檢校太師:追加].[31]

冬十月丙戌朔大盡,辛亥, 壬辰7日, 設百高座道場於會慶殿, 齋僧三萬於中外.

庚子15日, [小雪]. 册中書令李資謙爲漢陽公.

[○□□□~~是時頃~~, 崔巨鱗又言, "朝鮮國公漢陽公, 不宜區區親細務. 其意欲陽示尊崇,

---

27) 이와 관련된 기사로 다음이 있다.

· 지27, 선거1, 科目1, 選場, "睿宗十七年八月, 左散騎常侍朴昇中知貢擧, 知奏事金仁揆同知貢擧, 取進士, □□己亥, 賜羅景純等三十一人及第".

28) 이 기사는 지18, 禮6, 國恤에도 수록되어 있다.

29) 지1, 天文1에는 壬辰月食으로 되어 있으나 壬寅月食의 오자일 것이다. 또 일본의 京都에서는 8월 16일(壬寅) 월식이 예측되었으나 관측되지 못하였다고 한다. 이날은 율리우스력의 1122년 9월 8일이고, 월식 현상이 심했던 때인 15일(辛丑)의 世界時는 22시 13분, 食分은 0.61이었다(渡邊敏夫 1979年 475面).

30) 이와 같은 기사가 열전10, 韓安仁에도 수록되어 있다.

31) 이는 「王侾廟誌銘」에 의거하였다.

而陰奪其權也". 王留其疏不下. 或有言, "國公尊貴, 百寮宜拜". 奇遇曰, "非王氏而拜之, 如朝廷禮何":列傳11崔奇遇轉載].[32]

癸卯[18日], 親行虞祭.[33]

[甲辰[19日], 檢校禮賓卿·行左司郎中閔脩卒, 年五十六:追加].[34]

[癸丑[28日], 大風雨雹, 震開國寺塔:五行3轉載].

[→其年冬, 雷震開國寺浮圖, 奇遇[崔巨鱗]又上言, "漢延光中, 冬雷屢作, 實由閻皇后兄弟, 專秉威權之所召, 災不妄作. 願陛下, 悟皇天之譴告, 圖所以消變之術". 言甚切直. [中書令李]資謙聞而銜之:列傳11崔奇遇轉載].

十一月[丙辰朔大盡,壬子], 丁卯[12日], 設八關會, 王御帳殿受賀, 幸法王寺.

○東女眞酋長實現來, 獻馬.

丙子[21日], 親饗年八十以上男女及義夫·節婦·篤癈疾于闕庭, 賜物有差, 特賜[中書令]李資謙母金氏金帛·藥物, 加等.

[己卯[24日], 月入氐星:天文1轉載].

[辛巳[26日], 雷電:五行1雷震轉載].

[丙午[某日], 大霧, 木稼:五行3轉載].[35]

[[十二月以前], 某月, 遣近臣李逢原, 詣春州淸平山文殊院眞精居士李資玄, 存問致意, 仍賜茶香·衣物:追加].[36]

十二月丙戌朔[小盡,癸丑], 親行虞祭.[37]

---

32) 이에서 朝鮮國公은 漢陽公의 오류일 가능성이 있다. 李資謙이 朝鮮國公에 책봉된 날[日辰]은 崔巨鱗(崔奇遇의 初名)이 숙청된 1123년(인종 즉위년) 12월 11일보다 2년 7개월이 경과한 1125년(인종2) 7월 9일이다.

33) 이 기사는 지18, 禮6, 國恤에도 수록되어 있다.

34) 이는 「閔脩墓誌銘」에 의거하였는데, 그의 弟 閔瑛의 묘지명에는 閔脩의 관직이 起居注로 되어 있다. 이날은 율리우스曆으로 1122년 11월 19일(그레고리曆 11월 26일)에 해당한다.

35) 이달에는 丙午가 없다.

36) 이는 다음의 자료에 의거하였는데, 李逢原은 12월 11일 韓安仁이 숙청될 때 연루되어 職責이 박탈되었다고 한다.

· 『동문선』 권64, 淸平山文殊院記, "… [宣和]四年, 今王[仁宗]卽位, 特遣近臣李逢原, 曲加存問, 仍賜茶香·衣物".

[戊子[3日], 流星出軒轅, 入輿鬼, 尾長四尺許:天文1轉載].

[乙未[10日], 月犯畢大星:天文1轉載].

丙申[11日], 放帶方公俌于京山府, [太原公俁于南裔:追加],[38] 殺中書侍郎平章事韓安仁·閤門祗候李仲若, 流樞密院副使文公美[39]·寶文閣學士鄭克永·知御史臺事李永·尙書右丞韓安中·禮部郎中韓冲·承宣[權知右副承宣]韓柱·侍御史林存[40]·閤門祗候文公裕[41]·右正言崔巨鱗[崔奇遇]·員外郎任元濬于外,[42] [貶刑部郎中金克儉爲殷州防禦使:追加].[43]

[→放帶方公俌于京山府, 爲[中書令]李資謙, 所構也. 流中書侍郎平章事韓安仁·樞密院副使文公美. 初, 安仁·公美, 與資謙弟資諒及崔弘宰, 俱在樞府. 資諒憑勢, 安仁·公美恃寵, 雖外和而內忌, 且與弘宰不相得. 又安仁, 以資謙爲國上宰, 事皆關決, 而惰慢不朝, 事多壅蔽. 陽尊資謙, 封爲上公, 不令視事, 而陰欲奪其權, 使承宣韓柱奏之. 諸李知其謀, 銜之. 安仁·公美等, 以太醫[·小府少監]崔思全, 視睿宗背疽, 以爲微腫, 不早治, 欲置於法. 王罰徒二年, 故思全亦頗怨望. 會資謙, 以崔惟迪爲給事中, 物議紛然. 有[殿中]內給事張應樞者, 好干時附勢, 聞惟迪, 以奴婢二十口賂資謙, 得是職. 密語安仁, 安仁颺言于省中, 惟迪愬於資謙. 資謙大怒, 請辨于御史臺, 安仁慚恐, 告休在家, 遂與公美及堂弟鄭克永·妹壻知御史臺事李永等, 數相會侵夜而

37) 이 기사는 지18, 禮6, 國恤에는 "十二月朔丙戌虞"로 되어 있는데, 이는 "十二月丙戌朔虞"가 흐트러진 것이다[錯亂].

38) 이는 다음의 자료에 의거하였다.
- 열전3, 肅宗王子, 太原公俁, "尋爲李資謙所陷, 竄南裔".
- 「王俁廟誌銘」, "惟嗣王亮陰之際, 外家擅權, 國勢幾危, 惟公一節衛安社稷, 權臣僞命, □[竄]于江南".

39) 이 사건에 관련된 기사로 다음이 있다.
- 열전38, 文公仁, "仁宗初, 拜樞密院副使, 與韓安仁, 爲李資謙所忌, 流于忠州, 語在安仁傳".
- 열전38, 崔弘宰, "仁宗初, □[拜]叅知政事, 黨附李資謙. 構韓安仁殺之, 語在安仁傳".

40) 이때 林存은 侍御史로 慶尙道按察使의 職責을 수행하고 있었을 것이다(是年 7월 某日).

41) 이때 韓柱의 職責은 權知右副承宣이었고, 1126년(인종4) 仁宗으로부터 賜名을 받아 韓惟忠으로 改名하였다(韓惟忠墓誌銘). 또 文公裕는 그의 丈人[外舅]인 韓安仁에 연좌되어 梁州에 유배되었다가 加德島(現 釜山市 江西區 天加洞 天城 加德島)에 移配되었다고 한다(文公裕墓誌銘).

42) 이때 崔巨鱗은 固城縣에 유배되었는데, 그는 1127년(인종5) 4월 이후에 崔奇遇로 改名하였다(열전11, 崔奇遇). 그의 열전에는 本貫이 기록되어 있지 않지만, 그의 後孫이라는 崔台齊(1683~1742)의 비갈명에 의하면 淸州 崔氏라고 하는데(大邱市 壽城區 孤山 2洞 梨川里 山2-1 位置), 淸州의 土姓에서 崔氏가 찾아지지 않는다.

43) 金克儉은 「金克儉墓誌銘」에 의거하였다.

散. 思全得其間, 欲釋舊憾, 與憸人蔡碩, 譖於資諒·弘宰曰, 安仁·公美, 結黨陰謀, 將不利於李令公. 資謙頗以爲疑, 遂羅織其罪, 奏, 流安仁于昇州甘勿島, 沈殺之. 又流公美·韓柱·李永·克永于外, 其兄弟·子壻·姻婭, 皆緣坐, 流竄, 族黨罷職者亦多. 安仁, 力學, 善屬文, 及王卽位, 以侍學舊恩, 密近用事. 兄弟親戚, 分據要路, 士大夫無不趍附, 遽乘勢謀軋權貴, 以至於敗:節要轉載].44)

[→又流知御史臺事李永及寶文閣學士鄭克永于外, 中書侍郎平章事韓安仁兄尙書右丞安中, 弟僧永倫, 從弟禮部郎中韓冲, 妻弟侍御史林存, 壻閤門祗候李仲若, 子繽等四人, 公美弟祗候公裕, 僧可觀, 克永妹壻右正言崔巨鱗, 姻婭員外郎任元濬, 安中子綸等五人, 永子元長等三人, 皆緣坐流竄, 其族類罷職者亦多. 仲若善醫術故疑之, 追遣人沉殺之. 刑部又以左正言李逢原, 司天監全幹, 殿直安天偷等, 常會安仁家, 必與陰謀, 劾奪其職. ○安仁明達好學, 善屬文. 又善易筮, 事多奇中, 爲一時名流. 然乘勢速富貴, 謀軋權貴, 以至於此. 及資謙敗, 贈謚文烈:列傳10韓安仁轉載].45)

[→仁宗卽位, 中書令李資謙謀逆, 大臣有不附己者, 輒以計誅竄. 中書侍郎平章事韓皦如韓安仁, 號剛正, 非罪見流. 崔惟淸妹壻鄭克永, 爲皦如安仁表弟, 連坐貶斥, 直翰林院崔惟淸亦失職:列傳12崔惟淸轉載].

[→上初卽位, 元舅李資謙當國, 忌大臣不附己者及朝中剛正之士, 誣罪盡逐之下遷:追加].46)

[→中書令李資謙, 私遣其府注簿蘇世淸入宋, 上表進土物, 自稱知軍國事. 資謙權寵日盛, 有不附己者, 百計中傷. 竄王弟帶方公俌于京山府, 流中書侍郎平章事韓安仁于海島殺之, 又流崔弘宰·文公美·李永·鄭克永等五十餘人. 以其族屬, 布列要職, 賣官鬻爵, 多樹黨與:列傳40李資謙轉載].47)

---

44) 이와 같은 기사가 열전10, 韓安仁에도 수록되어 있으나 자구에 출입이 있다.

45) 韓安中은 韓安仁의 兄인데(열전10, 韓安仁), 그의 孫인 韓光衍의 墓誌銘에 의하면 尙書左僕射에 이르렀다고 한다.

46) 이는 다음의 자료에 의거하였다.

· 「鄭沆墓誌銘」, "今上初卽位, 元舅李資謙當國, 忌大臣不附己者及朝中剛正之士, 誣罪盡逐之下遷, 公鄭沆爲殿中內給事".

47) 이 기사의 冒頭에 先是 또는 仁宗卽位가 탈락되어 1125년(인종3)에 발생한 事件과 같이 기록되어 있다. 또 後日 고려에 도착하여 당시의 사정을 聽聞했던 徐兢은 다음과 같이 서술하였다. 이 내용은 李資謙의 입장이 반영되어 있고, 내용에 있어도 誤謬가 있는데, 이것은 그의 見聞에 의한 결과일 것이다.

· 『고려도경』 권8, 人物, 守太師·尙書令中書令李資謙, "… 壬寅仁宗卽位年夏四月, 俁睿宗薨, 諸弟爭立. 先

戊戌13日, 以參知政事崔弘宰△爲權判樞密院事, [衛尉少卿兼太子中尹·左副承宣尹彥植爲試工部侍郎兼三司副使, 殿中內給事尹彥頤爲禮部員外郎·知制誥:追加][48].

[戊申23日, 月犯罰星及東咸. 太白入羽林:天文1轉載].

己酉24日, 慮囚.

[○日有兩珥:天文1轉載].

[庚戌25日, 以參知政事崔弘宰爲中書侍郎同中書門下平章事·判尙書戶部事:追加].[49]

[是年, 陞海州都護府爲大都護府:轉載].[50]

[○判~~制~~, "凡父祖田, 無文契者, 適長~~嫡長~~爲先決給":刑法2訴訟轉載].[51]

[○□□□□□□□□□以樞密院使李資諒病革, 進守司空·中書侍郎平章事:列傳8李子淵轉載].

[○以工部侍郎金義元爲兵部侍郎·知茶房事:追加].[52]

[○以尹諧爲禮部侍郎·寶文閣直學士·知制誥:追加].[53]

[○以皇甫讓妻金氏爲樂浪縣君:追加].[54]

[○賜禪師坦然帖繡袈裟:追加].[55]

[○以大德觀奧爲大師:追加].[56]

是, 顒肅宗有五子~~七子~~, 而俁居長. 資謙巳立楷, 仲父帶方公俌, 意欲奪其位. 遂與門下侍郎~~中書侍郎平章事~~韓皦如·樞密□~~副~~使文公美, 謀爲不軌, 而禮部尙書~~知御史臺事~~李永·吏部侍郎~~寶文閣學士~~鄭克永·兵部侍郎~~侍御史~~林存等十餘人, 爲內應. 未及擧而謀泄, 卽擒捕下吏. 資謙乃諷王, 放俌於海島, 而誅群惡連逮支黨數百人. 故以定亂之功, 進封太師~~守太師~~, 益加食邑采地, 位尙書令~~中書令~~. 資謙, 風皃凝靜, 儀矩雍容, 好賢樂善. 雖秉國政, 頗知推尊王氏, 在夷狄中, 能扶奬王室, 亦可謂賢臣矣". 여기에서 ~~添字~~와 같이 고쳐야 옳게 될 것이다.

48) 尹彥植과 尹彥頤는 그들의 묘지명에 의거하였다(金龍善 2014년).

49) 이는 崔弘宰의 묘지명에 의거하였는데, 그는 中書令 李資謙과 結託하여 韓安仁을 제거하고 그의 자리를 차지하였던 것 같다.

50) 이는 다음의 자료를 전재하였다.
· 지12, 지리3, 安西大都護府海州, "睿宗十七年, 又陞爲大都護府".

51) 適長은 嫡長[嫡長子]의 오자일 것이다(孫曉 等編 2014年 2713面).

52) 이는 「金義元墓誌銘」에 의거하였다.

53) 이는 「尹諧墓誌銘」에 의거하였다.

54) 이는 「皇甫讓妻金氏墓誌銘」에 의거하였다.

55) 이는 「山淸斷俗寺大鑑國師塔碑」에 의거하였다.

56) 이는 「修理寺住持·首座觀奧墓誌銘」에 의거하였다.

[○僧義光受具足戒於佛日寺戒壇, 年十五:追加].[57]

[是年頃, 以王叔·僧統·崇善寺住持澄儼爲五敎都僧統:追加].[58]

癸卯[仁宗]元年, [只用當該年干支], [宋宣和五年],
[金天輔七年→9月, 天會元年], [西曆1123年]

1123년 1월 29일(Gre2월 5일)에서 1124년 1월 18일(Gre2월 25일)까지, 355일

春正月乙卯朔大盡,建甲寅, 甲子10日, 宋持牒使許立來.
己巳15日, 親醮于純福殿.
庚午16日, 幸外帝釋院. [自是, 屢幸寺院:節要轉載].
[某日, 前知御史臺事李永卒于貶所. 永父仲宣, 以本郡戶長, 選爲京軍. 永, 幼從師學問, 父歿, 欲繼永業田, 爲胥吏. 以狀付于政曹主事, 揖不拜. 主事怒且罵, 永卽取狀, 壞之. 曰, "吾可以科擧仕朝, 何敬汝輩爲?". 遂勤業擢第. 歷史館·臺諫, 及韓安仁見殺, 永以妹壻, 坐流珍島, 或告曰, "似聞君之母子, 沒爲奴婢". 永曰, "吾以內省不疚, 故忍死待時, 若老母, 以予之故, 沒爲賤隷, 吾何爲苟生". 乃飮酒一斗, 憤懣而死. 時人惜之. 資謙遣術士, 瘞于道傍. 牛馬不敢踐履, 或病瘧者, 就禱則愈. 後資謙敗, 其子請改葬, 堀之, 屍不變. 王贈簽書樞密院事, 命吏部削罪案. 永, 天資方直, 不爲權貴所撓, 然取友不端, 拓俊京等, 謀毁李汝霖·智祿延等, 毁斥朴景升, 永亦與焉[59]:節要轉載].
[→仁宗初, 李永爲知御史臺事·寶文閣學士, 及中書令李資謙殺中書侍郎平章事韓安仁, 永以安仁妹壻, 坐流珍島. 或有告永曰, 公之母子, 將沒爲奴婢. 永曰, 吾內省不疚故, 忍死以待. 若老母以予故, 沒爲賤隷, 吾苟生何爲. 乃飮酒一斗, 憤懣而卒, 時人惜之. 資謙遣術士瘞道傍, 牛馬不敢踐, 或病瘧者就禱則愈. 資謙敗, 永子請改葬, 掘之, 屍不變. 贈簽書樞密院事, 命吏部削罪案. ○永, 天資方直, 不爲權貴所撓. 然取

57) 이는 「崇教寺住持·首座義光墓誌銘」에 의거하였다.
58) 이는 「圓明國師墓誌銘」에 의거하였다(東京國立博物館 所藏).
59) 이의 縮約이 열전10, 李永에 수록되어 있다.

友不端, 拓俊京等, 謀毁李汝霖·智祿延等, 毁斥朴景升, 永皆與焉:].

庚辰26日, 親醮于乾德殿.

壬午28日, 中書侍郞平章事李資諒卒.[60)] [資諒, 以門蔭立身, 好讀書, 常討孫吳之法, 以功名自喜:節要轉載].

[某日, 以慶尙道秋冬番按察使朴景麟, 仍番:慶尙道營主題名記].[61)]

二月乙酉朔小盡,建乙卯, 甲午10日, 親醮于闕庭.[62)]

戊戌14日, 燃燈, 王如奉恩寺.

[壬寅18日, 春分. 西京留守奏老人星見:天文1轉載].

癸卯19日, 王如興王寺, 移御長源亭.

[丙午22日, 夜, 西方有白氣, 中央有赤氣:五行2轉載].

三月甲寅朔大盡,建丙辰, [戊辰15日, 雷震闕門外槐樹:五行1雷震轉載].

丙子23日, 慮囚.

[□□是月, 四方訛言, 有司將取民間小兒, 投之江中, 轉相驚恐, 且有亡匿山中者. 西海道尤甚:節要·五行2轉載].

[春某月, 以試閤門祗候裴景誠爲南京少尹:追加].[63)]

[○以殿中內給事金永錫爲試尙衣奉御:追加].[64)]

夏四月甲申朔小盡,建丁巳, 丁亥4日, [立夏]. 王還宮.

癸巳10日, 王以睿宗小祥, 如安和寺行香.[65)]

[○金吾衛池水, 變爲血色, 數日:五行1轉載].

癸卯20日, 賜卞純夫等及第.[66)]

---

60) 이날은 율리우스曆으로 1123년 2월 25일(그레고리曆 3월 4일)에 해당한다.

61) 여기에서 仍番은 前回의 按察使가 連任한다는 의미를 지니고 있다.

62) 이 기사는 지17, 禮5, 雜祀에도 수록되어 있다.

63) 이는「裴景誠墓誌銘」에 의거하였다.

64) 이는「金永錫墓誌銘」에 의거하였다.

65) 이 기사는 지18, 禮6, 國恤에도 수록되어 있고, 睿宗의 忌日은 4월 8일이다.

己酉[26日], 親行虞祭.[67)]

庚戌[27日], 以[門下侍郎平章事]金緣△[爲]判秘書省事·監修國史. [緣, 有文名, 清節. 睿宗深器之, 擢置宰輔, 恩禮優重. 及王幼沖嗣位, 外戚用事. 緣, 恐及害, 懇辭乞退, 不許. 至是, 以墜馬, 求免愈篤, 故有是命:節要轉載].

[→仁存, 文名清節, 冠當代, 王深器之, 恩禮優重. 及仁宗幼沖嗣位, 李資謙用事, 恐及禍, 懇辭乞退, 不許. 一日, 將赴衙, 聞街上童謠, 因墜馬歸臥, 求免愈切, 遂罷相, 判祕書省事·監修國史:列傳9金仁存轉載].

壬子[29日晦], 幸外帝釋院.

五月[癸丑朔小盡,建戊午], 丁巳[5日], 以旱, 避正殿, 集僧內殿, 講佛經, 禱雨, [不得:五行2轉載].

己未[7日], 幸普濟寺.

癸亥[11日], 慮囚.

甲子[12日], 造土龍[于都省廳:五行2轉載], 聚巫禱雨.

○幸龜山寺.

己巳[17日], 醮于會慶殿, 禱雨.

[是月, 自春至夏, 大旱, 上祈雨, 以書招致王師學一於玉燭亭. 一與大禪師得善等, 擧揚禪旨, 翌日大雨, 田野告足. 而後有水旱災異, 祈禳無不效應:追加].[68)]

六月[壬午朔大盡,建己未], 癸未[2日], 王如奉恩寺.

乙酉[4日], 東南海都部署使朴景麟,[69)] 錯報女眞兵船三十艘來, 犯境. 遣加發兵馬判官楊齊寶等禦之. 至慶州, 不見虜而還.

甲午[13日], 宋□[遣]國信使·禮部侍郎路允迪,[70)] 中書舍人傅墨卿來.[71)]

---

66) 이와 관련된 기사로 다음이 있다. 이때 卞純夫·田起(乙科3人, 喬洞縣君高氏墓誌銘) 등이 급제하였다(『登科錄』; 『前朝科擧事蹟』, 朴龍雲 1990년 ; 許興植 2005년).

· 지27, 선거1, 科目1, 選場, "仁宗元年四月, 中書侍郎□□□[平章事]林有文知貢擧, 禮部尙書洪灌同知貢擧, 取進士, □□[癸卯], 賜卞純夫等三十人及第".

67) 이 기사는 지18, 禮6, 國恤에도 수록되어 있다.

68) 이는 「淸道雲門寺圓應國師塔碑」에 의거하였다.

69) 朴景麟은 『경상도영주제명기』에는 이해의 春夏番[春夏等]按察使로 되어 있다. 이 점을 통해 볼 때 당시에 慶尙道按察使가 東南海都部署使를 兼任하고 있었던 것 같다.

庚子19日, 迎詔于會慶殿, <u>詔曰</u>,72) "逖聞嗣國, 甫謹修方. 諒惟善繼之初, 克懋統承之望, 遽經變故, 深<u>極</u>劇傷摧. 肆遄命使之華. 往諭象賢之寵, 載蕃賚予, 併示哀榮. 宜祗服於王靈, 用永遵於侯度. 今次通議大夫·守尙書禮部侍郞·元城縣開國男·食邑三百戶·路允迪, 太中大夫·中書舍人·淸河縣開國伯·食邑九百戶傅墨卿, 充國信使副, 賜卿□□國信禮物□等, 具如別錄".

癸卯22日, [大暑]. 王詣魂堂, 受祭奠弔慰詔, <u>詔曰</u>,73) "惟爾先王, 祗<u>愼</u>明德, 宜綏厥位, 毗予一人. 天命難諶, 遽以訃諗, 緬惟永慕, 諒<u>極哀</u>劇傷摧. 纂嗣<u>云</u>之初, 踐修是屬, 勉思抑割, 用副眷懷. 今賜祭奠弔慰禮物, 至可領也".

○祭睿宗<u>文曰</u>,74) "惟王, 躬<u>秉</u>~~有~~一德, 嗣<u>有</u>~~茲~~東土. 孝友肅恭, 惠迪神<u>祇</u>~~民~~, 克紹于前文人, 四國是式. 而忠誠夙著, 義篤勤王, 旅貢在<u>庭</u>~~廷~~, 服命惟勤. 朕惟王<u>介在</u>~~外介~~海隅, □~~冊~~能知役志于享, 乃心罔不在王室, 嘉乃丕績, 眷顧不忘, 方將洊飭, 使人, 往諭<u>厥</u>~~朕~~志, 示鎭撫于爾邦, 孰謂天不憖遺, 遽聞大故. 邦國殄瘁, 震悼于懷, 今錫爾恤典, 用褒乃顯德, 以□~~緝~~寧爾<u>都</u>~~邦~~. 尙其來止, 歆我寵靈, 永垂<u>裕</u>~~佑~~于爾後□~~大~~, 服休無斁, □□~~士饗~~".

○路允迪等, 告王曰, "帝聞先國王薨逝, 嗣王傳業, 故遣使致奠. 弔慰詔書·祭文皆御製親札, 在元豊間祭弔, 止是常例, 今恩禮甚異, 大觀年間, 所降詔書內, 特去權字, 以示眞王之禮. 今此御札, 亦示殊恩, 但先王爲已受遼册命, 故避諱耳, 今遼命已絶, 可以請命朝廷".

○王答曰, "弊邦, 自祖宗以來, 樂慕華風, 况我先考, 以禮事大, 以忠述職, 雖在海外, 心常在於王室, 故天子灼見, 屢加寵澤, 今又親製祭文, 特示異恩. 於臣職銜,

---

70) ~~添字~~는 『고려사절요』 권9에 의거하였다.

71) 이날 宋의 使臣은 順天館에 舍館하였다고 한다(『고려도경』 권25, 受詔).

72) 이 詔書는 『고려도경』 권25, 受詔에 수록되어 있는데, 冒頭 詔曰의 다음에 高麗國王王楷가, 末尾, 곧 이 기사의 끝인 具如別錄의 다음에 '至可領也. 故玆詔示, 想宜知悉, 春暄, 卿比平安, 遣書, 指多不及'이 각각 더 있다. 이는 唐代 이래 詔書의 樣式에 의거한 것이다. 또 添字는 『고려도경』에서 달리 表記된 글자인데, 餘他 中原의 詔書들도 이 기사와 같이 縮約되어 고려왕조의 實錄 내지는 『고려사』에 수록되었을 것이다.

73) 이 詔書도 『고려도경』 권25, 受詔에 수록되어 있는데, 이의 冒頭, 使臣의 官銜, 末尾 등도 위의 詔書와 같이 縮約되어 수록되어 있다. 그중에서 愼은 今上御名으로 表記하여 避諱하였고, 添字와 같이 달리 표기된 곳도 있다.

74) 이 祭文도 『고려도경』 권25, 受詔에 수록되어 있는데, 이의 冒頭가 생략된 채 수록되어 있고, 添字와 같이 달리 표기된 곳도 있다. 이를 통해 볼 때 轉寫 過程에서 수많은 誤字와 缺字가 발생하였음을 알 수 있으므로, 향후 『고려사』를 읽을 때는 앞뒤의 文脈을 보고 그 자구를 修正하면서 인용하여야 할 것이다.

又去權字, 雖先考嘗蒙此禮, 小子何足以當之. 所謂册命, 天子所以褒賞諸侯之大典也, 今憂制未終, 而遽求大典, 於義未安, 實增惶愧, 冀於明年, 遣使謝恩, 幷達微誠. 惟公等善爲敷奏".

甲辰[23日], 慮囚.

戊申[27日], 太白晝見.

秋七月[壬子朔小盡,建庚申], 辛酉[10日], 宋使路允迪等還, 王附表以謝.

壬戌[11日], 太白晝見.

乙丑[14日], 中書侍郎平章事金沽卒.[75)] [沽, 風姿雅麗, 以文學顯:節要轉載].

[己巳[18日], 有星孛于北斗:節要·天文1轉載].[76)]

癸酉[22日], 親設消道場於乾德殿五日.[77)]

[某日, 以李頣爲慶尙道按察使:慶尙道營主題名記].

[是月, 僧津億起工水精社殿宇於智異山南五臺寺墟:追加].[78)]

八月辛巳朔[大盡,建辛酉], 日食.[79)]

庚子[20日], 以[中書令]李資謙△[爲]判西京留守事.

甲辰[24日], [秋分]. 幸妙通寺.

○遣河則寶如遼, 自龍州泛海, 不達而還.

[是月戊申[28日], 金太祖卒:追加].

---

75) 이날은 율리우스曆으로 1123년 8월 7일(그레고리曆 8월 14일)에 해당한다.

76) 星孛(성패)는 孛星(패성), 蓬星, 長星 등과 함께 彗星의 다른 표기이다.

77) 以上의 두 記事는 『고려사절요』 권9에는 "己巳, 有星孛于北斗. 設消道場於乾德殿五日"로 되어 있다(盧明鎬 等編 2016년 228面).

78) 이는 다음의 자료에 의거하였다.

· 『동문선』 권64, 智異山水精社記, "… [津億,] 聞智異山有廢寺曰五臺, 盖智異爲海東巨鎭, 高深博大, 天下無匹, 而五臺又居山之陽, 其山起伏五重, 隱隱如累臺然, 故取以爲寺號, … 師[津億]乃索水精一枚, 懸無量壽像前, 以表明信, 因以名其社. 經始於大宋宣和五年癸卯[仁宗1年]七月, 至建炎三年己酉[7年]十月告畢"(權適 撰).

79) 이날 宋에서는 일식이 예측되었으나 구름으로 인해 보이지 않았고(『송사』 권22, 본기22, 휘종4, 선화 5년 8월 辛巳·권52, 지5, 천문5, 日食), 金에서도 일식이 있었다(『금사』 권2, 본기2, 太祖, 天輔 7년 8월 辛巳·권20, 지1, 天文, 日薄食煇珥雲氣). 이날은 율리우스력의 1123년 8월 23일이고, 개경에서 일식 현상이 심했던 시간은 5시 58분, 食分은 0.40이었다(渡邊敏夫 1979年 306面).

九月[辛亥朔小盡,建壬戌], 乙卯[5日], 王以文敬太后忌辰, 如安和寺, 行香.[80)]
丁巳[7日], 決內外重刑.
己未[9日], [寒露]. 幸普濟寺.
丙子[26日], 慮囚.
[是月丙辰[6日], 金太宗完顔吳乞買卽位, 丙寅[16日], 改元天會:追加].

冬十月[庚辰朔大盡,建癸亥], [壬午[3日], 大風拔木:五行3轉載].
乙酉[6日], 親行虞祭.[81)]
戊子[9日], 設百高座道場於會慶殿, 飯僧三萬.
[丙申[17日], 大雨:五行2轉載].
[戊戌[19日], 大霧:五行3轉載].
[丙午[27日], 雨雪, 木冰:五行1雨雪轉載].

十一月[庚戌朔大盡,建甲子], 壬戌[13日], 設八關會, 幸法王寺.
[庚午[21日], 月犯軒轅前大星:天文1轉載].

十二月[庚辰朔大盡,建乙丑], 壬午[3日], 肆赦, 秩祀山川, 饗耆老及篤癈疾者, 賜物有差.[82)]
[壬辰[13日], 日有兩珥:天文1轉載].
丙午[27日], [大寒]. 以[門下侍郎平章事]金至和△[爲]判兵部事, 林有文·崔弘宰△[並]爲門下侍郎平章事,[83)] 金若溫爲中書侍郎平章事, 拓俊京爲吏部尙書·參知政事, 朴昇中爲樞密院使, 金仁揆△[爲]同知樞密院事, 李資德爲樞密院副使.

[冬某月, 以[試禮部郎中]金永錫爲淸州牧副使:追加].[84)]

---

80) 文敬太后 곧 仁宗次妃 李氏의 忌日은 9월 5일로 당시에 사용했던 曆日과 일치한다.
81) 이 기사는 지18, 禮6, 國恤에도 수록되어 있다.
82) 이 기사는 지17, 禮5, 雜祀에는 "壬午, 秩祭山川"으로 되어 있다.
83) 林有文은 이해의 6~7월 사이 開京에 체재했던 徐兢이 "開府儀同三司·守太保·門下侍郞兼中書門下平章事林文友"로 표기했던 인물이다(『고려도경』 권8, 人物).
84) 이는 「金永錫墓誌銘」에 의거하였다.

[是年, 淸州有人, 因救父, 殺人, 判云, 事理可恕, 除入島, 只移鄕:刑法2恤刑轉載].

[○肅宗女興壽宮主卒:列傳4肅宗公主轉載].

[○以國子博士林完爲右正言·知制誥:追加].[85)]

[○命禮部侍郞·寶文閣直學士尹諧, 注'貞觀政要', 以進:追加].[86)]

[○請王師學一主盟選席. 時, 學者盛談二種自己, 一曰, "自己一而已, 安有二哉", 從今已往, 宜禁止之":追加].[87)]

[○以大師觀奧爲重大師:追加].[88)]

[增補].[89)]

甲辰[仁宗]二年, [只用當該年干支], [宋宣和六年], [西曆1124年]

1124년 1월 19일(Gre1월 26일)에서 1125년 2월 4일(Gre2월 11일)까지, 13개월 383일

春正月庚戌朔小盡,丙寅, [甲寅5日, 日有兩珥:天文1轉載].

丙辰7日, 晝晦.

[某日, □守太師·中書令李資謙, 以母喪去位. 母金氏, 性貪吝, 抑買市人財物, 或全不與直, 又縱奴婢橫暴, 及死, 市人相賀:節要轉載].

[→中書令李資謙, 以母喪去位. 母門下侍郞平章事金廷俊之女, 性貪吝, 抑買市人財物, 或全不與直, 又縱奴婢橫暴. 及死, 市人相賀:列傳40李資謙轉載].

辛酉12日, [立春]. 門下侍郞平章事金晙卒,[90)] [年六十八. 謚貞愼:列傳10金晙轉

---

85) 이는 「林光墓誌銘」에 의거하였다.

86) 이는 「尹誧墓誌銘」, "明年, 仁宗命公注貞觀政要, 以進"에 의거하였다.

87) 이는 「淸道雲門寺圓應國師塔碑」에 의거하였다.

88) 이는 「修理寺住持·首座觀奧墓誌銘」에 의거하였다.

89) 이해의 12월 金이 高隨·斜野를 고려에 파견하였으나 국경에 이르러 고려가 不遜하게 대접하여 돌아왔다고 한다. 또 여기에서 ~~添字~~가 탈락되었다.

- 『금사』 권60, 表2, 交聘表上, 天會 1년, "十二月, 高隨·斜野奉使高麗, 至境上. 接待之禮不遜, 隨等不敢往. 太宗曰, '高麗世臣於遼, 嘗以事遼之禮事我. 以我國有新喪, 遼主未獲, 勿遽强之'. 命隨等還".
- 『금사』 권135, 열전73, 外國下, 高麗, "~~天會元年十二月,~~ 高隨·斜野奉使高麗, 至境上, 接待之禮不遜, 隨等不敢往. 太宗曰, '高麗世臣於遼, 當以事遼之禮事我, 而我國有新喪, 遼主未獲, 勿遽强之'. 命高隨等還".

載]. [晙, 英銳好學, 善屬文, 擢魁科, 出爲晋州司錄, 有政績. 尹瓘之伐女眞也, 以刑部郞中爲左軍判官, 及軍敗, 瓘怒縛軍士, 將戮之. 晙大言曰, "今日之敗, 由兵馬使~~知兵馬事~~林彦之失律也, 釋此不問, 而戮軍士, 豈所謂不吐剛不茹柔之意乎?". 瓘愕然, 解其縛, 而縱之:節要轉載].[91)]

[○大風拔木:五行3轉載].

[癸亥14日, 月食:天文1轉載].[92)]

[丙寅17日, 日有三珥:天文1轉載].

[某日, 以梁齊寶爲慶尙道按察使:慶尙道營主題名記].

二月己卯朔大盡,丁卯, 乙酉7日, 流同知樞密院事~~門下侍郞平章事~~崔弘宰于昇州褥地島.[93)] [弘宰, 起自將家, 善射御, 屢從軍. 及貴顯, 擅權作威福. 時中書令李資謙驕溢, 自知不爲人所服, 常畏圖己, 頗疑弘宰. 有武人權因者, 知其意, 訴資謙曰, "弘宰與將軍鄭旌淑·李神義陰謀, 將不利於令公". 資謙以問拓俊京, 俊京言, "弘宰爲人難測, 不可保其不然也". 資謙乃密奏, 流弘宰. 又流旌淑·神義及弘宰子翊·溫·端·僧道休及溫妻父盧令琚于遠地:節要轉載].

三月己酉朔小盡,戊辰, [庚戌2日, 熒惑食東井:天文1轉載].

[丙辰8日, 雨土三日:五行3轉載].

[丙寅18日, 大風雨土:五行3轉載].

己巳21日, 尙書右僕射李德羽卒. □□~~德羽~~, 以文翰自任, 嘗修肅宗實錄, 以勞拜戶

---

90) 이날은 율리우스曆으로 1124년 1월 30일(그레고리曆 2월 6일)에 해당한다.

91) 이 기사는 열전10, 金晙에도 수록되어 있는데, ~~添字~~는 이에서 달리 표기된 것이다.

92) 이날 宋에서도 월식이 있었다(『송사』 권52, 지5, 천문5, 月食). 이날은 율리우스력의 1124년 2월 1일이고, 월식 현상이 심했던 때의 世界時는 18시 38분, 食分은 0.81이었다(渡邊敏夫 1979年 475面).

93) 同知樞密院事는 門下侍郞平章事의 오류일 것이다. 崔弘宰는 前年(인종1) 12월 27일(丙午) 門下侍郞平章事에 임명되었고, 그의 열전에도 門下侍郞平章事로 流配되었다고 한다.

· 열전38, 崔弘宰, "崔弘宰, 尋拜門下侍郞平章事, 善射御, 屢從軍. 及貴顯擅威福, 衆心懾服, 權勢日熾. 中書令李資謙自愊知爲人所惡, 常畏人圖己, 頗疑弘宰. 有武人權因者, 知其意, 語資謙曰, 弘宰與將軍鄭旌叔~~鄭旌淑~~·李神義陰謀, 將不利於公. 資謙以問拓俊京, 俊京言, 弘宰爲人難測, 不可保其不然. 資謙乃密奏, 流昇州褥地島, 又流其子翊·溫·端·僧道休于遠地". 여기에서 鄭旌叔은 鄭旌淑의 誤字일 것이다.

部侍郎.[94]

[某日, 判~~制~~, "宰臣·樞密, 於諸王, 相對禮拜, 僕射以下南行, 禮拜":禮10宰樞謁諸王儀轉載].

[是月, 東海中, 兩石進退相擊:五行2轉載].

閏[三]月戊寅朔大盡,戊辰, 甲申7日, 日赤無光.

乙酉8日, 親醮闕庭.

丙戌9日, 日色黃赤.

壬辰15日, [立夏]. 大風晝晦.

[→晝晦大風, 昇平門鴟尾動搖:五行3轉載].

夏四月戊申朔小盡,己巳, 丁巳10日, 王如安和寺.

[辛酉14日, 月暈有珥:天文1轉載].

壬申25日, 奉安睿宗晬容~~睟容~~于景靈殿. 遷惠宗神主于順陵惠宗.

[→時人議曰, "惠宗, 有功德於民, 當爲不遷之主. 遷之, 非禮也":節要轉載].

甲戌27日, 祔睿宗于大廟~~太廟~~.[95]

[□□~~是時~~, □□□□□□□□□□~~以故門下侍中金仁存~~, 配享睿宗廟庭:列傳9金仁存轉載]

[○□□□□□□□□□~~以故參知政事王字之~~, 配享睿宗廟庭. 後, 諫官奏曰, "古之大臣, 有大功德於國家, 然後乃得陞配. 字之, 雖有戰功, 其遇睿廟, 但以恩倖. 上無所匡救於君, 下無所利澤於民, 非所以尊祀典示將來. 請令有司, 擇可者代之", 制可:列傳5王字之轉載].

[□□~~是時~~, 詔曰, "故門下侍中魏繼廷, 嘗受肅宗遺命, 左右先君, 淸儉正直, 終始一節, 宜令配享睿宗廟庭":列傳8王寵之轉載].

[某日, 中書侍郎平章事金若溫知貢擧, 兵部侍郎金富軾同知貢擧, 取進士:選擧1選場轉載].[96]

---

94) 添字는『고려사절요』권9에 의거하였다. 이날은 율리우스曆으로 1124년 4월 7일(그레고리曆 4월 14일)에 해당한다.

95) 이 기사는 지18, 禮6, 國恤에도 수록되어 있다.

96) 이는 지27, 선거1, 科目1, 選場에서 전재하였다.

五月丁丑朔小盡,庚午, 賜高孝冲等及第.[97]

[某日, 遣樞密院使朴昇中, 詔諭中書令李資謙曰, "公先王之所付託, 冲人之所尊親, 任大而責深, 功崇而德重, 不可與群僚, 同其稱謂. 自今, 所降書詔, 不稱名, 不稱卿. 此雖異數, 亦率舊章, 所宜祗受, 無或固辭". 仍趣釋衰赴朝, 賜衣帶·鞍馬·金銀·幣帛, 甚多. 資謙上表陳謝, 請終制":節要轉載].

[→王遣樞密院使朴昇中, 詔諭中書令李資謙曰, "君之於臣, 不名者, 盖所以表明功德, 優禮親賢. 周成王之於周公旦, 後漢章帝之於東平王是也. 歷代以爲故事. 況公先王之所付托, 冲人之所尊親, 任大責深, 功崇德重, 不可與群僚, 同其稱謂. 自今, 所降書詔, 不稱名, 不稱卿. 此雖異數, 亦率舊章". 仍趣釋服赴朝, 賜衣帶·鞍馬·金銀·幣帛, 甚多. 資謙上表陳謝, 請終制:列傳40李資謙轉載].

[→仁宗卽位, 朴昇中, 拜樞密院使. 李資謙當國用事, 勢傾朝野. 昇中與許載·崔湜朋附. 王嘗遣昇中于資謙第, 賜詔, 令釋衰赴朝, 資謙表請終制:列傳38朴昇中轉載].

庚子24日, 宋商柳誠等四十九人來. 初, 明州杜道濟·祝延祚, 隨商船, 到本國不還. 明州再移文取索, 國家上表請留. 至是, 誠等來, 傳明州奉聖旨牒云, 杜道濟等, 許令任便居住.

六月丙午朔大盡,辛未, 丁未2日, 王如奉恩寺.

戊申3日, 幸靈通寺, 命有司修葺崇福院.[98]

---

97) 이와 관련된 기사로 다음이 있다. 또 高孝冲은 이보다 먼저 '四無益'이라는 詩를 지어 睿宗의 잘못을 논하다가 試場에서 축출되었지만, 이때 다시 壯元으로 급제하였다고 한다. 또 이에서 林敬淸은 林景淸의 오자일 것이다. 이때 高孝冲·崔褒抗(丙科, 崔褒抗墓誌銘)·吳仁正(吳仁正墓誌銘) 등이 급제하였다(朴龍雲 1990년 ; 許興植 2005년).

· 지27, 선거1, 科目1, 選場, "仁宗二年四月, 中書侍郎□□□平章事金若溫知貢擧, 兵部侍郎金富軾同知貢擧, 取進士, □賜高孝冲等三十七人及第".

·『파한집』 권하, "睿王尤重儒生, 每間歲親策賢良, 先閱所納卷子, 以知其才. 擧子高孝冲, 名士也, 作四無益詩, 以斥君非, 雖聖主不能虛懷. 及闢春闈, 命侍臣林敬淸林景淸就試席, 黜高孝冲然後放題, 而學士胡宗旦詣闕上箚子, 得敍其罪. 後復應擧納卷子春官, 其首題曰, 寄語卷中詩部論, 與君相別在明春, 汝爲秘閣千年寶, 我作靑雲第一人. 果擢龍頭翺翔省闥, 諤諤有諍臣風, 所至人皆指之曰, 是嘗作四無益詩者". 여기에서 間歲는 '1年을 뛰어 넘어, 每隔一歲', 곧 '2年에 한번씩'으로 읽는 것이 좋을 것이다.

·『자치통감』 권21, 漢紀13, 武帝元封 6년(BC105) 秋, "… 烏孫王昆莫年老, 言語不通, 其妻漢公主悲愁思歸, 天子聞而憐之, 間歲遣使者以帷帳錦繡給遺焉[師古曰, 間歲者, 謂每隔一歲而往也]. …".

98) 이때 崇福院[崇福寺]과 敬天寺의 工事로 인해 朝野가 시끄럽게 되자 左正言 林完이 이의 폐해

[戊午[13日], 流星出紫微, 入攝提, 尾長三十尺許:天文1轉載].

[某日, [樞密院使]朴昇中上箚子, 請以賜中書令詔書及中書令陳謝章表, 付史官, 書諸史策. 蓋欲媚資謙也:節要轉載].

[→[樞密院使朴]昇中欲媚資謙意, 上箚子曰, "臣伏蒙宣差, 至太師私第, 傳詔. 近淫雨過旬不霽,[99] 以行禮爲慮. 及其日禺中, 陰雲忽卷, 天日淸明. 傳宣拜詔, 並無失儀. 而觀者無不嗟異, 苟非咸有一德, 克享天心, 則孰能如此乎. 臣始至其第, 太師縞冠出, 迎詔輿, 瞻望其顔, 頗有慼慘之色. 初, 太師丁憂, 卒哭祭畢, 陛下凡軍國重事, 皆咨問然後行之, 爰命有司, 稽古制以聞. 有司謂 尊卑異序, 禮亦從宜. 太師爲王室尊行, 宜據諸侯, 旣葬除服之制, 從吉視事. 而太師抗表, 辭免至于三四, 非知人卽哲, 大孝慕親, 則又孰能如此乎. 願陛下, 以所賜詔札, 及太師所上表章, 宜付史館, 以彰陛下親親賢賢之意, 大臣至誠行孝之節, 與其神天幽, 贊聖賢之德", 從之:列傳38朴昇中轉載].

辛酉[16日], 謁顯陵[太祖].

癸亥[18日], 謁昌陵[世祖].

丁卯[22日], 謁裕陵[睿宗].

癸酉[28日], 謁綏陵[文敬太后].

秋七月[丙子朔小盡,壬申], 己卯[4日], 親禘于大廟[太廟]. [太祖東向, 德·靖·文·睿, 爲昭, 顯·順·宣·肅, 爲穆. 議者曰, "禘非秋祭也, 又惠宗, 有功德, 不宜毁而毁之, 皆非禮": 禮3吉禮大祀轉載].[100]

甲申[9日], □□[遣使],[101] 冊[中書令]李資謙爲[亮節翼命功臣·領門下尙書都省事·判吏·兵部·西京留守事:節要轉載]·朝鮮國公[·食邑八千戶·食實封二千戶, 府號崇德, [置僚屬,] 宮曰懿親. 封其妻崔氏爲辰韓國大夫人, 子之美爲秘書監·樞密院副使, 公儀爲尙書

를 논하였다고 한다.

·「林光墓誌銘」, "有敬天·崇福兩寺之役, 朝野騷然, 公極論其弊, 以爲丁男壯士太半屬浮圖, 而膏田厦屋盡爲所有, 兵農日減服事, 夷狄甚爲朝廷痛惜之".

99) 不霽는 降雨가 그치지 아니한 것을 가리킨다.

·『자치통감』 권30, 漢紀22, 成帝建始 4년(BC29) 秋, "大雨水十餘日, 河決東郡金隄. … 如有霖雨, 旬日不霽, 必盈溢[注, 師古曰, 雨止曰霽, …]".

100) 이 기사의 일부가『고려사절요』 권9에도 수록되어 있다.

101) 添字는『고려사절요』 권9 ; 열전40, 李資謙에 의거하였다.

刑部侍郞, 之彦爲尙書工部郞中兼御史雜端, 之甫爲尙書戶部郞中·知茶房事, 之允爲殿中內給事, 之元爲閤門祗候[閤門祗候], 以子僧義莊爲首座. 王出乾德殿門外, 親傳詔書, 百官詣殿, 庭賀, 次進資謙私第賀. ○崇德, 本逆臣金致陽西宅號, 後乃知之.[102] ○時又有旨, 追封資謙祖考. [樞密院使]朴昇中建議, 請以竹册封崇, 告墳日, 賜敎坊樂. 禮部侍郞金富軾, 以爲宗廟用樂, 象平生. 若墳墓丘墟之地, 皆以素服從事, 至於涕泣, 豈可用樂. 昇中, 又欲號資謙生日爲仁壽節. 富軾, 以爲生日稱節, 自古所無. 唐玄宗時, 始稱皇帝生日爲千秋節, 未聞人臣, 有稱節者. [中書侍郞平章事]金若溫曰, "侍郞議至當, 吾無間然":節要轉載].[103]

[→[朴昇中.] 又奏, 加資謙中書令, 封朝鮮國公, 又請, 依王太子禮, 數立府, 置寮屬. 遂令中外進牋獻方物. 時又追封資謙祖考, 昇中建議, 請以竹册封崇, 焚黃日, 賜敎坊樂. 又令禮司定資謙生日號, 禮司不從, 昇中自號爲仁壽節, 其諛佞無恥類此:列傳38朴昇中轉載].

[是時, 國戚李資謙擅權, 其子爲浮屠者義莊, 居玄化寺, 倚勢乘威, 劫諸老師有德, 爲門弟, 故趨炎炙手者, 日盈其門. 重大師德謙獨厲色叱之曰, "師之所尊, 道之所尊也, 安有達士, 追於豪强, 反爲兒子門徒也?", 義莊大惡之, 欲中傷之者數矣:追加].[104]

戊子[13日], 遣樞密院副使李資德·御史中丞金富轍如宋謝恩, 獻方物.[105]

[己亥[24日], [中書令]李資謙釋服上官, 坐中書省, 宰樞文武常參以上階上, 七品以下階下, 綴行陳賀:節要轉載].

[是日, 大雨雷電, 市道水深一丈, 震迎恩館及[南部]德山坊人:節要·五行1水潦轉載].[106]

---

102) 崇德府는 天秋太后(景宗妃, 獻哀王太后 皇甫氏)의 宮闕인데(→현종 20년 1월 3일), 이를 金致陽의 西宅으로 표기한 것은 西宅이 小室[媵妾]이 거주하던 西宮과 같은 의미를 지니기 때문이다(東亞大學 2006년 28책 33面).
· 『春秋公羊傳注疏』, 僖公 20년, "五月乙巳, 西宮災. 傳, 西宮何, 疏, 小寢也. … 注, 西宮者, 小寢內室, 楚女所居也. 禮, 諸侯娶三國女, 以楚女居西宮, 知二國女, 於小寢內, 各一宮也. 禮, 夫人居中宮, 少在前, 右媵居西宮, 左媵居東宮, 少在後".

103) 이 구절은 열전10, 金富軾에도 수록되어 있다. 또 添字는 열전40, 李資謙에 의거하였다.

104) 이는 「玄化寺住持·僧統德謙墓誌銘」에 의거하였다.

105) 이때 李軾이 都押衙로 隨從하였다(李軾墓誌銘). 또 이때 副使 金富轍(金富儀)은 756년(景德王 15) 成都(現 四川省 成都市)에 播遷해 있던 唐 玄宗이 新羅使臣의 朝貢을 받고서 감격하여 五言十韻詩를 지어 下賜하였던 것을 館伴·翰林學士 李邴에게 傳하였다고 한다(『삼국사기』 권9, 본기9, 景德王 15년 2월).

106) 이날이 己亥(24日)임은 지7, 五行1에 기록되어 있다. 또 이 기사는 열전40, 李資謙에도 수록되어 있다.

[某日, 以徐南永爲慶尙道按察使:慶尙道營主題名記].

八月乙巳朔小盡,癸酉, [丙午2日, 歲星犯輿鬼. 流星出文昌, 入北斗:天文1轉載].

戊午14日, 中書令李資謙納其第三女于王. [資謙, 恐他姓爲妃, 則權寵有所分, 故强請之. 王不得已從之. 是日, 驟雨, 大風拔木:節要轉載].[107)]

[→戊午, 驟雨大風, 飛瓦拔木:五行3轉載].

[己未15日, 大風拔木:五行3轉載].

庚申16日, 百官賀納妃.

[辛酉17日, 天狗自東北發, 回翔都城內外, 所過人皆鼓譟, 無幾, 向西南墜地, 聲如雷:天文1轉載].

[○暴風:五行3轉載].

甲子20日, 幸妙通寺.

[乙丑21日, 寒露. 流星出大陵, 入紫微:天文1轉載].

庚午26日, 御神鳳樓, 大赦, 教曰詔曰,[108)] "朕自叨上嗣, 濫位震宮, 不能以孝行奉於君親, 仁德聞於士庶. 不天遘禍, 易月終喪. 抱弓劍以哀號, 覩羹墻而永慕. 欲尊外家之長, 以慰先后之靈. 況朝鮮國公李資謙, 忠誠夾輔, 功業旣崇, 遣使策命公及夫人, 兼敍用諸子壻, 宜以餘恩, 推及內外, 斬·絞二罪以下, 咸赦除之, 望秩山川. 饗老人及篤癈疾·鰥寡·孤獨·義夫·節婦, 賜物有差. 凡有職者, 各以次陞職".

[是日, 中外所獻方物, 悉歸崇德府:節要轉載].

[→王旣册中書令李資謙, 推恩赦二罪以下, 其日, 中外所獻, 悉歸資謙第:列傳40李資謙轉載].

壬申28日, 下教下詔, 册王妹承德宮主爲長公主, 曲宴宰樞·侍臣, 徹夜.

九月[甲戌朔大盡,甲戌, 雨雹:五行1雨雹轉載].

庚辰7日, [霜降]. 王如安和寺.

[乙酉12日, 雨雪, 雹:五行1雨雪轉載].

---

107) 이와 같은 기사가 열전40, 李資謙에도 수록되어 있다.

108) 教曰은 詔曰로 고쳐야 다음의 朕과 調和를 이룰 수 있을 것이다[首尾相應]. 이는 『고려사』의 편찬과정에서 用語의 改書, 改書한 용어의 還元이 제대로 이루지지 못한 결과일 것인데, 仁宗世家篇에는 兩者가 混用되어 仁宗이 帝王인지, 諸侯인지를 알 수 없게 되었다.

甲午[21日], 太白晝見, 經天六日.

[乙未[22日], 立冬. 月犯軒轅, 又有流星, 大如炬:天文1轉載].

[○沉霧:五行3轉載].

丙申[23日], 王如玄化寺, 宴宰樞·侍臣.

[己亥[26日], 月犯大微[太微]:天文1轉載].

[壬寅[29日], 流星出東北, 大如炬:天文1轉載].

[是月, 高麗使·金紫光祿大夫·檢校司空·知樞密院事·上柱國李資德, 副使·太中大夫·尙書禮部侍郞·柱國·賜紫金魚袋金富轍, 至汴京謝恩進奉:追加].[109)]

冬十月[甲辰朔大盡,乙亥], 丁未[4日], 以慶龍節, 宴群臣于乹德殿, 常參以上官, 各賜馬一匹, 又宴宰樞·侍臣于含元殿.

---

109) 이는 다음의 자료에 의거하였다. 이 자료는 海外에 파견된 使臣이 개인적으로 所持하고 있던 私的인 進奉 또는 去來를 위한 物品[私覿之物, 夾帶]의 一面을 보여주는 중요한 자료가 될 수 있을 것이다. 또 이때 李資德을 隨行했던 書家 李寧이 徽宗의 命을 받아 禮成江圖를 그려서 酒食·錦絹을 下賜받았다고 한다(→명종 15년 3월 某日).

- 『游宦紀聞』 권6, “[張]世南家, 嘗藏高麗國使人狀數幅, 乃宣和六年九月, 其國遣使·金紫光祿大夫·檢校司空·知樞密院事·上柱國李資德, 副使·太中大夫·尙書禮部侍郞·柱國·賜紫金魚袋金富轍, 至本朝謝恩進奉. 各有四六, 倣中國體, 李之詞云, 跂予望之, 適江干之弭節, 亦既犯高廟嫌諱[覯]止, 幸堂上之披風, 況飛五朶之雲, 特貺千金之幣, 禮當拜受, 心則愧惶. 金之詞云, 穆如清風, 幸被餘光之照, 酌彼行潦, 可形將意之勤, 幸彼寬裕而有容, 敢以非儆而廢禮, 所塵名品, 別具染濡. 私覿之物, 則幞頭紗三枚, 白成鈒花銀盤一面, 十二兩, 紫大紋羅一疋, 生大紋羅二疋, 白蹴大綾一疋, 生花綾二疋, 白細苧布三疋, 大紙八十幅, 黃毛筆二十管, 松烟墨二十挺, 松扇三合, 摺疊扇二隻, 螺鈿硯匣一副, 螺鈿筆匣一副, 剋絲藥袋一枚, 剋絲篦子袋一枚, 繡繫腰一條, 茯笭二斤, 白朮二斤, 白銅器五事而已. ○是年, 有請於上, 願得能書者至國中. 於是得旨, 以徐兢爲國信使禮物官, 兢之歸, 因譔高麗圖經, 備載其建國立政之體, 風俗事物之宜, 上之. 徽廟, 覽其書大悅, 召對便殿, 賜同進士出身, 擢爲宗丞兼掌書學. 其奉使時, 李資謙爲太師·尙書令. 高麗國王, 多納李氏爲后妃, 由是, 門戶光顯, 資德其弟也. 金富軾爲同接伴, 金氏爲大族, 自前史已載, 其與朴氏, 族望相埒, 故其子孫以文學進, 富軾豊貌碩體, 面黑目露, 博學彊識, 善屬文, 知今古. 富轍亦有時譽, 徐[兢]嘗密訪其兄弟, 命名之意, 盖有所慕, 文章動轡貊, 此語盖不誣云”.
- 열전35, 方技, 李寧, “… 全州人, 少以畵知名. 仁宗朝, 隨樞密使李資德入宋, 徽宗命翰林待詔王可訓·陳德之·田宗仁·趙守宗等, 從寧學畵. 且勑寧畵本國禮成江圖, 既進, 徽宗嗟賞曰, ‘比來, 高麗畵工, 隨使至者多矣, 唯寧爲妙手’. 賜酒食·錦綺·綾絹. 寧少師內殿崇班李俊異, 俊異妬後進, 有能畵者, 少推許. 仁宗召俊異, 示寧所畵山水, 俊異愕然曰, ‘此畵如在異國, 臣必以千金購之’. 又宋商獻圖畵, 仁宗以爲中華奇品, 悅之. 召寧誇示. 寧曰, ‘是臣筆也’. 仁宗不信, 寧取圖拆粧背, 果有姓名, 王益愛幸”.
- 『신증동국여지승람』 권4. 개성부상, 驛院, “天壽院, … 李仁老‘破閑集’去都門一百步, … 睿王朝畫手李寧爲其圖付宋商. 後王求名畫於宋, 得一美畫而來. 李寧曰, 此臣所畫天壽寺南門圖也”.

壬子9日, 封王妹興慶宮主爲公主.

甲寅11日, 幸外帝釋院.

[○月南北有角:天文1轉載].

[乙卯12日, 流星出文昌, 入紫微, 貫北極, 滅于大微太微東藩:天文1轉載].

[癸酉30日, 流星出參右脚, 入軍印軍井:天文1轉載].

[十一月甲戌朔大盡,丙子, 乙亥2日, 流星出五車, 入天苑, 又出北斗魁中, 入紫微:天文1轉載].

[壬辰19日, 月食大微太微:天文1轉載].

十二月甲辰朔小盡,丁丑, [丁巳14日, 日暈, 有兩珥:天文1轉載].

[戊午15日, 月食旣. 王素服, 殿出庭, 救食:天文1轉載].[110]

[庚申17日, 月犯大微太微右執法, 流星出庫樓, 入鉤陳:天文1轉載].

[辛酉18日, 月犯大微太微東藩上相:天文1轉載].

甲子21日, 以門下侍郎平章事林有文[爲致理功臣·:節要轉載]△爲檢校太保·守太尉·判尙書戶部事·上柱國, 金若溫△爲檢校司徒·守司空·門下侍郎平章事·上柱國, 參知政事△爲拓俊京[開府儀同三司·:節要轉載]檢校司徒·守司空·中書侍郎平章事, 李壽李公壽△爲金紫光祿大夫·檢校司徒·守司空·參知政事, 朴昇中△爲檢校司空·政堂文學·判翰林院事, 金仁揆△爲檢校司空·吏部尙書·知門下省事, 李資德爲工部尙書·知樞密院事, 許載△爲同知樞密院事.

[是年, 判刪, "鄕吏子孫, 雖免鄕, 其親黨, 猶爲鄕役者, 勿差事審官":選擧3事審官轉載].

[○判刪, "羅城內外, 群聚强盜, 捕捉者, 許加職":刑法2盜賊轉載].

[○判刪, "推問罪人, 不審罪之輕重, 使無識杖首, 慘酷結縛, 官吏習以爲常, 亦不禁之, 使無辜殞命. 今後, 臺省·內侍員, 當四季監獄時, 按問, 隨卽科罪, 其杖首,

110) 이날 宋과 日本에서도 皆旣月食이 있었다. 이날은 율리우스曆의 1125년 1월 21일이고, 월식 현상이 심했던 때의 世界時는 9시 39분, 食分은 1.68이었다(渡邊敏夫 1979年 475面).
· 『송사』 권52, 지5, 천문5, 월식, "宣和六年十二月戊午, 月食旣".
· 『中右記』目錄, 天治 1년 12월, "十五日, 月蝕皆旣".

亦令囚禁決罪, 移充苦役”:刑法2恤刑轉載].

[○冊王妹爲承德宮長公主, 次妹爲興慶宮公主, 賜衣帶·匹段·金銀器·鞍馬等物:列傳4睿宗公主轉載].

[○以[禮部員外郎]尹彦頤爲禮部郎中·全州牧副使:追加].[111]

[○以[右正言]林完爲左正言·知制誥:追加].[112]

[○以崔誠爲右正言·知制誥:追加].[113]

[○以[玄化寺重大師]德謙爲三重大師, 移住天興寺:追加].[114]

[○以[樂浪縣君]皇甫讓妻金氏爲樂浪郡君:追加].[115]

[增補].[116]

---

111) 이는 「尹彦頤墓誌銘」에 의거하였다.

112) 이는 「林光墓誌銘」에 의거하였다.

113) 이는 「崔誠墓誌銘」에 의거하였다.

114) 이는 「玄化寺住持·僧統德謙墓誌銘」에 의거하였다.

115) 이는 「皇甫讓妻金氏墓誌銘」에 의거하였다.

116) 이해에 金과 高麗에서는 다음과 같은 사건들이 있었다고 한다.

- 『금사』 권3, 본기3, 太祖, 天會 2년 5월, “乙巳[29日], 曷懶路軍帥完顔忽剌古等日, ‘往者, 歲捕海狗·海東青·鴉·鶻於高麗之境內, 近以二舟往, 彼乃以戰艦十四, 要[邀]而擊之, 盡殺二舟之人, 奪其兵仗’. 上曰, 以小故起戰爭, 甚非所宜, 今後非奉命, 毋輒往”.
- 『금사』 권3, 본기3, 太祖, 天會 2년 7월, “壬辰[17日], 鶻實答言, 高麗納吾叛亡, 增其邊備, 必有異圖. 詔曰, 納我叛亡而弗歸, 其曲在彼, 凡有通問, 毋違常式. 或來侵略, 整爾行列, 與之從事. 敢先犯彼, 雖捷必罰”.
- 『금사』 권3, 본기3, 太祖, 天會 2년 10월 丙寅[23日], “命南路軍帥闍母, 以甲士千人益合蘇館路孛堇完顔阿實賚, 以備高麗”.
- 『금사』 권135, 열전73, 外國下, 高麗, “天會二年, 同知南路都統鶻實荅奏, 高麗納叛亡增邊備, 必有異圖. 詔曰, 凡有通問, 毋違常式. 或來侵略, 則整爾行列與之從事. 敢先犯彼者, 雖捷必罰. 詔闍母以甲士千人戍海島, 以備之”.
  이에서 合蘇館路는 曷蘇館路·曷遏速館·合思罕·合蘇款·蘇館 등으로도 불렸고, 初期의 位置를 알 수 없으나 원래 寧州와 함께 東京路의 管轄下에 있었다. 일반적으로 현재의 遼寧省 遼陽市 以南의 盖縣, 復縣, 金縣 등지에 걸친 地域을 가리키며, 1129년(天會7) 11월 6일(庚戌) 治所를 寧州(現 遼寧省 瓦房店市 西北에 위치)로 옮겼다.
- 『금사』 권3, 본기3, 太祖, 天會 7년 11월, “庚戌, 徙曷蘇舘都統司治寧州”.
- 『금사』 권24, 지5, 地理上, 上京路, 曷蘇館路. 여기에서 曷蘇館路가 上京路에 編入되어 있는 것은 오류일 것이다(『金史』, 中華書局, 1985年 580面). 또 金代의 曷懶路總管府와 婆速總管府에는 각각 高麗語通譯官[高麗通事] 1人이 설치되어 있었다(『금사』 권57, 지38, 백관3, 諸總管府).

乙巳[仁宗]三年, [只用當該年干支], [宋宣和七年], [契丹保大五年], [西曆1125年]

1125년 2월 5일(Gre2월 12일)에서 1126년 1월 24일(Gre1월 31일)까지, 354일

春正月癸酉朔大盡,戊寅, 庚寅18日, 中書令李資謙又納第四女于王.

[○大雨:五行2轉載].

[→中書令李資謙, 後又納其第四女, 又大風雨:列傳40李資謙轉載].

壬辰20日, 百官賀納妃.

[某日, 以崔弘略爲慶尙道按察使:慶尙道營主題名記].

[是月, 判刪, "電吏·杖首·所由·門僕·注膳·幕士·驅史·大丈等子孫, 依軍人子孫許通諸業選路例, 赴擧. 其登製述·明經兩大業者, 限五品, 醫·卜·地理·律·筭業者, 限七品. 若堅貞節操, 有名聞者, 所業特異者, 擢大業甲乙科, 則許授淸要理民職, 丙科同進士, 則三品職, 醫·卜·地理·律·筭業, 則四品職. 其非登科入仕者, 亦限七品, 至玄孫許通":選擧3限職轉載].

[二月癸卯朔大盡,己卯, 乙巳3日, 雨不止, 至夜, 大雪盈尺:五行1雨雪轉載].

[是月壬戌20日, 遼天祚帝爲金軍所俘於山西應州河陰縣余睹谷:追加].

三月癸酉朔小盡,庚辰, 己卯7日, 制, "義州郞將庾淸, 曾被虜北遼, 今自拔還, 宜令赴京, 授本職, 一行軍忠占, 亦授本州校尉".

庚辰8日, 慮囚.

己亥27日, 幸崇福院, 賜號興聖寺, 設齋張樂, 以落之. 仍宴宰樞·侍從官.

庚子28日, 還宮, 赦.

[某日, 以前光州監務梁元俊爲懿親宮錄事:追加].117)

夏四月壬寅朔大盡, [某日, 中書侍郞平章事拓俊京, 自免, 歸其鄕谷州. 王聞之, 遣侍郞崔湜·奉御李侯, 追及於牛峰郡, 諭之, 乃還. 未幾, 復職:節要轉載].118)

---

117) 이는 「梁元俊墓誌銘」에 의거하였다.

118) 이와 같은 기사가 열전40, 拓俊京에도 수록되어 있다.

[某日, 詔, 開明宅, 是朝鮮國公祖先所居, 命有司修葺, 今旣訖功, 改號重興宅. 仍許資謙入處. 遣參知政事李壽等, 賜教書[詔書]及衣對[~~衣襨~~]·金帛·土田·奴婢·鞍馬, 甚厚:節要轉載].[119]

[→命有司, 脩葺[中書令李]資謙祖先所居開明宅, 功旣訖, 改號重興宅, 令資謙入處. 遣叅知政事李壽·同知樞密院事許載, 下詔賜衣襨·金帛·鞍馬·土田·奴婢:列傳40李資謙轉載].

庚戌[9日], 幸[中書令]李資謙第, □[置]宴, 夜□□[~~艾而~~]還,[120] [以[樞密院副使·秘書監]之美△[爲]試禮部尙書·同知樞密院事, [刑部侍郎]公儀爲衛尉卿, 諸子弟·姻婭, 拜官有差:節要轉載].

[→仍幸其第, 置酒用家人禮, 夜艾而還. 以之美△[爲]試禮部尙書·同知樞密院事, 公儀△[爲]衛尉卿, 諸子弟·姻婭, 拜官有差:列傳40李資謙轉載].

[壬戌[21日], [春州]淸平山人李資玄卒,[121] □□□□[~~年六十五~~]. □□□□□[~~後賜謚眞樂~~]. 資玄, 生長富貴, 夤緣戚里, 乃厭紛華愛閑適, 棄官入山, 以終其身. 然性吝, 多畜財貨, 擧物積穀, 頗爲一方農民所苦. 及有疾, 王遣內醫, 問疾, 賜茶藥:節要轉載].[122]

[丁卯[26日], 日月同出, 東西相距五丈許:天文1轉載].

戊辰[27日], [芒種]. 幸普濟寺, 禱雨.

五月壬申朔[小盡,壬午], 遣司宰少卿陳淑·尙衣奉御崔學鸞如金. 金以國書非表, 又不稱臣, 不納.

丁丑[6日], 幸妙通寺, 禱雨.

---

119) 이 記事를 통해 敎書는 원래 詔書였던 것이 『고려사』의 편찬과정에서 改書되었다가 原狀대로 還元되지 못했음을 알 수 있다.

120) 添字는 『고려사절요』 권9에 의거하였다.

121) 이날은 율리우스曆으로 1125년 5월 25일(그레고리曆 6월 1일)에 해당한다.

122) 이와 같은 기사가 열전8, 李子淵, 資玄에도 수록되어 있으나 字句에 出入이 있다. 또 이와 관련된 자료로 다음이 있는데, 날짜[日辰]와 添字는 이에 의거하였다.

· 『동문선』 권64, 淸平山文殊院記, "… [宣和]七年, 公有微疾, 遣內臣國醫問疾, 兼賜茶藥等. 公豫占安葬之地, 一日謂門人曰, '吾不久住, 吾沒後, 門人祖遠繼住山門, 自遠以後, 亦擇有道行者, 相繼爲主'. 是年四月二十一日, 又謂門人曰, '人命無常, 生必有死, 愼勿爲戚, 以道爲懷'. 言訖申時入寂, 臨終聰明不亂, 談笑如平生. 入寂時, 異香滿室, 漸徧山洞, 三日不歇. 擧體潔白如玉, 屈伸如平生. 二十三日襄事, 並如遺教. 自元祐四年, 至宣和七年, 住山已一十七年, 享年六十五. 至建炎四年秋八月, 特賜謚曰眞樂公. 所著文章, 有追和百樂公樂道詩一卷, 南遊詩一卷, 禪機語錄一卷, 歌頌一卷, 布袋頌一卷".

丙申25日, 親醮闕庭.
[某日, 同知樞密院事李之美知貢擧, 知奏事金富佾同知貢擧, 取進士:選擧1選場轉].[123)]

六月辛丑朔小盡,癸未, 壬寅2日, 王如奉恩寺.
乙巳5日, 再雩.
丁未7日, 雨.

秋七月庚午朔大盡,甲申, 賜李陽伸等及第.[124)]
[某日, 以盧元崇爲慶尙道按察使:慶尙道營主題名記].

八月庚子朔小盡,乙酉, 己未20日, 幸西京.

九月己巳朔小盡,丙戌, 壬午14日, 樂浪伯樂浪公金景庸卒,[125)] [年八十五, 命賻葬, 贈諡襄懿:列傳10金景庸轉載].[126)] [景庸, 偉麗有風采, 少放逸, 好聲色, 嘗與人鬪于道. 宋商客見之, 語曰, "今觀子相, 骨法秀異, 必富貴而壽, 請自愛". 景庸, 由是, 頗自負, 嘗爲廣州牧判官, 爲政不苛, 人畏而敬之. 及爲宰相, 倚勢殖貨, 治第壯麗. 時議譏之:節要轉載].

冬十月戊戌朔大盡,丁亥, 己酉12日, 門下侍郎平章事致仕林有文卒.[127)] [輟朝三日, 諡良憲:追加].[128)]

---

123) 이는 지27, 선거1, 科目1, 選場에서 전재하였다.

124) 이와 관련된 기사로 다음이 있다. 이때 李陽伸·金永夫(金永夫墓誌銘)·鄭知源(丙科, 鄭知源墓誌銘) 등이 급제하였다(朴龍雲 1990년 ; 許興植 2005년).
· 지27, 선거1, 科目1, 選場, "仁宗三年五月, 同知樞密院事李之美知貢擧, 知奏事金富佾同知貢擧, 取進士, ~~七月庚午朔~~, 賜李陽伸等三十七人及第".

125) 金景庸은 樂浪郡開國侯를 거쳐 樂浪郡開國公에 册封되었기에 樂浪伯은 樂浪公의 잘못일 것이다. 또 이날은 율리우스曆으로 1125년 10월 12일(그레고리曆 10월 19일)에 해당한다.

126) 諡號인 襄懿는 李資元의 딸 李氏(李顥의 孫女, 金景庸의 外孫女)의 墓誌銘에 의거하였다.

127) 이날은 율리우스曆으로 1125년 11월 8일(그레고리曆 11월 15일)에 해당한다.

128) 이는 「崔溱妻任氏墓誌銘」에 의거하였다.

十一月[戊辰朔大盡,戊子], 丁丑[10日], 至自西京.

十二月[戊戌朔小盡,己丑], 壬戌[25日], 以[中書侍郞平章事]拓俊京爲門下侍郞平章事, 李壽[李公壽]爲中書侍郞平章事[·判刑部事], [129] 朴昇中·李資德·金仁揆△△[並爲]參知政事, 許載△[爲]知門下省事, [同知樞密院事]李之美△[爲]知樞密院事, 智祿延·金縝·金富佾△△[並爲]同知樞密院事.

[是月庚申[23日], 宋徽宗禪位. 辛酉[24日], 趙桓卽位, 是爲欽宗:追加].

是歲, 金滅遼.[130]

[○[中書令李資謙,] 自爲國公, 禮數視王太子, 號其生日仁壽節, 內外賀謝, 稱箋. 諸子, 爭起第宅, 連亘街陌, 勢焰益熾, 賄賂公行, 四方饋遺輻湊, 腐肉常數萬斤. 强奪人土田, 縱其僕隷, 掠車馬, 輸己物, 小民皆毁車, 賣牛馬, 道路騷然:列傳40李資謙轉載].

[→[中書令李資謙,] 自尊爲國公, 開府置僚屬, 禮數視王太子, 號其生日仁壽節, 內外賀謝, 稱箋. 諸子, 爭起第宅, 連亘街陌, 勢焰益熾. 賄賂公行, 縱其僕隷, 奪人車馬, 載輸己物. 小民皆毁車, 賣牛馬, 道路騷然:節要轉載].[131]

[○[中書令]李資謙修弘慶院, 以僧正資富及知水州事奉佑, 幹其事, 發丁州縣, 爲害甚巨. 資謙敗, 資富坐配島, 惟奉佑素結宦官, 僥倖復職. 侍御史高唐愈上疏, 論駁至再三, 忤旨左遷爲工部員外郞, 後復爲臺官:列傳11高兆基轉載].

[○右正言石倚廷劾外家李氏, 被謫遠地, 同列左正言林光上疏辨明, 不允:追加].[132]

---

129) 이때 李壽는 中書侍郞平章事·判刑部事에 임명되었다고 한다(李公壽墓誌銘).

130) 이해(保大5)의 2월 20일(壬戌) 天祚帝 延禧(阿果)가 應州 新城 동쪽에서 金人 完顔婁室(婁室不化)에게 被虜되어서 8월 4일(癸卯) 金에 이르러 7日(丙午) 海濱王으로 강등되었다. 이어서 疾病으로 崩御하여(54歲) 遼가 멸망하게 되었다(『요사』 권29, 保大 5년 2월 ; 『금사』 권3, 天會 3년 2월 壬戌, 8월 癸卯, 丙午). 또 이해(乙巳, 宣和7)에 北宋의 管轄地域인 燕山府(옛 契丹의 燕京)에 큰 饑饉[大饑]가 발생하여 人民들이 큰 피해를 보았다고 하는데, 이를 틈타 金帝國이 10월에 南進하여 이 지역을 공격하여 降服을 받았던 것 같다.

· 『三朝北盟會編』 권20, 政宣上秩, 宣和 7년, "… 管押禮物官鍾邦直'乙巳奉使行程錄'曰, … 第五程, 至潞縣. 是歲, 燕山大饑, 父母食其子, 至有病死尸插之標於市, 人售之以爲食. …".

131) 이러한 李資謙 一家의 樣態를 徐兢은 다음과 같이 서술하였다.

· 『고려도경』 권8, 人物, 守太師·尙書令[中書令]李資謙, "… 然而信讒嗜利, 治田疇第宅, 阡陌相連, 制度侈靡. 四方饋遺, 腐肉常數萬斤, 他皆稱是. 國人以此鄙之, 惜哉".

132) 이는 다음에 의거하였다.

· 「林光墓誌銘」, "同列右正言石君倚廷劾外家, 被謫遠郡, 聞者皆股慄, 恐禍生不測. 公獨上疏理冤書, 奏皆不省".

[○上幸外帝釋院, 重大師觀奧, 對御軒欄說經講演, 稱旨. 宣賜紫貼袈裟一領:追加].[133]

[○僧祖膺赴曹溪選, 入格:追加].[134]

丙午[仁宗]四年, [只用當該年干支]→4月金天會四年, [宋靖康元年], [西曆1126年]

1126년 1월 25일(Gre2월 1일)에서 1127년 2월 12일(Gre2월 19일)까지, 13개월 384일

春正月丁卯朔大盡,庚寅, [戊辰2日, 日有兩珥:天文1轉載].

[翼日己巳3日, 亦如之日有兩珥:天文1轉載].

甲午28日, 白虹貫日, [重暈:天文1轉載].

[某日, 以康英俊爲慶尙道按察使:慶尙道營主題名記].

[□□□是月頃, 中書令李資謙,又欲知軍國事, 請王幸其第授策, 勒定時日. 事雖未就, 王頗惡之:列傳40李資謙轉載].

[是月頃, 王叔·五敎都僧統澄儼退居全州歸信寺:追加].[135]

[是月丁卯朔, 宋改元靖康:追加].

二月丁酉朔大盡,辛卯, 丁巳21日, [春分]. 淮安伯沂卒.[136]

[○群烏集靈通寺北山, 相鬪咬死, 數日乃止:五行1轉載].

戊午22日, 順宗延福宮主金氏大卿金良儉之女卒. [追諡宣禧王后:列傳1順宗妃宣禧王后金氏轉載].[137]

庚申24日, 册王妃李氏爲延德宮主. [卽資謙, 第三女也:節要轉載].

辛酉25日, 內侍·□□閤門祗候金粲, 內侍·錄事安甫鱗, 與同知樞密院事智祿延[138],

133) 이는 「修理寺住持·首座觀奧墓誌銘」에 의거하였다.

134) 이는 다음의 자료에 의거하였다.
·「醴泉重修龍門寺記碑」, "… 僧祖膺. 乙巳年曹溪選中格, 歷住七寺, 皆名藍也".

135) 이는 「圓明國師墓誌銘」에 의거하였다.

136) 이 기사는 열전3, 文宗王子, 辰韓侯愉에도 수록되어 있다. 이날은 율리우스曆으로 1126년 3월 16일(그레고리曆 3월 23일)에 해당한다.

137) 延福宮主 金氏는 順宗이 太子로 있을 때의 嬪이었던 것 같다(열전1, 후비1, 順宗).

上將軍崔卓·吳卓, 大將軍權秀·將軍高碩等, 謀誅中書令李資謙·門下侍郞平章事拓俊京, 不克. 資謙·俊京擧兵犯闕.

[→□□~~先是~~, 中書令李資謙, 又欲知軍國事, 請王幸其第, 授册, 勒定時日, 事雖未就. 王頗惡之. 粲及甫鱗, 常侍左右, 揣知王意. 乃與同知樞密院事智祿延謀, 請除之 ○王重其事, 遣粲, 問計於中書侍郞平章事李壽·前門下侍郞平章事金仁存, 皆對曰, "上, 生長外家, 恩不可絶, 況彼黨與滿朝, 不可輕動, 請俟其間". 王不聽. 仁存卽金緣也:節要轉載].[139]

[→祿延等, 召上將軍崔卓·吳卓·大將軍權秀·將軍高碩等, 共謀收捕, 流之遠地. 門下侍郞平章事拓俊京, 之元妻父也, 與其弟俊臣, 頗用事, 卓等, 素疾俊臣, 自下位, 擢爲兵部尙書, 以居上, 故許之. 約束旣定, 至是日初夜, 率軍入宮, 先殺俊臣及俊京子內侍純·祗候金鼎芬·錄事田其上·崔英等. 投屍於宮城外. 內直旗頭學文, 踰城, 因中郞將池顥, 以告資謙. 資謙, 罔知所爲, 郞中王毅, 又踰城, 奔告其詳. ○資謙與俊京, 及諸子知樞密院事之美等, 相顧戰恐, 召集宰樞百僚于其第, 資謙蒼黃失措, 使之美, 往復議問, 皆莫知所對. 俊京曰, "事急矣, 不可坐待". 乃與侍郞崔湜·祗候李侯進·錄事尹翰等, 率數十人, 夜至朱雀門. 不得入, 使翰, 踰城, 折鑰開關, 入至神鳳門外, 呼譟聲殷地, 祿延·卓等, 謂外兵大集, 膽落, 皆不能出. 資謙使人, 火崔卓·吳卓·權秀·高碩等家, 囚其妻子·奴僕:節要轉載].[140]

[○守司空·左僕射洪灌, 直宿都省, 嘆曰, "主辱臣死, 吾何自安?":節要轉載].

壬戌26日, 焚宮闕.[141]

[→壬戌26日, 黎明, 洪灌, 至西華門, 扣扉請入, 祿延使縋上之, 因侍王側. ○俊京, 見俊臣輩屍, 恐不免, 與之甫·崔湜·李侯進·金鼎黃·曹舜擧·尹翰·文仲經等, 召聚軍卒, 入取軍器庫甲牟·兵仗, 進圍昇平門, 資謙子僧義莊, 自玄化寺, 率僧三百餘人, 至宮城外. 在宮內者, 無敢出, 但持弓矢, 分守子城門上. ○王御神鳳門, 張黃傘, 俊京軍卒, 望見羅拜, 懽呼萬歲. 王使問, "汝輩, 何爲操兵而至". 對曰, "聞有賊, 入禁中, 請衛社耳". 王曰, "無之, 朕亦無恙, 汝等, 可釋甲散去". 遂縋內帑·銀幣, 下賜

---

138) 「李公壽墓誌銘」에는 智祿延이 樞密副使였다고 되어 있으나 잘못일 것이다.

139) 이 시기에 金緣이 金仁存으로 改名하였던 것 같다.

140) 이와 같은 기사가 열전40, 李資謙에도 수록되어 있다.

141) 이날은 율리우스曆으로 1126년 3월 21일(그레고리曆 3월 28일)에 해당한다.

軍卒. 令侍御史李仲·起居舍人胡宗旦,[142] 宣諭軍士, 解甲投兵. 俊京怒, 拔劍逐仲等, 令軍卒, 復擐甲執兵, 大呼, 或有流矢及御前. ~~以楯蔽之.~~ 義莊之徒, 以斧, 斫神鳳門柱. 有自樓上, 射僧, 中其頭卽斃. ○資謙, 使閤門祇候崔學鸞·都兵馬錄事邵億, 至宮門, 上奏曰, "請出禁中作亂者, 不爾, 恐驚動禁中". 言甚不遜, 王默然. 有內侍朴深造者, 昇中之子也, 自宮溷中出, 衣上, 矢汁淋漓, 徑至資謙第, 告宮中事狀. 資謙, 贈衣冠, 勞慰之.[143] 俊京, 遣邵億, 謂資謙曰, "今日向晩, 恐賊乘夜竊發, 及其未發, 焚宮門, 索擒如何". 資謙使之美, 以問中書侍郎平章事李壽等. 答曰, "宮宇相比, 恐延燒, 不可撲滅, 甚不可也". 俊京不待報, 取少府監黃灰木·將作監木橦, 積東華門廊, 火之. 風焰扇熾, 須臾, 延及內寢. 宮人皆驚駭藏匿. ○及晩, 俊京·之甫, 被甲上馬, 率兵百餘人, 至春德門, 守門內侍李叔晨, 開門納之. 俊京入左掖門, 前禁衛別將李作·將軍宋幸忠, 拔劍逐之, 俊京奔退. 李作, 手闔門扉, 俊京, 差人守諸門, 令曰, "有自內出者, 卽殺之". □同知樞密院事金縝, 在直廬, 見火逼, 乃曰, "我平生拙直, 不畏强禦, 與李·拓有隙, 出必遇害, 與其死於賊手, 不如自盡". 乃使從者閉戶, 逮火而死, [年五十六:列傳11金縝轉載]. ○夜, 王步至山呼亭, 嘆曰, "恨不用金仁存之言". 侍從皆散, 唯近臣林景淸等十餘人在. 王恐被害, 作書, 請禪位於資謙. 資謙, 畏兩府之議, 未敢發言, 中書侍郎平章事李壽, 颺言於坐中曰, "上雖有詔, 李公豈敢如是". 資謙意遂沮, 涕泣還書曰, "臣無二心, 惟聖鑑諒之". 有洪立功者, 將軍劉漢卿下中郞將也, 資謙, 以漢卿入內, 卽以立功, 爲借將軍, 使率兵, 聽俊京指揮. 俊京使立功, 以軍卒六十餘人, 擔柴, 至都省南路. 立功, 密語軍卒曰, "我與若等, 皆王

---

142) 이후 胡宗旦의 行蹟에 대해 알 수 없으나 그에 대한 評價로 다음이 있다(이바른 2017년). 또 巷說에는 宋으로 歸還하려다가 飛揚島에서 破船하였다고 한다.

- 열전10, 劉載, 胡宗旦, "… 宗旦性聰敏, 博學能文, 楚楚自喜. 兼通雜藝, 頗進厭勝之術, 王睿宗不能無惑. 後事仁宗, 爲起居舍人".
- 『가정집』 권5, 東遊記(1349년), "… 九月·初四日, 早起至三日浦, 浦在城北五里許, 登舟至西南小嶼, 窮窿一巨石也. … 人言此湖爲四仙所遊, 三十六峯峯有碑, 胡宗旦皆取而沉之, 今其趺猶存焉. 胡宗旦者, 李昇唐之人也, 來仕本國, 出巡五道, 所至輒將碑碣, 或刮去其字, 或碎或沉. 至於鍾磬, 有名者皆鎔鐵以塞之, 使之不聲. 若於寒松·叢石亭·三日浦之碑, 鷄林府奉德之鍾之類, 可見也".
- 『역옹패설』후집2, "周佇·胡宗旦, 皆閩人, 顯王顯宗時與北朝往復文字, 多佇所撰. 胡旦有上仁王仁宗書, 博洽若不及佇, 而楚楚自喜, 又聰敏兼通雜藝, 故壓勝之眥, 至今莫有能辯者".
- 『세종실록』 권151, 지리지, 濟州牧, "… 靈異, 諺傳云, 漢拏山主神子季弟, 生有聖德, 沒爲明神. 適値胡宗旦鎭禳此土, 乘舟向江南, 神化爲鷹, 飛上檣頭, 俄而北風大吹, 擊碎宗旦之舟, 沒于西境飛揚島巖石間. 國家褒其靈異, 賜之食邑, 封爲廣壤王, 歲降香幣以祭".

143) 朴深造(朴昇中의 長子)에 관한 기사는 열전38, 朴昇中에도 수록되어 있다.

臣也, 而負薪燒宮, 非臣子之義". 遂釋擔, 從宣敎門竇入,[144] 望見羅拜. 王驚問, "爾爲誰", 立功前自陳. 王甚悅, 賜酒食. 自是, 宿衛不離:節要轉載].

癸亥27日, 劫王, 移御南宮,[145] 殺內侍·錄事安甫鱗·上將軍崔卓·大將軍權秀·將軍高碩及宿衛·左僕射洪灌等十七人, 其餘軍士死者, 不可勝計.[146]

[→癸亥27日, 黎明, 王以火焰將逼, 欲出, 會資謙, 遣承宣金珦, 請出御南宮. 王步至景靈殿, 命內侍白思淸, 奉祖宗神御, 納諸內帝釋院眢井中, 乃出西華門, 乘馬至延德宮, 上將軍吳卓導前, 俊京, 使郞將張成, 拔劍突入, 執上將軍吳卓斬之. 又分遣人, 執上將軍崔卓·大將軍權秀·將軍高碩·劉漢卿·宋幸忠·李作·內侍安甫鱗及大將軍尹成·韓景·將軍朴英·宋仁·史惟挺·吳挺臣·郞將李儒·內侍崔箴·員外郞朴元實等, 皆殺之.[147] 左僕射洪灌, 老病不能行, 最後, 出至西華門外, 俊京, 使殺之. 其餘軍士死者, 不可勝計. ○內侍奉御王觀·大將軍尹先·郞將丁龍珍·別將張成好,[148] 侍從在南宮. 資謙, 請出之再三, 王不得已, 從之. 使人, 請勿殺. 之甫, 皆殺之. 資謙, 又與俊京議, 亂作日, 直宿者, 無貴賤, 皆殺之. 中書侍郞平章事李壽, 執不可, 乃止. 將軍李祿千·金旦·金彦, 逃匿以免:節要轉載], [後彦自出, 流南裔:列傳40李資謙轉載].

[是日, 宮禁焚蕩, 唯山呼·賞春·賞花三亭及內帝釋院廊廡數十間, 僅存. 百官, 狼狽奔散, 直史館金守雌, 獨負國史, 至山呼亭北, 掘地以藏之, 賴免焚滅:節要轉載].[149]

---

144) 宣敎門은 열전40, 李資謙에는 宣義門으로 달리 표기되어 있지만, 宣義門이 羅城의 西方에 설치된 門이며, 이 문의 바깥이 郊外임을 고려하면 前者가 옳을 것이다(→인종 즉위년 4월 13일).

145) 이때의 南宮은 朱雀峴 남쪽에 있었던 延德宮에 比定되었다(李丙燾 1961년 426面).

146) 이때의 형편은 「安稷崇墓誌銘」; 「李公壽墓誌銘」; 「崔誠墓誌銘」 등에도 반영되어 있다. 또 이때 洪灌과 관련된 기사는 다음과 같다.

· 열전34, 忠義, 洪灌, "仁宗朝, 拜守司空·尙書左僕射. 李資謙之亂, 灌直宿都省, 聞變歎曰, 主辱臣死, 吾可自安. 詣西華門, 叩扉請入, 自內縋上之, 遂入侍王側. 及宮闕連燒, 資謙逼王出御延德宮, 灌老病不能步在後, 至西華門外, 爲拓俊京所害. 亂定, 賜子·壻爵一級. 灌, 力學善書, 效新羅金生筆法".

147) 宋幸忠은 다음의 기사에 의하면 宋有仁(?~1179, 鄭仲夫의 壻)의 父로 추측된다. 또 將軍 吳挺臣은 그의 손자 吳倩의 묘지명에는 工部尙書·上將軍으로 되어 있는데, 이것은 贈職일 것으로 추측된다.

· 열전41, 鄭仲夫, 宋有仁, "有仁, 仁宗時, 以其父衛社亡身, 授散員, 尋爲太子府指諭, …".

· 「吳倩墓誌銘」, "… 仁廟朝, 外舅資謙擅權橫恣, 有不臣之志, 欲□□扶王?室, 裡之」日奮, 不顧身歿, 然侍立于前, 不離宿衛, □竟?被其害, …"(金龍善 2016년 155面).

148) 大將軍 尹先(?~1126)은 文章弼(?~1189)의 外祖인 重大匡·兵部尙書·龍虎軍上將軍(追贈職?) 尹先으로 추정되는데, 이때의 功績으로 1298년(충렬왕24) 1월 21일 충선왕에 의해 後孫이 蔭職을 받게 되었다.

149) 이때 남겨진 山呼·賞春·賞花의 3亭과 內帝釋院은 모두 松嶽山 宮闕에서 標高가 가장 높은 위

甲子[28日], 資謙等, 流[同知樞密院事]智祿延·金粲于遠地, 道殺祿延.

[→之甫, 縛栲智祿延於順天館, 慘酷幾死, 使尹翰, 押流遠地, 行至忠州, 病不能興, 氣尙未絶. 翰, 斷支體, 埋路傍而還. 流金粲于遠地, 粲及祿延妻子, 並沒爲外官奴婢. ○[~~士將軍~~]吳卓子子升·[~~大將軍~~]高碩弟甫俊, 奔匿北山, [~~資謙~~]使[~~其黨~~]朴永跡之[~~追捕之~~]. 甫俊等登高岩, 罵永曰, "資謙等, 竊寵擅權, 流毒生民, 甚於豺虎, 將覆宗社[~~社稷~~], 汝輩皆姦諂以事之, 曾奴隷之不若, 吾儕擧義, 以謝吾民, 而不克者, 命也. 義士, 豈死於汝庸奴手乎?". 乃呼天, 卽□[俱]投岩下而死.[150] ○祿延, 蔡文曾孫, 以材幹, 稱歲甲申[肅宗9年], 從討女眞, 頗有功, 爲人, 荒恣無學術. 自謂有智, 而謀拙, 反陷於禍. 灌, 唐城郡人, 力學善寫. 縝, 嘗知靈光, 牧淸州, 皆有政聲, 爲時輩所推:節要轉載].

[→丙午二月, 上欲行醮祀, 中書舍人安稷崇被讀詞之命, 入齋于省. 是夜, 會有賊臣犯闕, 上御神鳳樓, 欲安輯之, 稷崇不離盡忠輔導, 及賊放火焚□□[宮闕?], 出御南宮, 人皆奔匿, 稷崇親奉車駕, 小無他腸. 賊執杖衛, 一皆投之, 公獨免焉者. 賊亦知稷崇素守忠義故也. 上以此益重之:追加].[151]

[○是時, 宮闕火, 知御史臺事金義元, 與侍御史宋覲·殿中侍御史李仲等議, 欲斥發付火意者. 用事者, 聞而惡之, 欲加害焉, 義元, 杜門告假, 累旬不出:追加].[152]

三月丁卯朔[大盡,壬辰], 資謙劫王, 移御其第.

[→資謙請王, 徙居[幸]重興宅西院. 王去仗衛, 從間道, 至西院. 及門, 大卿[~~禮賓卿~~]金義元·崔滋盛,[153] 以重興宅執事, 出迎. 郞將池錫崇·散員權正鈞·隊正吳含, 自山呼亭, 至南宮, 不離左右. 至是, 錫崇等扶王, 將入北門, 資謙·俊京欲殺之, 使郞將李

치에 있었고, 그 중에서 內帝釋院은 景靈殿과 인접한 곳에 있었던 건물로 추측된다(張東翼 2009년b).

150) 이와 같은 기사가 열전34, 忠義, 高甫俊에 수록되어 있는데, ~~添字~~는 이에 의거하였다.

151) 이는 다음의 자료에 의거하였다.
· 「安稷崇墓誌銘」, "丙午二月, 上欲行醮祀, 公被讀詞之命, 入齋于省. 是夜, 會有賊臣犯闕, 上御神鳳樓, 欲安輯之, 公不離盡忠輔導, 及賊放火焚□□[宮闕?], 出御南宮, 人皆奔匿, 公親奉車駕, 小無他腸. 賊執杖衛一皆投之, 公獨免焉者. 賊亦知公素守忠義故也. 上以此益重之".

152) 이는 다음의 자료에 의거하였다.
· 「金義元墓誌銘」, "丙午年, 宮闕火, 公職在憚糾, 與侍御史宋覲·殿中侍御史李仲等議, 欲斥發付火意者. 用事者, 聞而惡之, 欲加害焉, 公[金義元]杜門告假, 累旬不出".

153) 大卿은 5監·9寺의 長官인 卿에 準하는 指稱인데(→예종 7년 8월 24일의 脚注), 이때 大卿을 稱한 金義元은 禮賓卿·知御史臺事였다(金義元墓誌銘).

積善, 牽出. 錫崇手執御衣, 疾呼請救, 王顧叱積善, 蹴其胸, 猶不釋, 御衣爲之裂, 幞頭亦觸楣而破. 之美·之甫在門, 望見王, 不下階. 崔湜獨出拜, 罵積善曰, “有聖旨, 汝何敢爾”. 積善遂釋之, 錫崇等, 尙恐懼不能出. 時, 宦者趙寧, 諂事資謙, 王召崔湜·趙寧曰, “錫崇等三人, 至誠愛君, 更無他心. 爾等爲我, 請勿令殺”. 俊京從之, 流于遠地. 王升堂, 資謙與其妻出拜, 拍手拊地, 大哭曰, “自皇后入宮, 願生太子, 及聖人誕生, 祈天永命, 無所不至, 天地鬼神, 鑑吾至誠, 不圖今日, 反信賊臣, 欲害骨肉”. 王羞赧無言. 王自居西院, 左右皆資謙之黨, 鬱鬱無聊, 國事不自聽斷. ~~動止飮食, 皆不自由~~. 百僚, 移寓傍近寺館, 因循備員耳. 資謙·俊京, 威勢益煽, 其所施爲, 無敢誰何:節要轉載].[154)]

[史臣曰, “消息盈虛, 天行也. 資謙之惡, 極矣, 其亡, 可立而待. 祿延等, 因人不忍, 欲除君側之惡, 而智小謀淺, 卒至殺身亂國. 昔唐李訓·鄭注, 欲鋤翦宦官, 而不能克, <u>甘露之變</u>,[155)] 禍及國家, 其事略同, 固可嘆也已:節要轉載].

[○贈拓俊臣, 守司空·左僕射, 金鼎芬·拓純並戶部員外郞, 田其上·崔英並閤門祗候, 厚賻之, 從資謙之意也. 自是, 外家益橫, 自~~宰相~~朴昇中·[知門下省事]許載而下, ~~皆~~諛佞附托, 威虐可畏:節要轉載].[156)]

辛未[5日], 以國家多事, 停選擧.

[丙子[10日], 月犯軒轅大星, 又犯歲星:天文1轉載].

[戊寅[12日], □[月]入<u>大微</u>~~太微~~, 犯內諸侯:天文1轉載].

[壬午[16日], 熒惑犯輿鬼, 入積尸:天文1轉載].

[某日, 賜<u>敎</u>~~詔~~于拓俊京曰, “惟朕不明, 致此兇徒生事, 使大臣憂勞, 皆寡人之罪也. 是用, 省躬悔過, 指天誓心, 冀與臣民, 惟新厥德. 卿其更勵厥修, 無念旣往, 盡心夾輔, 俾無後艱”:節要轉載].

辛卯[25日], 召百官, 議事金可否, 皆言不可. 獨[中書令]李資謙·[門下侍郞平章事]拓俊京曰, 金, 昔爲小國, 事遼及我. 今旣暴興, 滅遼與宋, 政修兵强, 日以强大. 又與我, 境壤相

---

154) ~~添字~~는 열전40, 李資謙에 의거하였다.

155) 甘露之變은 835年(大和9) 11월 21일(壬戌) 唐의 文宗이 宦官勢力을 제거하기 위해 禮部侍郞同平章事 李訓·鳳翔節度使 鄭注 등과 함께 石榴樹 위에 내린 甘露를 구경하러 오라는 구실로 宦官 仇士良 등을 誅殺하려다가 실패하여 宰相 王涯를 위시한 10餘家의 1千餘人이 族滅된 사건이다(『구당서』 권17下, 본기17下, 文宗下, 大和 9년 11월 壬戌).

156) ~~添字~~는 열전40, 李資謙에 의거하였다.

接, 勢不得不事. 且以小事大, 先王之道, 宜先遣使聘問, 從之.[157)]

[壬辰[26日], 流星出天市, 入心星:天文1轉載].

癸巳[27日], 黃霧四塞.

甲午[28日], 日色如血.[158)]

乙未[29日], 遣[知樞密院事]李之美, 告大廟[~~太廟~~], 筮事金可否. 其文曰, "惟彼女眞, 自稱尊號, 南侵皇宋, 北滅大遼, 取人旣多, 拓境亦廣. 顧惟小國, 與彼連疆, 或將遣使講和, 或欲養兵待變, 稽疑大筮, 神其決之".

○赦斬·絞以下罪, 以李·拓之黨, 謂之衛社, 授職有差.

[○遣知樞密院事金富佾, 就[門下侍郞]平章事拓俊京私第, 趣令視事, 仍賜鞍馬. 先是, 李之彦奴, 罵俊京家奴曰, "汝主射宁位, 火宮禁, 罪當死. 汝亦當沒爲官奴, 豈得辱我哉?". 俊京聞之, 大怒, 走詣資謙家, 乃解衣免冠曰, "吾罪大矣, 當詣所司自辨", 徑出不復顧. 有人止之, 乃歸臥其家. 資謙遣之美·公儀, 請和. 俊京罵曰, "前日之亂, 皆爾等所爲□[世],[159)] 何獨謂我, 罪當死乎?". 卒不與見. 因宣言, "欲歸老吾鄕". 王聞之, 有是命:節要轉載].

夏四月[丁酉朔小盡,癸巳], [庚子[4日], 興王寺三層殿主佛頭, 無故自落:五行3轉載].

丙午[10日], 王如安和寺, [中書令]李資謙扈從, [百官拜馬前, 資謙視之自若:節要轉載]. 王回望舊宮, 泫然淚下.

丁未[11日], 遣鄭應文·李侯□[進]如金,[160)] 稱臣上表曰, "大人垂統, 震耀四方, 異國入

---

157) 이때의 형편은 다음의 자료에 반영되어 있다.
- 「尹彦頤墓誌銘」, "方大金全盛欲使我朝稱臣, 衆議紛然, 公獨諍之曰, '主憂臣辱, 臣不敢愛其死, 女眞本我朝人子孫, 故爲臣僕, 相次朝天, 近境之人, 皆屬我朝戶籍久矣, 我朝安得反爲臣乎'. 當是時, 權臣擅命, 乃稱臣仍上誓表, 固非仁宗出自淸衷, 公甚憾痛焉. 比來, 大金勒兵圖我, 而內亂大作, 益知公鑒識洞然早知將來之變也".

158) 이날 일본의 京都에서는 비가 내렸다고 한다(『永昌記』, 大治 1년 3월, "廿八日甲午, 雨降").

159) ~~添字~~는 열전40, 李資謙에 의거하였다.

160) 『東人之文四六』 권3, 入金起居表(金富軾 作), "仁宗丙午, 進奉使鄭應文·李侯進賫去, 始稱臣也"에는 李侯進으로 되어 있는데, 『고려사』에 進字가 脫落되었을 것이다. 또 이에 수록된 進奉表와 아래의 기사와 차이가 나는 것은 ~~添字~~이고, 밑줄 친 곳은 세가편에서 더 확인되는 글자이다. 그리고 이들 사신은 6월 1일(丙申) 金에서 表를 올렸다.
- 『금사』 권3, 본기3, 太宗, 天會 4년 6월, "丙申朔, 高麗國王王楷奉表, 稱藩".
- 『금사』 권60, 表2, 交聘表上, 天會 4년, "六月, 高麗使奉表稱藩, 優詔答之, 仍以保州地賜".
- 『금사』 권135, 열전73, 外國下, 高麗, "[天會]四年, 國王王楷遣使奉表稱藩, 優詔答之".

朝, 梯航萬里, 况接境之伊邇, 諒馳誠之特[克]勤. 伏惟□□□□[皇帝陛下]天縱英明, 日新德業, 渙號一發, 群黎無不悅隨, 威聲所加, 隣敵莫能枝梧. 實帝王之高致, 宜天地之冥扶. 伏念, 臣墝土小邦, 眇躬凉德, 聞非常之功烈, 久已極於傾虔, 惟不腆之苞苴, 可以伸於忠信, 雖愧[媿]蘋蘩之薦, 切期山藪之藏".

○金回詔曰, "省所上表, 稱臣并進奉土宜·匹物等事, 具悉. 朕以推亡固存, 寔帝王之造, 以小事大, 乃社稷之圖. 緊魁偉之渠材, 蘊變通之遠業. 卿家傳王爵, 世享胙封. 抗章竭尊奬之誠, 任土盡委輸之節, 仍稱卑號, 足見全能. 加非兵革之威, 誘不玉帛之惠, 自然來者. 不曰良哉. 且君父之心, 予已堅篤, 而臣子之義, 汝毋易忘. 卜世卜年, 是彝是訓, 外有合行條件事等, 卽次發使, 前去宣諭".

辛亥[15日], 以[門下侍郎平章事]拓俊京爲門下侍郎[平章事]·判兵部事, 李壽爲[守太尉·]門下侍郎平章事·判禮部事, 李資德·許載並△[爲]參知政事, 金富佾爲政堂文學, 李之美△[爲]判樞密院事, 金珦·金義元並△[爲]同知樞密院事,[161] 金富軾爲御史大夫·樞密院副使.[162]

[丙辰[20日], 天狗墮地有聲, 人駭譟:天文1轉載].

[某日, 黜內侍二十五人, 皆資謙所惡也:節要轉載].[163]

[是月, 宣旗門外簷, 毁:五行2轉載].

五月丙寅朔[大盡,甲午], 移御延慶宮. [資謙, 寓居宮南, 鑿北垣, 以通宮內, 取軍器庫甲兵, 藏之家中. 王嘗獨往北園, 仰天慟哭. 移時, 資謙因十八子讖, 欲圖不軌, 置毒餠中以進. 妃密白于王, 以餠投烏, 烏斃, 又送毒藥, 令妃進于王, 妃奉椀, 陽蹶而覆之. 妃卽資謙第四女也:節要轉載].[164]

乙亥[10日], 大雨雹.[165]

[丁丑[12日], 有蜂群飛, 自興國寺, 至廣化門, 相連不絶:五行3轉載].

庚辰[15日], 命文武百官, 齋僧, 祈雨.

161) 이때 金義元은 戶部尙書·同知樞密院事에 임명되었다(金義元墓誌銘).

162) 御史大夫·樞密院副使는 金富軾의 謝禮하는 表에 樞密院副使·御史大夫로 되어 있다(『동문선』 권34, 謝樞密院副使·御史大夫表).

163) 이와 같은 기사가 열전40, 李資謙에도 수록되어 있다("又出[黜]資謙所惡者內侍二十五人", ~~添字~~와 같이 고쳐야 옳게 될 것이다).

164) 北園은 열전40, 李資謙에는 北垣으로 되어 있으나 오자일 것이다.

165) 이와 같은 기사가 지7, 五行1, 水, 雨雹에도 수록되어 있다.

[□□[~~某日~~], 王密與內醫·軍器少監崔思全, 謀之. 思全曰, “資謙所以跋扈者, 惟恃俊京. 上若得俊京, 則兵權內屬, 資謙特一夫耳”. 王曰, “俊京爲國公腹心, 至結婚姻, 而俊臣及純, 皆爲官兵所害, 以是疑之”. 遂筮得吉兆, 思全因往俊京家, 諭以忠義曰, “太祖·列聖神靈在天, 禍福可畏, 而資謙特借宮掖之勢爾, 無有信義, 不可與同好惡. 公宜一心奉國, 以立永世不朽之功”. 俊京心然之:節要轉載].[166]

[□□[~~某日~~], 拓俊京, 旣與資謙構隙, 崔思全又乘間說之. 俊京乃決策, 附奏云, “願自效”. 王使謂俊京曰, “國公雖僭亂, 反狀未著. 朕若先擧, 親親之意, 謂何, 徐俟其變, 應之未晩”. 常使中人伺之:節要轉載].

乙酉[20日], [中書令]李資謙遣兵, 將犯御寢, 王密諭[門下侍郞平章事]拓俊京, 執資謙囚之.

[[~~一日~~], 俊京在兵部, 注擬武職. 王手書小紙, 密遣宦者趙毅, 以示俊京曰, “今日, 崇德府軍將持兵, 至殿北, 若將入寢門. 朕若遇害, 實否德所致. 所可痛者, 太祖創業, 列祖[~~列聖~~]相繼, 以至寡躬, 若爲異姓所易, 非獨朕罪, 實輔相大臣, 所深恥也. 惟卿圖之”. 俊京乃以御筆, 示[同知樞密院事·兵部]尙書金珦. 珦跪呼天泣曰, “有旨如此, 義當死事, 公其可安乎”. 俊京與珦, 率[~~士衛~~]將校七人, 僚吏·僕隷二十餘人, 出北門. 倉卒無所持, 各取柵木爲棒, 自金吾衛南橋, 入宮. 趙毅迎呼曰, “事急矣, 趣入”, 遂閉廣化門.[167] [門下侍郞平章事]李公壽隨至, 王命開一扉, 以納之. 公壽卽李壽也. 時, 巡檢都領鄭惟晃率百餘人, 入軍器監, 分授兵甲, 向延慶宮, 路見[資謙黨·]少卿柳元湜, 其言不順, 卽殺之. 俊京身擐甲胄, 急入宮, 王出天福殿門, 遲之, 俊京奉王以出. 資謙之黨, 射之, 俊京拔劍一呼, 無敢動者, 王入御軍器監, 嚴兵衛, 俊京使承宣康侯顯, 召資謙. 資謙服素而至, 俊京與公壽議, 拘囚資謙及妻子於八關寶, 斬其將軍康好·高珍守等, 皆資謙所指使者[也]. 分遣人, 逮捕支黨. 王出御廣化門, 使告于衆曰, “禍起蕭墻, 大逆不道, 賴忠臣義士, 擧義除害”. 衆皆稱萬歲, 懽呼抃躍, 至有流涕者. [李]之美聞變, 率百餘人, 至廣化門, 不得入, 徘徊往返, 與[參知政事]李資德·[參知政事]金仁揆入兵部, 亦[~~猶~~]不知資謙被拘. 及晩, 巡檢至兵部, 執之美, 囚檢點所, 資德等驚駭, 散去. 王還御延慶宮, 近侍先入, 淸宮. 僧義莊匿內寢, 執送八關寶:節要轉載].[168]

丙戌[21日], 流李資謙及妻子于外, 餘黨分配遠地.

---

166) 이와 같은 기사가 열전11, 崔思全, 열전40, 李資謙에도 수록되어 있다.

167) 廣化門은 열전40, 李資謙에는 廣華門으로 되어 있으나 오자일 것이다.

168) ~~添字~~는 열전40, 李資謙에 의거하였다.

[→流資謙及妻崔氏·子之允于靈光，之美[于]陜州，公儀[于]珍島，之彥[于]巨濟，之甫[于]三陟，義莊[于]金州，之元[于]咸從．閤門祗候朴彪·文仲經·直長朴永·太史令梁麟·冬官正梁狮·內侍李叔晨·李芬·大將軍金好·將軍池顥·池福臣·郎將崔思琰·別將位好·散員宋用中幷兒息三十餘人，及官·私奴凡九十餘人，分配遠地．○朴彪者，最姦黠，諂媚資謙，~~常出入臥內，~~凡聚斂附益，皆其所爲．故射利干祿者，競賂之，遂以[致]~~巨富~~.[169] 朝廷尤疾之，戮諸中道[~~中路殺之~~]，沈于水．又執射神鳳門者一人及之彥家臣[~~·大樂丞~~]金冲，枷于都市，凡三日，流之遠島．其親黨[中書侍郎]平章事李資德·[中書侍郎平章事]金仁揆·同知樞密院事金義元·禮賓卿李資元·殿中少監朴孝廉·內侍郎中王毅·祗候李存，皆貶爲守令:節要轉載].[170]

[→[金珦，] 累遷兵部尙書·同知樞密院事．女嫁李資謙子之甫，然不以姻婭附．及資謙謀逆，事迫，王密遣宦者，以手書，急召拓俊京．俊京以示珦，珦下席泣曰，“君命如此，雖亡身滅族，豈可不赴之”．遂與俊京，謀執資謙囚之，竟不自言，人莫知其功．王常稱之曰，“有功不求人知，可謂賢矣”:列傳11金珦轉載].

[□□[~~是時~~]，貶[中書侍郎平章事]李資德爲黃州牧使:列傳8李資德轉載]，[[中書侍郎平章事]金仁揆爲知春州事:列傳10金仁揆轉載]，[[同知樞密院事]金義元爲梁州防禦使:追加],[171] [○降[前試禮部郎中]金永錫爲兵部員外郎·知制誥:追加].[172]

[○資謙之亂，朝臣皆脅從失節，其支黨夤緣苟免，至宰輔者多．兆基[侍御史高唐愈]欲斥去之，屢上書力爭曰，“雖聖上寬大，掩其疵疾，何面目立朝廷，見日月乎?”．王雖是兆基[高唐愈]言，不忍盡棄大臣．尋擢兆基[高唐愈]爲禮部郎中，實奪臺職也:列傳11高兆基轉載].

丁亥[22日]，宣旨□[曰]，“朕以幼冲，承襲祖業，意欲倚賴外家，事無大小，一切委任，而縱爲貪暴，殘民害國．朕雖知之，無以防閑，至今月二十日[乙酉]，患起倉卒，[門下侍郎平

169) 遂以巨富는 열전40, 李資謙(延世大學本)에는 遂致臣富로 되어 있으나 오자일 것이다(孫曉 等編 2014年 3856面).

170) ~~添字~~는 열전40, 李資謙에 의거하였다. 또 王毅(王字之의 子, 徐鈞의 壻)는 李資謙의 2子인 公儀의 妻男이다. 또 여기에서 ~~添字~~와 같이 고쳐야 옳게 될 것이다.

· 열전5, 王儒, 字之, “子毅, 其女[妹]適李資謙子公儀, 及資謙敗, 以姻黨坐流”.

·「王字之妻金氏墓誌銘」, “夫人有一男一女, 男毅爲尙書工部員外郎, 娶判將作監事徐鈞之女. 女適尙書刑部侍郎李公儀”.

171) 이는「金義元墓誌銘」에 의거하였다.

172) 이는「金永錫墓誌銘」에 의거하였다.

章事·判兵部事拓俊京, 倡義定難, 功不可忘, 宜令所司, 論功懋賞, 軍器少監崔思全, 同心密輔, 可幷賞功".[173]

辛卯26日, 流中書侍郎平章事朴昇中于蔚珍. [其子深造等四人于南裔. 昇中與參知政事許載·崔湜, 諂附資謙, 無所不至, 立府置僚, 稱箋稱節, 皆昇中所爲. 至是, 諫官論斥:節要轉載].

[→朴昇中, 進守太尉·中書侍郎平章事. 資謙敗, 諫官論奏, 流于蔚珍:列傳38朴昇中轉載].

[某日, 以門下侍郎平章事拓俊京爲門下侍中. 俊京以越次, 固辭不拜:節要轉載].[174]

六月丙申朔小盡,乙未, 王如奉恩寺.

[壬寅7日, 太白·歲星並行, 犯右執法, 入大微太微:天文1轉載].

[癸卯8日, 乾方有赤氣:五行1轉載].

甲辰9日, [小暑]. 設消灾道場于天福殿.

乙巳10日, 以門下侍郎平章事·判兵部事拓俊京[爲推忠靖國協謀同德衛社功臣·三重大匡:節要轉載]·檢校太師·守太保·門下侍郎同中書門下平章事[·判戶部事兼西京留守使·上柱國. 妻黃氏爲齊安郡大夫人, 賜衣服·金銀器·布帛·鞍馬及奴婢一十口·田三十結:節要轉載], [圖形壁上:列傳40拓俊京轉載]. 門下侍郎平章事李公壽[爲推忠衛社功臣·三重大匡·開府儀同三司·守太保:追加]·判吏部事,[175] 同知樞密院事·兵部尙書金珦爲[衛社功臣·檢校司徒:列傳11金珦轉載]·戶部尙書·知門下省事, 軍器少監崔思全爲兵部尙書, [崔梓爲禮賓少卿:追加].[176]

[某日, 出中書侍郎平章事許載爲豊州防禦使, 子純爲金州防禦判官.[177] 初, 諫官論載與昇中, 同罪, 俊京庇之. 至是, 乃坐. 物議快之:節要轉載].[178]

---

173) 添字는『고려사절요』권9에 의거하였다.

174) 이와 같은 기사가 열전40, 拓俊京에도 수록되어 있다("以功, 拜門下侍中, 俊京辭以越次, 不受").

175) 李公壽의 職銜은 그의 묘지명에 의거하였다. 또 李公壽는 李壽의 改名으로 宰相이 되어 公字를 더하였다고 하지만, 이해의 4월 15일 門下侍郎平章事·判禮部事에 임명될 때까지 李壽라고 하였다. 冢宰로서 判吏部事에 임명될 때 改名하였던 것 같다(열전8, 李子淵, 公壽 ; 李公壽墓誌銘).

176) 崔梓는「崔梓墓誌銘」에 의거하였다.

177) 金州는 열전11, 許載에는 全州로 되어 있으나 誤字일 것이다(盧明鎬 等編 2016년 237面).

178) 許載는 左遷되기 이전에 守司徒·中書侍郎同中書門下平章事·判尙書兵部事로 재직하고 있었다. 또 그는 豊州防禦使에 赴任하여 頹落한 豊州城 1,340餘間을 補修하였다고 한다(許載墓誌銘).

[→[許]載, 不學無術. 仁宗朝, 李資謙·拓俊京用事, 載傾心附之, 遂登宰輔, 官至中書侍郎同中書門下平章事. 王惡其朋比, 屢與左右言之. 及資謙敗, 諫官上疏, 極言其罪, 爲俊京所庇. 久之, 貶知豊州防禦使, 又貶其子純, 爲全州防禦判官, 物意快之:列傳11許載轉載].

[己酉[14日], 加門下侍郎平章事李公壽爲守太傅·修國史·上柱國:追加].[179]

乙卯[20日], 出李資謙女二妃, 納殿中內給事任元敳女, 爲妃.[180]

[→諫官累疏言, "李資謙二女, 於上, 爲從母, 固不可以配極". 王乃出二妃.[181] 納殿中內給事任元敳女, 爲妃. 妃母李氏, 門下侍中瑋之女也. 妃誕夕, 瑋夢有黃大旗, 竪於其第中門, 旗尾, 飄縈於宣慶殿鴟尾. 妃生, 瑋特愛之曰, "此女, 後當遊於宣慶殿". 及笄, [中書侍郎]平章事金仁揆子之孝, 聘之. 婚夕, 之孝至門, 妃暴疾幾死, 以實謝遣. 翌日, 卜人占病曰, "勿憂, 此女, 貴不可言, 必爲國母". 時, 資謙已納兩女, 聞其言, 惡之. 卽奏貶元敳, 爲開城府使. 居歲餘, 府倅夢, 太守廳事欂楝坼, 作大寶, 黃龍, 從寶而出. 詰朝, 倅具朝服, 詣元敳, 具陳其夢, 以賀曰, "使君家必有異慶, 公其識之". 又王, 嘗夢得荏子五升, 黃葵三升, 以語拓俊京. 俊京對曰, "荏者任也, 納任姓后妃之兆也. 其數五者, 誕五子之瑞也. 黃者皇也, 與皇王之皇, 同. 葵者揆也, 與道揆之揆, 同. 所謂黃葵者, 皇王執道, 揆御邦家之瑞也. 其數三者, 五子之中, 三子御國之兆也". 其言果驗:節要轉載].[182]

庚申[25日], 以李珍福爲右僕射·鷹揚軍上將軍, 高公現爲兵部尙書·龍虎軍上將軍, 林修爲殿中監·左右衛上將軍, 又以鄭惟晃等二十人, 有扈駕及捕賊功, 賜職有差.

秋七月[乙丑朔小盡,丙申], 丁卯[3日], 宋遣閤門祗候侯章·歸中孚等六十餘人來. 王迎詔于天福殿, 詔曰, "朕居春宮, 十有餘載, 罔敢怠逸, 四方所聞. 道君大上皇帝[~~太上皇帝~~徽宗], 享國日久, 厭於萬機之煩, 爰議內禪. 朕辭不獲命, 遂登大寶, 深惟祖宗基構之崇, 上皇付托之重, 夙夜競惕, 懼不克任. 而金人不道, 乘郭藥師背叛之故, 陷沒燕山,[183]

---

179) 이는 「李公壽墓誌銘」, "後四日, 加守太傅·修國史·上柱國"에 의거하였다.

180) 任元敳는 1148년(의종2) 12월 27일 이후에 任元厚로 改名하였다(열전8, 任懿, 元厚).

181) 이와 같은 기사로 다음이 있다.

· 열전1, 仁宗妃, 廢妃李氏, "[中書令李]資謙敗, 諫官累疏言, 宮主於上, 爲從母, 不可以配極. 王乃出之. 雖以資謙故出, 恩賚優渥".

182) 이와 같은 기사가 열전1, 仁宗妃, 恭睿太后任氏에도 수록되어 있다.

俶擾邊境，達于都畿．方朕卽位之初，遭此震驚，以故，未及與王相聞．朕惟，王世濟忠孝，膺授顯册，屏翰之舊，久受國恩．肆我烈祖神宗皇帝，命使修聘，禮意備至，情同骨肉，義則君臣．以至于我道君太上皇帝，錫賚不貲，待遇加等．朕惟中國與王，遠隔滄海，而恩禮如此，豈有他哉．庶幾艱難，有以敵愾耳，王國與金相望，無數百里之遠，而不能蕩其巢穴，以報中國，豈累朝待遇殊絶之意耶．金人者，固嘗臣屬於王，以叢爾海隅之醜，背天逆神，滅絶契丹，遂陵中國，滛暴淫暴滋甚.[184] 使其得志，何有於王哉．孤軍深入，理當勦殄，朕以其劫質肅王而去，第命將士，驅逐出境．方將起天下之兵，問罪小醜，王其率厲師衆，相爲表裏，以行天誅．夫糾逖王慝，獻俘本朝，以報中國數世之恩，大忠也．取亂攻昧，誅討滛暴淫暴，以伸威沙漠之外，大義也．拓地開境，覆其巢穴，報驟驕不臣之虜，大威也．一擧而三者皆得，王何憚而不爲．高爵厚賜，朕於王無所愛惜，王其勉之”．

○侯章在館，又致書於王曰，“章等來時，奉皇帝聖旨，祖宗行堯舜之道，務本敦化，與本國講好，幾二百年，禮無不備，我道君太上皇帝徽宗，繼而承之，恩崇益厚．比緣奸人啓議，悉興邊事，使金人猖蹶，興無名之師，雜烏合之衆，襲其不備，擾我中原，恣行劫掠．是時，有勤王之師數百萬，大臣獻議曰，不擊於黃河之南，可邀於大河之北，正玆深入，若大兵一擧，則無遺矣．今皇帝欽宗登祚之初，孝悌恭儉，旰食晏寢，任賢使能，崇信顧義，未欲殄滅．於是，金人悔過，告和請路，求歸沙漠，主上因而資之，以金帛，爲犒軍之具．復有無厭之求，窺伺河北關鎭，人神共怒．事不獲已，待以秋凉，必興師討伐，乘此之時，本國安可坐視，若將兵境上，共爲掃除，是結無窮之好耶．因玆成功，別遣使人前來.”[185]

○答云，“本國，自祖先以來，承事上朝，恭順之誠，未嘗敢怠．神宗皇帝，雖遠隔滄海，而天日之明，無不鑑炤，降使修聘，恩禮尤厚．道君太上皇帝徽宗，繼而承之，待遇加等，錫賚倍常，實百生難報之恩也．惟天地，不責其報，而區區感激之心，庶幾萬一．今者，伏承奉使宣贊來傳詔書，以金人不道，滛淫暴滋甚，方將起天下之兵，問罪小醜，令小國，率厲師衆，相爲表裏，以行天誅．孤自初奉讀，不覺流涕．惟金人

---

183) 燕山은 현재의 北京市 地域이다.

184) 여러 판본의 『고려사』에서 滛暴(제폭)로 되어 있으나 淫暴의 오자일 것이다(東亞大學 2008년 6책 551面).

185) 이때 金이 宋에게 和議를 要請[告和請路]하였다는 것은 사실이 아니다. 또 이때 형편을 後世人이 기록한 자료도 찾아진다(『碩齋稿』 권11, 宋閤門祗候侯章遺高麗王書帖序).

之始也, 固嘗臣屬於我國, 而常以寇掠爲事, 我國以邊鄙甫寧, 不欲生事, 來則懲而禦之, 去則備而守之, 要在羈縻而已. 我祖肅王代, 有酋長盈歌, 力以制群兇, 威以降諸部, 雄視白山, 數侵吾境. 吳達·惠奴, 相繼而作, 凶勢益振. 昨者, 被掠人自大金還來言, 上朝使臣到蕃土, 禮數一如降使北遼之例. 又聽邊人之言, 金人陷沒契丹, 遂犯上朝地界, 皇帝以登祚之初, 未欲殄滅, 因其請和而許之. 以中國之大, 而如此, 小國孤立, 其將安恃乎. 今年四月, 特遣使修好, 已經累朔, 尙未回報. 載念本國, 天灾流行, 府庫焚蕩. 凡爲禦戎之具, 靡有孑遺, 方議鳩工, 以圖興復. 今詔書委曲諭示, 此實雪舊恥, 報大恩之日也. 然以殘弊之兵, 當新勝之虜, 恐非勉强所能及也. 但冀訓勵師徒, 修整器械, 待王師臨壓彼境, 則弊國敢不盡力, 相爲表裏. 假托威靈, 助平戎醜, 孤所願也. 天實臨之, 惟奉使宣贊復命日, 宜以此意, 奏聞".

[戊寅14日, 乾方有赤氣:五行1轉載].

癸未19日, 侯章還, 王附表以聞, 略曰, "王人驟至, 天詔俯頒, 拜命殊尤, 撫躬隕越. 竊以, 一王乃域中之大, 諸夏爲天下之尊. 況九聖之承明, 統庶邦而無外, 凡爾含職, 固宜歸心, 苟或爲讎, 實云匪茹. 惟金人之爲暴, 値丹國之不天. 旣乘新勝之鋒, 浸有橫行之意, 妄圖猾夏, 遂及侵疆. 恭惟皇帝陛下, 新握乾符, 遹追聖政, 遭繹騷於京國, 軫赫怒於淵衷, 將欲應天而順人, 伐叛而問罪. 特馳使指, 曲示訓詞, 謂犯漢者, 義必加誅, 而尊周者, 禮當敵愾. 遂令師旅並擧, 表裏相攻, 言念小藩, 世蒙厚德, 常願盡忠於報上, 豈能無意於勤王. 忽奉讀於絲綸, 第難禁於涕淚. 宜卽奔命, 以待興師. 但爲弊封, 本非勝國, 近經灾孼, 焚盡畜藏, 其於儲偫資糧, 繕修器械, 必也整齊而後動, 固難造次而可圖. 況又賊勢兇强, 未宜輕觸, 虜地險隘, 豈易長驅. 然帝命之臨門, 理無廻避. 俟王師之制敵, 少肋威靈. 但願聖明, 灼知誠懇".

壬辰28日, 幸普濟寺.

[某日, 以皇甫讓爲慶尙道按察使:慶尙道營主題名記].

八月甲午朔大盡,丁酉, 乙巳12日, [白露]. 設佛頂道場于天福殿.

九月甲子朔小盡,戊戌, 乙丑2日, 遣樞密院副使金富軾·刑部侍郎李周衍, 如宋, 賀登極.

庚午7日, 王如安和寺.

辛未8日, 金□遣宣諭使·同僉書樞密院事高伯淑·鴻臚卿烏至忠等來.[186] 金主勑伯淑等曰, "高麗, 凡遣使往來, 當盡循遼舊,[187] 仍取保州路及邊地人口在彼界者, 須盡數發還, 若一一聽從, 卽以保州地, 賜之". [保州, 卽抱州也:節要轉載].[188)]

[○兌方, 天鳴如雷:五行1鼓妖轉載].[189]

---

186) 高伯淑·烏至忠은 7월 2일(丙寅)에 파견이 결정되었다. 또 이 시기에 金帝國이 외국에 파견한 사신은 遼代와는 달리 正使·副使에 女眞人이 포함되어 있지 않는 경우도 있고, 同一民族이 正使와 副使에 함께 임명된 사례가 적고, 同一人物이 2回 以上 파견된 경우는 매우 적었다고 한다(西尾尙也 2000年).

- 『금사』 권3, 본기3, 太宗, 天會 4년 7월, "丙寅, 遣高伯淑等宣諭高麗".
- 『금사』 권60, 表2, 交聘表上, 天會 4년, "七月, 遣高伯淑·烏至忠使高麗".
- 『금사』 권135, 열전73, 外國下, 高麗, "上使高伯淑·烏至忠使高麗, 凡遣使往來當盡循遼舊, 仍取保州路及邊地人口在彼界者, 須盡數發還. 勅伯淑曰, '若一一聽從, 卽以保州地賜之', 高伯淑至高麗, 王楷附表謝, 一依事遼舊制".

187) 이때 金이 高麗에게 兩國의 외교 관계를 지난날 遼를 섬기던 舊例[事遼舊制]에 의거하게 하였는데, 이는 後日 大元蒙古國, 明帝國 등에게도 계승되었으나 그 구체적인 내용은 알 수 없다. 金代에는 고려에 파견되어 온 金의 사신이 高麗國王과 대등한 位相으로 東西로 맞이하여 相見禮를 하였다고 한다. 그 외에 金代에 宋과 高麗의 使臣에게 下賜하는 物目도 알 수 없었다고 한다.

- 『금사』 권83, 열전21, 張汝弼, "上世宗問, '高麗·夏皆稱臣, 使者至高麗, 與王 抗禮. 夏王立受使者拜, 何也'. 左丞襄對曰, '故遼與夏爲甥舅, 夏王以公主故, 受使者拜. 本朝與夏約和, 用遼故禮古禮, 所以然'耳. 參知政事汝弼曰, '誓稱一遵遼國舊儀, 今行之已四十年, 不可改也'. 上曰, 卿等言是也".
- 『금사』 권38, 지19, 예11, 末尾, "賜宋·高麗使之物, 其數則無所考".

188) 이때 金의 使臣은 13일(丙子)에 詔書와 別錄 各 1通을 傳하였고, 24일(丁亥) 再次 密旨를 傳하였다고 한다. 添字와 같이 고쳐야 좋을 것이다. 이와 같은 내용의 別個의 表章(金富儀 撰)은 是年 12월 12일의 脚注에 轉載하였다.

- 『동인지문사륙』 권3, 謝宣諭表(崔誠 撰), "臣諱言, 去九月十三日, 宣諭使·靜江軍節度使·同僉書樞密院事高伯淑, 副使·鴻臚卿·知太常禮儀院·騎都尉烏至忠等至, 奉傳詔書別錄各一道, 伏蒙聖慈賜臣衣帶·匹段·銀器等物, 又二十四日, 高伯淑等密傳聖旨, 保州城地城池分, 許屬高麗, 更不收復者. 恩私渥縟, 詔諭稠重, 俯僂以承, 感兢交切[中謝]. 恭惟皇帝, 蘊無能名之德, 發大有爲之心, 雷動風行, 振威稜而無敵, 天與人順, 樹功業之非常. 伏念僻處遐荒, 夙深嚮慕, 方屬大朝之擧義, 屢以興師, 亦因弊邑之多艱, 致稽修貢. 禮雖有闕, 情實無他, 近奉奏章, 猥伸微懇, 豈謂使軺繼至, 寵命俯臨, 激其事大之忠, 霈若自天之澤. 加以別傳密旨, 曲諭上心, 更不收復於保州, 示以撫寧於平壤. 且夫獲封圻於鴨淥鴨綠, 的自古來, 被侵奪於契丹, 盖從近代, 雖通懽好, 猶吝歸還, 洎彼國之覆亡, 守此城者潰散, 臣父先臣以謂, '此吾地分也, 請之久矣, 幸今天與之, 取之當然'. 況有大朝邊臣沙乙何來, 傳先皇帝勅旨曰, '保州本高麗地, 高麗收之可也'. 於是差置官員, 繕完民戶, 乃更數歲, 傳至眇躬, 適承上國之指揮, 許屬小邦之疆場. 又宣諭'自來兩界投入人口, 有無刷會交付之事, 旣積歲年之久, 復由風土之殊, 罔有安存, 悉皆物故, 何曲推而諒察, 俾自取於便宜'. 沓荷至恩, 實逾常檢, 盖眷憐有如此者, 其報效將如何哉? 謹當遵奉訓辭, 恪勤職貢, 禮嚴享上, 期不絶於年年, 義篤尊王, 永有傳於世世"(『동문선』35 所收).

189) 天鳴은 雷鳴, 火山噴出 등과 같은 자연현상으로 인해 空中에서 큰 소리가 나는 현상일 것이다. 이것이 있었을 때 殺行이 일어나 人民들이 流亡하고 萬民들이 어떤 고통을 받게 된다고 인식

[癸未20日, 月犯井星:天文1轉載].

[甲申21日, 流星出營室, 入紫微, 長七尺許:天文1轉載].

[丙戌23日, 流星出紫微, 入東藩:天文1轉載].

[庚寅27日, 霜降. 月入大微太微, 犯屛星. 太白·歲星·鎭星, 合行翼度. 歲星入大微太微, 犯謁者. 太白晝見, 經天:天文1轉載].

[是月, 遣使如金, 賀天淸節:追加].[190]

[秋某月, 以懿親宮錄事梁元俊爲內侍:追加].[191]

冬十月癸巳朔小盡,己亥, [甲午2日, 流星出天將軍, 入句陳, 大如木瓜, 長十尺許:天文1轉載].

丙申4日, □以慶龍節, 宴群臣於天福殿.[192]

戊戌6日, 王餞金使于大明宮, 附回表謝, 一依事遼舊制.

[庚子8日, 流星出天將軍, 入紫微, 又流星, 入大微太微五帝座:天文1轉載].

[辛丑9日, 歲星犯大微太微, 鎭星犯上相:天文1轉載].

[壬寅10日, 月犯羽林:天文1轉載].

壬子20日, 召還金粲爲殿中內給事,[193] [賜故左僕射洪灌·故同知樞密院事金縝·故同知樞密院事智祿延子壻, 爵一級. 粲後改名安:節要轉載].

癸丑21日, 幸南京.

己未27日, 幸藏義寺.

[增補].[194]

하였던 것 같다.

· 『開元占經』 권3, 天占, 天鳴, "京房易傳曰, '天鳴, 必有殺行, 民流亡', 又曰, 萬姓勞厥妖".

190) 이는 다음의 자료에 의거하였다.

· 『금사』 권3, 본기3, 太宗, 天會 4년 10월, "丁未15日, 天淸節, 高麗·夏遣使來賀".

· 『금사』 권60, 表2, 交聘表上, 天會 4년, "十月丁未, 高麗賀天淸節".

191) 이는 「梁元俊墓誌銘」에 의거하였다.

192) 添字는 『고려사절요』 권9에 의거하였는데, 2년 10월에도 以字가 있다.

193) 이후 金粲은 金安으로 改名하여 內侍가 되었으나 鄭知常과 함께 西京遷都에 찬성하다가 1135년(인종13) 1월 10일 金富軾에 의해 피살되었다(『고려사절요』 권9, 인종 4년 10월).

194) 이달[是月]에 宋에 들어간 고려 사신단의 형편은 다음과 같다.

· 10월 25일(丁巳) 高麗가 入貢하자 明州(현 浙江省 寧波市)에 命하여 表를 받아 驛站을 통해

十一月壬戌朔[大盡,庚子], 宴群臣於延興殿.

甲子[3日], 幸仁壽寺.

庚午[9日], 至自南京, 入御延慶宮.

丁亥[26日], 移御壽昌宮. [○流星出水位, 入張, 聲如雷, 大如椀, 長一丈許:天文1轉載].

[戊子[27日], 日珥:天文1轉載].

[辛卯[30日], 冬至. 歲星犯大微[太微]:天文1轉載].

[增補].[195]

閏[十一]月壬辰朔[大盡,庚子], 赦犯二罪者, 免刑流之, 犯流以下, 免罪, 饗年八十以上及鰥寡·孤獨·孝順·節義者, 賜物有差.

[癸巳[2日], 流星出大微[太微], 入帝座, 大如燈:天文1轉載].

乙未[4日], 設般若道場于重華殿.

[丁酉[6日], 流星出北斗中台, 大如木瓜:天文1轉載].

올리게 하고[遞進], 使臣을 돌려보내게 하였다(『宋史』 권23). 이날 侍御史 胡舜陟이 聖旨를 받들어 고려가 金을 섬기고 있으므로 宋의 虛實을 探知하여 金에 보고할 우려가 있다고 하며 上京시키지 말라고 건의하자 고려사신단을 明州에 머물게 하고 貢物만 바치게 하였다고 한다(『靖康要錄』 권9 ; 『皇宋編年綱目備要』 권30 ; 『皇朝名臣奏議』 권141, 邊防門, 高麗上欽宗論高麗人使所過州縣之優 ; 『歷代名臣奏議』 권347, 四裔 ; 『宋名臣言行錄別集』 권上, 胡舜陟 ; 『宋史』 권487, 高麗 ; 『皇宋十朝綱要』 권19 ; 『文獻通考』 권325, 四裔考2, 高句麗). 또 이 시기에 鄭興裔도 고려 사신단의 入貢을 반대하는 狀啓를 올렸다(『鄭忠肅奏議遺集』 권上, 請止高麗入貢狀).

195) 이달[是月]에 宋에 들어간 고려 사신단의 형편은 다음과 같다.

· 11월 1일(壬戌) 高麗 使臣團 292人이 明州 定海縣(현 浙江省 鎭海)에 到着하자 知鄞縣事 李文淵이 接客을 臨時로 맡아[攝事管客] 樂賓館에 머물게 하였다(『靖康要錄』 권9).

· 11월 5일(丙寅) 借太常少卿 衛膚敏을 高麗使臣의 接伴使로 삼았다. 이보다 먼저 樞密院이 聖旨를 받들어 使臣은 京師에 보내지 말게 하고 明州로 하여금 禮物만 押送하게 함(『靖康要錄』 권9 ; 『浮溪集』 권25, 衛膚敏墓誌銘).

이때 고려 사신단이 四明의 延慶寺에 住錫하고 있던 圓照梵光(1064~1143)을 방문하고 高麗王의 敬慕하는 뜻을 전하는 동시에 法衣 1點과 元曉大師가 찬술한 論疏 200卷을 전하여 그로 하여금 中國에서 流通될 수 있도록 하였다고 한다(『乾道四明圖經』 권11, 延慶院圓照法師塔銘 ; 『佛祖統紀』 권15, 諸師列傳6-5, 梵慈普法師法嗣圓照梵光法師 ; 『釋門正統』 권6, 中興第三世十三傳梵光). 이러한 원효의 論疏 중 「華嚴經疏」와 「金剛三昧經疏」는 圓明禪師 惠洪(1071~1128)에게도 읽혀졌으며, 그의 저술에 인용되기도 하였다(『林間錄』 권上). 이 중 「金剛三昧經疏」는 唐代에 중국으로 전해진 후 그 중 「略本疏」 3권은 翻經三藏에 의해 論으로 격상되었다고 하는데(『宋高僧傳』 권4, 唐新羅國黃龍寺元曉傳), 이의 母胎인 『金剛三昧經』은 7세기 중엽 신라에서 찬술된 僞經이었다고 한다(南東信 1998년).

[己酉[18日], 日珥. ○月犯軒轅:天文1轉載].

[庚戌[19日], □[月]犯小微[~~少微~~]:天文1轉載].

[壬子[21日], □[月]犯大微[~~太微~~]:天文1轉載].

丙辰[25日], 飯僧於禁中.

[某日, 詔, 拓俊京圖形功臣堂:節要轉載].

[是月, 遣使如金, 賀正:追加].[196)]

[是月辛酉[30日], 宋欽宗幸青城金兵營:追加].

十二月[壬戌朔小盡,辛丑], 丙寅[5日], 李資謙死於貶所[~~靈光郡~~].[197)]

癸酉[12日], 遣衛尉卿金子鏐·刑部郎中柳德文如金,[198)] 謝宣諭, 表曰, "高伯淑至, 密傳聖旨, 保州城地, 許屬高麗, 更不收復. 切以勾麗本地, 主彼遼山, 平壤舊墟, 限於鴨綠, 累經遷變. 逮我祖宗, 値北國之兼幷, 侵三韓之分野, 雖講隣好, 未歸故疆. 及乎天命惟新, 聖王旣作, 見兵師之起義, 致城堡之無人, 當臣父先王時, 有大遼[大朝]邊臣沙乙何來,[199)] 傳皇帝勑旨曰, '保州本高麗地, 高麗收之可也'. 先王, 於是理其城池, 實以民戶. 當此之時, 雖小邦未嘗臣屬上國, 而先帝特欲寵綏隣藩, 霈以訓辭, 賜之舊土. 及後嗣之繼序, 遭聖德之承天, 備認德音, 恭修臣職. 惟此東濱之寸土, 本爲下國之邊陲, 雖嘗見奪於契丹, 謂已拜恩於先代, 特推異渥, 仍屬弊封, 豈僥倖而致玆. 盖遭遇之異甚, 深仁大義, 不可名言. 緜力薄材, 若爲報效, 惟當備春秋之事, 守藝極之常, 擧邦國而樂輸, 傳子孫而永誓. 高明在上, 悃愊無他".[200)]

---

196) 이는 다음의 자료에 의거하였다.
- 『금사』 권60, 표2, 交聘表上, 天會 5년, "正月辛卯朔, 高麗使賀正旦".
- 『금사』 권3, 본기3, 太宗, 天會 5년 1월, "辛卯朔, 高麗·夏遣使來賀".

197) ~~添字~~는 『고려사절요』 권9에 의거하였다.

198) 金子鏐는 明年(天會5) 正旦도 賀禮하였던 것 같다(『금사』 권3, 본기3, 太宗, 天會 5년 1월, "辛卯朔, 高麗·夏遣使來賀"). 또 金子鏐가 띠고 있는 衛尉卿(從3品)은 借職인 것 같은데, 그의 묘지명에 의하면 中書舍人(從4品)·知制誥에 임명된 후 金에 廻謝宣諭奉使로 파견되었다고 한다(金龍善 2008년b). 또 柳德文은 左僕射·政堂文學 柳伸(?～1104)의 아들이고, 中書侍郎平章事 柳光植(?～1221)의 祖父이다(柳英材妻趙氏墓誌銘 ; 柳光植墓誌銘).
- 「金子鏐墓誌銘」, "… 召爲中書舍人·知制誥, 以廻謝宣諭奉使大金, …".

199) 여기에서 大遼는 大朝(金帝國)의 誤字인데, 『고려사절요』 권9와 이 表狀의 原文(脚注)에도 後者로 되어 있다.

200) 이 表章의 原文은 다음의 자료일 것이다.
- 『동인지문사륙』 권3, 謝不收復保州表(金富儀 撰), "臣諱言, 九月二十四日, 宣諭使·靜江軍節度

己卯18日, 設消灾道場于天福殿.

[○月入大微太微:天文1轉載].

庚辰19日, 以金仁存[爲翊聖同德功臣·開府儀同三司:列傳9金仁存轉載]檢校太師·門下侍中[·監修國史·上柱國·判禮部事:節要轉載],[201)] 知門下省事金珦爲兵部尙書, 崔惟迪爲戶部尙書. 召還韓柱韓惟忠爲刑部郎中·知制誥,[202)] [以前全州牧副使尹彦頤爲戶部員外郎·知制誥:追加].[203)]

[壬午21日, 月入氐星:天文1轉載].

[丙戌25日, 流星出庫樓, 入大微太微:天文1轉載].

[是年, 以鄭沆爲刑部員外郎·權知承宣, 仍爲禮部郎中·權知承宣:追加].[204)]

[○以崔褒抗爲寶文閣校勘:追加].[205)]

[○以權知閤門祗候李軾爲元興鎭使:追加].[206)]

[○以右正言金永夫爲知承天府事:追加].[207)]

使·同僉書樞密事高伯淑等, 奉傳密旨, 伏蒙聖慈特加宣諭, 更不收復保州城者. 天地覆載而無私, 故動植各遂其性命, 帝王寬洪以待物, 故臣民獲保其始終, 嘗味斯言, 方驗其實[中謝]. 竊以勾麗本地, 主彼遼山, 平壤舊墟, 限於鴨淥鴨綠, 累經遷變, 逮我祖宗. 値北國之兼幷, 侵三韓之分野, 雖講鄰好, 未歸故疆, 及乎天命惟新, 聖王旣作, 見兵師之起義, 致城堡之無人. 當臣父先王時, 有大朝邊臣沙乙何來, 傳先皇帝勑旨曰, '保州本高麗地分, 高麗收之可也'. 先王, 於是理其城池, 實以民戶, 當此之時, 雖小邦未嘗臣屬上國, 而先帝特欲寵綏鄰藩, 霈以訓辭, 賜之舊土. 及後侗之繼序, 遭聖德之承天, 望日月之光華, 駭風雷之號令, 不待撣人之諭, 備認德音, 非因陸賈之來, 恭修臣職. 今者, 皇帝大明旁燭, 神智沉機, 俯矜忠信之誠, 靡責細微之故, 旣頒詔獎, 繼遣使華, 曲諭宸衷, 具宣恩旨. 惟此東濱之寸土, 本爲下國之邊陲, 雖嘗見奪於契丹, 謂已拜恩於先代, 特推異渥, 仍屬弊封. 又宣諭'自來兩界人口, 有無刷會交付事', 邊人流移, 盖是臣父先王時事, 臣年甚幼, 未及與知, 聞其人口, 積有年所, 物故略盡. 今承密旨, '許令取便裁斷', 此乃大朝恩德, 古今未有, 豈僥倖而致玆, 盖遭逢之異甚. 深仁大義, 不可名言, 緜力薄材, 若爲報效. 惟當修春秋之事, 守藝極之常, 擧邦國而樂輸, 傳子孫而永誓, 高明守藝極之常, 擧邦國而樂輸, 傳子孫而永誓, 高明在上, 惘愊無他"(『동문선』35 所收).

201) 이때 金仁存이 謝禮한 表가 『동문선』 권36, 代金仁存謝門下侍中表(郭東珣 撰)일 것이다. 이 내용을 통해 볼 때 金仁存은 守太傅·門下侍中·監修國史에 임명되었던 것 같다.

202) 이후 韓柱는 韓惟忠으로 改名하였고, 權承宣[權承制]에 임명되었다(韓惟忠墓誌銘).

203) 尹彦頤는 「尹彦頤墓誌銘」에 의거하였다.

204) 이는 「鄭沆墓誌銘」에 의거하였다.

205) 이는 「崔褒抗墓誌銘」에 의거하였다.

206) 이는 「李軾墓誌銘」에 의거하였다.

207) 이는 「金永夫墓誌銘」에 의거하였다.

[○王師學一, 乞歸老住雲門寺, 上不允, 謂安南瓊嵒寺, 距京師不遠, 許一兼住, 自便往來:追加].[208)]

[○詔禪師坦然住錫城東天和寺:追加].[209)]

[○以重大師德謙爲三重大師, 移住大興寺:追加].[210)]

[○靈通寺普炤院僧靈炤受具足戒於佛日寺戒壇:追加].[211)]

[增補].[212)]

[仁宗 5年 以前의 記事]

[○仁宗朝, 式目都監詳定學式. 國子學生, 以文武官三品以上子孫, 及勳官二品帶縣公以上, 幷京官四品帶三品以上勳封者之子, 爲之. 大學生~~太學生~~, 以文武官五品以上子孫, 若正從三品曾孫, 及勳官三品以上有封者之子, 爲之. 四門學生, 以勳官三品以上無封, 四品有封, 及文武官七品以上之子, 爲之. 三學生, 各三百人, 在學以齒序.

□凡係雜路及工商樂名等賤事者, 大小功親犯嫁者, 家道不正者, 犯惡逆歸鄕者, 賤鄕部曲人等子孫,及身犯私罪者, 不許入學. 其律學·書學·筭學, 皆肄國子學. 律書筭及州縣學生, 並以八品以上~~以下~~子及庶人, 爲之, 七品以上子, 情願者, 聽.[213)]

---

208) 이는 「淸道雲門寺圓應國師塔碑」에 의거하였다.

209) 이는 「山淸斷俗寺大鑑國師塔碑」에 의거하였다.

210) 이는 「玄化寺住持·僧統德謙墓誌銘」에 의거하였다.

211) 이는 「靈通寺住持·正覺僧統靈炤墓誌銘」에 의거하였다.

212) 이해(天會4, 靖康1)에 中原에서는 다음과 같은 일이 있었다.
- 1월 6일(壬申), 金兵이 黃河를 건너자 사신을 보내 諸道兵의 入援을 독려하였다(『송사』 권23).
- 1월 7일(癸酉), 金兵이 京師(開封府)를 침입하였다(『송사』 권23 ; 『금사』 권3).
- 閏11월 25일(丙辰), 金이 開封府[汴城]을 함락하고 徽宗·欽宗을 포로로 잡았다[靖康의 變](『송사』 권23 ; 『금사』 권3).

213) 이 자료에 나타난 京師六學의 入學資格은 기본적으로 唐制에 의거하고 있음을 보아 雜學 및 鄕校의 學生[州縣學生]의 입학자격인 八品以上子及庶人은 八品以下子及庶人의 誤謬임을 알 수 있다. 또 『고려사』의 기록은 高麗王朝가 遵用하였던 唐律이 남겨져 있는 『新唐書』의 내용을 적절히 縮約하지 못했던 것을 알 수 있다(宋春永 1994년).
- 『신당서』 권44, 지34, 選擧志上, "凡學六, 皆隸于國子監, 國子學, 生三百人, 以文武官三品以上子孫, 若從二品以上曾孫, 及勳官二品·縣公, 京官四品帶三品以上勳封者之子, 爲之. 太學, 生五百人, 以五品以上子孫, 職事官五品期親, 若三品曾孫, 及勳官三品以上有封之子, 爲之. 四門學, 生千三百人, 其五百人, 以勳官三品以上無封, 四品有封及文武官七品以上之子, 爲之. 八百人. 以庶人之俊異者, 爲之. 律學, 生五十人, 書學, 生三十人, 算學, 生三十人, 以八品以下子及庶人之通其學者,

□國子·大學^太學·四門, 皆置博士·助教, 必擇經學優長, 景行修謹, 堪爲師範者. 分經敎授諸生, 每授一經, 必令終講, 未終講者, 不得改業. 年終計講授多少, 以爲博士助敎, 考課等第. 律·書·筭學, 只置博士. 律學博士掌敎律令, 書學掌敎八書, 筭學掌敎筭術.

□凡經, 周易·尙書·周禮·禮記·毛詩·春秋·左氏傳·公羊傳·穀梁傳, 各爲一經, 孝經·論語, 必令兼通. 諸學生課業, 孝經·論語, 共限一年, 尙書·公羊·穀梁傳, 各限二年半^一年半, 周易·毛詩·周禮·儀禮, 各二年, 禮記·左傳, 各三年. 皆先讀孝經·論語, 次讀 諸經幷筭, 習時務策. 有暇兼須習書, 日一紙, 幷讀國語·說文·字林·三倉·爾雅:選擧2學校轉載].[214]

丁未[仁宗]五年, 金天會五年,

[宋靖康二年→5月, 南宋建炎元年], [西曆1127年]

1127년 2월 13일(Gre2월 20일)에서 1128년 2월 2일(Gre2월 9일)까지, 355일

春正月^辛卯朔大盡,壬寅, 丁酉^7日, 金遣高隨來, 賀生辰.[215]
庚子^10日, 移御壽昌宮.
丙午^16日, 金使還, 王餞于重華殿, 附表以謝.
[庚戌^20日, 歲星入大微^太微左掖, 鎭星犯大微^太微東藩上相:天文1轉載].
[某日, 以鄭漸爲慶尙道按察使:慶尙道營主題名記].

二月^辛酉朔大盡,癸卯, [甲子^4日, 流星出建^建星入房^房星, 大如木瓜:天文1轉載].
[戊辰^8日, 歲星犯大微^太微左執法:天文1轉載].

爲之".

214) 二年半은 唐制와 比較, 또는 文脈上으로 보아도 一年半의 誤字일 것이다.
· 『신당서』 권44, 지34, 選擧志上, "凡治孝經·論語, 共限一歲, 尙書·公羊傳·穀梁傳, 各一歲半, 易·詩·周禮·儀禮, 各二歲, 禮記·左氏傳, 各三歲".

215) 高隨의 파견은 前年(天會4) 윤11월 29일(庚申)에 결정되었다. 또 여기에서 閏이 탈락되었다.
· 『금사』 권3, 본기3, 太宗, 天會 4년 윤11월, "庚申, 以高隨充高麗生日使".
· 『금사』 권60, 表2, 交聘表上, 天會 4년, "□^閏十一月, 遣高隨等爲賜高麗生日使".

己巳9日, 移御延慶宮, 納刪定都監判官<u>金璿</u>女, 爲次妃.[216]

乙亥15日, 幸西京.

庚辰20日, 謁太祖眞□□□~~于感眞~~殿.

[戊子28日, 流星出大角, 入市垣中宦者:天文1轉載].

[某日, <u>判</u>刪, "收養同宗支子, 許承蔭, 收養遺棄小兒, 良賤難辨者, 東西南班, 並限五品":選擧3蔭敍轉載].

三月辛卯朔小盡,甲辰, 癸巳3日, [穀雨]. 衛尉卿金子鏐·刑部郎中柳德文賚詔, 還自金, 詔曰, "省所上表, 謝宣諭并進奉物事, 具悉. 卿, 撣人未諭之前, 願爲附屬, 禹會既通之後, 益亮勤悰. 因嘉志在於畏天, 當即恩綏而賜地. 頃陳貢篚, 止上謝章, 領閱之餘, 獎雖切, 尙托言於戶口, 未別奏於誓封. 但其事事以訖成, 忠于世世而可信, 所論之言. 其或不定, 所得之地, 將何以憑".

○諫官奏, "<u>子鏐</u>入金, 不能御下, 其從者與金人鬪傷. 金人<u>誚讓</u>,[217] 執都部署申錫, 杖之. 請治辱命之罪". 乃免官.[218]

[甲午4日, 流星出建入房, 大如木瓜, 長十五尺許:天文1轉載].

甲辰14日, 西京妖僧妙淸·日者白壽翰, 說王, 設灌頂道場于常安殿. [其術, 詭誕不可知:節要轉載].

戊申18日, [立夏]. 王與妃及兩公主, 幸興福寺, 遂與宰樞·近臣, 御樓船于大同江中流, 宴樂.

己酉19日, 慮囚.

壬子22日, 移御九梯宮天興殿.

癸丑23日, 命政堂文學金富佾講書洪範.

甲寅24日, 御麒麟閣, 命□右承宣<u>鄭沆</u>講書說命·周官.[219]

---

216) 이와 관련된 기사가 열전1, 仁宗妃, 宣平王后金氏에도 수록되어 있다.

217) 여기에서 誚讓은 言辭로서 叱責[꾸지름]하는 것을 가리킨다.

· 『자치통감』 권9, 漢紀1, 高帝 2년(BC205) 4월, "初, <u>項王</u>擊齊, 徵兵九江, 九江王黥<u>布</u>稱病不往, 遣將將軍數千人行, 漢之破楚彭城, <u>布</u>又稱病不佐楚. 楚王由此怨<u>布</u>, 數使使者誚讓[<u>胡三省</u>注, 以辭相責曰誚讓], 召<u>布</u>. <u>布</u>愈恐, 不敢往".

218) 이때 金子鏐는 일시 면직되었다가 知南原府事로 좌천되었던 것 같다(金龍善 2008년b).

· 「金子鏐墓誌銘」, "… 以廻謝宣諭奉使大金, 左遷知南原府□事·羅州牧使…".

219) 이 시기에 鄭沆은 右承宣·禮部侍郎·翰林侍讀學士·太子左諭德이었다(鄭沆墓誌銘).

乙卯25日, 流門下侍郎平章事拓俊京于嵒墮島, 尙書左丞崔湜于草島.[220] □又尙州牧副使李侯進·龜州使邵億·郞將鄭惟晃·西材場判官尹翰等于遠地.[221] [俊京, 旣去資謙, 恃功跋扈. 左正言鄭知常, 知王忌俊京, 乃上疏言, "丙午仁宗4年春二月, 俊京與崔湜等犯闕, 上御神鳳門樓諭旨, 軍士皆免甲懽呼, 獨俊京不奉詔, 脅軍前進, 至有飛矢過黃屋者. 又引軍突入掖門, 焚宮禁. 翌日, 移御南宮, 凡侍左右者, 皆執而殺之. 自古亂臣, 罕有若此者~~亂臣罕有若此, 誠天下之大惡也~~. 五月之事, 一時之功也, 二月之事, 萬世之罪也. 陛下, 雖有不忍人之心, 豈以一時之功, 掩萬世之罪乎, ~~請下吏罪之~~". 故有是命: 節要轉載].[222]

○御麒麟閣, 命左正言鄭知常講書無逸, 召從臣及西京儒臣二十五人, 賦詩, 賜酒食.

丙辰26日, 王與妃及兩公主, 御龍舟于大同江, 沿流宴樂, 召宰樞·侍臣, 侍宴.

丁巳27日, 移御觀風殿.

戊午28日, 詔曰,[223] "朕荷天地之景命, 襲祖宗之遺基, 奄有三韓, 于玆六載. 智不能謀, 明無所燭, 灾變相仍, 略無寧歲. 去年二月, 亂臣賊子, 乘間而起, 陰謀發覺. 朕不得已, 咸致於法, 自是引咎責躬, 慙德多矣. 今以日官之議,[224] 行幸西都, 深省旣往之愆, 冀有惟新之敎~~詔~~, 布告中外, 咸使聞知.

一一曰, 方澤祭地祇~~地祇~~, 四郊迎氣.

[二曰, 遣使郡國, 廉察刺史·縣令, 賢不肖, 以褒貶之: 節要轉載].[225]

一三曰, 車服制度, 務從儉約.

一四曰, 除冗官·不急之務.

一五曰. 勸農力田, 以給民食.[226]

[六曰, 侍從官各擧一人, 所擧無狀, 則罪之: 節要轉載].[227]

---

220) 嵒墮島(혹은 巖泰島)는 현재의 全羅南道 新安郡 巖泰面 巖泰島일 것이고, 草島는 全羅南道 麗川郡 三山面의 草島 또는 慶尙南道 泗川市 草梁島로 추정될 수 있지만 嵒墮島와 관련지어 보면 前者일 가능성이 높다(→신종 3년 4월 某日의 脚注).

221) ~~添字~~는 『고려사절요』 권9에 의거하였다.

222) ~~添字~~는 열전40, 拓俊京에 의거하였다.

223) 詔는 延世大學本과 東亞大學本에는 招로 되어 있으나 오자일 것이다(東亞大學 2008년 5책 456面).

224) 여기의 日官은 당시 仁宗의 信任을 받고 있던 白壽翰으로 추측된다(李丙燾 1961년 433面).

225) 이와 관련된 기사로 다음이 있다.

· 지29, 選擧3, 選用監司, "仁宗五年三月, 詔曰, 遣使郡國, 廉察·刺史·縣令賢否, 以褒貶之".

226) 이 구절은 지33, 食貨2, 農桑에도 수록되어 있다.

一[七日], 務儲官穀, 以待救民.[228]

一[八日], 取民有制, 常租調外, 毋得橫歛[橫斂].[229]

[九曰, 撫恤軍士, 以時閱武外, 無令服勞 : 節要轉載].[230]

一[十日], 撫民安土, 無使逃流.

一[十一日], 濟危鋪[濟危寶]·大悲院, 厚畜積, 以救疾病.[231]

一[十二日], 無以官庫陳穀, 抑配貧民, 强取其息. 又無以陳朽之穀, 强民舂米.[232]

[十三曰, 選士, 復用詩·賦·論.[233]

十四曰, 諸州, 立學, 以廣敎道 : 節要轉載].[234]

一[十五日], 山澤之利, 與民共之, 毋得侵牟".[235]

[是月頃, 禮部侍郎尹誧, 掌國子監試, 取進士·明經一百餘人 : 追加].[236]

[春某月, 以林景和爲京山府判官 : 追加].[237]

夏四月[庚申朔大盡,乙巳], 丙寅[7日], 大雨雹.[238]

---

227) 이 구절은 지29, 選擧3, 薦擧에도 수록되어 있다.

228) 이 구절은 지33, 食貨2, 常平·義倉에도 수록되어 있다.

229) 이 구절은 지32, 食貨1, 租稅에도 수록되어 있다.

230) 이 구절은 지35, 兵1, 五軍에도 수록되어 있으나 冒頭에 三月이 탈락되었다(盧明鎬 等編 2016년 241面).

231) 이 구절은 지33, 食貨2, 水旱疫癘賑貸之制에도 수록되어 있다. 또 濟危鋪는 濟危寶의 오자일 가능성이 높다.

232) 이 구절은 지33, 食貨2, 借貸에도 수록되어 있다.

233) 이와 관련된 기사로 지27, 選擧1, 科目, "仁宗五年三月, 詔, 復用詩·賦·論"이 있다.

234) 이 구절은 지28, 選擧2, 學校에도 수록되어 있다.

235) 이상의 添字는 『고려사절요』 권9에 의거하였다.

236) 이는 다음의 자료에 의거하였는데, 이때 張忠義(張文緯의 子, 1109~1180)가 19歲로 合格하였던 것 같다(張忠義墓誌銘).
 · 「尹誧墓誌銘」, "丁未春, 提擧南省試, 取進士·明經一百餘人, 其間銳於登仕者, 如內侍·大府少卿徐淳, 禮賓少卿兼御史雜端韓靖, 相次而達者, 高子思·許勢脩[許勢修]·李唐仁·崔仲居·張令卿·金承溫·陳玄光, 皆當世聞人也".

237) 이는 「林景和墓誌銘」에 의거하였다.

238) 이와 같은 기사가 지7, 五行1, 水, 雨雹에도 수록되어 있다. 일본에서는 前日(乙丑) 京都에서 비가 내렸고, 10일 京都와 그 北部에 위치한 히에잔[比叡山]에서 雷鳴과 降雹이 있었다고 한다(中央氣象臺 1941年 2冊 422面).

庚午[11日], 王妃任氏生元子, 百官表賀.

[→王子晛, 生:節要轉載].

[→生毅宗, 王遣使下詔曰, "汝任氏起自德門, 入司陰敎, 受儆戒相成之道, 無險陂私謁之心. 得純震之長男, 協斯干之吉夢, 爰勑邇臣, 式將好賜". 賜銀器·彩段·布穀·鞍馬:列傳1仁宗妃恭睿太后任氏轉載].

[甲戌[15日], 月食, 密雲不見:天文1轉載].[239)]

乙亥[16日], 設般若道場于長樂殿.

乙酉[26日], 以前樞密院副使文公美爲吏部尙書, 前尙書右丞韓安中爲尙書右丞, 前禮部郎中韓冲爲禮部侍郎, 前閤門祗候文公裕爲閤門祗候, 李神倚[李神義?]爲千牛衛上將軍,[240)] 前寶文閣學士鄭克永爲東京留守使, 前侍御史林存爲晋州牧副使, 前戶部員外郞崔巨鱗爲尙州牧副使. 公美等, 皆資謙所流, 至是, 召還復職.

[○是時, 以前直翰林院崔惟淸爲內侍:列傳12崔惟淸轉載].

[是月庚申朔, 金兵以欽宗北歸:追加].

五月[庚寅朔小盡,丙午], 壬辰[3日], 流同知樞密院事崔惟迪于慶州, 刑部侍郞蔡碩于珍島縣.

乙未[6日], 御靈鳳樓, 命兩京神騎擊毬, 賜物有差.

[○月犯大微[太微]內屛四星:天文1轉載].

辛丑[12日], 慮囚.

○樞密院副使金富軾等至宋明州, 會金兵入汴, 道梗不得入.

癸卯[14日], 乃還. [初, 邊報傳言, "金人, 侵宋敗北, 宋師乘勝, 深入金境". 於是, 鄭知常·金安奏曰, "時不可失, 請出兵, 應接宋師, 以成大功. 使主上功德, 載中國史, 傳之萬世". 王以問門下侍中金仁存, 對曰, "傳聞之事, 恒多失實, 不宜聽浮言, 興師旅,

---

· 『中右記』, 大治 2년 4월, "六日乙丑, 天陰雨下, … 十日, 晩景小雨, 小雷鳴. 比叡山上, 今日大氷雨, 爲大怪, 他所不雨".

239) 이날 일본에서도 월식이 관측되었고, 이날은 율리우스력의 1127년 5월 27일이고, 월식 현상이 심했던 때의 世界時는 13시 20분, 食分은 0.29이었다(渡邊敏夫 1979年 475面).

· 『中右記』, 大治 2년 4월, "十五日甲戌, 今朝天晴雨止, … 今夕有月蝕由, 陰陽頭家榮朝臣所告送也, 十五分之七半弱, 虧初戌一刻, 加時戌四刻, 復末亥一刻, 晩景小雨, 臨夜雲晴, 月蝕正現揭焉也".

· 『中右記』目錄, 大治 2년 4월, "十五日, 月蝕御祈".

240) 李神倚[이신의]는 1124년(인종2) 2월 7일 李資謙에게 將軍 鄭旋淑과 함께 崔弘宰의 一黨으로 몰려 유배된 李神義와 읽기[讀音]가 같은 점을 보아 同一人일 것이다.

以怒强敵. 且金富軾, 將還, 請待之, 以察眞僞". 至是, 富軾還, 邊報果虛:節要轉載].

[→金兵入汴, 邊報妄傳金人敗北, 宋帥[宋師]乘勝深入, 金人不能拒. 鄭知常·金安等奏曰, "時不可失. 請出師應宋, 以成大功, 使主上功業, 載中國史, 傳之萬世". 時, 王在西京, 遣近臣馳問仁存, 對曰, "傳聞之事, 恒多失實, 不宜聽浮言, 興師旅, 以怒强敵. 且金富軾入宋, 將還, 姑待之". 及富軾還, 邊報果虛:列傳9金仁存轉載].[241]

[某日, 贈左僕射洪灌, 推誠報國功臣·[三重大匡·開府儀同三司]·守太尉·門下侍郎同中書門下平章事·判禮部事·上柱國, 謚[諡]忠平, 知樞密院事金縝, 謚[諡]烈直:節要轉載].[242]

[是月庚寅朔, 趙構在應天府稱帝, 建立南宋, 改元建炎:追加].

六月[己未朔大盡,丁未], [庚申[2日], 流星出營室, 入危, 大如木瓜:天文1轉載].

乙丑[7日], 賜王佐材等及第.[243]

庚午[12日], 以[門下侍中]金仁存△[爲]判吏部事, [門下侍郎平章事]李公壽△[爲]判兵部事[兼西京留守使:追加],[244] [政堂文學]金富佾爲戶部尙書·判禮部事, [知門下省事]金珦△[爲]檢校太尉·守司空, 金富軾△[爲]知樞密院事,[245] 崔滋盛△[爲]同知樞密院事, 崔思全爲吏部尙書·知都省事, 文公美爲禮部尙書·知制誥,[246] 鄭克永△[爲]判衛尉□[寺]事·翰林學士·□□□[知制誥].[247]

[→□[金]仁存不獲已, 就職, 羸老, 須人扶乃行:列傳9金仁存轉載].

[癸未[25日], [中部]廣德坊井, 鳴:五行1水變轉載].[248]

乙酉[27日], 慮囚.

---

241) 宋帥는 宋師의 오자일 것이다[三上次男 1973年 462面).

242) 洪灌에 관한 동일한 기사로 다음이 있는데, 첨자는 이에 의거하였다.
· 열전34, 忠義, 洪灌, "後以死節, 贈推誠報國功臣·三重大匡·開府儀同三司·守太尉·門下侍郎同中書門下平章事·判禮部事·上柱國, 諡忠平".

243) 이와 관련된 기사로 다음이 있다. 이때 王佐材·李陽允(李陽允墓誌銘) 등이 급제하였다.
· 지27, 선거1, 科目1, 選場, "[仁宗]五年六月, [門下侍郎平章事]李公壽知貢擧, 金富轍同知貢擧, 取進士, [乙丑], 賜王佐材等三十三人及第".

244) 이는 「李公壽墓誌銘」에 의거하였다.

245) 이때 金富軾은 知樞密院事·刑部尙書에 임명되었던 것 같다(『동문선』 권35, 謝刑部尙書·知樞密院事).

246) 이때 文公美가 謝禮한 表가 『동문선』 권36, 代文公美謝禮部尙書表일 것이다(郭東珣 撰).

247) 이때 鄭克永은 判衛尉寺事·翰林學士·知制誥에 임명되었다(열전11, 鄭克永).

248) 水變은 지7, 五行1, 水에 項目名이 提示되지 않아서 後代의 史書인 『明史』 권26, 지4, 五行1, 수, 水變에 의거하여 命名한 業績에 의거하였다(東亞大學 2011년 15冊 19面).

秋七月己丑朔小盡,戊申, [庚寅2日, 流星出婁, 入五車, 色黃, 大如木瓜:天文1轉載].

辛亥23日, 至自西京, 入御延德宮, 下詔曰, "今春, 巡西京駐蹕, 至秋乃還, 將以推恩及諸有衆, 諸扈從人有所犯者, 若非故犯勿論. 諸隨駕人員及西京迎駕百司, 各加同正職一級, 諸勞役僕肆僕隸,[249] 賜物有差. 其餘未盡稱下者, 令攸司, 以類聞奏施行".

丙辰28日, 宋敎練使·明州副使張詵來.

[某日, 以任元順爲慶尙道按察使:慶尙道營主題名記].

是月, 西京·西北道蝗.

八月[戊午朔大盡,己酉, 熒惑犯輿鬼, 又犯積尸, 終月乃沒:天文1轉載].

甲子7日, 移御延慶宮.

乙亥18日, 幸普濟寺.

丁丑20日, 以門下侍中致仕李瑋爲中書令, 任元敱爲禮賓少卿·御史雜端.

[→仁宗納其外孫女爲妃, 加中書令. 又賜鎭定功臣號·食邑二千五百戶·食實封五百戶:列傳11李瑋轉載].

辛巳24日, 改延慶宮爲仁德宮, 天福殿爲天成殿.

[○暴風拔木:五行3轉載].[250]

九月戊子朔小盡,庚戌, 己丑2日, 遣國子司業李仲如金, 賀天淸節.[251]

甲午7日, 王如安和寺.

丁酉10日, 幸王輪寺.

[○丁酉10日, 夜, 赤氣發東南, 至庚子13日滅:五行1轉載].

[壬寅15日, 雷:五行1雷震轉載].[252]

癸卯16日, 慮囚.

---

249) 여기에서 僕肆는 僕隸의 오자일 것이다(→인종 7년 3월 12일).

250) 이때 일본의 교토[京都]에서 8월 25일 저녁부터 26일에 걸쳐 비가 내렸다고 한다(『中右記』, 大治 2년 8월, "廿六日壬午, 從去夜雨下").

251) 李仲은 10월 15일(辛未) 契丹에서 天淸節을 賀禮하였던 것 같다.
- 『금사』 권3, 본기3, 太宗, 天會 5년 10월, "辛未, 天淸節, 高麗·夏遣使來賀".
- 『금사』 권60, 表2, 交聘表上, 天會 5년, "十月, 高麗使賀天淸節".

252) 이날 교토에서 때때로 비가 조금씩 내리다가 저녁에 그쳤다고 한다(『中右記』, 大治 2년 9월, "十五日壬寅, … 今日時々小雨, 入夜雨止").

[○流星出東壁東壁, 入羽林, 大如椀:天文1轉載].

[某日, 翰林學士鄭克永卒, □□□年六十一. 克永, 性明銳, 勤學, 善屬文:節要轉載].[253]

[丙午19日, 大霧:五行3轉載].[254]

丁未20日, 幸妙通寺.

己酉22日, 金宣慶使·永州管內觀察使耶律居瑾·鳳翔路秦州團練使張淮等來.[255]

[辛亥24日, 立冬. 月犯大微太微:天文1轉載].

[壬子25日, 流星出五車, 入北斗:天文1轉載].

丙辰29日晦, 王迎詔于天成殿, 詔曰, "勍敵, 奉天而廢立事, 盖非常, 諸侯爲朕之蕃, 宣理當誕告. 厥初汴宋, 請復幽燕, 密修浮海之勤, 申結與隣之好. 先皇帝金太祖曲矜懇至, 卽示允兪. 會無知施以固盟, 黜更納亡而構怨. 迨桓趙桓·欽宗纘紹, 復佶趙佶·徽宗云爲, 仍久示於含弘, 訖無聞於悔禍, 以致人神共怒, 天地不容. 止勞將帥之一征, 旋致窠巢之坐覆, 宗祧失守, 父子見俘. 載惟積之釁深, 至有易姓之事, 謂神器不可無主, 議降新封. 况生民, 惟懷至仁, 共推舊宰. 已於今年三月初七日, 宣諭元帥府, 差人押送趙主父子幷燕王·越王·鄆王以下宗族四百七十餘人赴闕. 仍備禮, 册命亡宋大宰張邦昌爲大楚皇帝, 都於金陵. 於戲, 獲盈貫之元惡, 于是輸成, 畢造物之全功, 所宜同慶. 今賜卿衣帶·犀□帶?·金銀·絹匹叚匹段等物, 至可領也".[256]

冬十月丁巳朔大盡,辛亥, [戊午2日, 流星出東壁東壁, 入羽林:天文1轉載].

[己未3日, 月犯太白:天文1轉載].

丁卯11日, 命有司, 刷諸李所奪土田·臧獲, 悉還本主.

己巳13日, 金使耶律居瑾還, 王附表以謝. 表曰, "非當勝事, 不世異恩, 實千古之

---

253) ~~添字는~~ 열전11, 鄭克永에 의거하였다.

254) 이때 교토에서 15일이래 계속 비가 오락가락하다가 18일 아침 서리가 내렸고, 19일은 흐리고 비가 내렸다고 한다(『中右記』, 大治 2년 9월, "十八日, 今朝霜下, 寒氣已到, 十九日丙午, 天陰雨下").

255) 耶律居瑾의 파견은 8월 21일(戊寅) 결정되었는데, 이름이 居謹으로 달리 표기되어 있다(陳述 1960年 198面).
· 『금사』 권3, 본기3, 太宗, 天會 5년 8월, "戊寅, 以宋捷, 遣耶律居謹等充宣慶使高麗".
· 『금사』 권60, 表2, 交聘表上, 天會 5년, "八月, 以耶律居謹·張淮爲宣慶高麗使".

256) 徽宗과 欽宗이 金軍에 被虜되어 滿州에 安置된 이후의 사실을 검토한 업적도 있다[圓田一龜 1937年]. 이때 張邦昌은 3년 후에 金陵(現 河南省 南京市)로 遷都하겠다고 하였으나 32일 후인 4월 10일 退位하였다.

未聞, 擧一方而祗服. 皇帝陞下陛下應三靈之符讖,257) 襲累世之宗祧. 仁之所漸者深, 則義之所制者衆, 德之所施者廣, 則威之所屈者多. 故得神兵一揮, 率土大定, 東西南北, 拓地增疆, 華夏蠻夷, 望風束手. 功業光輝於竹素, 威靈聳動於乾坤. 今者, 飭使節以有宣, 與侯邦而同慶, 便蕃上眷, 渥縟多儀. 惠厚及遐, 固論酬而無計, 心存事大, 但忠藎以爲期".

丁丑21日, 設百座道場于天成殿, 命內外, 齋僧三萬.

十一月丁亥朔小盡,壬子, 乙未9日, 幸奉嚴寺, 落成.

○遣石俊如金,258) 謝賀生辰, 李瑱, 賀正.259)

[庚戌24日, 熒惑入大微太微:天文1轉載].

十二月丙辰朔大盡,癸丑, [戊午3日, 流星出庫樓, 入大微太微, 大如雞子:天文1轉載].

庚午15日, 門下侍中金仁存卒.260) [輟朝一日, 命有司, 賻葬加禮. 謚文成:列傳9金仁存轉載]. [仁存, 平章事上琦之子, 性明銳, 少登科, 久爲內侍, 掌奏事. 遼使學士孟初來, 仁存, 爲接伴. 孟初, 見之如舊識, 及別, 解金帶贈之. 睿宗在東宮, 讀論語, 仁存爲侍讀學士,261) 纂新義, 進講. 自幼力學, 老不釋卷, 一時詞命, 多出其手. 資謙用事, 乞退家居, 資謙敗, 王以睿宗遺命, 起爲首相, 詔旨懇至, 仁存不獲已, 視事. 謚諡文成:節要轉載].

[辛未16日, 月犯輿鬼:天文1轉載].

[癸酉18日, 大霧:五行3轉載].

戊寅23日, 慮囚.

壬午27日, [立春]. 以門下侍郞平章事李公壽△爲判吏部事·監修國史,262) 金富佾爲中書

---

257) 여러 판본의 『고려사』에서 陞下로 되어 있으나 陛下의 오자일 것이다(東亞大學 2008년 5책 458面).

258) 石俊은 『고려사절요』 권9에는 石峻으로 되어 있다(盧明鎬 等編 2016년 242面).

259) 李瑱은 다음 해 正旦에 賀禮하였던 것 같다.

· 『금사』 권3, 본기3, 太宗, 天會 6년 1월, "丙戌朔, 高麗·夏遣使來賀".

· 『금사』 권60, 表2, 交聘表上, 天會 6년, "正月丙戌朔, 高麗使賀正旦".

260) 이날은 율리우스曆으로 1128년 1월 18일(그레고리曆 1월 25일)에 해당한다.

261) 侍讀學士는 열전9, 金仁存(金緣의 改名)에는 吏部郎中兼東宮侍講學士로 되어 있다(盧明鎬 等編 2016년 242面).

侍郎同中書門下平章事, 金珦·崔滋盛△△[並爲]參知政事, [知樞密院事]金富軾爲戶部尙書, 文公美△[爲]同知樞密院事.

是月, 太白晝見, 經天.

[是年, <u>判</u>[制], "凡諸寺院僧, 奸女色, 有無職勿論, 依律處決, 充常戶":刑法1奸非轉載].

[○以安稷崇爲知西北面兵馬事:追加].[263]

[○以[兵部員外郞]金永錫爲戶部員外郞:追加].[264]

[○以[左正言]崔誠爲尙州牧副使:追加].[265]

[○以田起爲淸州牧司錄:追加].[266]

[○詔[天和寺住持·禪師]<u>坦然</u>移住菩提淵寺:追加].[267]

[○以[王弟·法住寺居僧]<u>之印</u>爲三重大師:追加].[268]

[增補].[269]

---

262) 이때 李公壽는 門下侍郞平章事였다(李公壽墓誌銘).

263) 이는 「安稷崇墓誌銘」, "未戌年間, 再掌西北面兵馬事"에 의거하였다. 이에서 未는 丁未(인종5), 戌은 庚戌(인종8)을 가리킨다. 한편 仁宗世家編에는 西北面과 東北面의 兩界 兵馬使의 임명을 전혀 수록하지 않았던 점이 異彩롭다.

264) 이는 「金永錫墓誌銘」에 의거하였다.

265) 이는 「崔誠墓誌銘」에 의거하였다.

266) 이는 「田起妻高氏墓誌銘」에 의거하였다.

267) 이는 「山淸斷俗寺大鑑國師塔碑」에 의거하였다.

268) 이는 「海東廣智大禪師之印墓誌銘」에 의거하였다.

269) 이해(天會5, 建炎1)에 中原에서는 다음과 같은 일이 있었다.

- 3월 7일(丁酉), 金軍이 汴京(現 河南省 開封市)에 傀儡政權인 楚를 세우고 張邦昌을 皇帝로 삼았다(『금사』 권3, 권77張邦昌 ; 『송사』 권23 ; 『續資治通鑑』 권97).
- 3월 27일(丁巳), 金軍이 徽宗을 北行하게 하였다(『송사』 권23).
- 4월 1일(庚申), 金軍이 철수하면서 欽宗·皇后·皇太子를 北行하게 하였다(『송사』 권23).
- 4월 11일(庚午), 楚 皇帝 張邦昌이 退位하였다(33日間 在位, 『속자치통감』 권97).
- 5월 1일(庚寅), 康王(徽宗의 第9子 構, 高宗)이 南京(應天府, 現 河南省 商丘市)에서 卽位하였으나(『송사』 권23 ; 『금사』 권3), 東京開封府에 가지 아니하고 남쪽으로 옮겼다.
- 10월 27일(癸未), 高宗이 揚州(現 江蘇省 揚州市)에 도착하였다(『송사』 권24).

戊申[仁宗]六年, 金天會七年, [南宋建炎二年], [西曆1128年]

1128년 2월 3일(Gre2월 10일)에서 1129년 1월 21일(Gre1월 28일)까지, 354일

春正月[丙戌朔小盡,甲寅], 丁亥[2日], 王不豫, 宰樞·百官禱于廟社·山川·佛祠·道宇.

[○熒惑犯軒轅. 自丁未年[仁宗5年]十二月, 太白晝見經天, 光芒日大. 熒惑犯小微星~~少微星~~, 至于是月:天文1轉載].

辛卯[6日], 慮囚.

壬辰[7日], 金遣蕭懷玉來, 賀生辰.

[某日, 召還李資謙妻崔氏:節要轉載].

乙巳[20日], 仁德宮火.[270)]

丙午[21日], 移御延德宮.

[辛亥[26日], 夜, 北方有赤白氣, 入紫微宮:五行1轉載].

壬子[27日], 移御壽昌宮.

[某日, 以李仲爲慶尙道按察使:慶尙道營主題名記].

是月, 太白晝見, 經天. [自丁未年[仁宗5年]十二月, 太白晝見, 經天, 光芒日大, 熒惑犯少微星, 至于是月:天文1轉載].

二月乙卯朔[大盡,乙卯], 王引見金使蕭懷玉, 以不豫故, 至是受詔.

[丙辰[2日], 熒惑犯軒轅夫人:天文1轉載].

癸亥[9日], 南京宮闕火.[271)]

戊辰[14日], [春分]. 燃燈, 王如奉恩寺.

庚午[16日], 移御壽昌宮.

[乙亥[21日], 月入羽林:天文1轉載].

丁丑[23日], 幸普濟寺.

三月[乙酉朔小盡,丙辰], 丁亥[3日], 宋綱首蔡世章賫高宗卽位詔來.

庚寅[6日], 移御興王寺薦福院.

---

270) 이와 같은 기사가 지7, 五行1, 火, 火災에도 수록되어 있다.
271) 이와 같은 기사가 지7, 五行1, 火, 火災에도 수록되어 있다.

壬辰[8日], 親設華嚴道場於[興王寺]弘教院五日.

戊戌[14日], [穀雨]. 幸弘圓寺, 飯僧.

壬寅[18日], 以李公壽爲[開府儀同三司·]門下侍中[·上柱國], [中書侍郞平章事]金富佾△[爲]守司徒·判尙書兵部事, 金珦爲□□□□[中書侍郞]同中書門下平章事,[272] 李璹△[爲]檢校司徒·守司空·左僕射·判禮部事, [參知政事]崔滋盛△[爲]檢校司空·判工部事, [知樞密院事]金富軾爲翰林學士承旨, [文公裕爲殿中內給事·知制誥:追加],[273] [內侍梁元俊爲都塩院錄事:追加].[274]

甲辰[20日], 慮囚.

[某日, 定州饑, 詔, 發倉賑之:節要轉載].[275]

丁未[23日], 以崔思全[爲推忠衛社功臣·:節要轉載]守司空·尙書左僕射.

[戊申[24日], 日色無光, 赤黃. ○月色無光, 赤黃:天文1轉載].

[己酉[25日], 日色無光, 而赤黃:天文1轉載].[276]

[某日, 詔曰, "勸農桑·足衣食, 聖王之所急務也. 今, 守令, 多以聚歛[聚斂]爲利, 鮮有勤儉撫民, 倉庾空虛,[277] 黎民窮匱. 加之以力役, 民無所措手足, 起而相聚, 爲盜賊, 甚非富國安民之意. 其令州郡, 停無用之事, 罷不急之務, 躋民安富, 副朕憂勤":食貨2農桑·節要轉載].[278]

[是月頃, 以知寶城郡事王冲爲晋州牧判官:追加].[279]

[春某月, [菩提淵寺住持·禪師]坦然奏請於所住, 開張法會. 此山素多蛇虺, 頗爲行旅所患, 自法會之後, 莫知去處. 山下居民, 相傳以爲異事:追加].[280]

---

272) 그의 열전에 中書侍郞同中書門下平章事로 되어 있다(열전11, 金珦).

273) 이는 「文公裕墓誌銘」, "戊申[仁宗6年]春, 授殿中內給事·知制誥"에 의거하였다.

274) 이는 「梁元俊墓誌銘」에 의거하였다.

275) 이 기사는 지34, 食貨3, 水旱疫癘賑貸之制에는 "[仁宗]六年□□[四月], 詔, 以定州饑, 發倉賑之"로 되어 있다. 이에서 添字가 탈락되었다.

276) 이 기사에서 戊申(24일)의 '日色無光, 赤黃'은 지1, 天文1의 '日簿食·暈·珥及日變'에서, '月色無光, 赤黃'은 月·五星淩犯及星變에서 轉載한 것인데, 後者는 月變을 설명하는 것이 아니므로 前者를 잘못 轉寫한 것으로 추측된다. 또 己酉(25일)의 記事는 亦如之로 하여야 옳게 될 것이다.

277) 倉은 지붕[蓋]이 있는 倉庫이고, 庾는 露天에 貯藏하는 곳[野積]을 가리키므로 倉庾는 糧穀의 貯藏施設을 지칭한다.

278)『고려사절요』 권9에는 밑줄을 친 句節이 없다.

279) 이는 「王冲墓誌銘」에 의거하였다.

280) 이는 「山淸斷俗寺大鑑國師塔碑」에 의거하였다.

夏四月[甲寅朔大盡,丁巳], 乙卯[2日], 詔曰, "比來, 天文有變, 時令不調, 冀推恩而寬刑, 或調氣而消災. 宜令有司, 慮囚, 赦二罪以下, 望祀國內山川, 饗耆老及篤癈疾·節義·孝順·鰥寡·孤獨, 賜物有差. 又元曉·義想[義相]·道詵, 皆古高僧, 宜令所司, 封贈".[281)]

丁巳[4日], 南界海賊多起, 以御史中丞鄭應文爲宣撫使, 往諭之.

[辛酉[8日], 月犯大微[太微]西藩次相星, 又犯屛星:天文1轉載].

癸亥[10日], 王如安和寺, 經宿而還.

甲子[11日], 移御大明宮, 卽順天館.

[乙丑[12日], 月犯鎭星:天文1轉載].

己巳[16日], [小滿]. 帶方公俌卒于京山府.[282)] [資謙旣敗, 王欲召還, 命未下, 而卒:節要轉載].

[→及資謙敗, 仁宗欲召還, 六年卒于貶所. 王聞之哀悼, 輟朝三日, 贈諡良簡, 追封開府儀同三司·守太師·中書令·帶方公·食邑五千戶·食實封五百戶:列傳3肅宗王子帶方公俌轉載].

甲戌[21日], 太白晝見, 經天.

[○月入羽林中:天文1轉載].

己卯[26日], 詔[曰, "流人拓俊京, 雖坐丙午[仁宗4年]二月之罪, 而其年五月之功, 亦不細:節要轉載]. [同知樞密院事]崔惟迪緣坐子罪, 實非自作. [朴昇中雖有罪, 以文翰, 歷仕累代, 頗著聲稱, 並:節要轉載]許量移田里". [俊京移谷州, 昇中移務安縣. 昇中尋死:節要轉載].[283)]

[→後以[朴]昇中仕累代有文名, 量移務安縣, 卒許歸葬. 子深造·深道·深逢·深通. 深造屬內侍, 資謙之亂, 自宮溷中出, 衣上, 矢汁淋漓, 徑至資謙第, 告宮中事狀, 資謙贈衣冠, 勞慰之. 有司論以謀叛, 長流東鄙. 深道從父死貶所:列傳38朴昇中轉載].

庚辰[27日], 賜李元哲等及第.[284)]

---

281) 여러 판본의 『고려사』에서 義想으로 되어 있으나 義相의 오자일 것이다. 또 이때 道詵은 追贈職인 王師에서 先覺國師로 追封되었고, 使臣이 光陽縣 玉龍寺 道詵影堂에 파견되어 告由하였던 것 같다(光陽玉龍寺先覺國師證聖慧燈塔碑).

282) 이날은 율리우스曆으로 1128년 5월 16일(그레고리曆 5월 23일)에 해당한다.

283) 이 기사에서 流人은 流配人을 指稱한다. 『고려사』에서 流人은 流配人과 流浪民의 두 가지 意味로 사용되었다. 또 이 기사는 열전40, 拓俊京에 축약되어 있다("又明年, 量移谷州").

284) 이와 관련된 기사로 다음이 있다. 이때 文公美은 同知樞密院事 또는 知樞密院事로 추정되고, 李元哲·胡晋卿(胡晋卿墓誌銘)·[監門衛錄事]崔允儀(丙科, 崔允儀墓誌銘) 등이 급제하였다(朴龍雲

[辛巳[28日], 流星出牽牛, 入天田, 大如木瓜:天文1轉載].

五月[甲申朔[大盡,戊午], 芒種. 自四月下旬, 至今月, 太白晝見, 經天:天文1轉載].

[丁亥[4日], 流星出天津, 入營室, 大如木瓜, 色赤:天文1轉載].

己亥[16日], [夏至]. 移御延德宮, 醮于闕庭.

庚子[17日], 移御大明宮.

乙巳[22日], 移御壽昌宮.

庚戌[27日], 禱雨于廟社·山川.

[辛亥[28日], 流星出天津, 入營室:天文1轉載].

六月甲寅朔[小盡,己未], [小暑]. 王如奉恩寺.

己未[6日], 設菩薩戒道場于重華殿.

辛酉[8日], 以崔弘宰爲門下侍郎平章事, 崔弘義爲戶部尙書·左右衛上將軍.[285)] [初, 資謙之流韓安仁也, 弘宰與謀焉. 至是, 爲諫官論駮, 故最後召:節要轉載].[286)]

丁卯[14日], 宋國信使·刑部尙書楊應誠, 齊州防禦使韓衍等來. 初, 應誠至江亭[~~碧瀾亭~~],[287)] 移牒接伴所云, "准勑, 今將欲至碧瀾亭, 貴國禮意勤腆, 若不預行開陳, 必至慮有煩勞. 緣爲二聖[徽宗·欽宗]在遠, 臣子不忍聽樂筵會. 今將舊例檢炤, 迎詔拜表日, 依例用樂外, 如有筵會, 則赴坐免樂, 并免送衣帶·花酒".[288)]

1990년 ; 許興植 2005년).

· 지27, 선거1, 科目1, 選場, "[仁宗]六年四月, [同知樞密院事?]文公仁[文公美]知貢擧, 崔濡同知貢擧, 取進士, □□[庚辰], 賜李元哲等二十九人及第".

285) 崔弘義는 이 시기의 전후에 金吾衛上將軍·攝刑部尙書에 임명되었던 것 같다(『동인지문사륙』 권7, 崔弘義讓金吾衛上將軍·攝刑部尙書不允□□[~~詔書~~]).

286) 이날 崔弘宰는 三重大匡·開府儀同三司·檢校太保·守太尉·門下侍郎同中書門下平章事·判尙書兵部事·柱國에 임명되었다고 한다(崔弘宰墓誌銘).

· 열전38, 崔弘宰, "及資謙敗, 凡爲資謙所斥者, 悉召還, 弘宰以殺安仁, 爲諫官所論駮, 最後召. 拜平章事判吏兵部事".

287) ~~添字~~는 『고려사절요』 권9에 의거하였다.

288) 이때(1128년 6월) 徽宗(趙佶)과 欽宗(趙桓)은 金軍에 의해 북쪽으로 押送되는 중이었고, 다음 달(7월) 燕京(燕山府, 現 北京市)을 거쳐 中京, 上京으로 옮겨져 太宗을 만났고, 같은 해 12월 韓州(現 遼寧省 昌圖市 八面城)로 옮겨졌다. 1130년(인종8) 8월 무렵 다시 五國城(五國頭城, 現 黑龍江省 哈爾濱市 依蘭縣의 서북지역)으로 옮겨져 幽閉되었다. 그런데 조선시대의 여러 문집에 의하면, 五國城은 豆滿江 北邊의 어느 곳에 있어 朝鮮人이 쉽게 접근할 수 있었다고

己巳[16日], 迎詔于壽昌宮, 詔曰, "數遇中微, 變生外圉, 肆朕纘紹, 方圖敉寧. 惟三韓之舊邦, 實累世之與國, 嚮煩信使, 來效充庭, 乃緣艱虞, 久緩報聘. 想亦量其多故, 當不替於素懷. 玆奉大金之尺書, 特馳一介之行李, 航海越境, 良有溷煩, 救灾恤民, 必加軫助. 聊將薄物, 不逮彝儀, 今差楊應誠·韓衍等, 充國信使副, 兼賜國信禮物<u>衣帶</u>·金鍍銀器·雜色<u>匹叚</u>[~~匹段~~]·散馬等物[至, 可領也":節要轉載].

○應誠等歸館, <u>復上語錄云</u>[~~又進箚子云~~], [289] "昔周室多難, <u>或言</u>於<u>晉文</u>[晉文公]曰, 求諸侯, 莫如勤王, 諸侯信之, <u>且大義也</u>.[290] 晉文旣定王室, 因成覇業, 載之書典, 光耀無窮.

한다. 그렇지만 丁若鏞이 지적한 것처럼 사실이 아닐 것이다.

· 『三淵集』 권26, 北關日記, "… [三月]二十六日, … 便見豆滿江, … 又指西邊遠峀曰, 雲頭山, 五國城在其下云, 樓制極壯, 俯視城郭, 閭廨呈露無隱, 川出左右, 逶迤入豆滿, 餘外皆平蕪也. 又有阜偃伏之勢, 卽鼇山也".

· 『華谷集』 권3, 受降亭[注, 伐登堡越邊, 有完顔古城, 土人傳是五國城, 故第五□[句]及之].

· 『研經齋全集』 권15, 五國城辨, "… 以'高麗史'及'金史'考之, 曷懶甸, 今咸興·端川·吉州等地. 又'遼志'以爲韓州在䜌賓府, 䜌賓之南, 今三水·甲山·厚州之地也. '金史'又云天會八年七月丙寅, 昏德公趙佶卒于鶻里改, 昏德公卽宋徽宗也, 鶻里改者胡里改, 而今咸鏡北道也. 今北道之會寧甫乙下鎭, 西有大塚, 往往拾金銀器及崇寧錢, 舊傳徽·欽所葬. 又<u>尹光莘</u>爲北兵使時, 高嶺僉使於此得一罏一爵, 俱古雅, 眞宣和舊物, 然則五國城, 爲會寧府者無疑. 盖寧古塔古蹟·'金國志', 皆從金所都上京會寧府, 而求五國城, 故易失之, '契丹國志'從金初起之地, 而求五國城故, 明矣". 여기에서 尹光莘이 北兵使에 임명된 것은 1739년(영조15) 7월 2일(丙午)이다(『영조실록』 권49).

· 『耳溪集』 권14, 宋錢記, "五國城, 宋二帝所拘也, 高麗朔方道, 舊爲女眞地. 今會寧府之甫羅鎭, 有古山城, 土人相傳, 爲五國城. 余於丁酉[正祖1年], 官北塞, 路過會寧. 問所謂五國城, 西望二十里, 有麓屹然薄豆滿之江, 俗名曰游端, 其下數十里, 有大墳如丘陵, 謂之皇帝塚, 傍有小塚百餘, 謂之侍臣塚, 田夫墢土, 往往得宋時錢云. 余托邑人求之, 得錢四枚, 一曰皇宋通寶, 一曰景德元寶, 一曰元豊通寶, 一曰元祐通寶. 匡郭肉好, 如古五銖錢, 而或篆或隷, 字畫皆可辨也. 余摩挲而嘆曰, 此趙宋舊錢也. …".

· 『碩齋稿』 권9, 海東外史, "五國城, 在朝鮮均州北二十五里豆滿江南花豊山, 一名雲頭城, 有古郭遺址, 均州今爲會寧府, 若因山爲陵者二, 曰皇帝塚, 傍有纍纍衆墓者, 曰侍臣葬, 或得金銀器鐵錢, 皆刻政和·崇寧年號, 銅爐畵雲物極精巧, 三足蹇, 一熾炭, 三月不燼, 水犀角觚亦奇古, 俱爲朝鮮宰相所鑑賞. …".

· 『여유당전서』 권12, 慶興宋帝爐辨, "今年春, 有從北方來者, 言'慶興府掘地獲一爐, 考其款識刻, 有紹聖二年鑄五字, 體無殘缺而跛一足, 是爐也, … 於是都人盛相傳說, 謂古器復出, 而宋之徽欽, 實葬在此'. 余曰'噫嘻, 此邪說也. … 然徽·欽之被幽也, 初自金之東京, 徙于鶻里, 改路又徙于五國城, 及其崩也, 皆返葬于中國, 是爐蓋遺落於播遷之際者也, 豈明器之殉者耶?', 曰'款識奈何?', 曰'金人刦掠宋公私諸器甚多, 款識之紀宋年號, 何疑焉? 款識紀宋年號者, 必宋帝用之, 宋之臣民, 不敢用之耶?'. 嘉慶<u>丙辰</u>[正祖20年]冬".

289) ~~添字~~는 『고려사절요』 권9에서 달리 표기된 것이다.

290) 이는 다음의 자료에서 따온 것이다.

· 『춘추좌씨전』 <u>傳</u>, 僖公 25년 1월 丙午[21日], "… <u>狐偃</u>言於晉侯曰, 求諸侯, 莫如勤王, 諸侯信之. 且大義也".

竊惟貴國在海東, 最號爲大, 世著忠順. 自通使以來, 本朝待遇貴國, 恩禮加厚, 未始小衰. 此者, 時遇艱難, 國家多事, 不料狄人用詐, 遂勤二聖徽宗·欽宗遠征, 上下憂勞, 莫遑寧處. 重念貴國, 秉禮重義, 而又本朝恩遇, 積有歲年, 非他國之比. 方玆緩急, 義當責望, 正仗大義, 勤王時也. 今皇帝高宗初登寶位, 遣使撫問國王, 就煩津發. 迎請二帝徽宗·欽宗, 於傳宣拜詔日, 已嘗一一面陳, 繼以公牒, 移館伴所, 再煩申覆, 誠懇備至, 諒蒙體悉. 貴國以謂, 去金道路險阻, 不可前行. 在祖宗時, 金人嘗附貴國之使, 入貢. 當時道路自通, 未聞不可行也. 貴國又恐金人, 亦由此遣使. 然金人自破契丹後, 皆由河東·山北通使, 必不由此而來. 若貴國慮金人因此生事, 應誠等今此奉使, 只是素隊百十人, 持國書·禮幣, 前去講和, 卽非爭鬪. 貴國茀第津發,[291] 使人一行至界上, 先報知金人, 以聽可否, 或裁減人數, 一切從之, 自是無由生事. 若使由貴國之路, 迎請二帝, 則不虧二百年忠順之義, 亦以報列聖眷遇之恩. 國家報功, 倍於疇昔, 而四方諸國, 益仰令名, 信服高義, 實有無窮之休. 而貴國重臣, 皆有恊贊協贊奉戴之忠, 國家賞典, 傳於不朽. 非一時使人, 私己之利也. 敢盡布腹心, 惟冀國王, 謀及重臣, 恊協濟玆事, 無以暴起之狄人, 遂失久要於華夏. 早希與決, 無至稽留".

○王以書答曰, "本國, 自祖宗以來, 事大以誠. 故自神考神宗, 至於太上道君皇帝徽宗, 視同一家, 其異恩厚禮, 豈易名言. 惟天地不責其報, 而區區感激之意, 庶幾萬一. 伏聞二帝遠征, 擧國憂憤, 雖不能應時, 奔問官守, 而臣子之心, 豈遑寧處. 且皇帝孝悌, 群公忠儀, 必也動天地感鬼神, 天地鬼神, 共相恊贊協贊. 豈使二聖久勞沙漠. 每祝早還京闕, 以副天下之望. 皇帝初登寶位, 首遣侍臣, 就傳詔命, 欲令小國, 津發前去, 迎請二聖. 使副又於傳詔日, 一一面諭, 繼以公牒, 懇意備至, 敢不拜命. 然女眞之始也, 分居部落, 未有定主, 故嘗臣屬我國, 或隨我使人, 入貢上國. 此後, 漸致强盛, 常爲邊患, 近者, 陷沒大遼, 侵犯上國. 自此兵威益大, 抑令小國稱臣, 仍約定禮數, 一依事遼舊例, 小國, 不得已而從之. 然其俗好戰, 常疾我樂率上國, 近於疆界, 修葺城壘, 屯集兵士, 意欲侵陵小國, 如聞使節, 假道入境, 必猜疑生事. 非特如此, 必以報聘爲名, 假道小邦, 遣使入朝, 則我將何辭以拒. 苟知海道之便, 則小國之保全, 難矣, 而淮南·兩浙緣海之地, 得不慮其窺覦耶. 苟爲不然, 小國豈敢恬不從命, 玆事實大, 非敢飾言. 惟使副曲察情衷, 少廻雅意, 歸奏闕下".

291) 여러 판본의 『고려사』에서 茀로 되어 있으나 第로 고쳐야 옳을 것이다(同音異字, 東亞大學 2008년 5책 461面).

癸酉[20日], 慮囚, 出輕繫.

[丁丑[24日], 流星大如缶, 色白有光, 出紫微宮, 長十尺許, 疾行入離室星[離宮星][292]. 又流星大如鉢, 出天市星[天市垣], 色赤, 長五尺許, 疾行入氐星. 又流星大如燈盞, 出軫星色赤, 長七尺許, 疾行入左角星. 四更, 流星大如鉢, 出天津星, 色如火, 長三尺許, 疾行入河鼓星. 五更, 流星大如燈盞, 出壘壁陣, 色白, 入羽林. 又流星大如燈盞, 長十尺許, 入昴星:天文1轉載].

[戊寅[25日], 黃赤氣, 東西竟天:五行3轉載].

辛巳[28日], 幸外帝釋院.

秋七月[癸未朔大盡,庚申], [乙酉[3日], 立秋. 野鶴數千, 自東來, 盤飛於城市·宮禁:五行1轉載].

丙戌[4日], 參知政事李璹罷. [璹妻金氏, 與其母弟仁揆, 爭財不睦. 璹子溫卿, 作匿名書, 誣構仁揆罪, 夜投御史臺, 爲巡檢所執, 父子皆坐:節要轉載].

[→其妻, [中書侍郎]平章事金仁揆姊也, 仁揆以李資謙親黨流, 璹幸其災, 據仁揆第, 奪家產·奴婢. 及仁揆還責之, 璹慙懼, 密與其子溫卿, 誣構仁揆謀逆, 作飛書, 夜投御史臺, 爲巡檢所執. 有司請配流, 仁宗以妃任氏外王父兄弟, 止免官:列傳11李璹轉載].

庚寅[8日], 幸普濟寺.

壬子[30日], 幸王輪寺.

[某日, 以安軾爲慶尙道按察使:慶尙道營主題名記].

八月[癸丑朔小盡,辛酉], [丙寅[14日], 太白犯軒轅大星:天文1轉載].

庚午[18日], [秋分]. 宋使楊應誠等還, 王御重華殿, 引見, 附謝表曰, "皇使鼎來, 天暉遠逮, 仰龍光而拜賜, 戰冰炭以交懷. 恭惟皇帝陛下, 應戴舜之誠, 懋興周之業, 敉功不替, 圖並受於丕基, 哲命自貽, 勤用祈於初服. 乃眷東土, 實爲世臣, 特煩法從之班, 曲示訓辭之重. 仍加好賜, 敷錫異恩, 奉咫尺之威, 固將殞越, 讀懇惻之語,

292) 添字와 같이 고쳐야 옳게 될 것이다.
- 『晋書』 권11, 지1, 天文上, 二十八舍, 北方, "… 離宮六星, 天子之別宮, 主隱藏·休息之所".
- 『송사』 권49, 지3, 천문3, 二十八舍上, 北方, "離宮六星, 兩兩相對爲一坐, 夾附室宿上星, 天子之別宮也, 主隱藏·止息之所".

徒自涕洟. 盖念遐藩, 素陶聲敎, 遠自祖先之世, 亟叨恩禮之加, 延及後侗, 益圖內面. 忽聞邊鄙之爲梗, 遂致春秋之後倫. 而况帝室多艱, 鑾輿遠狩, 但增驚駭, 罔識端倪. 悵無路以奮臂, 阻問安於行在. 分灾救患, 當輪敵愾之忠, 緜力薄材, 難展勤王之效, 憂媿滋劇, 神明所監. 緣臣繆纘孫謨, 適丁厄會災荒荐, 至人物凋殘, 內逼逆臣跋扈之兇, 外虞强國覘伺之釁. 方初平難, 兼講和隣, 匪曰爲功, 幸無生事. 非不知擧幣邑, 以奔朝廷之敎命, 盡微勞. 以答累代之寵靈, 勢有未便, 事難自遂. 但期睿聖, 曲亮忱誠, 察臣方處於艱危. 赦臣實非於逋慢, 永加容德, 俾遂曲全, 則蓺極其存, 無失小邦之事大, 文威所被, 敢忘荒服之尊王. 指白日以誓心, 冀皇天之垂炤".

○時應誠等, 往復不已. 又答曰, "上朝先是降詔, 令小國往諭女眞來朝, 小國竊慮女眞, 不可使窺中國富盛, 不敢奉詔. 朝廷不以爲然, 遂多方招諭, 厚賜金帛, 彼旣知中國虛實, 窺心一動, 長驅深入, 騷擾京師. 小國與金國, 疆埸相接, 知情僞甚熟, 今使節由此而往, 則猜疑生隙, 禍不旋踵, 假令使節由此往彼, 彼必由此復禮. 又况其國, 東濱大海, 尤善水戰. 彼托以復禮, 審知淮浙形勢, 萬一具戰艦, 浮海而下, 擊其不意, 竊恐北苦陸戰, 南苦水戰, 首尾受敵, 爲患必鉅, 事至於此, 雖悔可追. 小國所以不獲奉詔者, 天地洞鑑, 不敢飾辭. 雖曠日持久, 更不敢他議. 仍選日, 請附回表".

○應誠等答曰, "貴國君臣, 必以爲有害而不從, 只欲使人還歸, 是終不許也". 遂不受附表, 例贈宴幣·衣對禮物, 亦皆不納而去.

甲戌[22日], 遣禮部侍郎尹彦頥如宋,[293] 上表曰, "~~伏以~~天地之仁, 各令萬物, 以咸遂, 帝王之道[度], 不責衆人之所難. 敢吐忱辭, 仰干聰聽. 竊念本國, 地分東鄙, 世事中華, 守千萬里[千里]之封疆, 未躬於朝請, 顧二百年之恩禮, 但誓於忠勤. 昨者, 聞兩聖之播遷, 擧三韓而悲痛. 旣不能奔問官守, 以申[伸]臣子之誠, 又未得首倡儀兵, 以徇

293) 尹彦頥는 다음 해인 1129년(인종7) 5월 3일(庚辰)까지 起居郎(從5品)이었고, 6월에 起居舍人(從5品)으로 慶尙道按察使가 되었다가 年末에 禮部郎中(正5品)·知制誥에 임명되었던 것 같다. 또 禮部侍郎은 1134년(인종12)에 임명되었으므로 이때의 禮部侍郎(正4品)은 使臣으로 파견될 때 임시로 임명한 借職이었을 것이다. 또 이때 金子儀가 隨從하였다.

· 「尹彦頥墓誌銘」, "越戊申[仁宗6年], 大宋尙書楊公應誠, 以請路事來朝, 仁宗命公告奏大宋. 公不曾留意於一物, 盖不營 產業故也. 子儀亦預焉. 忽一日康王宣送稠重, 公乃謝表略云, 臣父先臣瓘三入大朝, 望清光於白日, 二征東虜有, 遺恨於黃泉. 及迴船, 忽於乳山下風濤大作, 船人皆僵仆, 公乃正衣冠, 抱迴詔上船, 頭除髮焚香仰天, 禱訖風乃定, 又於洋中亦然, 一瞬閒入本朝洪州界內, 眞至誠君子也. 不幸短命, 何其與顏回, 不相異也".

國家之難. 今□[者]伏遇皇帝陛下, 起從元帥之府, 光襲先王之基, 冀與臣民, 共迎鑾輅. 詔書下而老幼垂泣, 德意形而遐邇宅[~~徼~~]心. 至誠感神, 豈無厥應. 宸極反正, 今也其時. 臣屬室家焚蕩之餘, 當軍國擾攘之際, 愧未遑於慶禮, 辱先遣於皇華. 雖命出重嚴, 乃事難遵稟. 盖彼金國, 接我鴨濱, 旣乘猾夏之威, 又有害隣之意, 當令密諜, 以待釁端. 如聞仗節之假途, 則[~~卽~~]必應時而生事. 或揚兵可畏而[於]加責, 或復禮爲名而[以]請行, 在此路衝, 將何辭拒. 彼衆我寡, 旣難可以與爭[~~可與爭鋒~~], 唇亡齒寒, 又焉知其非禍[~~福~~]. 豈徒今日之扼腕, 必[恐]有他時之噬臍. 職此多艱, 理非自慢. 伏望皇帝陛下, 念臣內懷嚮慕, 憫臣外迫侵陵, 山藪示藏, 雷霆收怒. □[使]小國有保全之幸, 上朝無藩屛之危. 率諸侯而尊周王, 非敢期齊·晋之故事, 任厥土而作禹貢, 願不失靑·徐之舊儀. 丹慊不誣, 皇天是證".[294]

甲戌[22日],[295] 以崔思全△[爲]守司空·尙書左僕射.

[→宣旨曰[~~制曰~~], "朕幼年莅位[~~莅政~~], 外戚專權, 作威作福, 多所中傷. 殺韓安仁, 流文公美·崔弘宰等五十餘人, 朝廷爲之一空, □□□□[~~威振國內~~], 寡人至於孤立. 自是, 多樹朋黨, 禍將不測, 至丙午[仁宗4年]二月, 近侍員僚及一二大臣, 請除其權, 朕不敢不從, 而彼乃肆毒犯闕, 宮殿府庫, 焚燒無遺. 及朕出御延德宮, 凡在左右侍衛軍士, 或斬殺之, 或流竄之, 凶焰益熾, 禍變難測. 崔思全[~~卿~~]密諭拓俊京, 同心定策, □□□□□□[~~以五月二十日~~], 掃蕩[~~掃除~~]兇逆, 再安宗社, 功不可忘. 宜令有司, 書三韓後壁上功臣之次":節要轉載].[296]

乙亥[23日], 幸西京.

[○僧妙淸·分司檢校少監白壽翰, 自稱知陰陽之術, 以詭誕不經之說, 眩惑衆人. 鄭知常亦西京人, 深信其說, 以謂, "上京, 基業已衰, 宮闕, 燒盡無餘, 西京有王氣, 宜移御爲上京". 乃與近臣[·郞中]金安謀曰, "吾等若奉主上, 移御西都, 爲上京, 則當爲中興功臣, 非獨富貴一身, 亦爲子孫無窮之福". 遂騰口交譽, 近臣洪彝敍·李仲孚及大臣文公仁·林景淸, 從而和之. 遂上奏曰, "妙淸聖人也, 白壽翰亦其次也, 國家之

294) 이 表의 原文은 『동인지문사륙』 권2, 告不陳發使臣入金表[注, 是年告奏使尹彦頤賫表](金富佾 作)인데, 添字는 이에 의거하였다. 그 외에도 字句의 出入[不一致]이 있으므로 두 자료를 함께 읽어야 할 필요가 있다.

295) 여기에서 甲戌(22일)이 두 번째로 기록되었다[重出]. 또 崔思全은 이해의 3월 23일(丁未) 守司空·尙書左僕射에 임명되었으므로, 이 기사는 『고려사절요』 권9와 같이 三韓後壁上功臣에 책봉된 것을 잘못 기술한 것으로 추측된다.

296) 이 기사는 열전11, 崔思全에도 수록되어 있는데, 字句의 출입이 있다. 添字는 後者에 의거하였다.

事, 一一問~~諮問~~而後行, 其所陳請, 無不容受, 則政成事, 修~~遂~~而國家可保也". 乃歷請諸官署名, 平章事~~知樞密院事~~金富軾·參知政事~~禮賓少卿~~?任元敱·承宣~~起居注~~李之氐,[297] 獨不署名. 書奏, 王雖持疑, 而以衆口力言, 不得不信. 於是, 妙淸等上言, "臣等, 觀西京林原驛地, 是陰陽家, 所謂大花勢, 若立宮闕, 御之, 則可幷天下, 金國執贄自降, 三十六國, 皆爲臣妾". 故有是行:節要轉載].[298]

○自四月至是月,太白晝見, 經天.

[→自六月, 至是月,太白晝見, 經天:天文1轉載].[299]

九月[壬午朔大盡,壬戌], [癸未[2日], 流星出畢, 入王良, 移入營室:天文1轉載].

[甲申[3日], 太白犯大微~~太微~~西藩上將星:天文1轉載].

丁亥[6日], 遣李愈如金, 賀天淸節.[300]

[己丑[8日], 乾方, 有聲如雷:五行1鼓妖轉載].

[○太白犯右執法:天文1轉載].

[辛卯[10日], □□~~太白~~犯大微~~太微~~端門:天文1轉載].

丙午[25日], 命行從~~從行~~宰樞, 與妙淸·白壽翰相定新宮于林原驛地.[301]

○以林景淸爲樞密院副使.

[○月犯大微~~太微~~次將星. 流星出奎, 入營室:天文1轉載].

[○大風雷雨雹. 赤氣, 自乾方, 從紫微, 入艮方, 又黑氣, 南北相衝:五行3轉載].

[丁未[26日], 月犯大微~~太微~~庭:天文1轉載].

---

297) 이들 3인의 관직은 당시의 그것이 아니고, 각각 知樞密院事(金富軾), 禮賓少卿(推測, 任元敱), 起居注(李之氐) 등이었다.

298) ~~添字~~는 열전40, 妙淸에 의거하였는데, 그 중에 妙淸列傳의 咨文은 諮問으로, 『고려사절요』의 政成事修는 政成事遂로 고쳐야 옳게 될 것이다.

· 『老子道德經』 권상, 淳風第17, "太上下知有之, 其次親之譽之, 其次畏之, 其次侮之, 信不足焉. 猶兮其貴言. 功成事遂, 百姓皆謂我自然". 여기에서 功과 事는 處理, 解決해야 할 일[事], 遂는 達을 의미한다(阿部吉雄 等編 1994年 40面).

299) 世家와 지1, 天文1의 내용에서 차이가 있다.

300) 李愈는 10월 15일(丙寅) 契丹에서 天淸節을 賀禮하였던 것 같다. 그렇다면 李愈는 開京에서 金의 上京會寧府(現 黑龍江省 哈爾濱市 阿城區 城南 2km 位置, 俗稱'白城', 松花江의 支流인 阿什河 沿邊에 위치)까지 30여 일만에 도착한 셈이 된다.

· 『금사』 권3, 본기3, 太宗, 天會 6년 10월, "丙寅, 天淸節, 高麗·夏遣使來賀".

· 『금사』 권60, 表2, 交聘表上, 天會 6년, "十月丙寅, 高麗使賀天淸節".

301) ~~添字~~는 열전40, 妙淸에 의거하였는데, 兩者가 同一한 의미를 지니고 있다.

庚戌[29日], 慮囚[→10월에서 移動해옴].

冬十月壬子朔[小盡,癸亥], 東南海安撫使鄭應文奏, 溟珍·松邊·鵝洲三縣海賊, 佐成等八百二十人投附, 已於陜州三岐縣, 置歸厚·就安二場, 晋州宜寧縣, 置和順場, 以處之, 群臣陳賀.[302]

[→中年, 遷晋陽通判, 會海賊八百餘人保于巨濟郡界, 暴戾恣睢, 殺越人于貨, 一方騷然. 按察使李仲·宣撫使鄭應文等往諭之, 而彼昏卒狂, 鋒蝟斧螗,[303] 以拒王命. 公[晋州判官王冲]不忍見義無勇, 單騎走入賊場, 臥賊帳中, 數日, 諭以禍福, 覠頑聚聽, 靡然草偃. 遂分北于裔地, 自此合境蘇息. 上嘉其能, 入爲殿中內給事:追加].[304]

[庚戌, 慮囚→9월로 移動해 감].[305]

甲寅[3日], 至自西京, 入御壽昌宮.

[戊午[7日], 昏霧四塞二日:五行3轉載].

[己未[8日], 流星大如炬, 色赤, 出翼入角星:天文1轉載].

癸亥[12日], 遣吏部尙書崔濡·衛尉少卿宋覲如金, 謝宣慶, 幷進方物.

甲子[13日], 幸神衆院.

[○黑氣如布匹, 竟天, 犯天津·天船·五車·文昌·三台星中:天文1轉載].

[乙丑[14日], 月食, 旣:天文1轉載].[306]

---

302) 東南海安撫使 鄭應文은 이 기사와 같이 溟珍·松邊·鵝洲의 3縣의 해적을 소탕하여 安住시키기 위해 파견된 인물이었던 것 같다. 이해의 秋冬番 慶尙道按察使는 安軾이었으며, 그는 東南海都部署使도 兼任하고 있었을 것이다. 또 鄭應文은 盧琯妻鄭氏(金浦 鄭氏, ?~1210)의 祖父인 兵部侍郎 鄭應文과 同一人으로 추측된다(盧琯妻鄭氏墓誌銘).

303) 이 구절은 唐代 柳宗元(773~819)의 시문에서 따온 것이다(蔡雄錫敎授 指導).
· 『柳河東集』 권1, 平淮夷雅表二篇幷序, "皇武命丞相度董師集大功也, 皇耆其武, 于潑于淮. 旣巾乃車, 環蔡具來. … 進次于郾, 彼昏卒狂. 裒兇鞠頑, 鋒蝟斧螗. 赤子匍匐, 厥父是亢. …"(四庫全書本4左1行).

304) 이는 「王冲墓誌銘」에 의거하였다(金龍善 2006년 175面). 이에 기록된 海賊의 橫行은 春夏番慶尙道按察使 李仲이 在職하고 있을 때임을 보아 3~4월 이래 해적에 대한 懷柔와 討伐이 있었던 것 같다.

305) 庚戌은 이달에 없고, 9월 29일이 庚戌이므로 9월로 이동시켜야 한다. 이는 이달의 기사가 壬子朔(1일), 庚戌, 甲寅(3일), 癸亥(12일), 甲子(13일)의 4件으로 이루어져 있는데, 만일 庚戌이 10월의 기사라면 癸丑(2일)의 오자로 추측되지만, 그보다는 날짜[日辰] 정리에 실패한 것 같다[移動事由].

306) 이날 일본의 교토[京都]에서도 월식이 관측되었던 것 같다. 이날은 율리우스력의 1128년 11월 8일이고, 월식 현상이 심했던 때의 世界時는 20시 55분, 食分은 1.78이었다(渡邊敏夫 1979年

[戊辰17日, 流星出翼入左角, 大如炬:天文1轉載].

[庚午19日, 流星出星大星, 入翼星中:天文1轉載].

[己卯28日, 太白犯歲星:天文1轉載].

十一月辛巳朔大盡,甲子, 戊子8日, 移御仁德宮.

己丑9日, 遣工部員外郎兪元胥如金, 謝賀生辰, 閤門通事閤門通事舍人金澤, 賀正.[307]

[甲午14日, 大霧四塞, 三日:五行3轉載].

丁酉17日, 移御壽昌宮.

[己亥19日, 歲星犯房:天文1轉載].

[庚子20日, 自戌地至未, 赤氣滿:五行1轉載].

[辛丑21日, 月犯大微太微屛星:天文1轉載].

[壬寅22日, 冬至. □月入大微太微三公星. 歲星犯房星:天文1轉載].

[甲辰24日, 流星出天市垣, 入翼:天文1轉載].

[乙巳25日, 歲星犯鉤鈐:天文1轉載].

[丁未27日, 流星出天囷, 入參, 大如炬:天文1轉載].

戊申28日, 移林原驛, 作新宮, 命內侍·郎中金安督役, 時方寒沍, 民甚怨咨.[308]

[己酉29日 流星出五車, 入參, 大如木瓜:天文1轉載].

[是月, 建元景王師樂眞塔碑於陜川縣般若寺, 大匠金允刻字:追加].[309]

475面).

· 『中右記』目錄, 大治 3년 10월, "十四日, 夜月蝕".

307) 兪元胥는 그의 딸(朴正明의 妻)의 封郡號가 全義縣大君임을 보아 본관이 全義縣인 것 같고, 공부원외랑이 最終官職이었던 것 같다(朴正明墓誌銘). 閤門通事는 閤門通事舍人으로 해야 옳게 된다. 또 金澤은 다음 해 正旦에 賀禮하였던 것 같다.

· 『금사』 권3, 본기3, 太宗, 天會 7년 1월, "庚辰朔, 高麗·夏遣使來賀".

· 『금사』 권60, 表2, 交聘表上, 天會 7년, "正月庚申朔, 高麗使賀正旦".

308) 金安은 金粲의 改名이다(→인종 4년 10월 20일).

· 열전40, 妙淸, "命金安營宮闕. 督役甚急, 時方寒沍, 民甚怨咨".

309) 이는 다음의 자료에 의거하였는데, 이의 해석은 "때는 天慶 8년 戊戌年(1118, 예종13)에서 시작하여 오늘에 이르기까지 11년째인 戊申年(1128, 인종6) 11월에 세운다"로 하면 좋을 것이다. 이해는 金帝國의 天會 6년인데, 그것을 사용하지 않으려는 意圖가 있었던 것 같다.

· 「贈諡元景王師塔碑銘」, "… 時自天慶八年戊戌至今十一戊申歲仲冬立」大匠金允刻,」 …」".

十二月辛亥朔小盡,乙丑, 甲寅4日, 尹彦頤還自宋, 詔曰, "朕比遣使軺, 亟馳殊域, 念父兄之遠狩, 邈川陸之相望, 假道無從, 問安宷切. 爰荷藩維之舊, 庶資疆場之通, 遽諗奏封, 備陳誠悃. 鑑觀彌日, 慨嘆在中, 顧孝友之思, 雖欲伸於己志, 然幾微之慮, 亦當盡於人情. 旣諒恭勤, 無忘屛衛".

乙卯5日, 慮囚.

癸亥13日, 以崔思全△爲參知政事·判尙書刑部事, 前西京留守韓冲爲樞密院副使, 參知政事崔滋盛爲吏部尙書,[310] 尹倩爲刑部尙書, 崔濡·康侯顯爲左·右散騎常侍, [文公裕爲尙書戶部員外郞:追加].[311]

[戊辰18日, 夜, 赤氣, 起自艮方, 經斗杓, 入紫微宮:天文1·五行1轉載].[312]

壬申22日, [大寒]. 金遣報諭使錦州管內觀察使司古德·衛尉少卿韓昉等來.[313]

甲戌24日, 王迎詔于重華殿, 詔曰, "朕聞夏商而來, 莫非不仁失天下, 漢魏以降, 則有故事爲諸侯, 玆載籍之具書, 非一時之創見. 惟宋太上皇趙佶·少帝桓, 所以背恩而失信, 與其致討以就俘, 亦已使聞, 不須重敘. 自玆朞歲, 邈在別都, 比詔詣於闕庭, 因面數其過失. 顏之厚矣, 省伊戚之自貽, 人皆知之, 顧何辭而以對. 殞越於下, 咸服其辜. 然罪可釋, 愚可哀, 終棄絶之弗忍. 惟名不正, 言不順, 亦爵號之旣加, 已於今年八月二十六日, 降封趙佶徽宗曰昏德公, 趙桓欽宗曰重昏侯. 事皆惟新, 理宜誕告, 言念至公之擧, 諒恊協同慶之誠. 嗚呼, 命不于常, 國必自伐. 惟皇上帝之震怒, 不爲桀亡, 非予一人之能令, 侯于周服. 敬爾有土, 其聽朕言, 今差司古德·韓昉等, 充報諭使·副, 仍賜卿衣帶·匹叚匹段·銀器等, 具如別錄, 至可領也".

---

310) 이 기사에서 韓冲과 崔滋盛의 순서가 바뀌었던 것 같다.

311) 이는 「文公裕墓誌銘」, "其年仁宗6年冬, 授尙書戶部員外郞"에 의거하였다.

312) 이 內容은 天文志에 잘못 들어간 것 같다.

313) 이때 고려가 誓表를 올리지 않으려고 하자 韓昉이 中原의 典故를 들어서 勸諭하였다고 한다. 또 이때 金富轍(金富儀)이 韓昉의 館伴使가 되었다(열전10, 金富佾, 富儀).

· 『금사』 권125, 열전63, 文藝上, 韓昉, "累遷少府少監·乾文閣待制. 加衛尉卿·知制誥, 充高麗國信使. 高麗雖舊通好, 天會四年, 奉表稱藩而不肯進誓表, 累使要約, 皆不得要領. 而昉復至高麗, 移督再三. 高麗徵國中讀書知古今者, 商榷辭旨, 使酬答專對. 凡涉旬乃始置對, 謂昉曰, '小國事遼·宋二百年無誓表, 未嘗失藩臣禮. 今事上國當與事遼·宋同禮. 而屢盟長亂聖人所不與, 必不敢用誓表'. 昉曰. '貴國必欲用古禮, 舜五載一巡狩, 羣后四朝. 周六年五服一朝, 又六年王乃時巡, 諸侯各朝于方岳. 今天子方事西狩, 則貴國當從朝會矣'. 高麗人無以對, 乃曰, '徐議之'. 昉曰, '誓表朝會, 一言決耳'. 於是, 高麗乃進誓表如約, 昉乃還. 宗幹大說曰, '非卿誰能辦此'. 因謂執事者曰, 自今出疆之使, 皆宜擇人".

○[報諭使]司古德等上語錄云,[314] "承樞密院箚子, 准奉聖旨, 候到國, 有合計議事件, 須至定疊, 回日, 却具申覆, 以憑奏聞, 開立下項. 保州之地, 初有詔諭, 更不收復, 意謂貴國, 必能祗率舊章, 遵奉王室. 故朝廷不愛其地, 特行割賜. 爾後數歲, 貴國尙未進納誓表. 故於回謝宣諭詔內云, 尙托言於戶口, 未別奏於誓封. 但其事事以訖成, 忠於世世而可信, 所諭之言, 其或不定, 所得之地, 將何以憑? 伏覩詔書, 旨意坦然明白, 逮今貴國未嘗遵依, 第據守上項州城, 於理豈爲穩便. 不識進退之閒, 終欲如何. 及自脅從幷逃移戶口, 其數頗多, 皆稱物故,[315] 殆未可亮. 今年八月十四日, 安北都護府牒來遠城, 爲人民越江, 到昌·朔州地分耕種. 勘會公案,[316] 昨蒙先皇帝[金太祖]勑, 賜鴨江爲界, 及承簽院高伯淑宣諭聖旨, 更不收復保州一城境內, 今來貴國人民, 有耕種, 事理不便, 到請懲戒, 寢罷勘會, 昨來朝廷, 差降高伯淑, 宣諭時, 言議語錄, 但傳勑旨, 許賜保州, 並無一城境內語句, 兼未畫定界至. 自是, 見得係內地分, 宜約束封吏, 無令依前, 輒有更添, 妄煩理會. 天會五年[仁宗5年]二月九日, 貴國謝恩使[衛尉卿金子鏐], 末減斷遣外, 依國朝典憲, 犯者合出徵償, 入被死之家. 此時, 送件所具牛馬頭匹及銀兩數牒. 過到今經久, 並未依應送納, 於禮似爲未安. 右上數事, 貴國, 果能推誠享上, 即納誓表, 皎然自明. 朝廷亦當回賜誓詔, 兼別降指揮, 申畫

314) 이때 金 太宗의 詔勅을 간단히 縮約한 것이 『동문선』 권39, 誓表(金富軾 撰)에 수록되어 있는데, 添字는 이에서 달리 표기된 것이다.

315) 物故는 事故, 死亡, 去世를 가리킨다.
· 『자치통감』 권19, 漢紀11, 武帝元狩 4년(BC119) 春, "… 是時, 漢所殺虜匈奴合八九萬, 而漢士卒物故亦數萬['魏臺訪議', 高堂隆曰, 聞之先師, 物, 無也, 故, 事也, 言無復所能於事也. '索隱'曰, 漢以來謂死謂物故, 取朽故也. 師古曰, 物故, 謂死也, 言其同於鬼物而故也. 蓋漢軍死者亦數萬]".

316) 勘會에서 勘會는 勘當이라고도 하는데, 이는 '綿密하게 調査하다', '조사하여 의논하다'는 의미이고, 그 결과를 정리한 文書를 가리키기도 하는 것 같다. 또 公案은 事件, 事案을 가리키지만, 이 역시 문서를 가리킨다.
· 『石林燕語』 권4, "尙書省文字下六司·諸路, 例皆言勘會. 會魯公[顔眞卿]爲相, 始改作勘當, 以其父名會, 避之也"(四庫全書本9左4行).
· 『國朝典章』新集, 刑部, 人口, 隱藏人口, "一, 諸人誘略良人等罪, 經原免, 其被賣之人, 雖未勘會完備, 合依發付給親. 訴良之人, 或有寄養方正主首, 或於本主之家勘會,…".
· 『신당서』 권199, 儒學中, 徐齊聃, 堅, " 堅, 字元固, 幼有敏性, … 天授三年, 上言書有五聽, 令有三覆, 虛失情也. 比犯大逆, 詔使者勘當, 得實輒決. 人命至重, 萬有一不實, 欲訴無由, 以就赤族, 豈不痛哉? …". 여기에서 赤族은 家族이 모두 誅殺된다는 의미를 지니고 있다(→명종 26년 4월 9일 史臣曰의 脚注).
· 『大唐新語』 권4, 持法第7, "則天[則天武后]朝, 或羅告駙馬崔宣謀反者, 勅御史張行岌按之, … 行岌按無狀, 則天怒令重按, 行岌奏如初. 則天曰, '崔宣反狀分明, 汝[行岌]寬縱之, 我令俊臣勘當, 汝無自悔', 行岌曰, …"(四庫全書本8左6行).

封疆，一切務從寬大，成[誠]長久之計．今年三月五日，來遠城收到無主馬二匹，多日無人識認．相度弓口左右收得，必是界外行到，尋已令交付訖．今年八月十四日，東京兵馬都部署司，准東路軍司申·巡檢司申，於海岸，收捉貴國金鐵衣等六人，狀稱浮海値風，漂流到此．情可憐憫，亦仰移文分付訖．今年八月十四日，東京兵馬都部署司，准東路統軍司申·巡檢已[巡檢司]申，[317] 因巡邊，收捉到貴國崔頗喜，尋責得狀，稱係天齊城所管，因盜本國牛馬，捉敗同賊，爲此避罪，將妻并馬一匹來到．據上項賊人并將到物件，亦令分付訖．右上三司，邊境細故，朝廷亦不遺忽，一一指揮有司，卽令移文送付，無少底滯．實恐邊吏壅遏，不達王所，故各具聞白，庶見朝廷待貴國之意”．

○又上語錄云，“於謝保州日表內云，擧邦國以樂輸，傳子孫而永誓，高明在上，悃愊無他之言，辭意輕汎．具如近代宋人·夏國，與舊遼洎朝廷所立誓書及表，皆有若渝此盟，社稷傾危，子孫不紹，或神明殛之，無克胙國之語．相度旣永敦誓好，果無食言．辭意雖重，於理無可避者．至如自古盟載之辭，如此類者，非一，兼貴國與遼時，誓表必自有故事，朝廷所收圖書，亦可考據．此事誠非創行要索，朝廷祇欲永通歡好，美意灼然．伏望裁酌，早賜端的垂諭，以憑回日申覆朝廷，具行聞奏”．

○王答曰，“昨蒙親授箚錄，今逐所有事件，一一諭報，謹具如後．保州之境，本高麗地分，嘗爲舊遼所并，頃屬大朝統一中外，先皇帝[金太祖]眷顧小國，使邊臣沙河[沙乙河]，[318] 賜之．又簽院高伯淑奉使日，宣諭更不收復保州．小國不勝慶幸，奉表陳謝曰，擧邦國以樂輸，傳子孫而永誓，高明在上，悃愊無他．以此誓心，更無章表．意謂盟誓，多是敵國交相疑忌，故不得已而爲之．如春秋所記，衰周列國之事．今則聖人受命，廓然一統，惟是下藩中心悅服，恭修職貢．一依高伯淑來諭條件，罔有愆忘．今玆諭以未進納誓表，於理不爲穩便”．

○又言卽納誓表，“朝廷亦當回賜誓詔，爲長遠之計．聞命以還，不勝感懼，當候回謝報諭，行李入朝，兼上表以聞．其人口逃移，是臣父先王生前，不獲臣事上國時事，當時臣幼少，未嘗聞知．況高伯淑來日，宣諭許令小國取便，遂兼表上謝．今更以讓，殆未可亮，實深驚恐，莫知所圖．天會五年[仁宗5年]，[衛尉卿]金子鏐入朝，不能檢下，致令

---

317) 여러 판본의『고려사』에서 巡檢已로 되어 있으나 앞에서 기록된 것처럼 巡檢司의 오자일 것이다(東亞大學 2008년 5책 465面). 또 당시 거란의 巡檢司는 縣보다 人的·物的 資源이 열악한 지역에 설치된 非常設的인 행정조직으로 추측된다.

318) 沙河는 沙乙河에서 乙이 脫落되었다(→인종 4년 12월 12일).

崇吉剌傷人命. 回來, 卽令奪子鏐職田, 違流, 兼刑崇吉. 自來, 小國舊法, 犯罪人處斷流配外, 更不徵贖. 是以, 因循至于今日. 遽沐來諭, 亦多兢恐, 切冀更受指揮. 先皇帝[金太祖]時, 邊臣沙河[沙乙河]奉宣勑, 賜鴨江爲界, 遂言此後, 其境內寸草尺木, 不令吾人採取. 況遇今皇帝, 謂小國必能祗率舊章, 遵奉王室, 不愛其地, 特賜割賜. 而只許保州一城, 不許傍側小土, 此豈朝廷以至仁大德, 撫字小邦之意乎, 是以緣邊官吏, 見上國人民越江, 到昌·朔州地耕種, 遂移文, 請徵戒寢罷. 今沐來言, 係內地分, 宜約束封吏, 無令依前, 妄煩理會. 此違自來受命慶賴之心, 是以惶恐, 不知所爲. 向者, 來遠城收到無主馬二匹, 東路巡檢司於海岸收捉金鐵衣等六人, 浮海値風, 漂流到此, 又因巡邊收捉崔頗喜避罪, 將妻幷馬人, 幷令交付. 當初聞之, 雖喜然謂出上國邊官處分, 今聞朝廷雖細事, 不以遺忽, 一一指揮有司, 移文分付. 乃知朝廷寵綏下國, 至深至厚, 感荷之誠, 萬萬於此, 亦當俟來次行李, 兼附表以謝".

[○王答曰, "聞命, 不勝感懼, 後當上表以聞": 節要轉載].

[是年, 判[制], "諸領府軍人, 遭父母喪者, 給暇百日": 兵1五軍轉載].

[○宣宗女遂安宅主卒, 生而盲, 年四十不嫁: 列傳4宣宗公主轉載].

[○以[梁州防禦使]金義元爲安邊都護府使: 追加].[319)]

[○僧德素赴大選場, 中之: 追加].[320)]

[仁同人 張東翼 校注, 增補].

319) 이는 「金義元墓誌銘」에 의거하였다.

320) 이는 「永同寧國寺圓覺國師塔碑」에 의거하였다.

『高麗史』卷十六 世家卷十六

[輔國崇祿大夫·議政府左贊成·知集賢殿經筵春秋館成均事·世子賓客·臣金宗瑞奉教撰]

正憲大夫·工曹判書·集賢殿大提學·知經筵春秋館事兼成均大司成·臣鄭麟趾奉教修

仁宗 二

己酉[仁宗]七年, 金天會七年, [南宋建炎三年], [西曆1129年]

1129년 1월 22일(Gre1월 29일)에서 1129년 2월 9일(Gre2월 16일)까지, 13개월 384일

春正月[庚辰朔大盡,丙寅], 丙戌[7日], 金遣寧州管內觀察使楊公孝來, 賀生辰.

[丁亥[8日], 立春. 三日出, 相連如虹:天文1轉載].[1)]

己亥[20日], 樞密院副使韓冲卒.[2)] [冲, 性剛直, 篤學能文, 政尙廉惠, 所至有聲績: 節要轉載].

己酉[30日], 以[上將軍]鄭旋淑爲刑部尙書.

[某日, 以崔弘元爲慶尙道按察使:慶尙道營主題名記].

二月[庚戌朔小盡,丁卯], 辛亥[2日], 移御仁德宮.

[癸丑[4日], 供備庫火:五行1火災轉載].

己巳[20日], 封睿宗妃王氏[辰韓侯俁之女]爲貴妃, 崔氏[參知政事崔湧之女]爲淑妃.[3)]

○西京新宮, 成.[4)]

---

1) 이때 일본의 교토[京都]에서 8일(丁亥)은 맑았고, 明日(9일) 아침에 흐리고 비가 내렸다고 한다.
·『長秋記』, 大治 4년 1월, "八日丁亥, 晴, … 九日戊子, 朝大雨, 入夜天晴".
·『中右記』, 大治 4년 1월, "九日戊子, 天陰雨下, 朝間殊盛, 申時以後, 天快晴四望明".

2) 이날은 율리우스曆으로 1129년 2월 10일(그레고리曆 2월 17일)에 해당한다.

3) 이와 같은 기사가 열전1, 睿宗妃, 文貞王后王氏, 淑妃崔氏 등에도 수록되어 있다.

4) 이 新宮의 完工은『고려사절요』권9에는 1월의 末尾에 수록되어 되어 있다(盧明鎬 等編 2016년 247面). 또 이 新宮은 大和宮으로 불렸으며, 平安南道 大同郡 釜山面에 內宮과 外宮이, 龍山面에 珠宮이 있었다고 추측되었다(朝鮮總督府 1918年 699~700面).

壬申[23日], 幸西京.

戊寅[29日晦], 入御新宮. [時或者上表, 勸王稱帝建元. 或請約<u>齊國</u>, 夾攻金, 滅之. 識者非之. 而妙淸之徒, 利口喋喋. 王竟不聽:節要轉載].[5)]

[→[仁宗]七年, 新宮成, 王又幸西京. 妙淸之徒, 或上表, 勸王稱帝建元, 或請約<u>劉齊</u>, 挾攻金, 滅之, 識者皆以爲不可. 妙淸之徒, 喋喋不已, 王終不聽:列傳40妙淸轉載].

三月己卯朔[大盡,戊申], 御新宮乾龍殿, 受群臣賀, <u>上京</u>[開京]留守·近西京牧·都護表賀. [妙淸·白壽翰·鄭知常等言, "方, 上坐殿, 聞空中有樂聲, 此豈非御新闕之瑞<u>耶</u>[乎]?". 遂草賀表, 請宰樞署名, 宰樞答曰, "吾儕雖老, 耳尙未聾, 空中之樂, <u>所不曾聞</u>[~~曾所未聞~~], 人可欺, 天不可欺也". 遂不從. 知常憤曰, "此非常之嘉瑞, 宜書靑史, 昭示後來, 而大臣如此, 深可嘆也". ~~表~~竟不得上:節要轉載].[6)]

[辛巳[3日], <u>白虹</u>貫日:天文1轉載].[7)]

癸未[5日], 宴群臣.

[甲申[6日], 遣使醮于塩州氈城:禮5雜祀轉載].

[某日, 以西京民, 勞於創闕, 發倉賑之, 免今年<u>租稅</u>:節要轉載].[8)]

庚寅[12日], 至自西京, 赦, 詔曰, "因時乘變, 不常厥居, 自古而然. 海東先賢有言, 創宮闕於大花勢, 以延基業. 今旣相地, 創造新宮, 順時巡遊, 思有恩澤, 遍及中外. 其犯死罪者, 流配, 犯流以下, 原之, 曾配流者, 除不赦重罪外, 並許量移. 給還拓俊京妻子職田, 李之美兄弟, 許令任便, 聚居一處. 西京及所過州縣山川<u>神祇</u>[~~神祗~~], 各加尊號, 新闕主山, 秩載祀典, 西京及所過州縣, 耆老·孝順·節義·鰥寡·孤獨·篤癈疾者, 賜酒食, 仍賜物有差, [免<u>今年租</u>:節要轉載].[9)] 侍從官及西京文武官·營造新闕

---

5) 齊國은 1130년(天會8) 9월 9일(戊申) 金이 그들이 빼앗은 宋의 북쪽 지역을 다스리기 위해 설치한 羈縻國으로 劉豫가 大名府(現 河北省 大名縣)를 중심으로 건립한 齊(大齊, 僞齊, 劉齊, 1130~1137)이다. 그러므로 이해(1129)에 妙淸의 一行이 表를 올려 齊와 함께 金帝國을 挾攻할 것을 奏請했다는 上記의 記事는 事實이 아니거나, 明年(1130)에 있었을 가능성이 있는 사실의 오류일 것이다.

6) ~~添字~~는 열전40, 妙淸에 의거하였다.

7) 이날 일본의 京都에서는 흐리고 비가 내렸다고 한다.
·『中右記』, 大治 4년 3월, "三日, 天陰雨下".
·『長秋記』, 大治 4년 3월, "三日辛巳, 雨下".

8) 이 기사는 지34, 食貨3, 水旱疫癘賑貸之制에는 "以西京民勞於創闕, 發倉賑之"로 되어 있다.

9) 이 구절은 지34, 食貨3, 恩免之制에는 "王至自西京, 蠲放西京及所過州縣今年租稅"로 되어 있다.

官吏, 並賜爵一級, 下逮僕隸, 悉推恩澤".

[甲午16日, 月犯亢星:天文1轉載].

乙未17日, 幸妙通寺.

[己亥21日, 鎭星犯亢:天文1轉載].

辛丑23日, 幸外帝釋院.

癸卯25日, [穀雨]. 王視國學, 釋奠先聖, 獻以銀盤二事·綾絹三十匹, 御敦化堂, 命大司成金富轍講書無逸篇, 使起居郎尹彦頤及諸生, 講問大義, 賜宰樞·侍臣·學官·諸生酒食, 學官·諸生表賀.

丁未29日, 慮囚.

戊申30日, 幸普濟寺.[10]

夏四月~~己酉朔~~,[11] 癸丑5日, 設金剛經道場於天成殿.

戊午10日, 王如安和寺.

庚申12日, 延迎佛骨於大安寺, 置仁德宮.[12]

[癸酉25日, 長平鎭官婢, 産卵三斗許, 大者如鴨卵, 小者如雀卵, 皆拆出坼出小蛇,[13] 長寸許:五行1人痾轉載].

五月戊寅朔大盡,庚午, 庚辰3日, 起居郎尹彦頤·左司諫鄭知常·右正言權適上疏, 論時政得失, 王優納之.[14]

丁亥10日, 移御延德宮, 册任氏爲王妃.[15]

[→册爲王妃, 詔曰, "古先哲王之有天下也, 非獨由已德之茂, 盖亦有內助之賢.

---

10) 戊申은 宋曆에서는 4월의 朔日이고, 日本曆에서는 高麗曆과 같이 3월 30일이다.

11) 4월은 宋曆에서는 大盡이지만, 고려력과 일본력은 小盡으로 己酉朔이다.

12) 여러 판본의 『고려사』에서 延으로 되어 있으나 迎의 오자이다. 『고려사절요』 권9에는 옳게 되어 있다.

13) 拆出(탁출, 賣出)은 坼出(탁출)이 옳을 것이다(孫曉 等編 2014年 1688面).

14) 이와 같은 기사가 열전9, 尹瓘, 彦頤에도 수록되어 있다.

15) 이 시기 이후에 王妃 任氏의 內鄕인 定安縣을 知長興府事官으로 陞格시켰다.

· 지11, 지리2, 長興府, "仁宗朝, 以恭睿太后任氏之鄕, 陞知長興府事".

· 『신증동국여지승람』 권37, 長興都護府, 建置沿革, "… 高麗改定安, 屬靈巖郡. 仁宗以恭睿太后任氏之鄕, 改今名, 陞爲府".

朕叨承景命，嗣守丕基，王假有家，重人倫之大義，天作之合，宜君子之好俅．咨爾任氏，夙以婦才，起於德閥，動必由於禮節，居不忘於女功．自初作嬪，爰得有子，豈特室家之好，實增邦國之休．是用舉以典章，加之位號，今遣某官某，持節册命，爲王妃．於戲．儉約可以保厥身，肅恭可以共其職，當體朕意，永孚于休”:列傳1仁宗妃恭睿太后任氏轉載]．

庚寅[13日]，移御壽昌宮．

[己亥[22日]，歲星犯房:天文1轉載]．

甲辰[27日]，[夏至]．詔曰，“先王之法，正刑名，詳分守，大爲之備，曲爲之防．冠冕之式，衣服之制，上下有別，尊卑不同．故貴不以逼，而賤不敢踰，人心定矣．逮德下衰，法與時弊，衣服無等，而人不知節儉．我太祖之開國也，克愼儉德，惟懷永圖，景行華夏之法，切禁丹狄之俗．今則上自朝廷，下至民庶，競華靡之風，襲丹狄之俗，往而不返，深可嘆也．今朕庶幾率先，以革末俗，其乘輿·服御之物，皆去華尙質．咨爾公卿大夫，其體朕意，奉而行之”．

[○歲星犯鉤鈐:天文1轉載]．

[乙巳[28日]，亦如之[歲星犯鉤鈐]:天文1轉載]．

六月戊申朔[小盡，辛未]，王如奉恩寺．

庚戌[3日]，中書門下奏曰，“忠州人劉挺，弑父，其牧守及州吏，不能敎民．請皆下吏，仍降州爲郡．王問左右，對曰，禮云，邾婁定公時，有弑父者，殺其人，壞其室，洿其宮，[16] 而止耳，不言其所居州邑．則降州爲郡，非古法也”，從之．

戊午[11日]，慮囚．

辛酉[14日]，設菩薩戒道場於重華殿．

[○自五月己亥[22日]，歲星犯旁右驂星，至是月，守而不出:天文1轉載]．

[夏某月，以[戶部員外郎]金永錫爲知南原府事:追加]．[17]

---

16) 이는 다음의 자료에 의거한 것이다.

·『禮記』, 檀弓下, “邾婁定公時, 有弑其父者, 有司以告. 公瞿然失席曰, 是寡人罪也, 曰, 寡人嘗學斷斯獄矣. 臣弑君, 凡在官者殺無赦. 子弑父, 凡在官者殺無赦, 殺其人, 壞其室, 洿其宮, 而豬焉”.

17) 이는 「金永錫墓誌銘」에 의거하였다.

秋七月丁丑朔大盡,壬申, 太白晝見, 經天, 凡十五日, [乃滅:節要·天文1轉載].

戊戌22日, 幸王輪寺.

[癸卯27日, 以門下侍郞平章事崔弘宰爲判西北面兵馬事兼中軍兵馬使:追加].[18)]

[某日, 以起居舍人尹彥頤爲慶尙道按察副使:慶尙道營主題名記].[19)]

八月丁未朔大盡,癸酉, 戊申2日, 御書籍所, 命□右承宣鄭沆, 讀宋朝忠義集. [先是:節要轉載], 王欲以聽政之暇, 與諸學士講學, 以壽昌宮側, □故侍中邵台輔家, 爲書籍所, 裒集文書. 令大司成金富轍·禮部員外郞林完, 與諸儒臣, 更直.

[→仁宗置書籍所于壽昌宮側, 禮部員外郞林完與金富轍等諸儒臣, 更直備顧問:列傳11林完轉載].

[丙辰10日, 月犯南斗, 熒惑犯輿鬼:天文1轉載].

癸亥17日, 移御仁德宮.

丙寅20日, 以久雨, 祈晴于山川·佛宇.[20)]

[戊辰22日, 流星出奎, 大如椀, 尾長五尺許, 閭巷驚譟. 又流星出胃, 入天廩, 大如炬:天文1轉載].

---

18) 이는「崔弘宰墓誌銘」에 의거하였다.

19) 이때 尹彥頤는 東南海按察副使·起居舍人·知制誥였다고 하는데(『신증동국여지승람』 권30, 晋州牧, 佛宇, 五臺寺, 權適의 記文 :『동문선』 권64, 智異山水精社記, 權適 撰), 당시 慶尙道按察使가 東南海都部署使를 兼職하고 있었기에 權適이 慶尙道를 東南海로 雅化하였을 것이다.

20) 이달은 일본에서는 閏7月이지만 朔日은 동일하다. 이때 京都에서 1일부터 비가 계속 내렸다고 한다.

·『中右記』, 大治 4년 윤7월, 8월, "閏七月朔日丁未, 天陰雨下, 此十餘日霖雨. … 二日, 天猶陰, 巳以後漢天晴來. … 四日, 天晴, … 五日, 天晴, … 六日壬子, … 午後天陰, 時々小雨, 七日癸丑, 天陰雨下 … 八日甲寅, 從去夜甚雨, … 九日, 天陰雨下 … 十日, 朝間雨下, … 此五六日雨水, 今朝河水大出之由所聞也, … 十一日丁巳, 朝間雨下, 午後天晴, … 十二日戊午, 天陰降雨, 從去六日後霖雨, 河水大出, 民戶成憂云々, 爲秋收有其妨云々, 午後雨止天晴, … 十三日癸未, 天快晴, 雨已留, …, 十五日, 天晴 …, 十六日, 天晴天陰雨下, 晩景天晴. …, 十七日, 天晴, … 十八日甲子 … 晩景雨下, … 十九日乙丑, 天陰雨下, … 廿日丙寅, 天陰雨下, … 廿四日庚午, 天陰少雨, … 廿五日辛未, … 從去夜終夜今朝甚雨, … 廿六日壬申, 天晴, … 晩景雨下, … 廿七日, 從昨日雨下, 今朝不止, 凡近日霖雨, 天下大歎也. 廿八日戊戌, 天晴, … 廿九日乙亥晦日, 天晴, 今日止雨奉幣云々, 上卿左兵衛督實能, 行事右中辨師俊云々, 二社也, … 近日霖雨. 八月一日丙子, 天陰雨降, … 二日丁丑, 天陰雨降 …".

·『永昌記』, 大治 4년 윤7월, "九日乙卯, 雨下 … 十一日丁巳, …此兩三日, 霈霢無晴, 自晩天晴… 十五日辛酉, … 自夜雨下 … 十六日壬申, 自夜雨下 … 十八日甲子, 微雨間降, … 十九日乙丑, 雨降, … 廿九日, … 今日有止雨奉幣, 上卿左兵衛督實能, …".

辛未[25日], 幸普濟寺.

乙亥[29日], 幸外帝釋院.

閏[八]月[丁丑朔小盡,癸酉], [戊寅[2日], 流星出婁, 入天倉, 大如椀:天文1轉載].

己卯[3日], 遣兵部郎中崔灌如金, 賀天淸節.[21)]

[乙巳[29日晦], 流星大如木瓜, 出畢星, 入天囷. 又流星大如燈盞, 出畢星, 入參星:天文1轉載].

九月丙午朔[大盡,甲戌], [霜降]. 日食.[22)]

[丁未[2日], 流星大如木瓜, 出畢入天囷:天文1轉載].

[戊申[3日], 震西京重興寺塔:五行1雷震轉載].

[辛亥[6日], 流星大如木瓜, 出室, 入危, 尾長八尺許. 又有流星大如雞子, 出參·箕, 入狗星:天文1轉載].

壬子[7日], 王如安和寺.

[甲寅[9日], 大雨雹, 雷震:五行1雨雹轉載].

[丙辰[11日], 赤氣, 自乾·艮方交發, 衝射紫微宮:天文1·五行1轉載].[23)]

庚申[15日], 慮囚.

[甲子[19日], 瓊嵒寺居王師學一, 封王師印幷狀納于朝, 潛發欲行雲門寺, 至廣州.

---

21) 崔灌은 10월 15일(庚寅) 契丹에서 天淸節을 賀禮하였던 것 같다.
- 『금사』 권3, 본기3, 太宗, 天會 7년 10월, "庚寅, 天淸節, 高麗·夏遣使來賀".
- 『금사』 권60, 表2, 交聘表上, 天會 7년, "十月庚寅, 高麗使賀天淸節".

22) 이날 宋에서도 亢에 일식이, 金에서도 일식이 있었다고 한다(『송사』 권52, 지5, 천문5, 日食 ; 『금사』 권3, 본기3, 太宗, 天會 7년 9월 丙午朔 ; 권20, 지1, 天文, 日薄食煇珥雲氣). 또 일본의 京都에서도 일식이 있었다(高麗曆과 同一). 이날은 율리우스력의 1129년 10월 15일이고, 개경에서 일식 현상이 심했던 시간은 11시 16분, 食分은 0.74이었다(渡邊敏夫 1979年 306面).
- 『皇宋中興兩朝聖政』 권6, 高宗皇帝 建炎 3년, "九月丙午朔, 日有食之, 所蝕僅四分, 未幾復退. 上謂呂頤浩曰, '太史所奏日蝕早而分深, 朕適以油盆觀之, 蝕淺而退速'. 頤浩曰, 陛下嚴恭寅畏, 感格如此".
- 『中右記』, 大治 4년 9월, "一日丙午, 未明勤御燈之由祓, 依由日蝕, 日未出前勤之也. 今日巳午時許日蝕, 十五分之九分, 天晴窺, 院有御讀經云々".
- 『中右記』目錄, 大治 4년 9월, "一日, 日蝕正現".
- 『長秋記』, 大治 4년 9월, "一日, 日蝕, 曆道, 辰時始度歸, 宿曜未時始, 申時滿, 巳一刻蝕".

23) 이 내용은 天文志에는 잘못 들어간 것 같다.

上聞之. 遣內臣庾弼傳宣懇款. 又命左右僧錄司, 令小過州縣, 依慧炤國師下山例迎送, 仍還印寶:追加].[24)]

癸酉[28日], 設百座道場于法王寺三日, 令內外齋僧三萬.

[是月, 熒惑入大微[太微], 四旬乃滅:天文1轉載].

[○遣使如金, 獻方物:追加].[25)]

冬十月[丙子朔[小盡,乙亥], 流星出大微[太微], 入天狗, 大如椀, 長十尺許:天文1轉載].

[丁丑[2日], 小雪. 黃昏, 有鵖鳥數千, 飛翔廣化門上, 夜至壽昌宮, 盤旋良久, 向東南而散, 凡十餘日:五行1轉載].

壬午[7日], 分遣使於東北兩界, 宣論諸城官吏, 問民疾苦, 點檢兵仗.

[丙戌[11日], 夜, 訓狐鳴于坤方:五行1轉載].[26)]

[○狐鳴都省廳及大倉[太倉]北垣:五行2轉載].

[丁亥[12日], 大霧四塞:五行3轉載].[27)]

[己丑[14日], 月犯諸王:天文1轉載].

[辛卯[16日], □[月]犯五諸侯星:天文1轉載].

[壬辰[17日], 大雪. □[月]犯輿鬼:天文1轉載].

[甲午[19日], 王師學一入雲門寺, 四方學者, 輻輳雲臻, 一訓其徒, 以明自己爲急, 鍛鍊教導:追加].[28)]

[○僧津億畢工智異山水精社殿宇八十六間, 設落成法會三日, 請[含陽縣]嚴川寺首座性宣說經. 上命東南海按察副使·起居舍人·知制誥尹彥頤行香, 仍賜銀二百兩, 以褒之:追加].[29)]

---

24) 이는 「清道雲門寺圓應國師塔碑」에 의거하였다.

25) 이는 다음의 자료에 의거하였다.
·『금사』 권3, 본기3, 太宗, 天會 7년 11월, "乙卯[11日], 高麗遣使來貢".

26) 訓狐는 올빼미[鴞]의 別稱으로 猫頭鷹이라고도 한다. 또 『신당서』 권34, 지24, 오행1, 羽蟲之孽에는 鵂鶹의 다른 이름이 訓狐였다고 한다("鵂鶹, 一名訓狐").

27) 이때 일본의 京都에서 前日(11일) 밤에 계속 비가 내렸고, 12일은 맑았다고 한다(高麗曆과 同一).
·『中右記』, 大治 4년 10월, "十一日, … 終日雨下, 十二日, 天晴, … 十三日, 從去夜雨".

28) 이는 「清道雲門寺圓應國師塔碑」에 의거하였다.

29) 이는 다음의 자료에 의거하였는데, 水精寺는 五臺寺의 別稱이다.
·『동문선』 권64, 智異山水精社記, "… 師[津億]乃索水精一枚, 懸無量壽像前, 以表明信, 因以名其社. 經始於大宋宣和五年癸卯[仁宗1年]七月, 至建炎三年己酉[7年]十月告畢, 設落成法會三日, 請嚴川寺首座性

十一月[乙巳朔大盡,丙子], [辛亥[7日], 熒惑犯大微[太微]:天文1轉載].

乙卯[11日], 遣胡仁穎如金, 賀正.[30]

丙辰[12日], 遣[報諭回謝使]盧令琚·洪若伊如金, 進誓表曰,[31] "使節貢來, 訓辭密諭, 俯僂聞命, 凌兢失圖. 竊以周官, 司盟掌其盟約之法, 盟邦國之不協[協], 與萬民之犯命, 而詛其不信而已. 至於衰季, 春秋之時, 列國交相猜疑, 不能必於誠信, 而惟[唯]盟誓之爲先. 故詩人譏其屢盟, 而夫子與其胥命. 伏惟皇帝陛下, 至德高於帝先, 大信孚於天下. 光開一統, 奄有四方, 大邦震其威, 小邦懷其惠[德]. 惟是小邑, 介在防[方]隅, 聞眞人之作興, 先諸域而朝賀. 故得免防風之罪, 辱儀父之褒, 略諸細故, 待以殊禮. 錫之以邊鄙之地, 諭之以貢輸之式. 朝廷更無於他故, 屬國敢有於異心, 而嚴命荐至, 敢不祇承. 謹當誓以君臣之義, 世修藩屛之職, 忠信之心, 有如皦日. 苟或渝變, 神其殛之".

○又謝還送金鐵衣·崔頗喜及無主馬匹表曰, "聖德方增, 大畏小懷而咸造, 龍光普被, 薄物細故而靡遺. 臣聞, 費書稱, 馬牛其風, 臣妾逋逃, 勿敢越逐, 祇復之. 此雖諸侯之事, 然其言有諧於墳典, 其敎不戾於帝王. 故編之乎聖人之書, 而次之於天子之命, 軌法萬世, 稱爲六經. 伏遇皇帝陛下, 神明敎興[勃興],[32] 威德兼備, 通達之屬, 莫不服從, 夷夏之民, 皆爲臣妾. 矧惟下邑, 附近東隅, 處國奉藩, 早盡畏天之禮, 推恩字小, 已蒙割地之仁. 況承皇使之移文, 更覺宸慈之浹物, 在邊境之末事, 尙不遺忘, 見朝廷之至仁, 務爲寬厚. 顧惟孤寡, 何以勝堪. 瞻言咫尺之威, 第識拜命, 惟是春秋之事, 庶無後倫".

[己未[15日], 赤氣, 自丑·亥, 入紫微宮:五行1轉載].

庚申[16日], 大霧晝晦, 凡十餘日.

[→大霧終月:五行3轉載].[33]

宣說經. 上命東南海按察副使·起居舍人·知制誥尹彦頤行香, 仍賜銀二百兩, 因以嘉之"(權適 撰, 『신증동국여지승람』 권30, 晋州牧, 佛宇, 五臺寺에 인용됨).

30) 胡仁穎은 다음 해 正旦에 賀禮하였던 것 같다.
 ·『금사』 권3, 본기3, 太宗, 天會 8년 1월, "甲辰朔, 高麗·夏遣使來賀".
 ·『금사』 권60, 表2, 交聘表上, 天會 8년, "甲辰朔 高麗使賀正旦".

31) 이 誓表의 일부가 『동문선』 권39, 誓表(金富軾 撰)에 인용되어 있는데, 添字인 唯·德·方은 이에서 달리 표기된 것이고, 밑줄 친 곳은 世家篇에서 더 확인되는 글자이다.

32) 敎興과 勃興은 같은 글자이다.

33) 이때 일본의 京都에서도 날씨가 晴明한 것은 아니었던 것 같다.

[某日, 召還太原公偦, 曾爲資謙所逐也:節要轉載].

丙寅[22日], 移御壽昌宮.

[壬申[28日], 流星出翼入中台, 尾長七尺許:天文1轉載].

癸酉[29日], 遣[禮部郎中]文公裕如金, 謝賀生辰.

十二月[乙亥朔小盡,丁丑], 丁丑[3日], [大寒]. 大閱于東郊.

[○流星自坤方, 指東北墜地, 聲如雷, 大如盆, 長六尺許:天文1轉載].

癸未[9日], 慮囚.

[乙酉[11日], 日東西, 有背氣, 外有環暈:天文1轉載].

[○月暈:天文1轉載].

[戊子[14日], 日有兩珥, 東有背氣, 上有半暈, 中貫靑赤色:天文1轉載].

[己丑[15日], 黃赤氣貫月, 長六尺許. 月犯軒轅星:天文1轉載].

庚子[26日], 以大原公[~~太原公~~]偦△[爲]檢校太師·守太保兼尙書令[·上柱國:節要轉載],[34)] 崔滋盛爲尙書左僕射·參知政事, 文公仁[~~文公美~~]爲吏部尙書·知門下省事,[35)] 林景淸爲刑部尙書·同知樞密院事, 李俊陽爲殿中監·樞密院副使, [禮部郎中文公裕爲淸州牧副使:追加].[36)]

[是月丁丑[3日], 伽倻山新興寺住持·重大師慧觀撰'法水寺懸板記':追加].[37)]

· 『中右記』, 大治 4년 11월, "十九日, 天陰雨下, … 廿一日乙丑, … 晩景小雨下, … 廿二日, 雨猶不止, 終夜降雨, … 廿三日丁卯, 天晴雨止, … 廿四日, 天晴, … 廿六日, 風雪相加, 寒氣無極, … 廿八日, … 小雨下, 廿九日, 天晴, … 天陰小雨下".

· 『長秋記』, 大治 4년 11월, "十五日己未, 晴, … 十七日辛酉, 晴, … 十八日壬戌, 晴, … 廿日甲子, 雨下, … 廿一日乙丑, 晴, 入夜雨, … 廿二日丙寅, 雨下, … 廿四日戊辰, 晴, … 廿五日己巳, 晴, … 廿八日壬申, 晴, … 廿九日癸酉, 雨下, … 卅日甲戌, 雨下, 未時地震, 音如雷".

34) 이때 太原公 王偦는 奉順同德守節贊化功臣·開府儀同三司·檢校太師·守太保兼尙書令·上柱國·食邑三千五百戶戶·食實封五百戶에 册封되었다(王偦廟誌銘 ; 열전3, 肅宗王子, 太原公偦).

35) 文公仁은 文公美의 改名으로(열전38, 文公仁), 1128년(인종6) 8월 20일까지 文公美라고 하다가 그 이후에 改名하였던 것 같다.

36) 이는 「文公裕墓誌銘」에 의거하였는데, 이때 文公裕는 賀生辰使로 金에 파견되어 있었다.

37) 이는 慶尙北道 星州郡 修倫面 白雲里 1316번지 法水寺趾에서 출토된 懸板의 記文에 의거하였다(大邱國立博物館 2004년 ; 林基榮 2009년).

· 記文, "… 略記此事之本末, 示於將來者也, 時大」宋建炎三年己酉十二月三日, 伽倻山新」興寺住持·重大師 慧觀 記」".

[是年, 以起居舍人尹彦頤爲禮部郎中·知制誥:追加].[38)]
[○以鄭知源爲羅州牧掌書記:追加].[39)]
[○以元沆爲少府主簿兼樞密院堂後官:追加].[40)]
[○以崔允儀爲太學博士:追加].[41)]

庚戌[仁宗]八年, 金天會八年, 南宋建炎四年,[42)] [西曆1130年]

1130년 2월 10일(Gre2월 17일)에서 1131년 1월 30일(Gre2월 6일)까지, 355일

春正月甲辰朔大盡,戊寅, 己酉6日, 幸神衆院.
庚戌7日, 金遣劉汴來, 賀生辰.
[戊午15日, 月暈大微太微:天文1轉載].
庚午27日, 設帝釋道場于重華殿.
[某日, 以金擇金澤爲慶尙道按察使:慶尙道營主題名記].[43)]

二月甲戌朔小盡,己卯, 壬午9日, 移御仁德宮.
[癸未10日, 熒惑犯大微太微:天文1轉載].
[丙戌13日, 月入大微太微:天文1轉載].
己丑16日, 移御壽昌宮.
[癸巳20日, 淸明. 夜, 赤氣如匹布, 自東而北:五行1轉載].
[甲午21日, 月入南斗:天文1轉載].
[辛丑28日, 熒惑犯大微太微:天文1轉載].

---

38) 이는「尹彦頤墓誌銘」에 의거하였다.
39) 이는「鄭知源墓誌銘」에 의거하였는데, 原文에는 官職이 雅化된 錦城管記로 되어 있다.
40) 이는「元沆墓誌銘」에 의거하였다.
41) 이는「崔允儀墓誌銘」에 의거하였다.
42) 이해에 金의 年號를 공식적으로 사용하는 가운데도 南宋의 年號인 建炎을 立炎(太祖 王建을 避諱하여 改書함)을 사용하는 사례가 있다(王字之妻金氏墓誌銘 ;『동문선』권64, 淸平山文殊院記).
43) 金擇은『고려사』에서는 金澤으로 표기되어 있다.

三月[癸卯朔小盡,庚辰], 壬子[10日], 慮囚.

[癸丑[11日], 月入大微[太微]:天文1轉載].

己未[17日], [報諭回謝使]盧令琚等還自金,[44] 詔曰, "省所上稱謝, 進奉銀器·茶布等物, 幷付進誓表事, 具悉. 朕不已而征, 見立俘於二罪[徽宗·欽宗], 非常之慶, 遂誕告於四方. 卿荐守王藩, 篤守臣節. 露囊章而展謝, 旅篚貢以將誠, 載念忠嘉, 豈忘嘆尙. 有所合諭事件, 具如別錄, 至當深省, 以善後圖".

○別錄云, "昨遣伯淑, 宣諭去時, 止言保州虛城, 將來到彼, 若是所約事件, 一一畢從, 更加懇求, 卽當割賜. 洎其[衛尉卿]金子鏐入朝, 所上表內, 妄稱投入戶口交付之事, 旣積歲年之久, 復由風土之殊, 罔有安存. 悉皆物故, 許令小國, 當取便宜, 致於回詔特論, 尙托言於戶口, 未別奏於誓封, 但其事事以訖成, 忠於世世, 而可信. 所諭之言, 其或不定, 所得之地, 將何以憑. 又司古德·韓昉等奉使, 亦仰如上具款議, 及回來奏稱, 將到語錄, 依前餘言, 臣父先王, 生前不獲, 前後屢降詔書, 未曾却有一起釋放戶口, 專俟將來進上誓表, 必以依從. 今覽來表, 文意似重, 訖無歸納戶口辭語, 必謂入賀生辰·正朝, 至于橫使, 不失其時, 況又從命, 上訖誓表, 足絶猜貳, 故以不言交付之事. 若計前後新舊戶口, 其數不少, 無因俱爲物故. 除當日陣亡, 後因病卒者, 自無追索外, 至如身沒, 湏[須]有遺骸. 更或本身見在, 幷其諸子孫婆婦等戶, 並委疾速, 刷會見數, 具表奏聞, 卽當諒察, 如或果難依應, 所進誓章, 亦無爲定. 又盧令琚等, 在金國, 欲起館, 帝遣節度使班資成, 傳旨云, 昨來, 趙家父子背信, 因發軍, 生擒在此, 降封昏德公[徽宗]·重昏侯[欽宗], 屬次差發報諭使回言, 報諭回謝使進表. 卽日准到, 雖表內誓意尤重, 不錄遠近累次脅從投入戶口之語. 旣推誠立誓, 禮合專使上表, 却行附帶, 於禮不可. 至如表內事理了當, 也合恕容. 回次使副, 申覆國王, 後次, 具錄遠近新舊脅從投入戶數, 隨表進來".

丁卯[25日], 幸靈通寺.

夏四月[壬申朔大盡,辛巳], 甲戌[3日], 宋遣進武校尉王正忠來,[45] 王受詔于重華殿, 詔曰, "惟王, 緬受基圖, 夙同文軌, 乃附乘桴之訊, 願修貢篚之恭. 惟忠順以無他, 質神明

---

44) 『동문선』 권39, 告奏表(崔惟淸 作)에 의하면 盧令琚는 3월 18일(庚申)에 歸國[回]하였다고 하는데, 실제 이날에 귀국하였는지, 아니면 이날 歸國 復命을 하였는지는 알 수 없다.

45) 王正忠은 『고려사절요』 권9에는 王政忠으로 되어 있는데, 餘他의 記事에서도 後者로 되어 있다(盧明鎬 等編 2016년 248面).

而靡愧, 屬關聞聽, 良用嘆嘉. 言念比年, 實惟多故, 擧中原之生聚, 遭强敵之震驚. 旣涉地以彌深, 猶稱兵而未已, 玆移仗衛, 暫住江湖. 若信使之鼎來, 恐有司之不戒, 俟休邊警, 當問聘期. 毁晋館以納車, 庶無後悔, 閉漢關而謝質, 非用前規, 諒彼素懷, 禮[知]吾誠意".[46]

[己卯[8日], 小滿. 流星出宗星, 入市樓:天文1轉載].

辛巳[10日], 王如安和寺.

丁亥[16日], 禘于大廟[太廟].

[→命有司, 禘于太廟, 祔順宗妃宣禧王后金氏於順宗廟].

戊子[17日], 日官奏, "今旱甚, 請禱雨于廟社·山川", 從之.

[→戊子, 日官奏, "今旱甚, 宜祈岳·鎭·海·瀆·諸山川及宗廟社稷, 每七日一祈, 不雨, 則還從岳, 瀆如初, 旱甚, 則修雩", 從之:禮1吉禮大祀轉載].[47]

[→戊子, 詔再雩祈雨. 太史奏, "必先祈川上·松岳·東神·諸神廟·栗浦·朴淵, 而後再雩, 可也. 宜當兩京內外公私, 罷土木興作之役", 從之:五行2轉載].

○知御史臺事李周衍·中丞任元濬·雜端皇甫讓·侍御史高唐愈·殿中侍御史文公元等上疏, 言時弊. 王只從二三事.[48]

[○月犯箕北星:天文1轉載].

己丑[18日], 賜朴東柱等及第.[49]

[某日, 東山處士郭輿卒:節要轉載], [年七十二. 謚眞靜:列傳10郭輿轉載]. [輿, 少力學, 工文, 道·釋·醫藥·陰陽·射御·琴碁, 靡所不治. 登第累官, 爲禮部員外郞,

---

46) 이 詔書의 原文은 『동인지문사륙』 권2, 回詔諭表[注, 庚戌, 四月三日, 持詔使王政忠至奉傳詔書, 惟王, 緬受基圖, 夙同文軌 …]이다.

47) 지13, 禮1, 吉禮, 大祀에는 이 기사의 다음에 a의 기사가 있다. 그렇지만 인종 9년 11월에는 癸酉가 없고, 12월에는 甲子朔이지만, 祈雪에 대한 내용이 없다. 이들 내용은 숙종 9년과 10년(실제는 예종 즉위년)의 사실을 잘못 정리한 것이므로 이 기사는 b와 같이 고쳐야 옳게 될 것이다[校正事由].

· a "□□[肅宗]九年十一月癸酉, 祈雪. 十二月甲子, 祈雪".

· b "□□[肅宗]九年十一月癸酉, 祈雪. □□[十年]二月甲子, 祈雪"[校正].

48) 高唐愈(耽羅人, 高維의 子)는 1131년(인종9) 11월 6일(己亥)에서 1147년(의종1) 12월 27일(丁巳) 사이에 高兆基로 改名하였다(열전11, 高兆基 ; 『동문선』 권101, 星主高氏家傳, 鄭以吾 作).

49) 이와 관련된 기사로 다음이 있다. 이때 朴東柱·李仁榮(乙科, 崔允儀墓誌銘) 등이 급제하였다.

· 지27, 선거1, 科目1, 選場, "[仁宗]八年四月, [知樞密院事]金富軾知貢擧, 康候顯[康侯顯]同知貢擧, 取進士, [己丑], 賜朴東柱等三十二人及第".

歸隱金州. 睿宗卽位, 以舊知, 徵置左右, 常與從容談笑·唱和. 謂興, 久在禁中, 或思出遊, 賜別業西華門外. 旣而興, 固求退居, 賜京城東, 若頭山一峰, 構室以居, 名曰東山齋. 王一日, 微行至山齋, 興適入城, 王徘徊久之, 賦詩題壁而還. 後又幸山齋, 執其手, 使口號, 其見寵遇如此. 及卒, 王遣近臣祭之, 命鄭知常作山齋記, 立石. 興自少, 不娶妻, 守洪州時, 私一妓, 遞期將滿, 使飮藥, 詐言仙去, 潛携至京, 色衰遣還. 又於山齋, 常以婢妾隨之, 物議譏之:節要轉載].[50]

辛丑30日, 門下侍中李公壽與兩府大臣會議, 令百寮出米有差, 設齋于現聖·靈通二寺, 爲國家禳災祈福.

五月壬寅朔小盡,壬午, [甲辰3日, 大雨:五行2轉載].

[癸丑12日, 赤黑氣, 見於艮方, 方圓二十尺許, 屯結不解, 奮發光曜, 如鳥拂翼, 乃散:五行1轉載].[51]

丁巳16日, 設佛頂道場於重華殿七日.

六月辛未朔大盡,癸未, 壬申2日, 王如奉恩寺.

[戊寅8日, 月犯熒惑天文1轉載].

[辛巳11日, □丹犯心星. ○流星出紫微西藩, 入河鼓, 長五尺許, 有聲如雷:天文1轉載].

癸未13日, 雨雹.[52]

[→晡時, 暴風, 折木揚沙, 雨雹. 太史奏, "近來有聽說陰陽者, 交上消息, 黷行齋醮, 譬如藥盡而病不盡. 老狀男女, 往往聚集, 互唱佛號. 宜命御史臺及街衢所, 巡行禁止", 從之:五行3轉載].

---

50) 이때 郭興가 지은 卽興詩(口號, 頌詩, 應製詩)가 『동문선』 권11, 東山齋應製詩로 추측된다.

51) 南宋에서는 11일(壬子, 율리우스曆 6월 18일) 赤雲이 天空을 가로질렀다고[亘天, 橫貫天空] 한다(高麗曆과 同一). 이때 臨安府(現 浙江省 杭州市)에서 測量한 極光은 대체로 오늘날의 類型으로 D(Draperies, 光幕)에, 빛깔[色彩]는 紅白色에, 方位와 方向은 N-ES에, 光度는 v[大火와 類似]에 해당하고, 開城府(율리우스曆 6월 19일)에서는 PA(Pulsating arcs)에, 빛깔[色彩]는 黑色에, 方位는 EN에 해당한다고 한다(劉君燦 1987年 489面).

· 『송사』 권60, 지13, 천문13, 運氣, "建炎四年五月壬子, 赤雲亘天中, 有白氣十餘道. 貫之如練, 起於紫微, 犯北斗及文昌, 由東南而散"..

52) 이날 일본의 교토[京都]에서 저녁 무렵에 비가 내렸고, 이후 계속 내렸다고 한다.

· 『中右記』, 大治 5년 6월, "十三日, 夕方雨下. 十四日, 終□去夜雨下. 終日雨下. 十五日, 終日雨下".

乙酉[15日], 設菩薩戒道場於重華殿.

[丙戌[16日], 流星出天市垣, 入河鼓:天文1轉載].

丁亥[17日], 慮囚.

[己丑[19日], 流星出危入牛:天文1轉載].

[某日, [中書侍郎]平章事金富佾以疾, □[上]三表, 乞退:節要轉載].

癸巳[23日], 以金富佾△[爲]守太尉·判秘書省事·柱國,53) [知樞密院事]金富軾△[爲]判三司事, [參知政事]崔滋盛△[爲]判尙書禮部事, [政堂文學?]文公仁△[爲]判尙書刑部事.

[甲午[24日], 暴雨, 震歸法寺山上松:五行1雷震轉載].54)

[某日, 國學奏, "近年以來, 明經寖衰, 宜選取三十人以下, 入學養育, 兼差敎導官, 參上·參外各一員, 以勸學", 從之:節要轉載].55)

秋七月[辛丑朔大盡,甲申], 甲辰[4日], 承化伯禎卒.56)

[乙巳[5日], 祈雨于山川·諸神祠:五行2轉載].57)

[丁未[7日], 流星大如雞子, 出天廩, 入羽林:天文1轉載].

[某日, 國學諸生詣闕, 上書曰, "臣等, 竊聞御史臺奏, 國學, 養士太多, 供給甚

---

53) 이때 中書侍郎同中書門下平章事 金富佾은 弟 金富軾의 昇進을 위해 스스로 宰相職의 解職을 청하였던 것 같다(『동문선』 권25, 金富佾罷相判秘書省事, 賜金富佾守太尉·判秘書省事). 이는 親嫌이라고 불린 相避制의 規制를 벗어나기 위한 것인데, 弟 金富儀도 親嫌의 대상이 되었다.

54) 이때 교토에서 旱魃이 있었던 것 같다.
· 『中右記』, 大治 5년 6월, "廿四日甲午, 天晴, …廿六日, 有廿二社奉幣定, 依祈雨也 …".

55) 이와 같은 기사가 지28, 선거2, 學校에도 수록되어 있다.

56) 이 기사는 열전3, 顯宗王子, 平壤公基에도 수록되어 있다.

57) 이달에 일본의 京都에서도 한발이 있었던 것 같다.
· 『中右記』, 大治 5년 7월, "一日辛丑, 天晴, 二日壬寅, 天晴 …, 三日, … 今日依祈雨, 被始孔雀經御讀經, 上卿源中納顯雅卿, 右小辨宗成, 堪日時定僧名, 廿口, 奏下之後, 行事辨向神泉始行云々, … 四日, … 未時許, 天頗陰小雨下, 御讀經之驗力歟, 則天晴, 何爲哉, 五日, 神泉御讀經, 今日一ケ日被延引云々, 依雨不降也, 六日丙午, 天晴 … 七日丁未, 天晴 … 今日, 神泉孔雀經御讀經結願, 五ケ日無降雨, 誠是天之令然歟 … 十四日, 申時許天俄陰, 小雷雨脚頗下, 是御祈之驗歟, 從去五月下旬以後, 雨不降, 天下之歎也, 十五日, 天晴 … 十六日丙辰, … 今夕申時許, 雷鳴雨降, 是祈雨御祈之驗力歟 … 十八日, 天晴 … 廿日, … 時々雨下 … 廿三日, 天陰雨下, 孔雀經法了, 佛法靈驗, 誠以顯然也, 廿四日, 朝間大降雨, … 廿六日丙寅, 天晴 … 卅日庚午, 天陰雨下".
· 『長秋記』, 大治 5년 7월, "十九日己未, 朝晴, 午下大雨, 終夜不止, 依雨悅向東寺, 法務權大僧都眞勝, 自去十五日, 於東寺被修孔雀經法, 是天下依旱魃也, 而今日自巳時許, 西北雲起, 東南雨澤, 漸及午下雨脚滂沱, 衆流鴻溢, 雖末世, 於法有靈驗, 爲世爲人誠不思議也".

費, 請簡留行修業成者若干人□□[在學], 餘悉出之. 臣等, 上爲國家惜之, 夫崇學育才, 乃理國之本, 自三代而下, 先王之政, 必以是爲先務焉, 蓋知所本也. 昔我孔子, 雖不得位, 周流四方, 猶養三千之徒. 唐韓文公[韓愈], 謫守潮州, 潮下州也. 猶曰, 州學廢久, 不聞業成, 貢于王庭, 亦郡之恥也. 乃命趙德秀才, 掌州學, 以聚生徒, 出己俸, 以給廚饌. 況我國家奄有三韓, 旣富而庶, 興學校育人材, 風俗文物, 一變而至道. 今, 國家生徒, 其數不過二百人, 有司以爲費財, 而欲削之, 豈吾君尊道·崇儒之意歟? 且佛氏寺觀, 周遍中外, 齊民逃役, 飽食逸居者, 不知其幾千萬焉. 有司曾不是思, 而反欲詘補世之道, 非公言至論也. 願陛下却而不用", 從之[詔可]:節要·選擧2學校轉載].[58]

[庚戌[10日], 處暑. 故參知政事王字之妻金氏卒, 年六十八:追加].[59]

[辛亥[11日], 暴風拔木, 雷電, 震[西部]五正里人家松木. 太史奏, "自立夏, 至立秋後, 時令不調, 風雨暴作, 或下雹. 此亦水旱兵喪之災, 將來可畏. 齋祭修禳, 不足以消變. 願殿下, 省躬修德, 上答天譴", 從之:五行3轉載].[60]

乙卯[15日], 供佛骨於重華殿.

[史臣曰, "唐憲宗, 迎佛骨于禁中, 韓愈極諫, 以爲事佛漸謹, 年代尤促.[61] 蓋事佛, 將以求福壽也, 勸之者似忠, 而沮之者似不忠矣. 卒至陳弘志之禍,[62] 甚慘, 而唐室之亂, 實階於此. 然則愈之沮, 爲甚忠, 而勸帝迎之者, 爲甚不忠矣. 此已往之覆轍, 後世人主, 所當鑑也. 以王之賢, 不此之戒, 奉迎朽敗之骨, 置之嚴禁之地, 亦獨何心

58) ~~添字~~는 지28, 選擧2, 學校에서 달리 표기되거나 추가되어 있는 글자이며, 兩者間에 자구의 출입이 있다. 韓愈(768~824)는 819년(元和14) 1월 唐 憲宗이 鳳翔法門寺의 佛骨을 長安으로 奉安해 오려고 하자 論佛骨表를 올려 반대하다가 潮州에 좌천되었다(『구당서』 권15, 본기15, 憲宗下, 元和 1년 1월, 丁亥, 癸巳).

59) 이는 「王字之妻金氏墓誌銘」에 의거하였다(金龍善 2006년 53面). 이날은 율리우스曆으로 1130년 8월 15일(그레고리曆 8월 22일)에 해당한다.

60) 五正里는 西部 五正坊(혹은 午正坊) □□里의 略稱[縮略語]일 것이다. 또 이때 일본에서도 7월 13일, 14일 京都에서 雷雨가 있었다고 한다(中央氣象臺 1941年 2册 422面).

· 『醍醐雜事記』, 大治 5년 7월, "第三日[十三日], 未刻許, 自靑龍峯墨雲聳, 雷電震動, 京中雨散. 第四日[十四日], 雷電, 霹靂降雨, 宮城之大路, 流水云々, …".

61) 이는 다음의 자료에서 따온 것이다.

· 『구당서』 권160, 열전110, 韓愈, "宋·齊·梁·陳·元魏已下, 事佛漸謹, 年代尤促".

62) 陳弘志의 禍는 唐의 宦官 陳弘志(혹은 陳弘慶, ?~835)가 820년(元和15) 1월 27일(庚子) 大明宮 中和殿에서 憲宗을 弑害한 사건을 말한다(『구당서』 권15, 본기15下, 憲宗 元和 15년 1월 庚子 ; 권184, 열전134, 宦官, 王守澄).

歟. 其後, 妙淸一妖僧耳, 以西都叛, 兵連禍結, 尙賴忠臣義士之力, 僅能殄滅, 所謂事佛求福者, 果安在哉. 其得免弘志之禍者, 乃勤儉慈仁, 任賢恤民之所致也, 佛亦何益焉":節要轉載].

庚申20日, 左遷侍御史高唐愈爲工部員外郞. [初, 李資謙用事, 用山僧善謂言, 修葺弘慶院, 以僧正資富及知水州事奉佑, 幹其事, 發丁州縣, 爲害甚巨. 及資謙敗, 資富坐此配島, 惟奉佑素結宦官, 僥倖復職. 唐愈固執不可, 上疏, 論駁再三. 故貶秩:節要轉載].

己巳29日, 宋使王政忠還, 附表云, "制辭坦明, 睿意懇惻, 恭承訓及, 不覺涕零. 恭惟皇帝陛下, 靈承帝遷, 紹撫皇統, 時惟多故, 乃艱難啓聖之期, 命靡有常, 保曆數在躬之慶. 顧惟下國, 邈在遐陬, 第劇震驚, 莫能奔問. 惟有春秋之事, 可達意於明廷~~朝廷~~, 願踰朝夕之池, 獲升聞於行在. 豈圖微懇, 上簡淸衷, 特遣王人, 遠將皇命. 盖因邊警, 俾緩聘期, 奉詔以旋, 捫襟自失. 旣不能跋涉山海, 致命於勤王, 又未及奉遵典章, 趨時而修貢. 徒抱疹心之痛, 阻修~~輸~~享上之恭, 情非有他, 神聽無妄,[63] 祈天永祚, 但願宣王之重興~~中興~~, 拭目觀光, 行參肅愼之來賀. 瞻望宸極, 神魂飛揚".[64]

[某日, 以李之著~~李之氐~~?爲慶尙道按察使, 右司諫崔諴爲全羅道按察使兼點軍使:慶尙道營主題名記].[65]

八月辛未朔小盡,乙酉, 甲戌4日, 幸王輪寺.

[丁丑7日, 流星大如杯, 出五車, 入東井:天文1轉載].

[戊寅8日, 日三珥, 色靑赤:天文1轉載].[66]

癸巳23日, 遣崔梓如金, 賀天淸節.[67]

---

63) 여기에서 無妄[无妄]은 無望과 같은 의미로 사용된 것 같다.
· 『자치통감』 권32, 漢紀24, 成帝元延 1년(BC12), "秋七月, 有星孛于東井. 上以災變, 博謀羣臣. 北地太守谷永對曰, … 當陽數之標季, 涉三七之節紀, 遭無妄之卦運[注, 應劭曰, 天必先雲而後雷, 雷而後雨, 而今無雲而雷. 無妄者, 無所望也. 萬物無所望於天, 災異之最大者也. 師古曰, 取易之無妄卦爲義. 項安世曰, 古妄與望通, 秦·漢无妄, 皆無望也]".

64) 이 表의 原文은 『동인지문사륙』 권2, 回詔諭表[注, 庚戌, …](金富佾 作)인데, ~~添字~~는 이에 의거하였다.

65) 李之著는 李之氐의 오자일 가능성이 있다. 또 崔諴은 그의 묘지명에 의거하였다.

66) 이날 일본의 京都에서는 맑았으나 저녁에 비가 내렸다고 한다.
· 『長秋記』, 大治 5년 8월, "八日戊寅, 晴, 入夜雨, … 九日己卯, 晴, 入夜雨".

67) 崔梓는 10월 15일(甲申) 契丹에서 天淸節을 賀禮하였던 것 같다. 이 시기에 崔梓는 刑部郞中

乙未[25日], 幸西京.

[○初更, 赤氣如火影, 發自坎方, 覆入北斗魁中, 起滅無常, 至三更乃滅. 日者奏, "天地瑞祥誌云, 赤氣如火影見者, 臣叛其君, 伏望, 修德消變":五行1轉載].[68)]

[丙申[26日], 寒露. 白虹, 起自西方, 向北行滅, 日者奏, "開元占云, 白虹露[霧], 奸臣謀君, 宜反身修德, 以答天譴":五行2轉載].[69)]

[是月, 贈諡前清平山文殊院居士李資玄曰, 眞樂公:追加].[70)]

[九月][~~庚子朔~~大盡,丙戌][71)] [乙巳[6日], 流星出奎, 入危, 大如雞子, 尾長九尺許:天文1轉載].

[丁未[8日], 流星出觜. 入水位, 大如雞子, 尾長五尺許:天文1轉載].

壬子[13日], 命置呵吒波拘神道場于弘慶院, 般若道場于選軍廳, 皆二七日, 從妙清之言也.[72)]

또는 給事中을 역임하고 있었던 것 같다(崔梓墓誌銘).

· 『금사』 권3, 본기3, 太宗, 天會 8년 10월, "甲申, 天淸節, 齊·高麗·夏遣使來賀".

· 『금사』 권60, 表2, 交聘表上, 天會 8년, "十月甲申, 高麗使賀天淸節".

68) 위의 기사는 『天地瑞祥志』 20권 중에서 현존의 9권에서 찾아지지 않는다고 한다(→태조 15년 5월 3일, 金一權 2002년).

69) 이 구절은 다음의 자료를 인용한 것인데, a는 b에서 유래한 것 같다. 이들 자료를 통해 볼 때, 위의 기사에서 露는 霧의 오자임을 알 수 있다. 또 『開元占』은 印度 출신의 승려 瞿曇悉達(生沒年不詳)이 8세기 전반에 편찬한 『大唐開元占經』120권의 略稱이다. 이는 중국 고대의 각종 天文星象·星占術·氣象占術·曆法·星圖·草木·鳥獸·人鬼·器物 등에 관련된 占術의 문헌을 정리하고 인용한 것이다. 그리고 이 시기에 일본의 京都에서는 장마[霖雨]가 계속되고 있었던 것 같다(高麗曆과 同一).

· a 『開元占經』 권98, 虹蜺占, 白虹3, "白虹霧, 姦臣謀君, 擅權主威, 夜霧白虹見, 臣有憂, 晝霧白虹見, 君有憂, 虹頭反至地, 流血之象".

· b 『晋書』 권12, 지2, 天文中, 雜氣, "凡白虹霧, 姦臣謀君, 擅權立威, 晝霧夜明, 臣志得申".

· 『中右記』, 大治 5년 8월, "廿五日, 天陰雨下, 此六七日霖雨".

· 『長秋記』, 大治 5년 8월, "廿三日癸巳, 雨下, … 廿六日丙申, 雨止天晴".

70) 이는 『동문선』 권64, 淸平山文殊院記에 의거하였다(→인종 3년 4월 21일의 脚注).

· 『硏經齋全集』續集16册, 書畫雜識, 書坦然筆後, "此碑在春川淸平山中, 希夷子李資玄, 隱居是地, 卽唐僧永玄之蘭若也. 資玄重修以居, 及沒, 金富轍製碑文, 而坦然書之, 筆雖出於聖敎序, 踈宕有致, 不專拘其法, 高麗諸碑, 多其派流. 竪碑在宋建炎四年, 碑中建炎作立炎, 似避高麗太祖諱也, 然碑末年月上, 復書建炎, 一碑之中異例, 殊可怪. 此本雖多剝落, 不甚漫漶, 今聞碑字益壞, 不可搨, 幸余得于不甚損之前也. 坦然詩又妙, 其兎山文殊菴詩曰, 一室何寥廓, 萬緣俱寂寞, 路穿石罅通, 泉秀雲根落, 皓月挂簷楹, 凉風動林壑, 誰從彼上人, 淸坐學眞樂".

71) 壬子는 9월의 壬子(13일)이므로, 壬子의 앞에 九月이 탈락되었을 것이다. 『고려사절요』 권9에는 옳게 되어 있다.

乙卯[16日], 慮囚.

[甲子[25日], 西京重興寺塔, 震而灾:五行1火災轉載].[73]

[→西京重興寺塔災. 或問妙淸曰, "師之請幸西都, 爲鎭災也, 何故有此大災?". 妙淸慚赧, 不能答, 俛首良久, 抽拳擧顔曰, "上若在上京, 則災變有大於茲[此], 今幸於此, 故災發於外, 而聖躬安妥?". 信妙淸者曰, "如是, 豈可不信也?":節要轉載].

[丁卯[28日], 立冬. 大霧:五行3轉載].[74]

冬十月[庚午朔大盡,丁亥], [辛未[2日], 雷電, 雨雹:五行1雷震轉載].[75]

壬申[3日], 至自西京, 詔曰, "寡人以凉德, 承襲祖業, 克艱克愼, 若涉氷淵. 日者·陰陽家流, 據古人之言, 奏請西幸, 朕從而行之. 今已還闕, 將以小恩, 普及中外. 其犯死罪, 除刑流配, 流以下原之, 曾配流者宥之, 其不可除者, 許令量移. 加所過山川神祇[神祇]號, 行從及西京文武員寮·吏人, 各加同正職, 掌固·入仕雜類, 賜物有差. [蠲所歷州縣今年租稅:節要轉載].[76] 饗耆年及孝順·節義·鰥寡·孤獨·篤癈疾, 賜物有差. [命完聚拓俊京妻子":節要轉載].

[→[仁宗]八年□□[~~十月~~], 詔曰, "俊京犯闕之罪雖重, 然其功亦不細, 令妻子完聚, 給還其子職田":列傳40拓俊京轉載].

癸酉[4日], 以慶龍節, 慮囚.

[乙亥[6日], 流星出畢, 入天囷, 大如梡, 長十尺許:天文1轉載].

[丙子[7日], 月有背氣, 左右有珥, 色白:天文1轉載].

丁丑[8日], 設無能勝道場于選軍廳, 三七日. 從妙淸之言也.

---

72) 呵吒波拘神道場은 密教系統의 『阿吒婆拘鬼神大將上佛陀羅尼経』(『大正新脩大藏經』 제21권, 密教部4 所收)을 念誦하는 道場인 것 같다.

73) 일본에서는 9월 12일 河內國(카와치노쿠니, 現 大阪府의 동부지역)과 그 隣近地域에서 大風이 있었다고 한다(中央氣象臺 1941年 1册 27面).
· 『河內國小松寺緣起』, 大治 5년, "九月十二日, 天下大風吹, 國々里々山々寺々, 堂舍·僧房, 無不吹崩, 而殊當寺之金堂已下, 塔婆·鐘樓·經藏·大門等 皆悉吹崩了, 其跡如夢云々".

74) 이날 일본의 교토[京都]에서 아침에 비가 내렸다고 한다(『中右記』, 大治 5년 9월, "廿八日, 立冬朝巳, 朝間雨下").

75) 이날 교토에서 흐리고 비가 내렸다고 한다(『中右記』, 大治 5년 10월, "二日, 天陰雨下, 昨日過了雨下, 天令然也, 午後天晴").

76) 이와 같은 기사로 다음이 있다.
· 지34, 食貨3, 恩免之制, "王至自西京, 詔緣路州縣, 復今年租稅".

[庚辰[11日], 流星大如雞子, 出北斗, 入大微[太微]帝座:天文1轉載].

[戊子[19日], 二更, 白虹, 相衝乾坤方, 至地發見, 三更乃滅. 太史奏曰, "白虹出, 其下有血, 白虹是百殃之本, 衆亂所基,[77] 固當修省, 以答天意". 故重華殿置度厄道場, 一七日:五行2轉載].[78]

[己丑[20日], 月入軒轅:天文1轉載].

辛卯[22日], 宴宰樞于便殿, 咨訪政事, 夜分乃罷.

[○月犯小微[少微]:天文1轉載].

[癸巳[24日], □[月]犯大微[太微]執法:天文1轉載].

[丙申[27日], 大風拔木:五行3轉載].

十一月[庚子朔[小盡,戊子], 日官奏, "白州兎山西南方, 火從地中出, 焚草木, 燃沙石泥土, 赤如灰, 入地二尺. 其下閏濕, 而土色黑, 東西一千三百二十尺許, 南北三千三百六十尺. 自六月二十日, 至九月十五日, 通晝夜, 光明遍地, 至今月三日, 因雨漸息":五行1火災轉載].[79]

[癸卯[4日], 白氣如匹練, 發普濟寺塔上, 至天:五行2轉載].

甲辰[5日], 遣閤門副使李許如金, 謝賀生辰.

[○大霧:五行3轉載].[80]

庚戌[11日], 遣殿中內給事崔允淑如金, 賀正.[81]

[壬子[13日], 日南至[冬至], 日珥:天文1轉載].

[→日南至, 天氣淸朗無風, 四方有白雲, 小有西風. 太史奏, 天氣淸朗, 萬物不遂,

---

77) 이 句節은 다음의 자료에 따 온 것이다.
- 『晋書』 권12, 지2, 天文中, "凡白虹自, 百殃之本, 衆亂所基. 霧者, 衆邪之基, 陰來冒陽".

78) 이날 일본의 京都에서는 비가 내렸다고 한다(『中右記』, 大治 5년 9월, "十九日, 天陰雨下").

79) 庚子에 朔이 탈락되었고, 이 기사에서 日官이 '至今月三日'이라고 한 것은 10월을 가리킨 것이다. 또 이날 일본의 京都에서는 비가 내렸다고 한다(『中右記』, 大治 5년 10월, "三日壬申, 天陰雨下").

80) 이날 일본의 京都에서 날씨가 흐렸으나 비는 내리지 않았다고 한다.
- 『中右記』, 大治 5년 11월, "五日, 天雖陰, 雨不下".
- 『長秋記』, 大治 5년 11월, "五日甲辰, 晴".

81) 崔允淑은 다음 해 正旦에 賀禮하였던 것 같다.
- 『금사』 권3, 본기3, 太宗, 天會 9년 1월, "己亥朔, 齊·高麗·夏遣使來賀".
- 『금사』 권60, 表2, 交聘表上, 天會 9년, "正月己亥朔, 高麗使賀天淸節".

風從兌來, 秋多苦兵:五行2轉載].

乙卯[16日], 移御壽昌宮.

壬戌[23日], 諫議~~左諫議大夫~~安稷崇等上䟽, 論時政.[82)]

[○流星大如雞子, 出內階, 入鉤陳:天文1轉載].

[丁卯[28日], 小寒. 五車·八穀星閒, 有氣如彗, 長六尺許:天文1轉載].

[是月, 僧祖遠立春州淸平山文殊院重修碑, 大師知遠刻字:追加].[83)]

十二月[己巳朔大盡,己丑], [某日, 詔侍從官, 各擧遺逸一人:節要·選擧3薦擧轉載].

[某日, 集三品以上及臺省侍臣于都省,[84)] 籍李·拓之黨及子孫之罪, 藏諸所司:節要轉載].

乙酉[17日], 遣左司郞中金端如金, 請免追索保州投入人口. 表曰,[85)] "聞命以[已]還, 精爽震越, 草芥之懇, 輒復剖陳, 神聖之慈, 冀賜矜察. 退惟踰僭, 愈切兢惶. 伏念, 臣蕞然薄材, 職是小國, 値眞人之受命, 興大業以統天, 卽慕義以入朝, 遂稱藩而修貢. 皇帝陛下, 仁深解網, 德厚包荒, 諒其面內之勤, 推之字小之惠. 天會四年丙午九月□□[辛未]日, 遣宣諭使高伯淑來, 傳詔旨, 亦有口宣, 保州城更不收復, 其投來人口, 亦令[人]小國取便, 臣當時, 蹐蹐下階, 拜受明命, 嘉與臣民, 懽忻感戴, 區區之心, 已兼表謝. 又天會六年戊申十二月□□[壬申]日,[86)] 報諭使司古德·韓昉來, 傳別錄, 保州之地, 初有詔諭, 更不收復, 意謂必能祇率舊章, 遵奉王室, 故朝廷不愛其地, 特行割賜, 爾後數歲, 尙未進納誓表, 於理豈爲便穩, 及自來脅從幷逃移戶口, 其數頗多,[87)] 皆稱物故, 殆未可亮. 又昨來勑旨, 許賜保州, 並無一城境內語句, 兼未晝定

82) 安稷崇의 初名은 安稷謂인데, 肅宗으로부터 稷崇을 下賜받았다고 한다. 또 이 시기에 安稷崇은 國子祭酒·左諫議大夫였다(安稷崇墓誌銘).

83) 이는 『동문선』 권64, 淸平山文殊院記에 의거하였다(→인종 3년 4월 21일의 脚注).

84) 여기에서 臺省侍臣은 열전40, 拓俊京에는 臺諫侍臣으로 되어 있으나 前者가 옳을 것이다(盧明鎬 等編 2016년 250面).

85) 金端은 明年(天會9) 2월 8일(乙亥) 金에서 表를 올렸다. 또 이 表가 『동문선』 권39, 告奏表(崔惟淸 作)인데, 添字는 차이가 있는 글자이다. 이에서 九月은 五月로 되어 있으나 오자일 것이고, 밑줄 친 곳은 세가편에서 더 확인되는 글자이다.
- 『금사』 권60, 表2, 交聘表上, 天會 9년, "二月乙亥, 高麗使上表, 乞免索保州亡入邊戶事".
- 『금사』 권135, 열전73, 外國下, 高麗, "[天會]八年, 楷上表, 乞免索保州亡入邊戶". 여기에서 八年은 九年의 誤字 또는 高麗의 使臣이 金의 國境에 到着한 해일 것으로 추측된다.

86) 添字의 日辰은 仁宗世家에 의거하였다.

界至. 自是, 見得係內地分, 宜約束封吏. 右上數事, 爾國, 果能推誠享上, 卽納誓表, 皎然自明, 朝廷亦當回賜誓詔, 兼別降指揮, 申畫封疆, 一切務從寬大, 成[誠]長久之計. 又[副使]韓昉移文館人曰, 朝廷方以大信, 示天下, 肯欺爾國. 臣受言書之明白, 感德意之殊尤, 指天誓心, 拜獻章表. 竊意, 宸慈俯賜誓詔, 而璽書荐至, 訓勅加嚴, 彷徨憂懼, 不知所圖. 況念人物投來之事, 是臣父先王, 未獲臣事上國時, 薄物細故, 而責之若此, 非特乖小國慶賴之心, 亦恐非朝廷以至仁大德, 寵綏下藩之意. 此臣所以披肝瀝血, 干冒天威, 不能自止者也. 伏望皇帝陛下, 俯回明炤, 深賜哀憐, 法先王綏遠之經, 用大漢釋逃之制. 特允至誠之請, 曲推全度之恩, 雖小陋以無能, 必激昻而論報, 葵藿之志, 向[嚮]白日以長傾, 江漢之流, 朝滄海而不息, 皇天后土, 鑑臣此言".

○回詔曰, "省所上表, 幷進奉御服·衣帶·銀器·□[銀]合物等, 卿志存恊[協]輔, 職在正封, 稽首稱藩, 務恊畏[協畏]天之義, 充庭祗貢, 聿陳享上之儀, 言念忠勤, 不忘嘉嘆, 所告奏事, 績當報論"[88]

[○月犯小微[少微]:天文1轉載].

甲午[26日], 醮于闕庭.

丙申[28日], 以文公仁△[爲]參知政事, 金富軾爲政堂文學·修國史,[89] 林景淸△[爲]知樞

---

87) 頗는 延世大學本과 東亞大學本에는 領으로 되어 있으나 오자일 것이다.

88) 이 시기에 耶律勗(1099~1157, 本名 烏野)이 太宗에게 고려에 亡命한 女眞人의 推刷를 중지하라고 건의하여 허락을 받았다고 한다. 여기에서 烏蠢(혹은 烏春)와 訛謨罕(혹은 窩謨罕)은 金帝國이 건국하기 이전 完顔部의 酋長이었던 世祖 劾里鉢과 競爭하였던 敦化지역의 女眞 酋長으로 추정된다고 한다(池內 宏 1979年 1柵 434面 ; 三上次男 1973年 467面).

· 『금사』 권66, 열전4, 始祖以下諸子, 勗, "[天會六年,] 自太祖與高麗議和, 凡女眞入高麗者皆索之, 至十餘年, 索之不已. 勗上書諫曰, '臣聞德莫大於樂天, 仁莫先於惠下. 所索戶口, 皆前世姦宄叛亡, 烏蠢·訛謨罕·阿海·阿合束之緖裔. 先世綏懷四境, 尙未賓服, 自先君與高麗通, 聞我將大, 因謂本自同出, 稍稍款附. 高麗旣不聽許, 遂生邊釁, 因致交兵, 久方連和, 蓋三十年. 當時壯者, 今皆物故, 子孫安於土俗, 婚姻膠固, 徵索不已, 彼固不敢稽留, 骨肉乖離, 誠非衆願. 人情怨甚可愍者, 而必欲求爲己有, 特彼我之蔽, 非一視同仁之大也. 國家民物繁移, 幅員萬里, 不知得此果何益耶. 今索之不還, 我以强兵勁卒, 取之無難. 然兵凶器, 戰危事, 不得已而後用. 高麗行藩, 職貢不闕, 國且臣屬, 民亦非外. 聖人行義, 不責小過, 理之所在, 不俟終日. 臣愚以爲, 宜施惠下之仁, 弘樂天之德, 聽免徵索, 則彼不謂己有, 如自我得之矣', 從之".

· 『금사』 권135, 열전73, 外國下, 高麗, "旣而勗上表請不索保州亡入高麗戶口, 太宗從之. 自是, 保州封域始定".

89) 이때 金富軾의 辭讓하는 表에 대한 答書가 『동문선』 권29, 金富軾讓政堂文學不允批答으로 추측된다.

密院事, 李俊陽△[爲]同知樞密院事, 任元敱爲樞密院副使.

[是月, 判[制], "功臣子孫, 付簿點職":選擧3功臣子孫轉載].

[是年, 置額號都監, 有使·副使·判官:百官2額號都監轉載].

[○生大寧侯璟, 王又遣使下詔曰, "汝以俔天之資, 居儷極之貴, 樂關雎之窈窕, 服卷耳之勤勞. 乃符帶韣之祥, 載見弄璋之慶, 歎嘉無已, 恩禮當優. 仍賜禮物":列傳1仁宗妃恭睿太后任氏轉載].

[○王賜敎[詔]□□□□[~~大原公侼~~]曰, "卿, 負時偉望, 爲世宗親. 貶在嶺南, 非寡人之意. 今還闕下, 乃伸猶子之情, 錫之第宅之新, 加以物般之渥, 益修忠藎, 當体眷懷". 賜甲第一區及金銀器·匹段·鞍馬·布貨:列傳3肅宗王子太原公侼轉載].

[○[以守太保·門下侍中尹瓘], 配享睿宗廟庭, 避綏陵[睿宗妃]諱, 改諡文肅:列傳9尹瓘轉載].

[○以安稷崇爲知西北面兵馬事:追加].[90]

[○以[知南原府事]金永錫爲全州牧使:追加].[91]

[○以[試禮賓主簿·寶文閣校勘]崔惟淸爲右正言·知制誥:追加].[92]

[○以[金吾衛長史]張脩爲權知閤門祗候:追加].[93]

[○以金永夫爲交州防禦判官:追加].[94]

[增補].[95]

---

90) 이는「安稷崇墓誌銘」, "未戌年間, 再掌西北面兵馬事"에 의거하였다.

91) 이는「金永錫墓誌銘」에 의거하였다.

92) 이는「崔惟淸墓誌銘」에 의거하였다.

93) 이는「張脩墓誌銘」에 의거하였다.

94) 이는「金永夫墓誌銘」에 의거하였다.

95) 이해(天會8, 建炎4)에 中原에서는 다음과 같은 일이 있었다. 또 고려인 10人이 金의 境內에 漂着하였다고 한다.

· 7월 27일(丁卯), 金이 劉豫를 皇帝로 擁立하고, 國號를 齊[大齊]라고 하였다(『송사』 권26).

· 9월 9일(戊申) 劉豫가 大名府(北宋의 北京, 現 河北省 邯鄲市 大名縣)에서 즉위하고, 黃河 以南의 山東, 河南, 陝西 地域을 통치하였다(『금사』 권3, 권77劉豫 ;『송사』 권26, 권475劉豫). 以後 東平(現 山東省)으로 옮겼다가 1132년 4월 汴京[北宋 東京開封府]으로 다시 천도하였다(『건염이래계년요록』 권37, 建炎 4년 9월 9일, 권53, 紹興 2년 4월 庚寅).

· 『금사』 권135, 열전73, 外國下, 高麗, "是歲[天會8年], 高麗十人捕魚, 大風飄其船抵海岸, 曷蘇館人獲之, 詔還其國".

辛亥[仁宗]九年, 金天會九年, [南宋紹興元年], [西曆1131年]

1131년 1월 31일(Gre2월 7일)에서 1132년 1월 19일(Gre1월 26일)까지, 354일

春正月[己亥朔小盡,庚寅, 西方有赤氣:天文1轉載].

[甲辰6日, 有赤氣:五行1轉載].96)

乙巳7日, 金遣李鉅烈來, 賀生辰.

丁未9日, 宴于重華殿.

庚戌12日, 金使鉅烈還, 附表以謝.

[辛亥13日, 月犯軒轅:天文1轉載].

乙卯17日, 御史雜端鄭漸等上疏, 論時政得失.97)

[某日, 以河器爲慶尙道按察使:慶尙道營主題名記].

[是月朔, 南宋改元紹興:追加].

二月戊辰朔大盡,辛卯, 丙子9日, 移御仁德宮.

[某日, 賜門下侍郞平章事致仕崔思全, 甲第一區, 賜詔褒美:節要轉載].

[→崔思全, 進門下侍郎同中書門下平章事. 自以起寒地, 位極寵, 懇請致仕, 乃許之, 賜甲第一區, 詔曰, "朕聞疾風知勁草, 板蕩識貞臣, 歲丙午仁宗4年, 禍起蕭墻, 宗社幾危, 板蕩之勢已極矣. 在朕左右忠義之士, 尙未免於白刃, 誰能出力以衛社稷. 惟卿奮不顧身, 與人好謀. 辨論逆順, 開諭禍福, 雖俊京之悍黠, 亦揮淚感激, 知宗所尊. 轉禍爲福, 復安宗社, 卿之功也. 卿雖退居, 在予褒奬之心, 何敢少弛":列傳11崔思全轉載].

[戊寅11日, 大風拔木:五行3轉載].

己卯12日, 賜元子名昌, 遣使賜禮物, 權設東宮位於中書門下廳事, 受詔, 王御政事堂東帳殿, 觀禮. 仍宴宰樞·臺諫.

辛巳14日, 齊安公偦卒.98) [資謙擅權, 猜忌宗室, 奏貶帶方·大原太原二公, 偦乃請除去衛從, 杜門不見賓客, 縱酒自晦, 故得免:節要轉載].

---

96) 己亥에 朔이 탈락되었다.

97) 이때 鄭漸(鄭沆의 兄)은 刑部郞中·御史雜端이었다(鄭沆墓誌銘).

98) 이날은 율리우스曆으로 1131년 3월 14일(그레고리曆 3월 21일)에 해당한다.

[→時李資謙用事, 奏貶帶方·太原二公及諸有名望者. 偦恐不免, 請去諸侍衛軍士, 杜門不接賓客. 縱酒自晦, 故終免於禍. 諡思節. 子璋:列傳3肅宗王子齊安公偦轉載].

[○白虹貫日:天文1轉載].

三月[戊戌朔小盡,壬辰], 辛丑[4日], 設佛頂道場于天成殿.

[○夜, 白氣二條, 一在北方, 衝東西, 貫紫微宮. 一在南方, 衝東西, 徑天:五行2轉載].

甲辰[7日], 制, 文官常參以上及翰林·史館·國學·寶文閣·式目·都兵馬·迎送都監·行營錄事·軍候員·武官四品以上, 各上封事, 言軍國利害.

[丙午[9日], 月犯軒轅夫人:天文1轉載].

戊午[21日], 慮囚.

庚申[23日], 右散騎常侍鄭俊侯·知御史臺事李周衍等上疏, 論事.

癸亥[26日], 制, 無伐木, 無麛無卵, 掩骼埋胔, 葺東西大悲院·濟危鋪, 以救民疾.[99)]

甲子[27日], 禁諸生治老莊之學.

[某日, 前典香大師玄寂, 鑄成金鍾尙州牧廻浦寺金鍾, 入重四十五斤:追加].[100)]

[是月, 判[制], "防丁監試, 雖入仕, 必以詩·賦, 選取":選擧1科目轉載].

[○中書門下奏, "參外文臣, 各定業經, 注錄政案, 量差學官", 從之:選擧2學校轉載].[101)]

夏四月[丁卯朔小盡,癸巳], 丙子[10日], 王如安和寺.

---

99) 이와 같은 기사로 다음이 있다.
· 지34, 食貨3, 水旱疫癘賑貸之制, "制, 葺東·西大悲院·濟危鋪[濟危寶], 以救民疾".

100) 이는 다음의 자료에 의거하였다(尙州博物館 編 2008년).
· 銘文, "辛亥三月日, 尙州牧廻浦寺金鍾入中四十五斤, 前典香大師玄寂鑄成".

101) 政案은 현재의 人事行政記錄 카드와 같은 것으로 出身, 陞進, 轉傳, 賞罰 등을 기록한 帳簿로서, 3년마다 文武班을 분리하여 작성하였던 것 같다.
·『태종실록』 권4, 2년 9월 戊子[8日], "兵曹請三軍都摠制摠制政案, 許本曹掌之. 疏曰, 文武之職, 不可偏廢, 故本國設吏曹, 以掌文資, 兵曹以掌武資, 凡所施爲, 各有統屬, 誠爲令典. 至於政案, 因前朝之舊, 文官則一品至九品, 吏曹掌之, 武官則自上·大護軍至散員, 兵曹掌之".
·『성종실록』 권14, 3년 1월 壬戌[25日], "吏曹啓, '舊例, 每三年, 官吏具出身·來歷呈本曹, 謂之政案. 今無此法, 憑考無由. 自今每式年, 依舊例成政案, 藏本曹, 以憑後考', 從之".

戊寅12日, 改元子名徹, 以崔濡·鄭俊侯爲左·右詹事.

壬午16日, 移御壽昌宮.

[某日, 內侍·少卿金安奏, "取聖旨, 以白壽翰所奏天地人三庭事宜狀, 傳示侍從官. 其狀書爲三本, 一附省, 一附臺, 一附諸司知制誥, 令各論奏". 壽翰, 自稱妙淸弟子, 以詭譎不經之說, 干時惑衆. 金安·鄭知常至於大臣文公仁, 皆稱爲聖人. 三庭之說, 亦類此:節要轉載].

己丑23日, 宋都綱卓榮來, 奏云, "少師劉光世遣將黃夜叉, 將大兵過江, 擊破金人, 橫尸蔽野, 降三千人, 半是漢人. 自兩浙至河北, 僅平安, 皇帝駐蹕越州, 改建炎五年, 爲紹興元年". 王以榮所奏狀, 示宰輔曰, "前者, 侯章·歸中孚來, 請援不能從, 又楊應誠欲假道入金, 又不從. 自念祖宗以來, 與宋結好, 蒙恩至厚, 而再不從命, 其如信義何". 門下侍郞平章事崔弘宰等皆言, 遣一介行李告奏, 便.

辛卯25日, 制曰, "尙書戶部, 卽古大司徒之職, 其以五典, 敎民".

乙未29日晦, 再雩.

[○西京林原闕內, 自庭除沙土, 至宮內幽深塵埃之處, 皆有鳥雀之跡. 人以謂, 將爲丘墟, 鳥獸聚集之兆:五行1·節要轉載].[102]

五月丙申朔大盡,甲午, 戊戌3日, 制, "每四孟月初, 視朝, 命官讀時令".[103]

辛丑6日, 大雨.

甲辰9日, 中書門下奏, "今重脩宮闕,[104] 令兩府宰樞監督, 此所謂十羊九牧, 宜減員數", 從之. □丹以門下侍郞平章事崔弘宰·參知政事文公仁·知樞密院事林景淸, 董其役.[105]

[某日乙巳10日?, 停內外錦繡工作, 限十年:節要轉載].

丙午11日, 制, "令百官, 各寫太祖誡百寮書, 藏于家, 以訓子孫".

[某日, 禁庶人羅衣·絹袴·騎馬都中及奴隷革帶:節要·刑法2禁令轉載].

---

102) 林原闕은 西京 林原驛에 건립된 大華闕을 가리킨다(東亞大學 2011년 15책 112面).

103) 이 기사는 지21, 禮9, 一月三朝儀에도 수록되어 있다.

104) 이때 太府少卿·三司副使 金子鏐가 重修都監副使에 임명되어 工徒를 거느리고 土木工事를 하였다고 한다(金子鏐墓誌銘 ; 金龍善 2008년b). 또 前樹德鎭將 秦仲明이 大安寺御容殿直·宮闕都監錄事에 임명되어 8년간 在職하였다고 한다(秦仲明墓誌銘).

105) 添字는『고려사절요』권9에 의거하였다.

乙丑[30日], 太白晝見, 經天百餘日.

[是月, 自地理山[~~智異山~~]南, 至長城縣, 往往震·雷電·烈風·大雨, 樹木僵仆, 禾穀不實:五行1雷震轉載].[106]

六月丙寅朔[小盡,乙未], 王如奉恩寺.

[某日, 陰陽會議所奏, "近來, 僧俗雜類, 聚集成群, 號萬佛香徒, 或念佛讀經, 作爲詭誕. 或內外寺社僧徒, 賣酒鬻葱, 或持兵作惡, 踴躍遊戲, 可謂亂常敗俗. 請令御史臺·金吾衛, 巡檢禁止", 從之[~~詔可~~]:節要轉載].[107]

[某日, 以鹽州旱·饑, 移龍門倉粟, 賑之:節要·食貨3水旱疫癘賑貸之制轉載].

己卯[14日], 慮囚.

庚辰[15日], 設菩薩戒道場于重華殿.

○制曰, "傳曰[~~傳云~~],[108] 國之將興也, 視民如子, 將亡也, 視民如草芥.[109] 故先王以不忍人之心, 行不忍人之政. 去冬營宮, 三道伐木, 民死於役者頗衆, 宜發官粟, 賻其妻子".

丁亥[22日], □[前]參知政事李璹卒.[110]

己丑[24日], 慮囚.

[辛卯[26日], 流星出河鼓, 入南斗, 大如炬, 長十尺許:天文1轉載].

[甲午[29日晦], 流星出天紀, 入箕. 又流星出室離宮, 入河鼓:天文1轉載].

秋七月[乙未朔[大盡,丙申], 流星大如雞子, 出天紀, 入箕. 又流星大如杯, 出室離宮, 入箕:天文1轉載].[111]

---

106) 地理山은 智異山의 오자일 것이다.

107) 이 기사는 지39, 刑法2, 禁令에도 수록되어 있으나 '可謂'가 없고, 從之가 詔可로 달리 표기되어 있다. 後者의 詔可가 원래의 모습[原形]일 것이다.

108) ~~添字~~는 『고려사절요』 권9에서 달리 표기된 것이다.

109) 이는 다음의 자료에서 따온 것 같다.

· 『춘추좌씨전』傳, 哀公 1年 夏四月, "… 臣聞, 國之興也, 視民如傷, 是其福也. 其亡也, 以民爲土芥. 是其禍也".

110) 李璹(李靖恭의 子)은 1128년(인종6) 7월 4일 參知政事로서 파면되었다. 이날은 율리우스曆으로 1131년 7월 18일(그레고리曆 7월 25일)에 해당한다.

111) 乙未에 朔이 탈락되었다.

[某日, 發大倉[太倉], 賑貧民:節要·食貨3水旱疫癘賑貸之制轉載].

癸卯[9日], 慮囚, 減死罪五十六人, 杖配有人島.

[乙巳[11日], 震靈岩郡[靈巖郡]月生山神祠:五行1雷震轉載].[112)]

丁巳[23日], 幸王輪寺.

[戊午[24日], 大風拔木:五行3轉載].

己未[25日], 太白經天.

[→流星出危入牛, 大如炬, 長十餘尺. 太白經天:天文1轉載].

[某日, 門下侍中李公壽引年乞退, 至三. 許之:節要轉載].

[→公壽素患風痺, 乞退表四上, 優詔許之:列傳8李公壽轉載].

[某日, 以皇甫許爲慶尙道按察使:慶尙道營主題名記].

[是月, 女眞地, 群蛇, 涉鴨綠江, 入義州境:五行1龍蛇之孼轉載].

八月[乙丑朔小盡,丁酉], 丁卯[3日], 移御仁德宮.

[辛未[7日], 白露. 月犯心庶子星:天文1轉載].

壬申[8日], 召兩府宰臣于便殿, 問軍國事.

丙子[12日], 日官奏, "近來, 巫風大行[太行], 淫祀[淫祀]日盛, 請令有司, 遠黜群巫". 詔可. 諸巫患之, 歛[斂]財物, 貿銀甁百餘, 賂權貴. 權貴奏曰, "鬼神無形, 其虛實, 恐不可知, 一切禁之, 未便". 王然之, 弛其禁.[113)]

[己卯[15日], 月食, 密雲不見:天文1轉載].[114)]

---

112) 현재의 全羅南道 靈巖郡 靈巖邑에 위치한 月出山은 고려 초기에 月生山이라고 불렸다고 한다.
- · 11, 지리2, 全羅道 靈巖郡, "… 顯宗九年, 復降爲靈岩郡. 有月出山[注, 新羅稱月柰岳, 躋小祀. 高麗初, 稱月生山. 山有九井峯, 其下有動石三, …]".
- ·『신증동국여지승람』 권35, 靈巖郡 山川, "月出山, 在郡南五里, 新羅稱月奈嶽. 高麗行月生山, 諺稱本國外華蓋山, 又云小金剛山, 又名曹溪山".

113) 이 시기(1131년)보다 350餘年이 경과한 1485년(성종16) 윤4월에도 嶺東地方에서는 巫風이 성행하였던 것 같다.
- ·『秋江集』 권5, 遊金剛山記(1485년), "… [閏4月]辛卯[11日], 回程發溫井, 行且採薇, 過高城郡, 又過萬戶渡, 乘舟渡高城浦, 於江邊炊飯. 嶺東民俗, 每於三四五月中擇日迎巫, 極辦水陸之味, 以祭山神, 富者馱載, 貧者負戴, 陳於鬼席, 吹笙鼓瑟, 嬉嬉連三日醉飽, 然後下家, 始與人買賣, 不祭則尺布不得與人, 高城俗所祭乃是日也, 行路處處, 男女盛粧, 絡繹不絶, 往往稠如城市, …".

114) 宋에서도 같은 현상이 있었고, 일본의 교토[京都]에서는 15일(辛卯) 비로 인해 월식이 관측되지 않았고, 16일(庚辰) 월식이 행해진 것 같다. 이날은 율리우스력의 1131년 9월 8일이고, 월식 현상이 심했던 때의 世界時는 21시 50분, 食分은 0.72이었다(渡邊敏夫 1979年 475面).

[癸未[19日], 月食行昴星:天文1轉載].

[某日, 遣內侍李仲孚, 築西京林原宮城, 置八聖堂于宮中. "一曰, 護國白頭嶽太白仙人, 實德文殊師利菩薩, 二曰, 龍圍嶽六通尊者, 實德釋迦佛, 三曰, 月城嶽天仙, 實德大辨天神, 四曰, 駒麗平壤仙人, 實德燃燈佛, 五曰, 駒麗木覓仙人, 實德毗婆尸佛, 六曰, 松嶽震主居士, 實德金剛索菩薩, 七曰, 甑城嶽神人, 實德勒叉天王, 八曰, 頭嶽天女, 實德不動優婆夷". 皆繪像, 從妙淸妖說也. 金安·仲孚·知常等以爲, "~~此~~聖人之法, 利國延基之術":節要轉載].[115)]

乙酉[21日], 西北面兵馬便奏, "金主[太宗]率兵三萬, 到東京, 其意難測".

○王命臺省·知制誥, 各上封事.

[丙戌[22日], 秋分. 流星出畢, 入觜, 大如椀, 長十尺許:天文1轉載].

[戊子[24日], 月犯輿鬼:天文1轉載].

辛卯[27日], 遣持禮使閤門祗候[~~閤門祗候~~]庾償如金東京.

癸巳[29日晦], 遣兵部郞中王洙如金, 賀天淸節.[116)]

[是月, 西京大華闕西山, 有火, 列如衆燈, 俄而合成大燈, □[尋]滅:五行1火災轉載].[117)]

九月[甲午朔大盡,戊戌], 丙申[3日], 以[門下侍中]李公壽[爲推忠衛社同德功臣:節要轉載]·檢校太師·守太傅·門下侍中·判吏部事, 崔思全△[爲]守太尉·門下侍郞平章事,[118)] 金珦[爲衛社功臣·:節要轉載]檢校太尉·守司空·門下侍郞同中書侍郞[門下]平章事,[119)] 並仍令

·『長秋記』, 天承 1년 8월, "十四日戊寅, 陰雨, 入夜大雨, … 十五日己卯, 雨".
·『師守記』, 康永 4년 8월 14일, 駒牽當月蝕例, "天承元年八月十六日, 駒牽也, 今夜月蝕".

115) ~~添字는~~ 열전40, 妙淸에 의거하였다.

116) 王洙는 10월 15일(戊寅) 契丹에서 天淸節을 賀禮하였던 것 같다.
·『금사』 권3, 본기3, 太宗, 天會 9년 10월, "戊寅, 天淸節, 齊·高麗·夏遣使來賀".
·『금사』 권60, 表2, 交聘表上, 天會 9년, "十月戊寅, 高麗使賀天淸節".

117) 이러한 현상을 聖燈이라고 하며 고려의 太白山에서도 나타났다는 14세기 中原人의 見聞도 있다(張東翼 1997년 111面).
·『草木子』 권4, 聖燈, "名山之大者, 往往皆有之, 世人多歸之佛氏之神. 如眉縣峨眉山·成都聖燈山·簡州天光觀·衡山聖燈岩·匡廬之神燈岩·明州天童山·高麗之太白山, 數處聖燈, 時現. 蓋山之精英之氣, 發爲光怪爾".

118) 崔思全은 63歲에 致仕를 청하였다가 이때 허락을 받았던 것 같다(「崔思全墓誌銘」, "公以功, 曾任守太尉·門下侍郞平章事, 年六十三, 引年乞退").

119) 門下侍郞同中書侍郞平章事는 門下侍郞同中書門下平章事로 고쳐야 옳게 된다. 이 시기에 金珦이 致仕를 청한 表에 대한 答書가『동문선』권29, 賜平章事二度請老不允敎書·四度不允敎書로 추측된다.

致仕. 加門下侍郎平章事崔弘宰△爲判吏部事[·上柱國:追加],[120] 崔滋盛△爲檢校司空特進·檢校司徒·守司空·中書侍郎[同中書門下平章事:節要轉載]·判兵部事,[121] 文公仁△爲檢校司徒·中書侍郎平章事·西京留守事,[122] 金富軾△爲檢校司空·參知政事,[123] 崔濡爲兵部尙書·翰林學士承旨, 樞密院副使任元敳△爲同知樞密院事[→崔濡·任元敳△△並爲同知樞密院事:節要轉載].

[→金珦進中書侍郎·同中書門下平章事, 上表乞退, 王不許曰, "卿以不貳心之忠, 奮不可奪之節. 屬朕卽位, 遭家多難, 乃挺身翼衛, 掃除奸賊. 旣與共其憂, 宜與共其樂, 遽起丘園之興, 豈朕待卿之意, 有未至耶". 表至五上, 乃許之:列傳11金珦轉載].

丁酉4日, 直門下省□~~事~~安稷崇·右諫議~~右諫議大夫~~·李伸~~李仲~~·中書舍人林存·左司諫崔誠等奏曰,[124] "東京持禮使書狀官崔逢深, 本武擧人, 書狀非其任. 又素狂言, 有輕金國之志, 竊恐生事, 不宜遣之", 伏閤固爭三日, 不允. [逢深, 與鄭知常交結, 尊師妙淸. 嘗上言, "陛下欲平治三韓, 則舍西京三聖人, 無與共之", 卽指妙淸·壽翰·知常也. 又大言, "國家與我壯士千人, 則可入金國, 虜其主來獻". 其狂妄, 如此:節要轉載].[125]

戊戌5日, 太白晝見.

[○月犯心前星, 一尺許. 太白犯軒轅小民, 又流星大如杯, 出北極, 入郞將:天文1轉載].

庚子7日, 王如安和寺.

[辛丑8日, 寒露. 月犯南斗:天文1轉載].

[戊申15日, 太白隔熒惑星南:天文1轉載].

[辛亥18日, 火星犯大微~~太微~~上將星:天文1轉載].

---

120) 이날 門下侍郎同中書門下平章事 崔弘宰는 判尙書吏部事·上柱國으로 임명되었다고 한다(崔弘宰墓誌銘).

121) 檢校司空은 檢校司徒·守司空으로 고쳐야 옳게 될 것이다.(열전11, 崔滋盛).

122) 西京留守事는 判西京留守事 또는 西京留守使의 잘못일 것이다.

123) 이때 金富軾은 參知政事·判戶部事에 임명되었던 것 같다(『동문선』 권43, 讓參知政事·判戶部事表).

124) 李伸은 『고려사절요』 권10에는 李仲으로 되어 있는데, 前者는 오자일 것이다(盧明鎬 等編 2016년 252面).

125) 崔逢深이 武擧出身이라는 점은 1120년(예종15) 5월 金惟珪(1095~1158)가 27歲로 武藝[虎學, 武學]로 과거[天場, 武擧]에 나가 第2人으로 급제하였던 사실과 함께, 이 시기에 무거가 제술업과 함께 시행되고 있었음을 보여주는 자료이다. 이 武擧는 1261년(원종2) 5월에도 시행되었다고 한다(『中堂事記』 권하 : 『秋澗先生大全文集』 권83 ; 張東翼 1997년 50~52面).

[壬子[19日], 月犯五車:天文1轉載].

癸丑[20日], 慮囚.

[乙卯[22日], 月犯輿鬼:天文1轉載].

[丁巳[24日], 霜降. 大風, 暴雨, 雷電, 水深, 平地一尺. 震玄化·海晏兩寺南山樹:五行1水潦轉載].

[戊午[25日], 雨雹, 雷鳴, 晝夜不已, 震[南部]德豊·[西部]五正二坊栗樹:五行1雷震轉載].

[→戊午[25日], 雨雹, 雷鳴, 晝夜不已:五行1雨雹轉載].

[己未[26日], □[丹]犯太白. 太白入大微[太微]右掖門:天文1轉載].

[○雨, 雷鳴, 晝夜不已:五行1雷震轉載].

[辛酉[28日], 月犯左角:天文1轉載].

[○雨雹:五行1雨雹轉載].

壬戌[29日], [持禮使]庾償, 以金主幸東京, 不達而還.

[○夜, 大雨雹, 雷震[東部]令昌·[南部]德豊二坊樹木:五行1雷震轉載].

[癸亥[30日], 太白犯大微[太微]左執法:天文1轉載].

[○暴風·雷電·雨雹:五行3轉載].

[某日, 金安等奏, "請致祭林原闕內八聖. 鄭知常撰其文曰, "不疾而速, 不行而至, 是名得一之靈, 卽無而有, 卽實而虛, 蓋謂本來之佛. 惟天命, 可以制萬物, 惟土德, 可以王四方. 肆於平壤[平壤]之中, 卜此大花之勢[大華之勢], 創開宮闕, 祗若陰陽, 安八仙於其間, 奉白頭而爲始. 想耿光之如在, 欲妙用之現前. 恍矣至眞, 雖不可象, 靜惟實德, 卽是如來. 命繪事以莊嚴, 叩玄關而祈嚮". 其飾誣說如此:節要轉載].

[是月頃, 遣使如金, 賀天淸節:追加].[126]

冬十月甲子朔[大盡,己亥], 設佛頂道場于天成殿.

[乙丑[2日], 大雨, 凡四日:五行2轉載].

[壬申[9日], 立冬. 大霧:五行3轉載].

癸酉[10日], 幸法王寺, 設百座道場三日, 命內外齋僧三萬.

庚辰[17日], 王妃任氏生子晧, 遣御史大夫任元濬, 賜敎書·禮物.

---

126) 이는 다음의 자료에 의거하였다.

·『금사』 권3, 본기3, 太宗, 天會 9년 10월, "戊寅, 天淸節, 齊·高麗·夏遣使來賀".

[→生明宗, 王又遣使下詔曰, "玆爾任氏, 典予內職, 正位中宮,[127] 震索得男, 旣主其器, 螽斯多子, 亦由爾賢. 謂玆羆熊之祥, 協彼燕媒之后, 宜膺寵數, 永保洪休":列傳1仁宗妃恭睿太后任氏轉載].

[壬午19日, 霧:五行3轉載].

[甲申21日, 月犯軒轅夫星:天文1轉載].

[乙酉22日, 流星大如雞子, 出天囷, 入天倉:天文1轉載].

[○大風拔木:五行3轉載].

[壬辰29日, 雨土, 大風雨雹:五行3轉載].

[癸巳30日, 雨土:五行3轉載].

[庚子某日, 雷雨:五行2轉載].[128]

十一月[甲午朔大盡,庚子, 雨土:五行3轉載].[129]

[乙未2日, 亦如之雨土:五行3轉載].

[丙申3日, 天鳴如雷:五行1鼓妖轉載].

[丁酉4日, 太白入氐:天文1轉載].

[○雷:五行1雷震轉載].

己亥6日, 遣禮部郞中高唐愈如金, 謝賀生辰.

[○大風雨·雷電:五行3轉載].

庚戌17日, 遣尙衣奉御李仲衍如金, 賀正.[130]

---

127) 여기에서 中宮은 皇后宮을 指稱한다.

· 『자치통감』 권33, 漢紀25, 成帝綏和 2년(哀帝卽位年BC7), "五月丙戌, 立皇后傅氏, 傅太后從弟晏之子也. 詔曰, '春秋', 母以子貴. 宜尊定陶太后曰恭皇太后, 丁姬曰恭皇后, 各置左右詹事, 食邑如長信宮·中宮[注, 應劭曰, 成帝母王太后居長信宮. 李奇曰, 傅姬如長信, 丁姬如中宮也. 師古曰, 中宮, 皇后之宮], …".

128) 이달에는 庚子가 없으므로 11월 7일(庚子)일 것이다.

129) 甲午에 朔이 탈락되었다.

130) 李仲衍은 다음 해 正旦에 賀禮하였던 것 같다. 이 기사에서 李仲衍이 띠고 있는 官爵은 사신으로 파견될 때 一時的으로 임명된 借職이다. 또 이 자료는 『총서집성속편』 권166의 『松漠紀聞』續에도 수록되어 있고, 淸代 彭元瑞, 『宋四六話』 권6 ; 『해동역사』52, 本國文1에도 인용되어 있다(張東翼 2000년 549面).

· 『금사』 권3, 본기3, 太宗, 天會 10년 1월, "癸巳朔, 齊·高麗·夏遣使來賀".

· 『금사』 권60, 表2, 交聘表上, 天會 10년, "正月癸巳朔, 高麗使賀正旦".

· 『松漠紀聞』 권2, "高麗賀正表曰, '帝出乎震方, 當遂三陽之生, 王次於春, 所以大一統之始, 覆幬

[壬子19日, 太白行陰道, 犯房上相, 北隔七寸許:天文1轉載].

乙卯22日, 移御壽昌宮.

[○太白犯鎭星:天文1轉載].

[丁巳24日, 冬至. 靈通寺銅鼓, 自鳴:五行1鼓妖轉載].

十二月甲子朔小盡,辛丑, 辛未8日, 復遣持禮使庾價如金東京.

壬申9日, 慮囚.

壬午19日, 加門下侍郎平章事崔弘宰△爲[佐理功臣·:節要轉載]檢校太傅,[131] 同知樞密院事崔濡△爲判翰林院事, 同知樞密院事任元敳爲左散騎常侍.

[癸未20日, 月犯左角:天文1轉載].

[甲申21日, 天狗墜坤方, 聲如雷:天文1轉載].

己丑26日, 設般若道場于重華殿.

[壬辰29日晦, 大雨, 溝渠解凍, 如三月時:五行1恒澳轉載].

[是年, 判制, "拷訊罪人, 多般亂杖衝刺, 使不忍其苦, 誣服致死, 今後, 凡諸囚訊問, 不敢移時, 其犯輕罪者, 勿用非法栲訊":刑法2恤刑轉載].

[○遣中使召還迎全州歸信寺王叔·僧統澄儼京師, 以居興王寺:追加].[132]

[○以試殿中內給事張脩爲試禮部員外郎·知制誥:追加].[133]

[○以元沆爲試閤門祗候:追加].[134]

[○以徐恭爲景靈殿判官:追加].[135]

[○以禪師坦然爲大禪師, 賜金襴袈裟:追加].[136]

之內 歡慶皆均. 恭惟中孚應天, 大有得位, 所過者化, 閱衆甫以常新, 不怒而威. 觀庶邦之率服, 茂對佳辰之復, 備膺諸福之休. 臣幸遘昌期, 遠居外服, 上千萬歲壽, 曾莫預於臚傳, 同億兆人心, 但竊深於善祝云云'. 使朝散大夫·衛尉少卿·輕車都尉·賜紫金魚袋李仲衍, 奉表稱賀, 以聞".

131) 이날 門下侍郎同中書門下平章事 崔弘宰는 이 내용과 같이 佐理功臣·檢校太傅에 임명되었다고 한다(崔弘宰墓誌銘).

132) 이는 「圓明國師墓誌銘」에 의거하였다.

133) 이는 「張脩墓誌銘」에 의거하였다.

134) 이는 「元沆墓誌銘」에 의거하였다.

135) 이는 「徐恭神道碑」에 의거하였다.

· 열전7, 徐熙, 恭에는 "恭, 熙玄孫, 毅宗朝仁宗朝, 蔭補景靈殿判官". 여기에서 毅宗朝는 仁宗朝로 고쳐야 옳게 될 것이다.

[○以共議重大師觀奧初住錫忠州管內清風縣月岳寺:追加].137)

[○靈通寺普炤院僧靈炤登國試:追加].138)

壬子[仁宗]十年, 金天會十年, [南宋紹興二年], [西曆1132年]

1132년 1월 20일(Gre1월 27일)에서 1133년 2월 6일(Gre2월 13일)까지, 13개월 384일

春正月癸巳朔大盡,壬寅, [乙未3日, 熒惑入氐星:天文1轉載].

己亥7日, 金遣永州觀察使高成山來, 賀生辰.

[庚子8日, 月食昴星:天文1轉載].

[辛丑9日, 月暈:天文1轉載].

壬寅10日, 始修宮闕. [及開基, 妙清使門下侍郞平章事崔弘宰等宰臣三四人及勾當役事員吏, 皆公服序立, 將軍四人, 甲而劍, 立于四方, 卒百二十人槍, 三百人炬, 二十人燭, 而環立. 妙清在中, 以白麻繩四條, 長三百六十步, 四引作法, 自言, "此太一玉帳步法, 禪師道詵傳之康靖和, 靖和傳之於我, 臨老, 得白壽翰, 傳之, 非衆人所知也":節要轉載].

[→仁宗十年, 始修宮闕, 門下侍郞平章事崔弘宰及文公仁·林景淸, 董其役. 及開基, 妙清使弘宰等及勾當役事員吏, 皆公服序立, 將軍四人, 甲而劒, 立四方. 卒百二十人槍, 三百人炬, 二十人燭, 而環立. 妙清在中, 以白麻繩四條, 長三百六十步, 四引作法, 自言, "此太一玉帳步法, 禪師道詵傳之康靖和, 靖和傳之於我. 臨老, 得白壽翰, 傳之, 非衆人所知也":列傳40妙清轉載].

癸卯11日, [立春]. 宴金使于仁明殿.

[戊申16日, 月犯大微太微右執法:天文1轉載].

己酉17日, 金使高成山還, 附表以謝.

[庚戌18日, 月暈有珥, 流星出七公, 入亢. 又熒惑, 自是月初三日乙未, 入亢星中:天

136) 이는 「山淸斷俗寺大鑑國師塔碑」에 의거하였다.

137) 이는 다음의 자료에 의거하였는데, 共議는 僧政을 담당했던 左右僧錄司, 該當宗派, 그리고 政府의 承認 등과 같은 절차에 의해 결정된 僧職의 任命·轉職 등의 執行을 指稱하는 것 같다(張東翼 1981년a).

138) 이는 「靈通寺住持·僧統靈炤墓誌銘」에 의거하였다.

文1轉載].

[丙辰[24日], 流星出大微[太微], 入軫, 長十尺許. 月犯箕星:天文1轉載].

[丁巳[25日], 流星出大微[太微], 入北斗, 長十尺許. 月入南斗:天文1轉載].

[某日, 以鄭俊宜爲慶尙道按察使:慶尙道營主題名記].

[是月頃, 以[試閤門祗候]元沆爲殿中內給事·西京留守判官:追加].[139]

二月[癸亥朔小盡,癸卯], 癸酉[11日], 移御仁德宮.

乙亥[13日], 移御壽昌宮.

[丙子[14日], 月食, 旣:天文1轉載].[140]

辛巳[19日], 遣禮部員外郞崔惟淸·閤門祗候沈起如宋.[141] 上表曰,[142] "屬兩聖[徽宗·欽宗]之遠征, 旣不能奔問官守, 及[音]大人之繼照, 又未得稱慶闕庭. 曏於戊申年[仁宗6年], 國信使楊應誠欲假道入金, 命雖出於重嚴, 事固難於承稟, 尋差單介, 冒貢忱誠. 又於庚戌年[仁宗8年], 王政忠來, 傳詔旨[書], 有俟[候]休邊警, 當問騁期之語. 臣體訓旨[指]之丁寧, 不敢致朝宗之禮, 感恩靈之優渥, 切欲伸[申]歸嚮之勤, 遂陳螻蟻之心, 控告雲天之鑑. 上尊周室, 媿莫追晋伯[晋文公]之前功, 內屬漢庭, 冀不失朝鮮之舊事."

壬午[20日], 幸西京. [時妙淸·白壽翰奏曰, "上京地勢衰, 故天降災孼, 宮闕焚蕩. [須]數御西京, 以享無窮之業". 王問諸日官, 皆曰, "不可", [起居注]鄭知常·金安及大臣等曰, "妙淸所言, 卽聖人之法, 不可違也". 王乃以妙淸爲隨駕福田, 壽翰△[爲]入內侍:節要轉載].[143]

○行過國學, 諸生迎謁前路, 養正齋生崔光遠上疏, 言時事.

---

139) 이는「元沆誌銘」에 의거하였다.

140) 이날 宋에서도 월식이 1일 전에 있었다고 한다. 또 일본의 교토에서도 皆既月食이 있었다고 한다. 그리고 이날은 율리우스력의 1132년 3월 3일이고, 월식 현상이 심했던 때의 世界時는 19시 42분, 食分은 1.73이었다(渡邊敏夫 1979年 475面).

- 『송사』 권52, 지5, 천문5, 월식, "紹興二年二月丙子, 月未當闕而闕, 體如食, 色黃白".
- 『中右記』, 長承 1년 2월, "十四日, 夜天晴, 月蝕, 皆旣, 丑刻虧初, 正現府[符]合, 帶蝕入了, 內有御祈, 上京中宮權大夫, 藥師經御讀經云々, 中宮御讀經".

141) 이때 崔惟淸은 殿中內給事(從6品)를 역임한 후이고, 禮部員外郞(正6品)에 임명된 것은 귀국 후 右司諫·左司諫(正6品)을 역임한 후이다(崔惟淸墓誌銘). 그러므로 이때의 禮部員外郞은 借職이었을 것이다.

142) 이 表는『동문선』권39, 聘問表(金富軾 作)의 縮約인데, 添字는 차이가 있는 글자이다.

143) 添字는 열전40, 妙淸에 의거하였다.

［○行至[平州]<u>金岩驛</u>[~~金巖驛~~]路，風雨暴作，晝忽晦冥，衛士顚沛．王執轡迷路，或陷泥濘，或觸檗石．侍從失王所之，宮人或有哭泣者．及晩，雨雪寒甚，人馬駱駝，死者非一．妙淸曰，“我曾知是日有風雨，勑雨師·風伯曰，‘乘輿上道，勿作風雨’，旣許之，而食言如此，可憎之甚”．其誕妄類此:節要轉載］.[144]

三月[壬辰朔大盡,甲辰]，癸巳[2日]，設仁王道場于長樂殿.

甲午[3日]，幸大華宮.

丙申[5日]，宴群臣于乾龍殿．［西京父老·檢校太師致仕李濟挺等五十人上表，請稱尊號建元，承妙淸·[起居注]鄭知常之意也．知常等，因說王曰，“大同江有瑞氣，此神龍吐涎，千載罕逢．請上應天心，下順人望，以壓金國”．王以問[禮部郞中]李之氐，對曰，“金國强敵，不可輕也．況兩府大臣留守上都，不可偏聽一兩人之言，以決大議”．<u>王然之</u>[~~王乃止~~]:節要轉載］.[145]

［丁酉[6日]，仁德宮老檢，火出自焚:五行1火災轉載］.

庚子[9日]，移御九梯宮.

辛丑[10日]，幸永明寺.

壬寅[11日]，御<u>騏驎閣</u>，[146] 命國子司業<u>尹彦頤</u>講易乾卦，[147] 令□[右]承宣鄭沆·禮部郞中李之氐·起居注鄭知常等問難.

癸卯[12日]，命[右承宣]鄭沆講禮記中庸篇，又命題，使大學博士郭東珣等十八人，賦詩.

丙午[15日]，設仁王道場于觀風殿.

庚戌[19日]，御長樂門外帳殿，閱射.

［→王命兩京文武官射．至暮，插大燭侯上射之，西都人多中之，從臣無中者．王頗不平，[~~景靈殿判官徐~~]恭一箭中燭，二箭中的．王大喜賜帛:列傳9徐恭轉載］.[148]

---

144) ~~添字~~는 열전40, 妙淸에 의거하였다.

145) 이와 같은 기사가 열전8, 李之氐에도 수록되어 있으나 자구에 출입이 있다. 또 ~~添字~~는 열전40, 妙淸에 의거하였다.

146) 麒麟閣은 九梯宮의 麒麟窟 부근에 있었던 것 같다.
 · 『眉山集』 권2, 麒麟窟[注, 麒麟窟, 在九梯宮內, 宮卽東明王行宮, 高麗王亦嘗遊宴于此, 載平壤志, 而居人無知道者. 又有白雲·靑雲二橋, 在九梯宮內, 今亦不記其處]”.

147) 이때 尹彦頤는 國子司業·寶文閣待制·知制誥였다(尹彦頤墓誌銘).

148) 이는 다음의 자료를 轉載하였다.
 · 열전9, 徐熙, 恭, “<u>毅宗朝</u>[~~仁宗朝~~], 蔭補景靈殿判官. 扈駕西都, 王命兩京文武官射. 至暮, 插大燭侯

己未[28日], [穀雨]. 金東京持禮使烏彥貞來.

[某日, 閱□[~~神~~]騎·步軍於丹鳳門外:節要·兵1五軍轉載].

[是月頃, 以[殿中內給事·西京留守判官]元沆爲試尙衣奉御:追加].[149)]

夏四月[壬戌朔小盡,乙巳], 己巳[8日], 以睿宗忌辰如長慶寺, 行香.

辛未[10日], 守太尉·判秘書省事金富佾卒.[150)] [其先, 新羅公族也. 少力學, 擢第. 睿宗置寶文閣, 日與儒臣, 講論經史, 富佾雄辨折衷, 人莫之敵, 名重當世. 文章華贍, 凡國家詞命, 必命潤色, 嘗製八關致語口號. 睿宗覽之, 大悅, 詔常用勿易. 宋樂人夔中立來投, 爲樂官, 及歸, 誦其詞於帝前. 及李資諒入朝, 帝問八關致語口號, 誰所製, 誠嘉章也. 睿宗以富佾·富軾·富轍, 兄弟三人, 皆爲文翰侍從, 封其母大夫人, 勅有司, 歲賜廩粟四十碩. 母以爲, 旣得諸子祿養, 此亦國恩不貲, 何敢加辱厚賜, 遂不受. 及王卽位, 權臣專國, 王誅流其黨, 乃相富佾. 富佾嘗患風虛, 累表乞骸, 王重違其志, 從之. 爲人寬厚儉約, 不喜臧否人物, 又不事生產. 謚[~~謚~~]文簡:節要轉載].

壬申[11日], 設藏經道場于天成殿.

甲戌[13日], [立夏]. 以[右承宣]鄭沆·[國子司業]尹彥頤·[起居注]鄭知常, 再赴經筵, 講經, 並賜花犀帶一腰.[151)] [知常, 欲王長御西京, 諷諫官, 請停修上京宮闕. 沆再疏, 請修葺舊宮, 還御上京, 言甚切直. 王然之.:節要轉載].

[→王以妙淸言, 幸西京, 妙淸·鄭知常, 欲王長御西京, 諷諫官, 請停修上京宮闕. 沆再上䟽, 請修葺舊宮還御, 言甚切直, 王從之:列傳10鄭沆轉載].

[丁丑[16日], 月珥, 自是月初, 熒惑逆行, 至入氐中:天文1轉載].

丙戌[25日], 御龍舟于大同江, 以□□[~~睿宗~~]忌月,[152)] 樂懸而不作. [起居注]鄭知常奏, "禮有忌日, 未聞有忌月, 若有忌月, 則有忌年矣. 請作樂, 以副都人士女之望", 制可.

[某日, 以尙書兵部侍郞尹彥植爲知東北面兵馬事:追加].[153)]

上射之, 西都人多中之, 從臣無中者. 王頗不平, 恭一箭中燭, 二箭中的, 王大喜賜帛". 여기에서 ~~添字~~와 같이 고쳐야 옳게 될 것이다.

· 「徐恭神道碑」, "仁廟幸□□[~~西都~~], □□[~~命射~~], □□□[~~西都人~~]有中者, 獨扈駕者, 莫能中之, 上忤, 慮公被薦, 射中非侯, 左右嘆服, 上乃厚賞".

149) 이는 「元沆墓誌銘」, "是年春, 上西幸, 改授試尙衣奉御"에 의거하였다.

150) 이날은 율리우스曆으로 1132년 4월 25일(그레고리曆 5월 2일)에 해당한다.

151) 이와 같은 기사가 열전9, 尹瓘, 彥頤에도 수록되어 있다.

152) ~~添字~~는 『고려사절요』 권10에 의거하였다.

閏[四]月[辛卯朔小盡,乙巳], 甲午[4日], 至自西京, 赦, 入御仁德宮.

乙未[5日], 移御壽昌宮.

[丙午[16日], 月犯南斗:天文1轉載].

丁未[17日], 賜崔光遠等及第.154) [初, [中書侍郎]平章事崔滋盛知貢擧, 吏部侍郎林存同知貢擧, 存出賦題云, 聖人耐以天下爲一家.155) 省官奏, "按耐古能字, □□□[~~奴登切~~], 今以□[奴], 耐[代]爲韻, 非是, 請命他人改試", 不允, 因命滋盛等更試□[之]. 又命題云, "天道, 不閑而能久". 王命只取經義論, 可取者二十五人:節要·選擧2科目轉載].156)

[→嘗與吏部侍郎林存, 掌貢擧, 存出賦題云, "聖人耐以天下爲一家". 諫官奏, "按耐古能字, 奴登切. 今以奴, 代爲韻, 非是, 請改命他人再試", 不允, 因命滋盛·存, 更試之. 滋盛又命題云, "天道不閑而能久". 王重傷大臣意, 但命簡經義論, 可取者止二十五人賜第:列傳11崔滋盛轉載].

[○北崇山岩石自裂:五行3轉載].

[某日, 妙淸·[內侍]白壽翰等, 密作大餠, 空其中, 穿一孔, 盛熟油, 沈于大同江, 油浮出水面, 望若五色. 壽翰等曰, "神龍吐涎, 作五色雲, 此非常之嘉瑞也". 請百官表賀. 王遣[中書侍郎]平章事文公仁·參知政事李俊陽等, 審視之. 時有業油韂者, 告曰, "熟油泛水, 則有異色". 於是, 使善泅者, 索得, 乃知詐也:節要轉載].157)

[是月癸巳[3日], 高麗國王遣使·朝散郎·禮部員外郎賜紫崔惟淸, 從義郞[宣議郞]·閤門祗候沈起等一十七人來, 奉表入貢:追加].158)

---

153) 이는 「尹彦植墓誌銘」에 의거하였다.

154) 이와 관련된 기사로 다음이 있다. 이때 崔光遠·尹鱗瞻(尹彦頤墓誌銘), 金貽永 등이 급제하였다(朴龍雲 1990년 ; 許興植 2005년).
· 지27, 선거1, 科目1, 選場, "[仁宗]十年閏四月, [中書侍郎]平章事崔滋盛知貢擧, 吏部侍郎林存同知貢擧, 取進士, □□[丁未], 賜崔光遠等二十五人及第".

155) 이는 『禮記』 권7, 禮運第9, "故聖人耐以天下爲一家, 以中國爲一人者, 非意之也"에서 따온 것이다. 또 中書門下省의 官員[省官]이 말한 것은 『禮記注疏』, 附釋音禮記注疏권22, 禮運第9, "耐古能字, 傳書世異, 古字, 時有存者, 則亦有今誤矣, 意心所無慮也, 辟開也. 耐音能, 辟婢亦反, 徐芳益反, 傳丈專反"에 의거한 것으로 추측된다.

156) ~~添字~~는 지28, 選擧2, 試官에서 달리 표기된 글자이고, 이외에도 자구의 출입이 있다. 後者가 實際를 더 잘 반영하고 있는 것 같다.

157) 이와 같은 기사가 열전40, 妙淸에도 수록되어 있으나 자구에 출입이 있다.

158) 이는 다음의 자료에 의거하였다.
· 『송회요집고』 35책, 禮45, 高宗, "紹興二年閏四月三日, 高麗遣奉表使副崔惟淸·沈起 入見退, 賜酒食于同文館, 辭亦如之".

五月[庚申朔大盡,丙午], [辛未[12日], 月犯心星:天文1轉載].

[壬申[13日], 大雨:五行2轉載].

丙子[17日], 御史大夫任元濬等, 以貢院試題錯誤, 上奏, 請追奪今年及第名牌, 改試, 不報. 元濬等退而待罪, 臺空凡七日. 又國學生井彦伯等五十人上書, 請改試, 命國子司業李之氐, 宣諭諸生曰, "謗訕朝政, 固有常刑, 今姑赦之. 汝等宜精修行藝, 以待來選".

[→省臺又奏, "按禮記云, 天道不閉而能久,[159] 鄕本□□[孔子]家語, 以不閉爲不閑者, 蓋謬誤耳. 今, 貢院不考正經, 而據錯本, 請罷滋盛等, 停今年選擧". □□[不報]:節要·選擧2科目轉載].

[→法司又奏, "按禮記云, 天道不閉而能久. 家語錯本, 以閉爲閑. 今, 貢院不考正經, 而據錯本命題, 請罷兩貢擧職, 停今年選". □□[不報]:列傳11崔滋盛轉載].

[→知貢擧崔滋盛, 出試題繆誤, 有司請罷貢擧. 擧子金貽永, 沆之女壻, 王妃母弟也, 尹英瞻[尹鱗瞻], 承宣韓惟忠女壻, 亦妃戚也, 妃勸王勿罷擧, 沆與惟忠, 亦因宦官干請, 得不罷:列傳10鄭沆轉載].[160]

· 『송회요집고』199책, 蕃夷7, 歷代朝貢, "紹興二年閏四月三日, 高麗國王遣使·朝散郎·禮部員外郎賜紫崔□[惟]淸, 從義郎[宣議郎]·閤門祗候沈起等一十七人奉表入貢, 純金器三事, 共重一百兩, 注子一副, 盤盞二副. 白銀器一十事, 共重一千兩. 金花盤一十隻. 匹大紙二十軸. 詔大紙四百幅. 滿花緊絲五十匹. 金花注絲五十匹. 色大紋羅五十匹. 色大綾五十匹. 人蔘五百斤. 共函二十三副, 各覆黃羅夾複. ○惟淸·起各進奉, 白銀合四副, 共重二百兩. 早地紫花緊絲二匹. 金線注絲二匹. 眞紅大紋羅二匹. 眞紫大紋羅二匹. 明黃大紋羅二匹. 生大紋羅一十五匹. 生厚羅五匹. 人蔘二十斤. 大布二百匹. 松子二百斤". 이에서 從義郎은 宣議郎(從7品)의 오자로 추측되는데, 이 자료는 使臣團이 私的인 進奉을 하였음을 보여주는 좋은 사례가 될 것이다.

· 『건염이래계년요록』 권53, 紹興 2년 윤4월, "癸巳, 高麗國王楷, 遣其尙書禮部員外郎崔惟淸·閤門祗候沈起入貢, 詔秘書省校書郎王洋押伴. 楷獻金百兩·銀千兩·帛二百匹·紙二十匹·人蔘五百斤. 詔賜惟淸·起金帶, 又賜酒食于同文館, 辭亦如之. 初, 議遣從官出使, 旣而, 不果行. 洋, 資深子也".

· 『송사』 권487, 열전246, 外國3, 高麗, "[紹興]二年閏四月, 楷遣其禮部員外郎崔惟淸·閤門祗候沈起入貢金百兩·銀千兩·綾羅二百疋·人參五百斤, 惟淸所獻亦三之一. 上御後殿引見, 賜惟淸·起金帶二, 答以溫詔遣還".

159) 이는 다음의 자료에 의거한 것 같다.

· 『禮記』, 哀公問第27, "公曰, '敢問君何貴乎天道也'. 孔子對曰, 貴其不已. 如日月東西相從而不已也, 是天道也. 不閉其久, 是天道也. 無爲而物成, 是天道也. 已成而明, 是天道也".

· 『孔子家語』 권1, 大昏解第4, "孔子曰, 貴其不已也. 如日月東西相從而不已也, 是天道也. 不閉而能久, 是天道也. 無爲而物成, 是天道也. 已成而明之, 是天道也".

· 『禮記附記』 권6, 雜記, 哀公問, "家語作, 不閉而能久, 鄭注, 不閉其久, 通其敎不可以倦, 亦精語也".

160) 尹英瞻(尹彦頤의 子)은 韓惟忠의 女壻라고 한 점(韓惟忠墓誌銘 ; 尹彦頤墓誌銘)을 보아 尹鱗

癸未[24日], [禮部員外郞]崔惟淸等還自宋. 回詔曰, "朕省方南國, 通道東藩. 載嘉享上之恭, 重有觀光之請, 歸覲事於宰旅, 將效勤誠, 會諸侯於塗山, 更慚寡德. 爰卽乘輿之所幸, 以須信使之來庭, 顧秋塞馬肥, 或戒嚴之未暇, 而春潮舟穩, 庶利涉以無虞".

六月庚寅朔[小盡,丁未], 王如奉恩寺.

[乙未[6日], 震[龍首山]松林寺松樹:五行1雷震轉載].

丙申[7日], [中書侍郞]平章事崔滋盛·吏部侍郞林存罷.[161)]

[→罷滋盛·存職, 命刑部治其罪. 尋[七月]復職:列傳11崔滋盛轉載].

甲辰[15日], 設菩薩戒道場于重華殿.

[夏某月, 以尹諧爲守司空·尙書左僕射·判工部事, 仍令致仕:追加].[162)]

秋七月[己未朔小盡,戊申], 庚午[12日], 復以崔滋盛爲中書侍郞同□□□□[中書門下]平章事.

[壬申[14日], 大雨:五行2轉載].

[□□[是月]],[163)] 京城饑, 穀貴物賤. 銀甁一事, 直米五碩, 小馬一匹一碩, 牸牛一頭四斗, 布一匹六升, 街巷餓殍相望.

[→京城饑, 穀貴物賤, 銀甁一斤, 直米五碩, 小馬一匹, 直一碩, 牸牛一頭, 直四斗, 布一匹, 直六升, 街巷餓殍相望:五行3轉載].

[某日, 以起居注鄭知常爲慶尙道按察使:慶尙道營主題名記].

八月[戊子朔[大盡,己酉], 大雨, 漂沒人家, 不可勝數. 又水湧奉恩寺後山上古井, 奔流入國學廳, 漂沒經史百家文書:五行1水潦·節要轉載].[164)]

[癸巳[6日], 月犯心星. 又流星出天將軍, 入五車:天文1轉載].

[丙申[9日], 月犯南斗:天文1轉載].

瞻의 初名인 것 같다(韓惟忠墓誌銘 ; 尹彦頤墓誌銘).

161) 이때 林存은 翰林侍讀學士·左諫議大夫·尙書吏部侍郞·知制誥였던 것 같다(仁同僊鳳寺大覺國師塔碑).

162) 이는 「尹諧墓誌銘」에 의거하였다.

163) 이 위치에 是月이 탈락되었을 것이다.

164) 戊子에 朔이 탈락되었다.

[某日, 同知樞密院事任元敱上書曰, "妙清·白壽翰等, 肆其姦謀, 以怪誕之說, 誑惑衆心. 一二大臣及近侍之人, 深信其言, 上惑天聽. 臣恐將有不測之患, 請將妙清等, 戮之於市, 以絶禍萌". 不報:節要轉載].

己酉22日, 左正言朴挺䕫伏閤上疏, 言事三日. 不報.

壬子25日, 彗見, 長三尺.

[→彗星見八穀, 指東南:天文1轉載].[165)]

[甲寅27日, 彗星指西北, 長三尺:天文1轉載].

九月戊午朔大盡,庚戌, 甲子7日, 王如安和寺.

辛未14日, 慮囚.

壬申15日, 出御天壽寺.

[甲戌17日, 大霧:五行3轉載].

[戊寅21日, 太白犯南斗:天文1轉載].

[是月, 遣使如金, 賀天淸節:追加].[166)]

[秋某月, 以三重大師之印爲禪師:追加].[167)]

冬十月戊子朔大盡,辛亥, [己丑2日, 暴風雷雨, 震開國寺塔:五行1雷震轉載].

甲午7日, 移御國淸寺.

丙申9日, 還御大明宮.

[壬寅15日, 流星出郎位, 入攝提, 大如椀, 長三十尺許:天文1轉載].

[戊申21日, 虹見東方:五行1虹霓轉載].

辛亥24日, 御崇文殿, 閱射, 中者, 賜物有差.

[丁巳30日, 流星出北斗, 入鉤陳:天文1轉載].

---

165) 이때 일본의 京都에서도 彗星이 관측되었던 것 같다.
· 『中右記』, 長承 1년 8월, "廿八日, 天晴, … 從去廿五日, □□□□□□文章脫落, 天文博士兼時談云, 此四日彗星見天, 氣頗亘天也, 其後七八夜見之者".

166) 이는 다음의 자료에 의거하였다.
· 『금사』 권3, 본기3, 太宗, 天會 10년 10월, "壬寅, 天淸節, 大赦. 齊·高麗·夏遣使來賀".
· 『금사』 권60, 表2, 交聘表上, 天會 10년, "十月壬寅, 高麗使賀天淸節".

167) 이는 「海東廣智大禪師之印墓誌銘」에 의거하였다.

[是月頃, 朝散大夫·判將作監事致仕徐鈞卒, 年七十三:追加].[168)]

十一月戊午朔小盡,壬子, 甲子7日, 移御壽昌宮.

[某日, 中書侍郞平章事文公仁, 內侍·禮部員外郞李仲孚, 奉御衣, 如西京, 行法事. 時妙淸等云, "主上, 宜長御大華闕, 不否則遣近臣, 備禮儀, 設御座, 置御衣, 致敬如在, 則福慶, 與親御無異, 謂之行法事":節要轉載].[169)]

[甲戌17日, 大霧:五行3轉載].[170)]

己卯22日, 制曰, "朕以涼德, 獲承祖業, 適當衰季, 累更變故, 夙夜勉勵, 庶幾中興. 訓有之曰, 積數萬歲, 必得冬至甲子, 日月五星, 皆會于子, 謂之上元, 以爲曆始, 開闢以來, 聖人之道, 從此而行, 今遇十一月初六日甲子冬至, 其夜半値甲子, 爲三元之始, 可以革舊鼎新. 爰命有司, 擧古賢遺訓, 創西京大華闕, 咨爾三事大夫百官庶事, 共圖惟新之政, 以增永世之休".

庚辰23日, 御明仁殿, 下制曰, "朕以幼冲卽位, 未堪家多難, 雖臨政而願治, 不遑康寧, 固無德以處宜, 凡所施爲, 不克當天心. 是以山崩水湧, 變異繼作, 慄慄危懼, 若將隕于深淵. 尙賴耆舊忠義之臣, 匡救之力, 革去舊釁, 一新政理. 顧以不能處置, 事無大小, 動輒害於國體者, 多矣. 然所大惜者, 惟丙午仁宗4年一事耳, 粤惟外家, 形勢熾甚, 僭忒過度, 不可沮止, 圖爲不軌, 竊窺神器, 祖宗基緖, 幾至墜失. 故出於不得已, 聽有司之議, 徇法定罪. 噫, 大義滅親, 古亦有之, 然親親之恩, 天性自然, 每一念來, 痛心切骨, 抑所謂黨與者, 雖附權托勢, 豈其一切, 與圖不軌. 故數下寬宥之令, 而有司不體朕心, 上言不已, 必欲罪以不臣. 至使人心扇動, 中外騷然, 懼罪憂慣, 致傷和氣, 除已流竄者, 定罪書名于史籍外, 凡所有刑駁文簿, 藏在有司者, 悉皆焚之外庭, 蕩滌瑕垢, 大開自新之路. 自今以後, 文武之臣, 惟以是非善惡, 褒貶黜陟, 不復汚以前事. 如拓俊京, 罪惡極重, 然其功亦有可錄, 法當功罪相除, 可還其子職田. 除蔡碩·李侯進外, 其妻子不復坐, 此亦罪人不孥之義也. 書曰, 令出惟行, 不惟反~~弗惟反~~.[171)] 自丙午仁宗4年以來, 下旨數四, 而有司不肯奉行. 臣不行君令, 國

168) 이는「徐鈞墓誌銘」에 의거하였다.

169) 添字는 열전40, 妙淸에 의거하였다.

170) 이날 일본의 京都에서 오전에 날씨가 흐렸다가 오후에 개였다고 한다(『中右記』, 長承 1년 11월, "十七日, 天陰, … 午後天晴").

171) 이는 다음의 자료에 의거한 것이다. 이의 의미는 命令이 내리면 분명하게 執行되어야 한다는

體所以漸輕也, 朕甚患之. 自今以後, 若有敢言此事者, 以違制論".

[壬午25日, 熒惑犯大歲歲星:天文1轉載].[172)]

[是月, 遣使如金, 賀正:追加].[173)]

十二月丁亥朔大盡,癸丑, 庚子14日, 慮囚.

[○大雨:五行2轉載].

丁未21日, 以金富軾△爲守司空·中書侍郎同中書門下平章事, 參知政事李俊陽爲尙書左僕射, 李寵鱗△爲參知政事, 崔濡爲吏部尙書·知樞密院事, [尙書左司員外郎兼史館修撰官文公裕爲侍御史:追加].[174)]

[○大雨:五行2轉載].

[己酉23日, 月食心後星:天文1轉載].

[冬某月, 以全州牧使金永錫爲兵部郎中:追加].[175)]

[是年, 判刪, "無後人奴婢, 屬官":刑法2奴婢轉載].

[○以安邊都護府使金義元爲工部尙書·安北大都護府使:追加].[176)]

[○以胡晋卿爲定州防禦判官兼勸農使:追加].[177)]

[○以王弟·三重大師之印爲禪師:追加].[178)]

[增補].[179)]

것이다.

·『書經』, 周官, "王曰, 嗚呼, 凡我有官君子. 欽乃攸司, 愼乃出令. 令出惟行, 弗惟反".

172) 여기에서 大歲는 太歲의 다른 表記 또는 誤字이고, 이는 歲星[木星]을 指稱하기도 한다.

173) 이는 다음의 자료에 의거하였다.

·『금사』 권3, 본기3, 太宗, 天會 11년 1월, "癸巳朔, 齊·高麗·夏遣使來賀".

·『금사』 권60, 表2, 交聘表上, 天會 11년, "正月丁巳朔, 高麗使賀正旦".

174) 이는 다음의 자료에 의거하였다.

·「文公裕墓誌銘」, "… 宣召授左司員外郞充史舘修撰官, 壬子仁宗10年冬授侍御史".

175) 이는 「金永錫墓誌銘」에 의거하였다.

176) 이는 「金義元墓誌銘」에 의거하였다.

177) 이는 「胡晋卿墓誌銘」에 의거하였다.

178) 이는 「海東廣智大禪師之印墓誌銘」에 의거하였다.

179) 이해에 金은 南京路都統司를 東南路都統司로 改編하여 治所를 東京(現 遼寧省 遼陽市)에 두

癸丑[仁宗]十一年, 金天會十一年, 南宋紹興三年,[180)] [西曆1133年]

1133년 2월 7일(Gre2월 14일)에서 1134년 1월 26일(Gre2월 2일)까지, 354일

春正月[<u>朔丁巳</u>[~~丁巳朔~~大盡,甲寅], 霧:五行3轉載].[181)]

癸亥[7日], 金遣高陳可來, 賀生辰.

[己卯[23日], <u>驚蟄</u>. 月犯南斗:天文1轉載].

[是月, <u>判</u>[冊], "武學齋生, 赴擧者少, 故策論雖不合格, 隨分選取, 得第甚易, 諸學生爭屬武學. 棄本逐末, 非徒士風僥倖, 率皆才器駑下, 或委兵事, 有名無實. 且武學漸盛, 將與文學人, 角立不和, 深爲未便. 自今, 已登第者, 與文士一體敍用, <u>武學取士</u>及齋號, 並停罷":選擧2學校轉載].[182)]

[○以皇甫讓爲慶尙道按察使, [起居舍人]<u>崔誠</u>爲<u>關西路</u>[~~西海道~~]按察使:慶尙道營主題名記].[183)]

[是月頃, 以[右承宣·禮部侍郞]鄭沆爲朝散大夫·左承宣·吏部侍郞:追加],[184)]

二月[丁亥朔小盡,乙卯], [乙未[9日], 以門下侍郞平章事<u>崔弘宰</u>爲太子太傅:追加].[185)] [[左承

고서 高麗를 壓迫(鎭遏, 控制)하게 하였다고 한다.

· 『금사』 권24, 지5, 地理上, 東京路, "太宗天會十年, 改南京路平州軍帥司爲東南路都統司之時, 嘗治於此, 以鎭高麗".

· 『금사』 권44, 지25, 兵, 禁軍, "[天會]十年, 改南京路都統司爲東南路都統司, 治東京, 以鎭高麗".

· 『금사』 권72, 열전10, 習古迺, "天會十年, 改南京路軍帥司爲東南路都統司, <u>習古迺</u>爲都統, 移治東京, 鎭高麗".

180) 이해는 金의 年號를 공식적으로 사용하고 있던 시기인데, 南宋의 年號를 사용한 사례도 있다(王演妻福寧宮主王氏墓誌銘 ; 皇甫讓妻金氏墓誌銘).

181) 朔丁巳는 丁巳朔의 오류일 것이다. 이는 『고려사』를 처음 乙亥字로 組版할 때 活字의 順序에 착란이 생긴 것이다.

182) 武學으로 官僚를 선발하는 것[武學取士]은 武擧라고 할 수 있다. 高麗前期에 武官을 어떻게 선발하였을까하는 문제는 우리의 큰 관심사가 아닐 수 없다. 이 기사와 같이 武學齋가 존속하고 있을 때만 武擧가 실시된 것은 아니었고, 12세기 前半에서 13세기 중반까지 거의 100여 년간 明經業과 같이 製述業에 붙여서 실시되었지만, 『고려사』의 撰者가 이를 外面하였던 것 같다. 이 武擧는 1261년(원종2) 5월에도 시행되었다고 하며(→인종 9년 9월 4일의 脚注), 이에 급제한 인물로서 崔逢深·金惟珪 등이 확인된다.

183) 崔誠은 그의 묘지명에 의거하였다.

184) 이는 「鄭沆墓誌銘」에 의거하였다.

185) 이는 崔弘宰의 묘지명에 의거하였다. 이달의 17일(癸卯) 太子를 册封할 때 册封使였던 崔弘宰는 攝太尉·佐理同德功臣·開府儀同三司·守太尉·門下侍郞同中書門下平章事·判尙書吏部事·上柱

宣·吏部侍郞鄭沆爲國子祭酒·翰林學士·知制誥兼太子左諭德:追加],186) [國子司業·寶文閣待制·知制誥尹彥頤爲東宮侍讀學士:追加].187)

庚子14日, 移御仁德宮.

癸卯17日, 臨軒, 册封元子徹, 爲王太子. [後改晛:節要轉載]. 册曰,188) "易以一索, 爲長男之位, 記以三善, 爲世子之禮. 古之王者, 曷嘗不封立上嗣, 以固宗廟·社稷之本, 以定君臣父子之分. 咨, 爾元子, 天賦英銳之性, 幼挺岐嶷之表. 雅不好弄, 自知嚮學, 讀書若宿習, 揮翰若神助. 德行協協於元良, 天序當於儲貳, 必能承匕鬯之嚴, 塞中外之望. 今遣使, 册爾爲王太子. 於戲, 惟至仁, 可以主重器, 惟作善, 可以保令名. 爾其愼時習, 敏厥修, 踈遠邪佞之人, 親近方正之士. 惟忠孝之是務, 非禮義而勿踐, 丕承祖宗之耿光, 以永邦家之景業".

甲辰18日, 移御壽昌宮.

乙巳19日, 遣權承宣韓惟忠·國子司業?李之氐如宋謝恩. 行至洪州海上, 遇風幾覆, 貢篚霑濕, 不達而還.

三月丙辰朔大盡,丙辰, 庚申5日, 幸普濟寺.

丙寅11日, 慮囚.

庚午15日, 移御仁德宮, 以封王太子, 赦, 還御壽昌宮.

[辛未16日, 月犯心星:天文1轉載].

[甲戌19日, □丹食南斗:天文1轉載].

[辛巳26日, 流星出氐·亢閒, 入騎官星, 長五尺許:天文1轉載].

[甲申29日, 昇平門鴟尾, 若動搖然:五行2轉載].

夏四月丙戌朔小盡,丁巳, 己丑4日, [中書侍郞平章事崔滋盛致仕:節要轉載], 以門下侍郞平

國·稷山縣開國伯·食邑三千戶·食實封三百戶였다고 한다(『동문선』 권28, 册皇太子教書詔書, 金龍善 2015년).

186) 이는 「鄭沆墓誌銘」에 의거하였다.

187) 이는 「尹彥頤墓誌銘」에 의거하였다.

188) 이 册文이 『동문선』 권28, 王太子皇太子册文인데, 字句에 차이가 있다. 또 이때 발급된 册皇太子教書詔書도 함께 수록되어 있다(金富軾 撰). 당시의 이들 詔書와 册文에는 皇太子·詔書 등의 용어로 표기되어 있었을 것이지만, 『東人之文四六』과 『東文選』의 편찬과정에서 대부분이 改書되었고, 극히 일부가 原形으로 남겨져 있었던 것 같다.

[章事]文公仁△[爲]判尙書兵部事·監脩國史,[189] 崔濡△[爲]參知政事·判尙書工部事兼太子少保, 任元敱△[爲]參知政事·判翰林院事, 林景淸爲尙書右僕射, 任元濬△[爲]同知樞密院事, 韓惟忠爲樞密院副使.

庚寅[5日], 移御大明宮.

[辛卯[6日], 月犯軒轅:天文1轉載].

乙未[10日], 王如安和寺.

甲辰[19日], 制曰, "恒陽作沴, 亢旱爲災, 竊恐政令煩苛, 刑法慘酷, 或困于獄, 人不堪其苦. 京官及兩京留守·兩界兵馬使·諸道按廉使·親監牢獄, 挻重囚, 出輕繫".

戊申[23日], 設金剛經道場于崇文殿七日.

[是月, 蟲食松□[葉]:五行2轉載].[190]

五月[乙卯朔小盡,戊午], 乙丑[11日] 詔曰, "朕以薄德, 適遭厄會, 宮室燒焚, 倉廩空匱, 朝廷未正, 風俗淆薄. 而政理寡術, 施設乖方, 上下人心, 日益頑鄙, 遠近民業, 日益彫殘, 夙夜恐懼, 不遑寧處. 今諫官奏曰, 京畿山野, 蝗虫食松. 此蓋國多邪人, 朝無忠臣, 天意若曰, 居位食祿, 無功如蟲矣. 救之不早, 則兵起, 擧有道, 置高位, 災可消也. 古人云, '臣安祿位玆謂貪, 厥災虫食根. 德無常玆謂煩, 虫食葉. 不黜[不絀]無德, 虫食本. 與東作爭□□□□[~~玆謂不時~~], 虫食莖. 蔽惡生孽, 虫食心.'[191] 昔晋武帝, 寵任賈充·楊駿, 有虫蝗, 此不黜無德之効也. 梁大同初, 蝗食松栢葉, 京房曰, '食祿而不益聖化, 天視以虫. 虫無益於人, 而食萬物. 此公卿食祿, 無益之應也'.[192] 天災以類而見. 知臣莫若君, 請進賢, 退不肖, 而剛斷不疑. 此乃有司, 善則稱君, 過則稱己, 引咎自陳耳. 朕求理雖切, 而德實不類, 政弊民殘. 旣不能知人, 可用者遺之, 無用者

189) 文公仁은 이해의 2월 17일(癸卯) 皇太子를 책봉할 때 門下侍郞平章事·判禮部事·監修國史였다(『동문선』 권28, 冊皇太子敎書[~~詔書~~]).

190) ~~添字~~는 是年 7월 18일의 脚注에 의거하였다.

191) 이는 다음의 자료에서 따온 것이다.

· 『晋書』 권29, 지19, 五行下, 羸蟲之孼, "臣安祿位玆謂貪, 厥災蟲食根. 德無常玆謂煩, 蟲食葉. 不絀無德, 蟲食本. 與東作爭玆謂不時, 蟲食莖. 蔽惡生孽, 蟲食心".

192) 이는 다음의 자료에서 따온 것이다. 또 이하의 내용은 『익재난고』 권9상, 忠憲王世家에 수록되어 있으나 자구에 출입이 있다.

· 『隋書』 권23, 지18, 五行下, "梁大同初, 大蝗, 篱門松門栢葉皆盡 … 京房易飛候曰, 食祿無益聖化, 天視以虫, 虫无益於人, 而食万物也. 是時, 公卿皆以虛澹爲美, 不親雜事, 無益食物之應也".

陞之, 庸人·鄙夫, 濫進列位, 營私害公, 貨賂大行, 公道閉塞, 爲害滋久. 其懷忠抱節, 可以裨益者, 畏害喑默, 隨俗進退, 此上天所以降災異也. 今宰輔群公, 引古論列者, 方將善善惡惡, 激淸國事者也, 朕雖不敏, 昌言讜議, 敢不樂從. 凡有內外官僚, 其有貪汚謀利, 暴惡殘人, 或儒怯不肖, 無益有損者, 非不知之. 然不教而誅, 謂之虐, 習俗已久, 遽置罪責, 朕所不忍, 有司宜丁寧告諭, 使之自新. 苟不革心, 長惡不悛者, 勿論親疏貴賤, 皆繩以法. 其有淸白奉公, 節義殊異者, 宜各褒擧".

丙寅12日, 集巫三百餘人于都省廳, 祈雨.[193]

[○月食心星:天文1轉載].

[○獐入兵部前路:五行2轉載].

[庚午16日, 暴風雷雹, 震人馬:五行1雷震轉載].

壬申18日, □□~~以旱~~徙市.[194]

○御崇文殿, 命中書侍郞平章事金富軾講易·尙書, 使翰林學士承旨金富儀·知奏事洪彛敍·□左承宣鄭沆·起居注鄭知常·國子司業尹彦頤等, 問難. [富儀卽富轍也:節要轉載].[195]

甲戌20日, 命翰林學士承旨金富儀講書洪範.

[丁丑23日, 流星大如木瓜, 出營室, 抵天市帝座, 尾長二十尺許:天文1轉載].

戊寅24日, 命國子司業尹彦頤講中庸.

[○震眞觀寺栢樹:五行1雷震轉載].

[庚辰26日, 肅宗第四女晋康伯王演妻福寧宮主卒, 年三十八, 諡莊簡:追加].[196]

六月甲申朔大盡,己未, 乙酉2日, 王如奉恩寺.

庚寅7日, 慮囚.

[丙申13日, 大暑. 月入南斗:天文1轉載].

---

193) 이 기사가 지8, 五行2, 金行에는 庚午(16일)에 수록되어 있는데, 오류일 것이다.

194) ~~添字~~는 『고려사절요』 권10에 의거하였다.

195) 金富儀의 初名은 金富轍인데, 1131년(인종9) 4월 12일(戊寅) 元子(後日의 毅宗) 昌이 徹로 改名한 이후, 혹은 徹이 1133년(인종11) 2월 皇太子로 책봉된 이후에 改名하였을 것으로 추측된다(鄭墡謨 2008년). 또 鄭沆은 이 시기 이전에 右承宣·禮部侍郞·翰林侍讀學士·太子左諭德이었고, 이해에 朝散大夫 ·左承宣·吏部侍郞에 임명되었다(鄭沆墓誌銘).

196) 이는 「王演妻福寧宮主王氏墓誌銘」에 의거하였는데, 열전4, 肅宗公主에는 諡號가 貞簡으로 되어 있다.

戊戌[15日], 設菩薩戒道場于崇文殿.

己亥[16日], 又聚巫, 禱雨.

辛丑[18日], 令百僚, 設齋以禱.

[壬寅[19日], 天狗星流下:天文1轉載].

[甲辰[21日], 流星出天津, 入天市垣, 尾長七尺許:天文1轉載].

乙巳[22日], 再雩.

[丁未[24日], 流星出轉舍[傳舍], 入織女:天文1轉載].[197)]

庚戌[27日], 三雩. 制曰, "近來, 世道漸降, 風俗澆薄, 不孝不友, 或棄孤幼, 去妻妾, 或居憂遊蕩, 父母骸骨, 權攢寺宇, 至有累年不葬者, 宜令有司, 檢察治罪, 如有貧不能襄事者, 官給葬費".

辛亥[28日], [立秋]. [諫官崔惟清等上疏, 論中書侍郎平章事[門下侍郞平章事]崔弘宰,[198)] 貪虐亂法, 爲國巨害. 近年以來, 旱蝗竝作, 久而不息, 此蓋貪邪在位, 蠹國病民所致也, 宜加黜罰, 以答天戒. 乃:節要轉載]. 左遷[門下侍郞平章事]崔弘宰△[爲]守司空·右僕射, 以李俊陽爲中書侍郎平章事.

[→[門下侍郞平章事崔弘宰]自言, 竄逐家產蕩盡. 乃納貨賣官. 諫官崔惟清等上疏, 以爲貪邪在位, 亂法蠹國, 遂致旱蝗之災. 宜加貶黜以荅天戒. 乃左遷守司空·右僕射:列傳38崔洪宰轉載].

[是月, 判[制], "各徒[私學12徒]儒生, 背曾受業師, 移屬他徒者, 東堂監試, 毋得許赴": 選擧2私學轉載].[199)]

秋七月[甲寅朔小盡,庚申], [癸亥[10日], 月入南斗. 流星出天紀, 入天市:天文1轉載].

甲子[11日], 御壽樂堂, 命[中書侍郞平章事]金富軾講易乾卦.

丁卯[14日], 又講泰卦.

[戊辰[15日], 月食:天文1轉載].[200)]

---

197) 轉舍는 紫微垣의 傳舍(傳舍星, Guest house)의 오자일 것이다(孫曉 等編 2014年 1451面).

198) 中書侍郎平章事는 門下侍郞平章事의 오류이다.

199) 이 制命은 27일(庚戌)의 制命과 함께 내려졌을 것으로 추측된다.

200) 이날 宋에서도 北方의 별인 危星에 월식이 있었고(『송사』 권52, 지5, 천문5, 月食), 일본의 京都에서도 월식이 있었다. 이날은 율리우스력의 1133년 8월 17일이고, 월식 현상이 심했던 때의 世界時는 16시 28분, 食分은 0.23이었다(渡邊敏夫 1979年 475面).

辛未[18日], 大雨.[201)]

[甲戌[21日], 月入昴星:天文1轉載].

[丁丑[24日], 亦如之[月入昴星]:天文1轉載].

庚辰[27日], 移御壽昌宮.

[某日, 以崔允叔[崔允淑]爲慶尙道按察使:慶尙道營主題名記].

八月[癸未朔小盡,辛酉], [丙戌[4日], 月犯熒惑:天文1轉載].

[戊子[6日], □[月]食心星:天文1轉載].

壬辰[10日], 幸普濟寺.

辛丑[19日], 幸外帝釋院.

○賜金于蕃等及第.[202)]

[乙巳[23日], 月犯五諸侯:天文1轉載].

[丙午[24日], □[月]犯輿鬼:天文1轉載].

[己酉[27日], 流星出五車, 入營室:天文1轉載].

[是月, 梨再華:五行1轉載].

[○[尙書左僕射致仕]尹諧奉王旨, 撰集古詞三百首, 名唐宋樂章一部:追加].[203)]

九月[壬子朔大盡,壬戌], 甲寅[3日], 遣禮賓少卿鄭澤如金, 賀天淸節.[204)]

· 『中右記』, 長承 2년 7월, "十五日, 天晴 … 今夜月蝕, 十五分之七弱半, 月在危宿, 虧初亥三刻七十八分, 加時子刻十三分, 復末丑初剋卅二分, 時刻推移正現, 但所蝕是五分也".

201) 이해[是年]의 6월부터 7월까지 비가 오지 않자 仁宗이 奉恩寺의 太祖眞影에 나가 비를 빌자 3일간에 걸쳐 큰비[大雨]가 내렸다고 한다. 또 일본의 京都에서는 7월 14일 降雨가 심하였고, 落雷가 있었다고 한다(中央氣象臺 1941年 2冊 423面).

· 『익재난고』 권9상, 忠憲王世家, "仁宗十一年五月. 蝗蟲食松葉. 王諭群臣曰, … 自是月不雨, 至七月, 王如奉恩寺, 祈禱於太祖眞, 得大雨三日".

· 『中右記』, 長承 2년 7월, "十四日丁卯, 天晴, … 申時許, 雨脚殊甚. 雷聲大發. 日欲入間, 雲漸收, 雨又止. 後聞, 雷落一條北邊出雲路京劇邊, 小屋一兩燒亡, 下人二人死云々, 十五日 天晴 … 十六日己巳, 天晴, … 十七日, 晩景雨下 … 十八日, 天晴".

202) 이와 관련된 기사로 다음이 있다. 또 이때 金富儀가 知貢擧를 辭讓한 表가 『동문선』 권42, 辭知貢擧表로 추측된다.

· 지27, 선거1, 科目1, 選場, "[仁宗]十一年八月, 禮部尙書金富儀知貢擧, 知奏事洪彝敍同知貢擧, 取進士, □□[辛丑], 賜金于蕃等二十五人及第".

203) 이는 「尹諧墓誌銘」에 의거하였다.

[乙卯[4日], 熒惑犯大微[太微]:天文1轉載].
[丙辰[5日], 月犯尾星:天文1轉載].
戊午[7日], 王如安和寺.
乙丑[14日], 幸妙通寺.
丙寅[15日], 慮囚.
[庚午[19日], 月犯五車:天文1轉載].
[壬申[21日], □[月]又犯五諸侯:天文1轉載].
[癸酉[22日], □[月]犯輿鬼:天文1轉載].
庚辰[29日], 門下侍中致仕李瑋卒,[205)] [年八十五, 謚莊肅:列傳11李瑋轉載]. [瑋, 侍中靖恭之子. 父子相繼爲冢宰, 女適任元敱, 生王妃, 門戶貴盛, 而殖貨吝嗇:節要轉載].

冬十月[壬午朔大盡,癸亥], [己亥[18日], 日有珥:天文1轉載].
辛丑[20日], 設百座道場, 命內外齋僧三萬.
[壬寅[21日], 月犯軒轅女御星:天文1轉載].
丙午[25日], 親饗年八十以上老人及孝順·節義·鰥寡·孤獨·篤癈疾者, 賜物有差.
丁未[26日], 金東京回謝使·殿中侍御史高安元來.
[戊申[27日], 黑氣一條, 廣五尺餘, 發自大微[太微]五帝座中, 指奎南, 外屛·天溷, 不行而滅:五行1黑眚黑祥轉載].

十一月[壬子朔小盡,甲子], 戊午[7日], 遣□□[兵部]郎中金永錫如金, 謝賀生辰.[206)]
甲子[13日], 移御延慶宮.
○遣愼和之如金, 賀正.[207)]
丁卯[16日], 移御壽昌宮.

---

204) 鄭澤은 10월 15일(丙申) 契丹에서 天淸節을 賀禮하였던 것 같다.
· 『금사』 권3, 본기3, 太宗, 天會 11년 10월, "丙申, 天淸節, 齊·高麗·夏遣使來賀".
· 『금사』 권60, 表2, 交聘表上, 天會 11년, "十月丙申, 高麗使賀天淸節".

205) 이날은 율리우스曆으로 1133년 10월 28일(그레고리曆 11월 4일)에 해당한다.

206) 金永錫은 1년 전인 1132년(인종10) 겨울[冬] 兵部郎中에 임명되었다(金永錫墓誌銘).

207) 愼和之는 다음 해 正旦에 賀禮하였던 것 같다.
· 『금사』 권3, 본기3, 太宗, 天會 12년 1월, "辛亥朔, 齊·高麗·夏遣使來賀".

癸酉[22日], 以[門下侍郞平章事]文公美[文公仁]△[爲]判吏部事.[208)]

甲戌[23日], 起居郞鄭知常奏, 長公主年壯, 不可久留大內. 請出嫁.

戊寅[27日], 兩日並出.

[○月入氐星:天文1轉載].

○以崔允儀爲殿中內給事, 李仲孚爲起居舍人.

[某日, 直門下省□[事]李仲·侍御史文公裕·[[殿中侍御史?]李仁實]等上疏言[曰], "妙淸·白壽翰, 皆妖人也, 其言怪誕, 不可信. 近臣金安·[起居郞]鄭知常·[起居舍人]李仲孚·宦者庾開, 結爲腹心, 屢相論薦, 指謂聖人. 又有大臣, 從而信之. 是以, 主上不以爲疑, 正人直士, 皆嫉之如讎. 願速斥遠". 言甚切直, 不報. 仲等, 退而待罪:節要轉載].[209)]

十二月[辛巳朔大盡,乙丑], [丙戌[6日], 霧, 五日, 木氷:節要轉載].

[→太史奏, "天雨霧冷, 名降殃, 國有大憂, 惟寇之祥". 時, 妙淸等, 勸西幸, 故有此奏:五行3轉載].

[某日, 召臺諫, 復職:節要轉載].

[庚寅[10日], 大風拔木:五行3轉載].

[辛卯[11日], 月食昴星:天文1轉載].

己亥[19日], 以[中書侍郞平章事]金富軾△[爲]判兵部事, [參知政事]崔濡△[爲]判禮部事, [參知政事]任元敳△[爲]判工部事, [尙書右僕射]林景淸△[爲]守司空, 任元濬爲禮部尙書·知樞密院事, 金富儀爲吏部尙書, 康侯顯爲御史大夫, [[國子司業·寶文閣待制·知制誥]尹彦頣爲御史中丞:追加].[210)].

---

208) 文公美는 1127년(인종6) 8월 20일에서 1129년(인종7) 12월 26일 사이에 文公仁으로 改名하였다(열전38, 文公仁). 이 기사에서 文公美로 되어 있는 것은 오자일 것이다.

209) 添字는 열전40, 妙淸에 의거하였다. 또 이때 文公裕가 同僚[同列] 李仁實과 함께 妙淸을 批判하다가 考功員外郞·忠州牧副使로 左遷되었다고 한다.

· 「文公裕墓誌銘」, "壬子[仁宗]10[年]冬授侍御史. 時, 西京僧妙淸執左道, 以干時, 公與同列李仁實叩關以諫, 因忤旨, 左遷爲考功員外郞·忠州牧副使". 여기에서 左道는 邪道를 가리킨다.

· 『자치통감』 권22, 漢紀14, 武帝征和 2년(BC91) 閏4월, "是時, 放士及諸神巫多聚京師, 率皆左道惑衆[盧植曰, 左道, 謂邪道也. 地道尊右, 右爲貴. 故'漢書'云, 右賢左愚, 右貴左賤, 故正道爲右, 不正道謂左, 若巫蠱及俗禁者], 變幻無所不爲. …".

· 『자치통감』 권31, 漢紀23, 成帝永始 3년(BC14) 1월, "是時, 上以無繼嗣, 頗好鬼神·方術之屬, 上書言祭祀方術得待詔者甚衆, 祠祭費用頗多. 谷永說上曰, … 黃冶變化之術者[注, 晋灼曰, 黃者, 鑄黃金也. 道家言, 冶丹沙令變化, 可鑄作黃金也], 皆姦人惑衆, 挾左道, 懷詐僞, 以欺罔世主[師古曰, 左道, 邪僻之道, 非正義也. '王制'曰, 執左道以亂政者殺], …".

210) 이는 「尹彦頣墓誌銘」에 의거하였다.

[○月暈大微[太微]. 流星出南北河中, 犯參左肩, 大如木瓜, 尾長五尺. 又流星出南河中, 入狼星, 如中物破碎, 狼星搖動天文1轉載].

[庚子[20日], 熒惑犯房第一星天文1轉載].

[辛丑[21日], 流星出東井, 入弧星, 尾長十尺許. 月行角亢南, 犯折威星天文1轉載].

[壬寅[22日], 熒惑犯鉤鈐天文1轉載].

[甲辰[24日], 月食心星:天文1轉載].

[是月, 判[制], "四子登製述·明經科者, 令五部·兩京·諸州府郡縣, 辨報其父母, 別賜米三十石, 已沒者, 超一等封爵":選擧2崇奬轉載].

[是年, 肅宗四女福寧宮主卒, 謚貞簡:列傳4肅宗公主轉載].

[○命右承宣·禮部侍郎鄭沆, 掌南省試[國子監試], 取士:追加].[211]

[○以[試禮部員外郞]張脩爲忠州牧副使:追加].[212]

[○以金臣璉爲權知閤門祗候:追加].[213]

[○以[樂浪郡君]皇甫讓妻金氏爲樂浪郡夫人:追加].[214]

甲寅[仁宗]十二年, 金天會十二年, [南宋紹興四年], [西曆1134年]

1134년 1월 27일(Gre2월 3일)에서 1135년 1월 15일(Gre1월 22일)까지, 354일

春正月[辛亥朔大盡,丙寅], [丙辰[6日], 月暈, 白氣從暈中發, 竟天:天文1轉載].

[○白氣見西方, 經北極, 貫北斗, 又白氣, 向東行滅:五行2轉載].

丁巳[7日], 金遣諫議大夫張浩來, 賀生辰.

[○白氣見西南, 貫天苑, 入北斗:五行2轉載].

[庚申[10日], 月暈昴·畢觜·參:天文1轉載].

辛酉[11日], 幸神衆院.

---

211) 이는 「鄭沆墓誌銘」에 의거하였다.

212) 이는 「張脩墓誌銘」에 의거하였다.

213) 이는 「金臣璉墓誌銘」에 의거하였다.

214) 이는 「皇甫讓妻金氏墓誌銘」에 의거하였다.

[○月暈五車井星, 北河東西, 白氣指月衝射天文1轉載].

[壬戌12日, 月食五諸侯:天文1轉載].

乙亥25日, 祭籍田, 始用大晟樂.[215]

戊寅28日, 白虹貫日.

己卯29日, 以淨心妙淸爲三重大統·知漏刻院事, 賜紫.[216]

[某日, 以李仁實爲慶尙道按察使:慶尙道營主題名記].

二月辛巳朔大盡,丁卯, 乙酉5日, 白氣貫日. ○移御仁德宮.

丁亥7日, 宴群臣于延康殿, 故事, 封王太子則設宴, 値國家多事, 至是乃行.

[辛卯11日, 以守司空·右僕射崔弘宰爲門下侍郎同中書門下平章事·判尙書戶部事·上柱國, 仍令致仕:追加].[217]

[壬辰12日, 月食軒轅:天文1轉載].

丙申16日, 移御壽昌宮.

[○歲與太白, 隔一尺許, 行婁星度. 熒惑與鎭星, 隔一尺許, 行箕星度, 月失度, 行角·亢之南天文1轉載].

[戊戌18日, 月食房:天文1轉載].

癸卯23日, 幸西京, 至馬川亭, 親從將軍金勇馬驚若有物, 驅之急逸過駕前, 勇墜地幾死.

己酉29日, 駕至大同江, 御龍船, 宴扈從宰樞·侍臣及西京留守官, 忽北風暴起, 船上帷幕·器皿, 皆震動, 天氣大寒, 王遽起更衣, 促駕入宮.

---

215) 이와 같은 기사가 지24, 樂1, 軒架樂獨奏節度에도 수록되어 있다.

216) 이 기사에서 淨心(妙淸의 改名)을 妙淸으로 改書하지 않았다. 『고려사절요』 권10에는 後者로 되어 있다. 이때 妙淸이 임명된 三重大統은 僧階인 三重大師의 다른 表記인 것 같지만, 僧侶 僧猛(507~588)이 隋文帝 楊堅로부터 받은 '隋國大統三藏法師'와 같은 法號일 가능성도 있다.

· 『續高僧傳』 권23, 護法上, "釋僧猛, 俗姓段氏, 京兆涇陽人, … 於北周大象二年, 勑住大興善寺, 講揚十地, 寺卽前陟岵寺也. 聲望尤著悅天心, 尋振爲隋國大統三藏法師, 委以佛法, 令其弘護, 未足以長威權, 固亦光輝種種, …".

· 『佛祖統紀』 권51, 歷代會要志19-1, 僧職師號, "隋文帝, 勅僧猛爲隋國大統".

217) 이는 「崔弘宰墓誌銘」에 의거하였다.

· 열전38, 崔弘宰, "… 乃左遷守司空·右僕射. 未幾, 復拜平章事致仕".

三月辛亥朔小盡,戊辰, 甲寅4日, [淸明]. 移御大華闕, 駕初發, 暴風揚塵, 人馬不能前, 執傘者亦不能行, 王手執幞頭, 入闕, 風小止.

[己未9日, 流星墜地, 大如斗:天文1轉載].

[庚申10日, 雪:節要·五行1雨雪轉載].[218]

甲子14日, 慮囚.

丁卯17日, 至自西京, 入御壽昌宮.

壬申22日, 以孝經·論語, 分賜閭巷童稚.

[是月, 星再晝隕於太初門營造處. 其時, 上在西京, 駕幸永明寺次, 晝隕亦一時也:天文1轉載].

夏四月庚辰朔大盡,己巳, [甲申5日, 流星出王良, 入南斗:天文1轉載].

己丑10日, 王如安和寺.

丁酉18日, 以參知政事任元敱爲中書侍郞平章事.

戊戌19日, 隕霜[219].

[甲辰25日, 大雷雨. 震將作監注簿崔孝淑, 又震樹木四十餘株:節要·五行1雷震轉載].[220]

丁未28日, 慮囚.

五月庚戌朔小盡,庚午, [旱:節要轉載]. 集巫于都省□廳, 禱雨.[221]

[甲寅5日, 流星出王良, 入南斗, 大如炬, 尾長五尺許:天文1轉載].

辛酉12日, 賜許洪材等及第.[222]

[○月犯心大星天文1轉載].

---

218) 이날 일본의 교토[京都]에서 종일 비가 내렸다고 한다(『中右記』, 長承 3년 3월, "十日, … 終日雨降").

219) 이와 같은 기사가 지7, 五行1, 水, 霜에도 수록되어 있다. 이날 교토에서 비가 내렸다고 한다(『長秋記』, 長承 3년 4월, "十九日戊戌, 雨").

220) 이날 교토에서 종일 비가 내렸다고 한다(『中右記』, 長承 3년 3월, "二十五日甲辰, 天陰, 終日雨下").

221) 添字는 지8, 五行2, 金行에 의거하였다.

222) 이와 관련된 기사로 다음이 있다. 여기에서 任元敱는 같은 해 4월 18일(丁酉) 中書侍郞平章事에 승진하였으므로 參知政事로서 知貢擧에 임명된 것은 4월 18일 이전으로 추측된다. 이때 許洪材·崔祐甫(崔祐甫墓誌銘)·許純 등이 급제하였다(『登科錄』, 朴龍雲 1990년 ; 許興植 2005년).

· 지27, 선거1, 科目1, 選場, "仁宗十二年五月, 參知政事任元敱知貢擧, 右承宣鄭沆同知貢擧, 取進士, □□辛酉, 賜許洪材等二十九人及第".

[壬戌[13日], 月暈房·心·尾·箕:天文1轉載].

丙寅[17日], 詔曰, “近者, 天變異常, 旱災亦甚, 夙夜憂慮, 不知所爲. 惟爾三品以上, 各上封事, 陳弊政民瘼, 無有所諱”.

[某日[~~丁卯~~18日?], 國子司業林完[~~林光~~]上疏,[223] 略曰, “臣嘗謂進言非難, 而聽其言者爲難, 聽言非難, 而行其言者爲尤難. 故曰, 忠臣之事君也, 言切直則不用而身危, 不切直則不足以明道.[224] 昔, 漢文之世, 天下可謂無事矣. 賈誼猶有痛哭·流涕·長太息之言.[225] 近者, 天變異常, 陛下祇畏天命, 思聞直言, 下詔求言, 此萬世之福也. 臣嘗觀董仲舒策, 有曰, 國家將有失道之敗, 天乃先出災異, 以譴告之, 不知自省. 又出怪異, 以警懼之, 而尙不知變, 而傷敗乃至, 此見天心之仁愛人君, 而欲止其亂也. 自非大無道之世□[者], 天盡欲扶持而全安之.[226] 人君所以上答天譴者, 非勉强以實應之, 則不可也. 傳曰, ‘應天以實, 不以文’.[227] 所謂實者, 德也. 所謂文者, 若今之道場齋醮之類, 是也. 人君修德以應天, 不與福期, 而福自至焉, 若不修德, 而徒事虛文, 則非徒無益, 適足以黷天而已. 書曰, 天無私親, 惟德是輔,[228] ○又曰, 黍稷非馨, 明德惟馨.[229] 所謂德者, 豈他求哉. 在人君用心, 與夫行事而已, 用心善而見諸行事者, 若堯·舜·禹·湯·文·武·成·康, 是也. 故一云爲一注措, 皆合於天心, 而能享無彊之休. 用心不善而見諸行事者, 若桀·紂·幽·厲·秦始皇, 是也. 故一云爲一注措, 皆悖於天道, 區區一身, 尙不能保, 又烏能享天下國家哉? 且天之於人, 相去邈絶,

223) 林完은 이 시기 이전에 林光을 改名하였고(→예종 9년 4월 1일 脚注), 이때의 형편은 그의 묘지명에도 기록되어 있다.
- 「林光墓誌銘」, “初, 妖僧妙淸來自西京, 妄徵符讖詭誤時政, 識者雖或知其非, 而諂附權貴, 勢難動搖, 無敢言其是非者, 公上疏, 切諫比宋上皇·林零素之事, 以戒之, 請斬妙淸頭, 以答天譴”.

224) 이 구절은 다음의 자료에서 따온 것이다.
- 『漢書』 권51, 賈山傳第18, “臣聞忠臣之事君也, 言切直則不用而身危, 不切直則不可以明道. 故切直之言, 明主所欲急聞, 忠臣之所以蒙死而竭知也”.

225) 이는 다음의 자료에서 따온 것이다.
- 『한서』 권48, 賈誼傳第18, “臣竊惟事勢, 可爲痛哭者一, 可爲流涕者二, 可爲長太息者六”.

226) 이는 다음의 자료를 인용한 것이다.
- 『한서』 권58, 董仲舒傳第26, “臣謹案春秋之中, 視前世已行之事, 以觀天人相與之際, 甚可畏也. 國家將有失道之敗, 而天乃先出災害以遣告之. 不知自省, 又出怪異, 以警懼之, 尙不知變, 而傷敗乃至. 此見天心之仁愛人君, 而欲止其亂也. 自非大無道之世者, 天盡欲扶持而全安之, 事在彊勉而已矣”.

227) 이 구절은 다음의 자료에서 따온 것이다.
- 『한서』 권45, 息夫傳第15, “對曰, 臣聞, 動民以行不以言, 應天以實, 不以文, 下民微細, 猶不可詐, …”.

228) 이 구절은 『서경』, 蔡仲之命의 “皇天無親, 惟德是輔. 民心無常, 惟惠之懷”에서 따온 것이다.

229) 이 구절은 『서경』, 君陳의 “我聞曰, 至治馨香, 感于神明. 黍稷非馨, 明德惟馨”에서 따온 것이다.

非言可諭, 而福善禍淫, 疾若影響. 比年以來, 災變屢作, 饑饉荐臻, 近者, 白虹貫日, 正陽之月, 震雷特異, 此近古未聞也. 意者, 陛下應天以文, 而不以實耶? 何其醮祭之煩, 而變異之多耶? 天之譴告如此, 足以見天心之仁愛陛下, 猶父母之譴告其子. 切欲扶持而安全之也. 陛下豈可徒事於齋醮, 不側身修行, 以答天戒耶? 其道, 不過遵太祖之遺訓, 擧文宗之舊典而已, 太祖之訓, 其詳臣不得而聞, 伏思當時撥亂反正, 設紀陳綱, 必有神謀睿算, 國史所載, 可考而知. 至如文宗之遺風餘烈, 距今未遠, 時或聞先生長者之言, 不覺淚下沾襟. 觀其躬行節儉, 進用賢才, 名器不假於匪人, 威權不移於近昵, 雖戚里之親, 而無功者不妄賞, 左右之愛, 而有罪者必加罰. 宦官給事, 擇其謹愼者, 不過數十輩, 以備洒掃, 內侍, 必選其功勞才能者, 不過二十餘人, 所司庶官, 各竭其能, 冗官省而事簡, 費用節而國富. 故倉粟陳陳故太倉之粟,陳陳相因, 家給人足, 時號大平, 此我朝賢聖之君也. 近代以來, 一切反是, 凡百執事, 倍數於前, 驕侈日滋, 廉恥道喪, 挾權恃勢, 剝削誅求, 加之以重斂勞役, 人心胥怨. 設使賈誼, 若見今日之勢, 豈特太息流涕痛哭而已哉? 伏望陛下, 以至誠行善政, 抑左右欺蔽之姦, 絶陰陽怪誕之說, 日愼一日, 以爲萬世無疆之休. 臣觀妙淸, 惟事姦詐, 欺君罔上, 與宋朝林靈素無異也.[230] 靈素挾左道, 眩惑上皇, 以速禍亂, 此陛下所親聞也. 陛下寵信妙淸, 左右近習, 以至大臣, 交相薦譽, 以爲聖人, 根深蔕固, 牢不可拔, 自起大華之役, 今已七八年, 而災變疊至, 天必以此, 警悟陛下耳. 陛下, 豈可惜一姦臣, 而違天意乎? 願斬之, 以答天戒, 以慰民心":節要轉載].[231]

戊辰[19日], 禱雨于諸陵及廟社·山川. 王謁太祖眞殿流涕, 告曰, "臣實不德, 不能率先王之成憲, 政不足以亮天地和陰陽. 是以天降之災, 三月雪, 四月霜, 加以雷震人物, 四十餘所, 彌月不雨, 赤地千里,[232] 民不聊生, 餓殍相枕. 罪實在臣, 蒼生何辜. 庶幾洗心悔過, 祖訓是式. 詩曰, '父母先祖, 胡寧忍予'.[233] 伏望聖慈眷顧, 召集和

---

230) 林靈素(1075~1119)는 溫州(現 浙江省 溫州市) 출신의 道士로서 字는 通叟인데, 蘇軾의 門下에서 글을 배웠고, 佛法을 닦다가 道士가 되었다. 徽宗의 우대를 받아 京師에서 4년간 머물면서 횡포를 자행하다가, 길에서 皇太子를 만났는데 불손하여 鄕里에 추방되었던 인물이다(『송사』 권462, 열전221, 方技下, 林靈素).

231) 이 기사는 열전11, 林完에도 수록되어 있는데 添字와 같이 字句의 출입이 많으므로 原形에 가까운 열전의 내용을 이용하는 것이 좋을 것이다.

232) 赤地千里는 五穀이 모두 메말라 죽은 상태를 가리킨다.
·『자치통감』 권24, 漢紀16, 宣帝本始 2년(BC72) 5월, "詔曰, 孝武皇帝躬仁誼, 厲威武, … 長信少府夏侯勝獨曰, 武帝雖有攘四夷·廣土境之功, 然多殺士衆, 竭民財力, 奢泰無度, 天下虛耗, 百姓流離, 物故者半, 蝗蟲大起, 赤地數千里[注, 顏師古曰, 言無五穀之苗], 或人民相食, 畜積至今未復[注, 畜, 讀曰蓄], 無德澤於民, …".

氣, 鼓舞萬靈, 霈然下雨. 使予小子與群臣·百姓, 並受其福, 神亦永有所依".

○又移御大明宮, 下詔曰, "旱災方深, 田野枯槁, 恐失有年之望, 以貽艱食之憂, 慮有無辜, 誤滯牢獄. 其犯二罪, 除刑遠流, 流以下罪, 悉皆原免".

○徙市.

己巳[20日], 再雩.

戊寅[29日晦], 地震. [雨血于廣州:節要·五行1轉載].

[○[開城府]洪圓寺~~弘圓寺~~鍾, 自鳴:五行1鼓妖轉載].[234]

[是月頃, 因太史之請, 以七事修省, 一曰治冤獄, 二曰賑鰥寡孤獨, 三曰輕徭薄賦, 四曰進賢良, 五曰黜貪邪, 六曰恤怨曠, 七曰減膳羞:轉載].[235]

六月己卯朔[小盡,辛未], 集巫二百五十人于都省, 禱雨.[236]

○東京地震.

庚辰[2日], 王如奉恩寺.

辛巳[3日], 御大明宮壽樂堂, 命翰林學士~~翰林學士承旨~~金富儀講月令.[237]

○太白晝見, 經天.

[○營星犯狗國:天文1轉載].

甲申[6日], 震西京大華闕乾龍殿.[238]

庚寅[12日], 慮囚.

辛卯[13日], 幸靈通寺, 禱雨.

---

233) 이는 『詩經』, 大雅, 蕩之什, 雲漢, "群公先正, 則不我助, 父母先祖, 胡寧忍予"에서 따온 구절이다.

234) 洪圓寺는 弘圓寺의 다른 表記일 것이고, 前者는 年代記에서는 이 記事에만 찾아지지만[出現, 發現], 墓誌銘에서는 兩者가 並出된다(金龍善 2006년 索引 452面).

235) 이는 明宗 24년 6월 8일(丁酉)에서 전재하였다.

236) 이때 장마전선이 일본에 머물고 있었던 것 같고, 이러한 현상이 6월까지 이어졌고, 교토[京都]에서 6월 14일(壬辰) 大風雨가 있었다고 한다(中央氣象臺 1941年 1冊 27面).

· 『中右記』, 長承 3년 5월, 6월, "… 廿六日, 雨彌降, 水大出 … 廿七日, 雨猶不止, 廿八日丁丑, 天陰, 今日有奉幣二社, 依止雨也, … 廿九日, 天陰雨下, 近日霖雨, … 六月朔日己卯, 天陰雨下, 已及數日霖雨, 二日, 天晴雨止, … 三日, 天陰雨下, 四日, 天陰雨下, … 六日, 天陰雨下, …".

· 『長秋記』, 長承 3년 6월, "十四日壬辰, 自朝雨下, …, 御靈渡御間大風雨, 後聞, 鴨川橋破, 大政所第二神輿, 投川一町許流下, 村閭人入河, 荷上之云々, 稀代事也".

237) 金富儀는 1133년(인종 11) 5월 18일(壬申) 前後부터 翰林學士承旨를 兼職하고 있었으므로 翰林學士는 翰林學士承旨의 잘못일 것이다.

238) 이와 같은 기사가 지7, 五行1, 水, 雷震에도 수록되어 있다.

癸巳[15日], 設菩薩戒道場于崇文殿.

甲午[16日], 御壽樂堂, 命翰林學士鄭沆講詩七月篇.

[某日, 青楓縣[淸風縣]大池水, 化爲血, 流至漢江:節要·五行1轉載].[239)]

己亥[21日], 親醮闕庭.

[辛丑[23日], 大暑. 流星出騰蛇, 入河鼓, 大如木瓜, 長十尺許天文1轉載].

[壬寅[24日], 流星出王良, 入閣道, 大如燈:天文1轉載].

[甲辰[26日], 流星出營室, 入北斗, 大如缶:天文1轉載].

[是月, 判[刪], "致仕·見任宰臣直子, △[許]軍器注簿同正, 收養子及內外孫甥姪, △[許]良醞令同正, 前代宰臣直子, △[許]良醞令同正, 內外孫, △[許]令史同正. 樞密院直子, △[許]良醞令同正, 收養子及內外孫甥姪, △[許]良醞丞同正. 左·右僕射·六尙書以下文武正三品直子, △[許]良醞令同正, 收養子及內外孫甥姪, △[許]主事同正. 從三品直子, △[許]良醞令同正, 收養子及內外孫甥姪, △[許]令史同正. 正從四品直子, △[許]良醞丞同正, 正從五品直子, △[許]主事同正":選擧3蔭敍轉載].

秋七月[戊申朔大盡,壬申], [壬子[5日], 流星出北斗柄, 入攝提. 又流星出危入牛. 又流星出營室, 入壘壁:天文1轉載].

甲子[17日], 命[禮部侍郞·]寶文閣直學士尹彦頤講月令.[240)]

庚午[23日], 幸王輪寺.

乙亥[28日], 大雨三日.

[某日, 以王叔父·太原公侾爲守義功臣·守太師, 命門下省降誥曰, "眷時叔父之親, 爲我宗室之舊, 歷事三朝, 永肩一節":追加].[241)]

是月, 遣內侍鄭襲明, 鑿河于洪州蘇大縣, 以[貞海縣]安興亭下海道, 爲衆流所激, 又有岩石之險, 往往覆舟. 或有獻議, 由蘇大縣境, 鑿河道之, 則船行捷利. 遣襲明, 發旁郡卒數千人, 鑿之, 竟未就.[242)]

---

239) 青楓縣은 忠州牧 管內 淸風縣의 오자일 것이다(지10, 忠州牧, 淸風縣).

240) 이때 尹彦頤는 禮部侍郞·寶文閣直學士였고, 仁宗이 尹彦頤에게 「月令」을 강의하게 한 것은 가뭄[旱魃]을 解消하기 위해서였다고 한다(尹彦頤墓誌銘).

241) 이는 「王侾廟誌銘」에 의거하였다.

242) 이와 관련된 자료로 다음이 있다. 이 海道는 現在의 忠淸南道 泰安郡 近興面 馬島를 중심으로 한 泰安半島의 앞바다인 安興梁 一帶를 指稱할 것이다(尹龍爀 2010년 ; 申銀濟 2012년). 또

[某日, 以文公允[~~文公元~~?]爲慶尙道按察使:慶尙道營主題名記].[243]

八月[戊寅朔小盡,癸酉], 庚辰[3日], 移御壽昌宮.

[癸未[6日], 月犯心星:天文1轉載].

[甲午[17日], 大風拔木:五行3轉載].

庚子[23日], 御明仁殿, 命翰林學士[~~翰林學士承旨~~]金富儀講書說命.

壬寅[25日], [秋分]. 召山僧繼膺[戒膺]講華嚴經.[244]

丙午[29日晦], 遣借禮部侍郞朴景山如金, 賀天淸節.[245]

泰安郡 安興梁의 水路 開拓은 조선시대에도 수차에 걸쳐 논의가 이루어졌으나 해결을 보지 못했던 것 같다.

· 『신증동국여지승람』 권19, 忠淸道 泰安郡 山川, "堀浦, 在郡東十三里. 高麗仁宗, 以安興~~亭~~下水道爲衆流所激, 又有巖石之險, 往往覆舟, 由蘇泰縣境, 鑿渠通之, 則船行無礙. 遣鄭襲明發旁郡人數千, 鑿之, 竟未就. 後[恭讓王]3[年]7[月]宗室王康建議, '古鑿渠處, 深鑿者千餘里, 其未鑿者不過七里, 若畢鑿使海水流通, 則每歲漕運, 不經安興梁四百餘里之險'. 於是發丁夫鑿之, 石在水底, 且海潮往來, 隨鑿隨塞, 竟未施功. 本朝世祖朝, 獻議者或以爲可鑿, 或以爲不可鑿. 世祖□□[七年]遣安哲孫試之, 功不可成. □□[十年]命大臣審視, 論議不一而止". 여기에서 ~~添字~~가 추가되어야 좋을 것이다.

· 『陽谷集』 권10, 增補, 次泰安東軒韻, "… [注, 數年來, 漕船屢敗于安興梁, 朝議欲修鑿堀浦·蟻項等處, 余[蘇世讓]承巡審之命, 來看兩處, 議論與所見有或不同, 故云爾]". 이는 中宗年間에 활약했던 재상 蘇世讓(1486~1562)의 견해이다.

243) 文公允은 文公元의 오자일 가능성이 있다. 後者는 察訪使를 1回, 按察使[按部]를 2回씩 歷任하였다고 한다.

· 「文公元墓誌銘」, "一爲察訪使, 再爲按部, 三爲□[都]統, 所□[歷]皆有聲".

244) 繼膺은 大覺國師 義天의 弟子이며, 太白山(奉化縣) 覺華寺를 創建했던 戒膺의 다른 表記 또는 誤字로 추측된다.

· 『파한집』 권중, "太白山人戒膺, 大覺國師適嗣也. 幼時寓僧舍讀書, 大覺隔墻聞其聲曰, '此眞法器也', 勸令祝髮. 在門下, 日夕孜孜鑽仰, 優入閫奧, 繼大覺, 弘揚大法, 四十餘年, 爲萬乘崇仰, 嘗不離輦轂. 累請歸太白山, 手刱覺華寺, 大開法施, 四方貉子, 日不減千百人, 號爲法海龍門, …".

· 『보한집』 권하, "無㝵智國師戒膺, 講道外游, 刃於文章. 睿王邀入大內苦請留, 師作詩云, 聖勑嚴明辭未得, 巖猿松鶴別江東, … 卽往太白山卜居將終焉, 上復遣使徵之, 屢詔不受".

· 「安東龍頭山龍壽寺開刱記」, "… 至甲申歲[毅宗]18[年], 承命赴闕, 上[毅宗]從容問公曰, 先祖睿王嘗爲膺公刱立覺華, 俾弘揚華嚴敎理, 至于今人受其賜, …"(拓本, 天理大學所藏, 許興植 1986년 656面).

245) 朴景山은 10월 15일(庚寅) 契丹에서 天淸節을 賀禮하였던 것 같다. 이때 朴景山은 禮部員外郞(정6품)·殿中侍御史(正6品)兼知制誥 등을 역임한 후 才能이 使臣을 감당할 만하다고 하여 金에 파견되었고, 歸國 후인 明年(인종13)에 國子司業(從4品)으로 임명되었다고 한다(朴景山墓誌銘). 그가 파견될 때의 借職인 禮部侍郞(正4品)은 本職보다는 2品정도 上向된 官職이었다.

· 『금사』 권3, 본기3, 太宗, 天會 12년 10월, "庚寅, 天淸節, 齊·高麗·夏遣使來賀".

· 『금사』 권60, 表2, 交聘表上, 天會 12년, "十月庚寅, 高麗使賀天淸節".

九月丁未朔小盡,甲戌, 幸長源亭.

[○時妙淸之黨, 固請西巡, 欲濟逆謀. 王下兩府議之, 中書侍郞平章事金富軾奏言, "今夏, 雷震乾龍殿, 不是吉兆, 避灾於此, 不亦左乎? 况今西成未收, 車駕若出, 必至蹂禾, 非仁民愛物之意". 乃與諫官, 上疏極言. 上曰, "所言至當, 朕不敢西行". 乃以日官所奏, 出御是亭:節要轉載].

[→王以妙淸言, 欲幸西京避災. 富軾奏曰, "今夏, 雷震西京大華宮三十餘所. 若是吉地, 天必不如此, 避災於此, 不亦左乎? 况今西成未收, 車駕若出, 必蹂禾稼, 非仁民愛物之意". 又與諫官上䟽極言. 王曰, "所言至當, 朕不西行":列傳11金富軾轉載].

[→初, 妙淸屢請巡御西京, 而災異荐至, 其黨欺誣, 以爲無害. 至是, 固請西幸, 欲濟逆謀, 王以大臣·諫官言不聽:列傳40妙淸轉載].

[己酉3日, 天狗墜于京城東北:天文1轉載].

[庚戌4日, 月犯心星:天文1轉載].

癸丑7日, 王以文敬大后忌辰, 幸敬天寺, 行香.[246]

[乙卯9日, 流星出婁, 貫天倉南隕天文1轉載].

[丁巳11日, 寒露. 流星出軒轅, 入下台星:天文1轉載].

庚申14日, 慮囚.

[癸巳某日, 大霧:五行3轉載].[247]

冬十月丙子朔大盡,乙亥, 戊子13日, [立冬]. 白虹貫日.

[○日暈有珥:天文1轉載].

庚寅15日, 移御國淸寺.

甲午19日, 入御大明宮.

丁酉22日, 下詔曰, "舜曰, 咨, 爾二十有二人, 欽哉. 惟時亮天工.[248] 盖非欽哉, 則有怠忽之患, 非惟時, 則有後時之悔. 夙夜匪懈, 欽哉之謂也, 時哉不可失, 惟時之

---

246) 文敬太后, 곧 仁宗次妃 李氏의 忌日은 9월 5일이다.

247) 이달에는 癸巳가 없고, 10월 18일(癸巳)일 가능성이 있다.

248) 이는 다음의 자료에서 따온 것이다.

· 『書經』, 舜典, "帝曰, 咨, 汝二十有二人, 欽哉. 惟時亮天功. 三載考績, 三考, 黜陟幽明, 庶績咸熙, 分北三苗".

謂也, 能欽哉惟時, 以亮天工, 則功之所以成也. 今聞, 百官無思盡瘁以仕國, 多以逋慢而曠職, 是以朝廷空, 事務廢. 是由元首叢脞, 故股肱惰, 庶事墮, 固其所也. 然太甲賴伊尹以興, 桓公得管仲以覇. 凡百君子各揚其職, 同寅愶[協]恭, 興事造業, 以亮天工, 致朕於無過之地, 於國, 有無疆之休, 豈不美哉".

[→詔諭百官, 各揚其職:節要轉載].

[庚子[25日], 流星出參·箕南隕:天文1轉載].

十一月丙午朔[小盡,丙子], 移御壽昌宮.

戊申[3日], 遣員外郎金永寬如金, 謝賀生辰.

[癸丑[8日], 野鶖百餘, 飛集壽昌宮:五行1轉載].

壬戌[17日], 遣戶部員外郎李軾如金, 賀正.[249)]

[壬申[27日], 檢校禮部尙書·守試司宰少卿張文緯卒:追加].[250)]

[某日, 都塩院錄事梁元俊爲權知監察御史:追加].[251)]

○自十月至是月, 太白晝見, 經天.

十二月[乙亥朔大盡,丁丑], 戊寅[4日], 右正言黃周瞻, 希妙淸·鄭知常意, 奏請稱帝建元, 不報.[252)]

[某日, 以金克儉爲刑部尙書·知門下省事:追加].[253)]

[是月, 判[制], "嫁大小功親所產, 曾限七品, 今後, 仕路一禁":選擧3限職轉載].

[冬某月, 工部尙書·三司使安稷崇請致仕, 制可:追加].[254)]

---

249) 李軾은 다음 해 正旦에 일식이 있었기에 賀禮를 드리지 못했던 것 같다. 또 24일(己巳) 太祖 阿骨打가 崩御하였기에 賀禮式이 거행되지 못했을 가능성도 있다(『금사』 권3, 본기3, 太宗, 天會 13년 1월 丙午朔, 己巳[24日]). 또 「李軾墓誌銘」에는 尙衣奉御(정6품)로서 賀正使가 되었다가 귀국하여 戶部員外郎(정6품)에 임명되었다고 되어 있다.

250) 이는 「張文緯墓誌銘」에 의거하였는데, 이날은 율리우스曆으로 1134년 12월 14일(그레고리曆 12월 21일)에 해당한다.

251) 이는 「梁元俊墓誌銘」에 의거하였다.

252) 이 기사는 열전40, 妙淸에도 수록되어 있다.

253) 이는 「金克儉墓誌銘」에 의거하였다.

254) 이는 「安稷崇墓誌銘」에 의거하였다.

[是年, 判^刪, "宰樞, 內外鄉·妻鄉·祖·曾祖·妻鄉等五鄉內, 三鄉兼差. 上將軍以下三品以上, 內外鄉·祖·曾祖·妻鄉等四鄉內, 二鄉兼差. 四品以下參上以上, 內外鄉·祖·妻鄉等三鄉內, 一鄉差. 參外員, 內外鄉內, 一鄉差, 各以文武, 平均交差":選擧3事審官轉載].

[○判^刪, "毆人^毆大折齒者, 徵銅, 與被傷人":刑法1殺傷轉載].

[○以^尙書禮部侍郎崔梓爲朝散大夫·衛尉卿, 仍出西京副留守:追加].[255)]

[○以^太府主簿兼直翰林院崔褒抗爲權知閤門祗候:追加].[256)]

[○以元沆爲安邊都護府副使:追加].[257)]

乙卯[仁宗]十三年, 金天會十三年, [南宋紹興五年], [西曆1135年]

1135년 1월 16일(Gre1월 23일)에서 1136년 2월 3일(Gre2월 10일)까지, 13개월 384일

春正月乙巳朔^大盡,戊寅, 日食, 密雲不見.[258)]

戊申^4日, 妙淸·柳旵·^與分司侍郎趙匡等, 以西京反^叛,[259)] [矯制, 囚留守員僚, 又遣僞承宣金信, 執西北面兵馬使李仲等及諸城軍將, 凡上京人在西都者, 無貴賤, 亦皆拘之. 遣兵, 斷岊嶺道, 又遣人, 劫發諸城兵. 國號大爲, 建元天開, 署官屬, 號其軍曰天遣忠義. 妙淸與趙匡等, 會觀風殿, 號令軍馬, 欲分數道, 直趣上京. 白壽翰之子淸, 自西京來, 壽翰親舊, 以書招曰, "西京已反^叛, 可抽身以來". 壽翰奏其書于王, 召示^門下侍郎平章事文公仁. 公仁曰, "是事可疑, 難究眞僞, 姑閟之":節要轉載].

---

255) 이는「崔梓墓誌銘」에 의거하였다.

256) 이는「崔褒抗墓誌銘」에 의거하였다.

257) 이는「元沆墓誌銘」에 의거하였다.

258) 이날 宋에서는 東方의 별인 女星에 일식이 있었다고 하고(『송사』 권52, 지5, 천문5, 日食), 朔日에서 1일의 차이가 있는 金에서도 일식이 있었다(『금사』 권3, 본기3, 태종 天會 13년 1월 丙午朔 ; 권20, 지1, 天文, 日薄食煇珥雲氣). 이날은 일본에서 閏12월 1일(乙巳)인데, 京都에서 일식이 있었다고 한다(日本史料6-42册 面). 이날은 율리우스력의 1135년 1월 16일이고, 개경에서 일식 현상이 심했던 시간은 12시 8분, 食分은 0.94이었다(渡邊敏夫 1979年 306面).
· 『中右記』, 長承 3년 윤12월, "一日乙巳, 天晴. 今日々蝕十一分, 巳午未時之由, 司天臺所奏也. … 臨未時, 日蝕正現, 如天文奏也, 刻限度分如奏也, 晩景天陰".

259) 添字는『고려사절요』권10에 의거하였다. 이날은 율리우스曆으로 1135년 3월 17일(그레고리曆 3월 24일)에 해당한다.

[→[仁宗]十三年□□~~[正月]~~, 妙淸與分司侍郎趙匡, 兵部尙書柳旵, 司宰少卿趙昌言·安仲榮等, 據西京反[叛]. 矯制, 執副留守崔梓·監軍事李寵林·御史安至宗等, 囚之. 又遣僞承宣金信, 執西北面兵馬使李仲幷諸僚佐, 及列城守臣, 皆囚西京塩庫, 凡上京人在西都者, 無貴賤僧俗, 皆拘之. 遣兵, 斷岊嶺道, 又遣人, 劫發諸城兵, 掠近道牧馬, 皆入城. 國號大爲, 建元天開, 號其軍曰天遣忠義. 署官屬, 自兩府至州郡守, 並以西人爲之. 僞批下, 見者竊笑, 匡·仲榮從旁叱之. 初, 仲榮以佛事, 招集徒衆, 與妙淸·柳浩等結爲黨, 與西人因之, 陰令擧事, 事集殺之. 妙淸與匡等, 率城中文武, 會觀風殿, 號令諸軍, 欲分數道, 直趣上京:列傳40妙淸轉載].

[→[文公仁] 累進門下侍郎同中書門下平章事. 時西京僧妙淸, 與白壽翰唱妖言, 鄭知常等交譽, 公仁亦和之. 及妙淸叛, 壽翰□[之]子淸, 自西京齎親舊招壽翰書來. 壽翰奏之, 王以書示公仁, 公仁曰, "是事可疑, 難究眞僞, 姑閟之":列傳38文公仁轉載].

辛亥[7日], [軍人崔彥·韓善□[貞]等, 自黃州來, 奏曰, "西京人率兵, 至洞仙驛, 執司錄高甫正. 又取驛馬, 送西京, 禁人往來京城. 吾等晝伏夜行, 以間道至". 王召宰樞議之. 命[中書侍郎]平章事金富軾·參知政事[中書侍郎平章事]任元敱·樞密院承宣[都兵馬副使?]金正純, 坐兵部, 治兵, 爲討賊計:節要轉載].[260] 以[中書侍郎平章事]金富軾爲元帥, 討之.[261]

[→有卒崔彥·韓善貞等來奏曰, "臣等以事, 歸本鄕黃州, 見西人率兵, 至洞仙驛, 執司錄高甫正. 又取驛馬, 送西京, 禁人往來京城者. 吾等晝伏夜行, 從間道來." 王乃召宰樞議之, 命富軾·元敱及承宣金正純, 會兵部, 治兵, 爲討賊計. 遂以富軾爲元帥, 往征之:列傳40妙淸轉載].

[→於是, 下詔, 以[中書侍郎平章事]金富軾·[中書侍郎平章事]任元敱爲中軍帥, 金正純·鄭旋淑·盧令琚·林英·尹彥頤·李瑱·高唐愈·劉英爲之佐, 吏部尙書金富儀將左軍, 金旦·李愈·李有開·尹彥旼爲之佐, 知御史臺事李周衍將右軍, 陳淑·梁祐忠·陳景甫·王洙爲之佐:節要轉載].[262]

---

260) 이때 任元敱는 參知政事가 아니라 中書侍郎平章事였고(→인종 12년 4월 18일), 그의 열전에도 후자로 되어 있다(『고려사』열전95, 열전8, 任懿, 元敱). 또 金正純의 관직도 樞密院承宣이 아니고 都兵馬副使일 가능성이 있는데, 이는 3軍體制의 鎭壓軍의 편성에서 金富軾이 中軍元帥이고, 그 예하에 있던 김정순은 3品官以下가 담당하였던 知中軍兵馬事였음을 통해 알 수 있다.
· 열전11, 金正純, "仁宗朝, 西京反[叛], 以都兵馬使[都兵馬副使], 從金富軾, 討平之. 授樞密院左副承宣, 賜金帶". 이에서 都兵馬使는 都兵馬副使의 오류일 것이다.

261) 이 기사는 지18, 禮6, 軍禮에는 "正月, 西京反[叛], 命金富軾討之"로 되어 있다. 또 ~~添字~~는 열전40, 妙淸에 의거하였다.

壬子[8日], 訛言, 西京兵至金郊驛, 西郊居民驚懼, 皆挈家入城.

[○王命內侍柳景深·曹晋若·黃文裳, 往諭西京, 西賊開城門, 引入觀風殿, 柳旵·趙匡·妙淸率文武兩班, 皆戎服. 景深等至殿門, 旵等下庭拜, 問聖體, 饋酒食. 遣還云, "當奉表奏聞, 倉卒未果, 請先以此歸奏". 付書一封云, "願主上, 移御此都, 不然, 必有變". 辭甚不遜:節要轉載].

[→遣內侍柳景深·曹晋若·黃文裳, 往西京, 宣諭戢兵. 西人開城門, 引入觀風殿. [柳]旵·[趙]匡坐東, 妙淸坐西, 其餘文武集殿庭, 皆戎服. 景深等至殿門, 旵等下庭拜, 問聖体, 饋酒食. 遣還云, "當奉表奏聞, 倉卒未果. 請先以此歸奏". 付書一封云, "伏望主上, 移御此都, 不然, 必有變". 辭甚不遜:列傳40妙淸轉載].

[○王聞西賊矯制, 徵兵兩界, 急遣陳淑·李周衍·陳景甫·王洙, 分將右軍卒二千人, 往諭東路諸城, 捕賊使者, 命金富儀率左軍, 先趣<u>西京</u>:節要轉載].[263)]

○金遣桂州管內觀察使高春等來, 賀生辰.

[○是時, 命前郞將吳挺齎詔, 密諭諸城. 挺藏詔衣中, 徒步間行, 被邏卒執繫獄. 有一醜女食之, 挺德之, 約爲夫婦, 遂生光陟. 後挺累官至尙書, 以老致仕, 妻無子, 乃召光陟爲嗣:列傳13慶大升轉載].

[癸丑[9日], 以洪彝敍·[起居舍人]李仲孚爲西賊黨, 投<u>敎</u>[詔]書往諭, 彝敍緩行, 凡四日, 始至生陽驛, 懼不能前, 使驛吏, 傳送<u>敎</u>[詔]書:節要轉載].[264)]

[○西賊遣檢校詹事崔京上表, 略曰, "陛下信陰陽之至言, 考圖讖之秘說, 創大華之宮闕, 象鈞天之帝都. 臣等同婁敬之矢謀, 望盤庚之遷邑, 豈期臣下, 不體宸衷, 非徒懷土以重遷, 抑亦防功而害事. 人心可畏, 衆怒難防, 車駕若臨, 兵戈可戢". 表至, 咸曰, "以臣召君, 可斬其使". 王欲息兵, 乃賜崔京酒食·幣帛, 命爲分司戶部員外郞, 慰諭<u>遣還</u>:節要轉載].[265)]

甲寅[10日], 斬金安·鄭知常·白壽翰.[266)]

[→甲寅, 召問兩府大臣, 將以是日出師, [元帥]金富軾等諸將, 詣闕俟命. 金安等, 謀緩兵期, 以圖不軌, 乃奏曰, "引見金使, 受詔而後, ~~移御大明宮,~~ 遣將, 猶未晩也". 或

---

262) 이 기사는 열전11, 金富軾에도 수록되어 있다.

263) 이 기사는 열전11, 金富軾에도 수록되어 있다.

264) 敎書는 詔書로 고쳐야 옳게 되는데, 열전11, 金富軾에는 옳게 되어 있다.

265) 이와 같은 기사가 열전40, 妙淸에도 수록되어 있다.

266) 이날은 율리우스曆으로 1135년 3월 26일(그레고리曆 4월 2일)에 해당한다.

告, "安等, 潛聚兵仗, 私相偶語, 陰謀不測". 富軾與諸相議曰, "西都之反[叛], 鄭知常·金安·白壽翰等與謀, 不去是人[此輩], 西都不可得平". 諸相深然之, 召知常等三人至, 密諭[知中軍兵馬事]金正純, 使勇士曳出三人, 斬於宮門外, 乃奏之. 人言富軾素與知常, 齊名於文字間, 積不平. 至是, 托以內應殺之:節要轉載].

[○王命[元帥]任元敱, 留衛都城. 賜[元帥]金富軾鈇鉞, 遣之曰, "閫外之事, 將軍制之, 然西賊, 皆吾赤子, 殲厥渠魁, 愼勿多殺":節要轉載].

[→王御天福殿, 富軾, □[拱]戎服入見, 乃命上陛, 親授鈇鉞, 遣之曰, "閫外之事, 卿其專之以賞罰用命不用命. 然西人皆吾赤子, 殲厥渠魁, 愼勿多殺":列傳11金富軾轉載].[267]

乙卯[11日], [流妙淸之黨, 崔逢深·陰仲寅·李純茂·吳元師于遠島:節要轉載].[268]

[○中軍至金郊驛, 會天雨雪, 軍馬凍餒, 衆心解弛. [元帥]富軾拊循賙給, 軍情乃安. 邏騎擒致西京諜田元稷, 富軾解縛, 慰遣之曰, "汝歸語汝城人, 大軍已發, 有能自新效順者, 性命可保":節要轉載].

[→右軍先行, 次馬川亭, 中軍次金郊驛. 邏騎擒致西京諜者田元稷, 富軾解縛慰遣之曰, "歸語城中人. 大軍已發, 有能自新放順者, 可保性命, 不爾, 天誅, 不可久逭". ○時, 士卒頗驕, 謂朝夕凱還, 裝褚單寡, 會天雨雪, 士馬凍餒. 衆心解弛, 富軾撫循賙給, 軍情乃安:列傳11金富軾轉載].

[是日:節要轉載], 西京將軍一孟亡來, 告賊狀甚詳. 王拜官, 賜居第.

[丙辰[12日], 洪彝敍·[起居舍人]李仲孚還自西京. [元帥]富軾以彝敍遣驛吏傳詔, 囚之平州. 流仲孚於白翎鎭:節要轉載].[269]

[○西賊~~[西大]~~到成州, 矯制, 執縛防禦官僚, 散入人家飮食. 州人知其僞, 擊殺五六人, 囚二十餘人, 具以馳聞. 降詔奬諭, 各賜官僚, 藥一銀合, 長吏將校~~[將吏]~~, 幣帛有差. 又漣州戶長康安世·中郎將金仁鑑, 捕僞兵馬副使李子奇·將軍李英等[及]軍卒六百餘人. 下教[詔]奬諭, 賜錦彩帛~~[賜錦二段·綵帛八匹]~~. 諸城聞之, 擒殺西賊一千二百餘人:節要

267) 이와 관련된 기사로 다음이 있다.
· 지18, 禮6, 軍禮, "仁宗十三年正月, … 甲寅, 王御天福殿. [金]富軾, 以戎服入見, 命上陛, 親授鈇鉞, 遣之".

268) 이 기사는 열전40, 妙淸에도 수록되어 있으나 人名의 順序에 차이가 있다.

269) 李仲孚(李商老의 父)에 관련된 기사로 다음이 있다.
· 열전35, 方技, 李商老, "… 中書舍人仲孚之子. 仲孚坐與妙淸善, 流淸州, 商老隨之".

轉載].[270]

[丁巳13日, 中軍至寶山驛, 閱兵三日. 又集將佐問策, 皆曰, "兵貴拙速, □□□□先則制人. □□□□□今大軍已出, 宜□□卷甲倍道疾馳, 掩賊不備, 蕞爾小醜, 計日可擒, 若所至淹留, 必失機會. 且使賊, 益得爲計, 非我之利". 富軾曰, "不然, 西京謀反叛, 已五六年, 陰謀無所不至, 必戰守足辦而後擧. 今乃欲掩其不備, 不已晩乎? 且我軍有輕敵心, 器仗未整, 卒遇伏兵, 竊發, 一可危也. 頓兵堅城之下, 天寒地凍, 壁壘未就, 忽爲賊所乘, 二可危也. 又聞賊徒矯制, 徵兵兩界, 列城狐疑, 莫辨眞僞, 萬一有姦人應之, 表裏相結, 道路梗塞, 禍無大於此矣. 今不若引軍從間道, 繞出賊背, 取諸城軍資, 以餉大軍, 告諭順逆, 使與西賊絶交. 然後, 益兵休士, 宣揚國威, 飛檄賊中, 徐以大兵臨之, 此萬全之計也":節要轉載].[271]

乙丑21日, [中軍引兵, 由平州, 趣管山驛, 左·右軍皆相次而行. 中軍由射嵓驛·新城部曲, 徑到成州, 休兵一日, 馳檄諸城, 喩以奉辭討賊之意:節要轉載].

○詔曰, "朕觀, 自古有國家者, 孰不欲致治長久, 而治亂相尋者, 盖緣時君之明暗, 政敎之得失也. 朕以幼冲卽政, 素無知人明, 偏聽近習之說, 致有西都之亂, 俯仰深思, 不勝痛悔. 惟爾臺省侍從之臣·朝野有志之士, 論列平西之策及時政之失, 朕躬之愆, 無有所諱"

[○遂命內侍·閤門祇候鄭襲明·濟危寶副使許純·雜織署令王軾, 往西京西南海島, 發水軍四千六百餘人, 戰艦一百四十艘, 入順化縣南江, 以禦賊船:節要轉載].

[○富軾使軍吏盧仁諧, 招諭西京, 且覘城中虛實. 遂引軍, 道漣州, 抵安北□□□大都護府. 陳淑·李周衍等, 自東界來會, 先□是遣錄事金子浩等, 懷勑間行, 歷兩界城鎭, 告諭西賊反狀叛狀. 人心猶懷顧望, 及大軍始至, 列城震懼, 以迎官軍. ○富軾又遣僚掾于西京, 曉諭至七八.[272] 趙匡等知不可抗, 意欲出降, 自以罪重, 猶豫未決. 及平州判官金淳夫, 賫詔入城:節要轉載].

○西人□遂斬妙淸及柳旵, 遣分司大附卿太府卿尹瞻, 請降.[273]

[→西賊遂斬妙淸·柳旵及旵子浩等三人首, 使分司大附卿太府卿尹瞻·少監趙昌言·

---

270) 이와 같은 기사가 열전40, 妙淸에도 수록되어 있는데, 添字는 이에 의거하였다.

271) 이하 添字는 열전11, 金富軾을 참조하여 추가하였다. 以下의 내용은 세가편과 열전편에서 字句의 차이가 많이 있어 兩者를 모두 참고하여야 할 것이다.

272) 七八은 열전11, 金富軾에는 數四로 되어 있다(盧明鎬 等編 2016년 262面).

273) 여러 판본의 『고려사』에서 大附卿으로 되어 있으나 太府卿의 오자일 것이다.

大將軍郭應素·郎將徐挺等, 偕淳夫請罪于朝:節要轉載].

[○又投書中軍曰, "□□□□□□□□□~~謹奉詔旨及元帥之言~~, □□□□~~已斬渠魁~~, □□□□~~馳獻闕下~~, 欲以羊酒犒獻, 請剋日時". 於是, 富軾亦遣錄事白祿珍, 以聞. 又移書兩府曰, "西賊將欲請降, 宜厚待尹瞻等, 以開自新之路". 宰臣門下侍郞平章事文公仁·參知政事崔濡·樞密院副使韓惟忠, 謂祿珍曰, "汝元帥, 不直趍西京, 循又迂路, 以赴安北. 吾等奏遣單介, 持詔諭降, 非爾元帥之功, 爾來何爲?". 金淳夫面縛瞻等至郊, 兩府遣法官, 枷鏁以入, 請下獄. 臺諫亦請置極刑. 王□皆不許, 命解縛□□□~~襲衣冠~~入見, 賜酒食勞慰, 未幾下獄, 梟妙淸等三人首于市:節要轉載].

[→西人斬妙淸, 遣尹瞻請降, 元帥金富軾移書兩府曰, "宜厚對瞻, 以開自新之路". 公仁不聽, 奏下瞻獄, 困辱之. 由是, 西人復叛, 至踰年乃克:列傳38文公仁轉載].

[○賜富軾詔書, 奬諭, 仍賜銀藥合, 以褒其功:節要轉載].

[→賜富軾銀藥合, 詔曰, "逆命滔天, 憤妖人之作亂, 登壇受鉞, 嘉大將之請行. 觸風霜之冱寒, 憫士卒之辛苦. 今者王師壓境, 賊類摧鋒. 傳首于玆, 已協藁街之殉. 戢兵在邇, 實由蓮幕之謀. 宜更勉六軍之心, 卒以圖萬全之計":列傳11金富軾轉載].

辛未27日, 西京趙匡復叛.

[→趙匡等, 聞瞻等被囚, 謂必不免, 復叛. 遣殿中侍御史金阜·內侍黃文裳, 與尹瞻, 頒詔書西京. 阜等, 不以惠撫慰, 劫之以威, 西賊怨怒:節要轉載].

[某日, 以安軾爲慶尙道按察使:慶尙道營主題名記].

[是月己巳24日, 金太宗卒, 己巳25日, 熙宗完顔亶卽位, 不改元:追加].

二月乙亥朔大盡,己卯, [丁丑3日, 驚蟄. 雨木冰:五行2轉載].

[某日, 西賊, 諷亂兵, 殺金阜·黃文裳及諸從者, 尹瞻奉太祖眞逃出, 捕殺之, 嬰城固守:節要轉載].

[某日, 金富軾遣錄事李德卿, 往諭西賊, 又殺之:節要轉載].

壬午8日, 白虹貫日.[274]

[→日有暈, 白虹貫之:天文1轉載].

---

274) 이때 일본의 京都에서는 눈이나 비가 계속 내렸다고 한다. 이때 日本曆은 前年 12월에, 高麗曆은 今年 2월에 閏月이 있어서 高麗曆에 비해 1개월이 늦다.

· 『中右記』, 長承 4년 1월, "六日, 終日小雨, 今年初雨下, 七日, 天陰, 終日小雨, … 八日壬午, 飛雪紛々, 隨風散亂, … 十日, 天陰小雨 … 十一日, 天陰時々小雨, 晩景飛雪隨風".

[某日, 富軾與諸將, 誓告于皇天后土·山川神祇[神祇]曰, "西京妖人, 相聚謀反, 臣等祗奉王命, 率師問罪. 竊念上兵伐謀, 善陣不戰, 若以萬軍, 橫行城中, 則無辜小民, 橫罹兵刃, 非弔民伐罪之意, 玆用按甲休兵, 諭以逆順禍福, 然後斬渠魁, 詣闕乞罪, 幾乎革面. 然, 惟反覆不信, 詔書屢下而不從, 使臣方至而見解, 厥罪貫盈, 理難可宥. 天地神明, 庶幾陰騭, 使三軍增氣, 元惡授首, 以安宗社, 以戢干戈". 富軾以爲西京, 北負山岡, 三面阻水, 城高且險, 未易猝拔, 宜列營以逼之. 且大同江, 爲往來之衝, 我當先據. 分爲五軍, 進至城下, 中軍屯川德部, 左軍屯興福寺, 右軍屯重興寺西, 前軍屯重興寺東, 後軍屯大同江. 又恐城外民, 逃竄山谷者, 嘯聚爲賊援, 分遣軍吏, 慰諭之. 逃竄者悉出, 或負糧餉, 願助軍備者, 絡繹不絶, 皆給衣食, 俾之安居:節要轉載].[275)]

庚寅[16日], 中書[門下]侍郎平章事致仕金珦卒.[276)] [輟朝一日, 諡元靖:列傳11金珦轉載].[277)] [珦, 起自胥吏, 雖無學識, 淸愼有幹能. 其女嫁李資謙子之甫, 不以姻婭附資謙, 及與拓俊京, 謀執資謙, 而不伐其功. 王常稱之曰, "有功而不求人知, 可謂賢矣":節要轉載].

丁酉[23日], 門下侍郎平章事致仕崔弘宰卒,[278)] [諡襄肅:列傳38崔弘宰轉載]. [弘宰, 本將家子, 尙氣喜馳聘. 從尹瓘伐女眞, 頗有功, 又與[門下侍郞平章事]金仁存收復抱州. 後黨附李資謙, 權勢日熾, 反爲資謙所忌, 見竄遠方, 及資謙敗, 徵拜[中書侍郞]平章事. 自言竄逐, 家產蕩盡, 乃納貨賣官, 爲諫官所劾:節要轉載].[279)]

---

275) 이때 西京戰鬪에 참여한 인물로 公州判官 李陽允, 安邊守 李仁榮, 胥吏 咸有一 등이 있다.
- 「李陽允墓誌銘」, "始除公州通判, 莅任一年, 以西土人不靖, 公承命赴難, 及於大同江積土, 攻城冒獨矢石, 幾至於死者, 再三, 事平乃還其任"(金龍善 2010년). 여기에서 不靖은 騷亂이 일어 난 것을 가리킨다.
- 『한서』 권84, 翟方進傳第54, 義, "反虜故東郡太守翟義, 擅興師動衆, 曰'有大難于西土, 西土人亦不靖'[注, 師古曰, 曰者, 述翟義之言云爾也. 西土謂西京也, 言在東郡之西也]".
- 「李仁榮墓誌銘」, "庚戌歲[仁宗8年], 以才高取乙第, 仍補安邊倅, 率軍士征西土, 力戰有功, 及卦闕, 被詔入玉堂").
- 열전12, 咸有一, "仁宗十三年, 西京反[叛], 有一以胥吏從軍有功, 調爲選軍記事".

276) 延世大學本과 東亞大學本에는 致仕가 政仕로 되어 있으나 誤字일 것이다. 또 이날은 율리우스曆으로 1135년 5월 1일(그레고리曆 5월 8일)에 해당한다.

277) 中書侍郞平章事致仕는 門下侍郞平章事致仕로 고쳐야 옳게 될 것이다. 金珦은 1131년(인종9) 9월 3일(丙申) 門下侍郞同中書門下平章事로서 致仕하였다.

278) 이날은 율리우스曆으로 1135년 5월 8일(그레고리曆 5월 15일)에 해당한다.

279) 이날 崔弘宰는 龜山洞 修淨寺에서 逝去하였다고 한다(崔弘宰墓誌銘).

辛丑[27日], 金報哀使·檢校右散騎常侍王政來.[280]

[→辛丑, 金報哀使檢校右散騎常侍王政來, 告太祖[太宗]喪. 百官玄冠·素服:禮6上國喪轉載].[281]

癸卯[29日], 王受詔, 詔曰, "上天降禍, 大行皇帝, 遘疾彌留, 奄棄萬國, 攀慕哀號, 不克勝處. 朕欽承彝訓, 繼迫輿情, 以眇眇之躬, 嗣丕丕之業. 卿緬聞訃音, 諒極悲凝, 益勵乃心, 同底於理".

[→癸卯, 王受詔, 與國人服喪三日:禮6上國喪轉載].

[某日, 居京大小人員子弟, 謀避徭役, 各於本貫親戚戶籍類付, 以致名實混淆, 自今, 京人付外籍者, 痛禁:食貨2戶口轉載].

閏[二]月[乙巳朔小盡,己卯], 丁未[3日], 報哀使[王政]還, 附表陳慰.[282]

[○流星出天市西垣, 入攝提:天文1轉載].

[某日, 西賊, 自宣耀門, 至多景樓,[283] 緣江築城一千七百三十間:節要轉載].[284]

乙卯[11日], 遣少卿金端·侍御史李時敏如金, 弔喪.[285]

[某日, 遣上將軍李祿千·大將軍金台壽·錄事鄭俊·尹惟翰·軍候魏通元等, 自西海路, 領兵船五十艘, 助討西賊. 祿千至鐵島, 欲徑趣西京, 會日暮潮退. 兵船判官鄭襲明曰, "水道狹淺, 宜乘潮而發". 祿千不聽, 行至半途, 水淺舟膠. 西賊以小船十餘艘, 載薪灌油火之, 隨潮而放, 先於路旁叢薄間, 伏弩數百, 約以火發, 則同時齊擧.

---

280) 이해의 1월 24일(己巳, 高麗曆·宋曆은 25일) 金의 太宗이 崩御하였고, 28일(癸酉, 高麗曆·宋曆은 29일) 齊·高麗·夏 등에 通報하는 使臣派遣을 결정하였다. 또 이때 報哀使로 파견되어온 王政은 本名이 南撒里였으나 고려에 奉使한 것을 계기로 이름을 政으로 고쳤다고 한다.
- 『금사』 권4, 본기4, 熙宗, 天會 13년 1월, "癸酉, 遣使告哀于齊·高麗·夏及報卽位".
- 『금사』 권60, 表2, 交聘表上, 天會 13년, "正月, 遣使如高麗報哀".
- 『금사』 권128, 열전66, 王政, "政, 本名南撒里, 嘗使高麗, 因改名政".

281) 이에서 太祖는 太宗의 오류이다.

282) 이 기사는 지18, 禮6, 上國喪에도 수록되어 있다.

283) 多景樓에 대한 자료는 예종 11년 4월 19일의 脚注에 제시되었다.

284) 一千七百三十間은 열전11, 金富軾에는 一千七百三十四間으로 되어 있다(盧明鎬 等編 2016년 263面).

285) 이 기사는 지18, 禮6, 上國喪에도 수록되어 있다. 또 金端·李時敏은 3월 6일(己卯) 齊의 使臣과 함께 弔問하였다.
- 『금사』 권4, 본기4, 熙宗, 天會 13년 3월, "己卯, 齊·高麗遣使來弔祭".
- 『금사』 권60, 表2, 交聘表上, 天會 13년, "三月己卯, 高麗使祭奠·弔慰".

及火船相薄, 迎燒戰艦, 衆弩俱發. 祿千狼狽, 不知所圖, 兵船·器仗皆燒, 軍士, 溺沒殆盡, 台壽及鄭俊, 皆死. 祿千蹈積屍登岸, 僅以身免. 由是, 西賊始輕官軍:節要轉載].

壬戌18日, 下詔曰,[286] "罪已勃興, 魯史嘉大禹之德, 改過不吝, 商書載成湯之明, 今率前脩, 以成其美. 朕以後侗之眇, 繼先世之豊, 長於深宮之中, 暗諸經國之務. 憂勤夙夜, 雖增若涉之懷, 制馭奸雄, 尙乏先幾之見. 屬崇德李資謙之跋扈,[287] 更丙午仁宗4年之擾攘, 鑾輿播遷, 宮室焚蕩. 上辱祖宗之委寄, 毎辜基業之延洪. 適有陰陽之人, 出從鎬邑西京, 加之左右之薦, 待以大賢. 朕誠不明, 遂忒惑其說, 乃創大華之新闕, 以期祖業之重興. 不思一巳之勞, 屢訪西巡之駕, 而吉祥之應盖寡, 灾異之生浸多, 訖無明徵, 空速衆謗, 無成乃已. 朕方戒於聽從, 彼妙淸昏不知, 日有懷於怨望. 擅興軍馬, 囚械官員, 以天開, 表其年元, 以忠義, 號其軍額, 公然徵集兵卒, 意欲陵犯上都. 變出不圖, 勢將莫遏. 自古大逆之罪, 孰與西都之人. 呂刑三千, 論罪莫先於無上, 舜功二十, 知人實本於去凶, 是用, 先誅內應之奸, 遂有元戎之遣, 然且約無掩擊, 待以歸降, 何逆命之至深, 乃嬰城而固拒. 久勞於外, 士卒經時而未還, 不已于行, 饋餉屬途而弗絶, 衆庶勞止,[288] 遠近騷然. 况今慮已妨農, 久稽月捷, 興言及此, 莫知所然. 履霜堅冰, 過本馴致, 痛心疾首, 罪實在予. 所冀, 在庭之臣, 勤王之卒, 奮其膂力, 殲厥群凶, 上慰寡人之心, 次釋三韓之憤. 然後, 共補不逮, 有望於將來, 永言自新, 幾無於二過. 所有悔過曰責之詔, 布告中外, 咸使聞知".

[某日, 元帥富軾慮後軍寡弱, 夜, 密送步騎一千以益之. 昧爽, 賊渡馬灘紫浦, 直衝後軍, 燒營突進. 僧冠宣應募從軍, 荷大斧, 先出擊賊, 殺十數人, 官軍乘勝. 大破之, 斬首三百餘級. 賊皆蹂躪, 赴江溺死, 獲兵船·甲仗甚多. 賊勢頓挫. 時軍師野屯數月, 方春夏之交, 恐水潦洊至, 爲賊所襲, 議築城, 按甲不戰, 州鎭兵, 番休就農, 欲以持久伺便. 議者皆曰, "西賊兵少, 擧國興師, 當指日平蕩, 數月不決, 尙爲稽緩, 況築城自固, 不亦示弱乎?". 富軾曰, "城中, 兵食有餘, 人心方固, 攻之難克, 不如好謀而成, 何必疾戰, 多殺人乎?". 遂定計, 以北界州鎭, 南西近道軍人, 分隷五軍, 各築一城. 又於順化縣王城江, 各築小城, 數日而畢. 峙兵積穀, 閉門休士. 雖或與

286) 이 詔書의 全文은『동문선』권23, 仁王罪己教書遺詔인데, 양자 사이에 자구의 출입이 있다.

287) 崇德은 中書令 李資謙의 府인 崇德府를 指稱한다.

288) 延世大學本과 東亞大學本에는 土로 되어 있으나, 止가 옳을 것이다(東亞大學 2008년 5책 489面).

賊交兵, 無大勝敗, 或分道攻城, 城高塹深, 雖矢石所及, 多所殺傷, 而官軍亦傷:節要轉載].

[○王遣近臣崔褒抗·員外郎趙碩等, 下詔招諭. 富軾亦遣錄事趙謂榮·金子浩·康羽及僧品先等, 百計開諭, 許以不死, 每獲賊諜及樵蘇者, 皆給衣食遣之. 趙匡等, 自度罪重, 殊無降意, 幸其有外患, 使王師自罷:節要轉載].

[○時金使適至, 賊欲遮剌之以構釁, 官軍知之, 候察甚至, 故賊不敢發. 賊又恐其黨降附, 詐爲我中軍文牒, 示衆曰, "諸軍所俘及降人, 無問老少, 皆殺之". 西賊頗信之. 已而, 聞撫慰降者甚厚, 故賊黨, 稍稍歸順:節要轉載].

[○時有朝臣, 獻議曰, "自古用兵, 當觀形勢, 豈較一時之損傷乎?. 國家, 雖與北朝和親, 而其意難測, 今興師數萬, 彌年不決, 若隣敵乘釁而動, 加以盜賊不虞之患, 何以制之? 請遣重臣, 不計死傷, 剋日破賊, 敢有逗撓者, 以軍法論". 王以示富軾, 富軾奏曰, "北邊之警, 寇賊之變, 不可不憂, 誠如所議. 然, 至於不計死傷, 剋日破賊, 是何不究當今之利害也. 臣觀西都, 天設險固, 未易攻拔. 況城中, 甲兵多而守備嚴, 每壯士先登, 僅至城下, 未有踰城超堞者, 雲梯·衝車,[289] 皆無所用, 童稚婦女, 擲甎投瓦, 猶爲勍敵, 設使五軍, 傳城而攻, 不出數日, 驍將銳士, 盡斃於矢石矣. 賊知力屈, 鼓譟而出, 鋒不可當, 何暇備外虞哉. 今聯兵數萬, 彌年不決, 老臣, 當任其咎. 然, 以邊備之警, 盜賊之變, 不可不慮, 故欲以全策, 勝之, 不傷士卒, 不挫國威耳. 兵固有不期於速勝者. 今以宗社之靈, 明主之威, 妖賊負恩, 行卽殄滅. 願以討賊, 付老臣, 使得以便宜從事, 必破賊以報". 王亦以爲然, 故卒排群議, 而委之:節要轉載].

[庚午26日, 流星出角, 入軫:天文1轉載].

壬申28日, 幸普濟寺.

[癸酉29日晦 流星出南斗, 越房·心, 入左角, 大如木瓜, 長四十尺許:天文1轉載].

[某日, 判冊, "前代宰臣直子, △許良醞丞同正, 內孫, △許令史同正,[290] 外孫, △許

289) 여기에서 雲梯는 城壁을 넘기 위한 兵器이고, 衝車는 城壁을 擊破하기 위한 兵車인데, 『武經總要』前集권10, 攻城法에 說明과 圖面이 수록되어 있다(金虎俊 1012년 59面). 前者에 대해서는 1231년(고종18) 12월 某日 龜州城에서 蒙古軍의 攻擊에 대응한 防禦戰의 脚注에서 보다 구체적으로 설명된다.

290) 令史同正은 亞細亞文化社本에서 史의 마지막 획[末畫]의 印刷가 完全하지 못했는데, 이를 底本으로 했던 木版本의 延世大學本과 東亞大學本에서 令中同正으로 刻字했던 것 같다.

史同正":選擧3蔭敍轉載].

三月[甲戌朔大盡,庚辰], [丁丑[4日], 天狗墜西京:天文1轉載].

乙酉[12日] 遣戶部尙書金仁揆·禮部郎中王昌胤如金, 賀登極.[291)]

[某日, 五軍會, 攻西京城, 不克:節要轉載].

壬寅[29日], 幸現聖寺, 移御壽昌宮.

[是時, 忽一日敵來挑戰, 軍將凡退, 而獨通糧判官朴正明領十餘人禦敵, 敵乃退, 五軍皆稱之, 便爲元帥所奬焉:追加].[292)]

[某日, 中軍佐幕尹彦頤, 始立距堙議,[293)] 爲人所沮, 未得施行. 先是, 中軍以賊糧盡爲策. 然兇黨未降, 日月漸久, 江冰釋盡, 計無所出:列傳9尹彦頤轉載].[294)]

夏四月[甲辰朔大盡,辛巳], 丁未[4日], 以鄭旋淑爲尙書左僕射·鷹揚軍上將軍.

癸丑[10日], 王如安和寺.

[○月行左角南, 隔三尺許. 軫星犯西建星, 隔一寸許:天文1轉載].

乙卯[12日], 禘于大廟[太廟].

[丙辰[13日], 月行心西星, 隔一尺五寸許:天文1轉載].

[丙寅[23日], 朝議大夫·工部尙書·三司使致仕安稷崇卒, 年七十:追加].[295)]

---

291) 金仁揆의 일행은 4월 15일(戊午) 齊의 使臣과 함께 熙宗(亶, 合剌, 阿骨打의 嫡孫)의 卽位를 賀禮하였다.
- 『금사』 권4, 본기4, 熙宗, 天會 13년 4월, "戊午, 齊·高麗遣使賀卽位".
- 『금사』 권60, 表2, 交聘表上, 天會 13년, "四月戊午, 高麗使賀登寶位".

292) 이는 다음의 자료에 의거하였다(從來의 「朴僕射墓誌銘」로 불린 墓誌이다).
- 「朴正明墓誌銘」, "乙卯西京叛, 公以通糧從軍, 咯無毫髮之□, 忽一日挑戰, 軍將凡退, 而公獨領十餘人禦敵, 敵乃退, 五軍皆稱之, 便爲元帥所奬□[焉]".

293) 距堙(거인, 혹은 距闉)은 敵의 城廓을 偵察하거나 攻擊하기 위해 敵의 城壁에 붙여서 축조한 土丘를 가리킨다.
- 『孫子』 권상, 謀攻第3, "… 攻城之法, 爲不得已. 修櫓·轒轀, 具器械, 三月而後成, 距堙, 又三月而後已[注, 距堙者, 踊土稍[土積]高而前, 以附其城也]. …".
- 『孫子十家註』 권3, 謀攻編, "… 攻城之法, 爲不得已. 修櫓·轒轀, 具器械, 三月而後成, 距闉, 又三月而後已[注, 曹公曰, … 距堙者, 踊土積高而前, 以附其城也]. …".

294) 이는 다음의 기사를 轉載하여 變改하였다.
- 열전9, 尹瓘, 彦頤, "昨於乙卯年, 中軍以賊糧盡爲策. 然兇黨未降, 日月漸久, 江冰釋盡, 計無所出, 臣於三月, 始立距堙議, 爲人所沮, 未得施行".

295) 이는 「安稷崇墓誌銘」에 의거하였는데, 이날은 율리우스曆으로 1135년 6월 6일(그레고리曆 6월

[五月[甲戌朔小盡,壬午], 戊寅[5日], 流星出璧[壁], 入危:天文1轉載].
[庚子[27日], 大風雨, 拔木:五行3轉載].
[某日, 以尹彦植爲殿中監·知西北面兵馬事:追加].[296]

六月癸卯朔[小盡,癸未], 王如奉恩寺.
[戊申[6日], 流星出河鼓, 入牽牛:天文1轉載].
己未[17日], 宋遣廸功郎吳敦禮來曰, "近聞西京作亂, 倘或難擒, 欲發十萬兵, 相助".
[癸亥[21日], 流星出天弁, 入南斗:天文1轉載].
[某日, 以[試禮賓主簿]尹彦旼爲權知閤門祗候:追加].[297]

[夏某月, 以兵部郎中金永錫, 充史館修撰官, 尋試太府少卿:追加].[298]

秋七月[壬申朔大盡,甲申], 庚寅[19日], 移御仁德宮.
丁酉[26日], 慮囚.
[戊戌[27日], 流星出天關, 入五車東北星. 月犯軒轅太后宗星, 隔五寸許行:天文1轉載].
[某日, 以金永錫爲慶尚道按察使:慶尙道營主題名記].

八月[壬寅朔小盡,乙酉], 壬子[11日], 御天成殿, 召兩府大臣及侍從官, 侍坐, 命翰林學士鄭沆讀唐鑑.
戊午[17日], 移御壽昌宮.

九月[辛未朔小盡,丙戌], 壬申[2日], 幸普濟寺.
乙亥[5日], [宋]吳敦禮還, 王附奏曰, "西京之賊, 已殲渠魁, 餘黨嘯聚, 據險自固. 欲速攻破, 慮多殺傷, 按兵圍城, 以待其降, 賊勢日窘, 破在朝夕. 竊念, 海外少邦, 邊鄙細故, 豈足上煩威靈, 故不敢控告. 今特遣使, 問助兵可否, 雖上感大朝字小之意,

13일)에 해당한다.
296) 이는 「尹彦植墓誌銘」에 의거하였다.
297) 이는 尹彦旼(尹瓘의 子)의 묘지명에 의거하였다.
298) 이는 「金永錫墓誌銘」에 의거하였다.

但理有不便, 難以承當. 況海洋萬里, 險不可測, 天兵東下, 恐非便宜, 所下指揮, 乞行追寢".

丁丑[7日], 王如安和寺.

癸巳[23日], [立冬]. 遣文承美·盧顯庸等賫牒, 如宋.

[是月, [普濟寺住持兼瑩原寺住持·大禪師]坦然, 詣瑩原寺:追加].[299]

冬十月[庚子朔大盡,丁亥], 丙午[7日], 遣戶部郎中康福興如金, 謝賀生辰.

己酉[10日], 移御仁德宮. 幸法王寺, 設百高座道場, 仍命內外齋僧三萬.

癸丑[14日], 幸外帝釋院. 移御壽昌宮.

[□□[~~是月~~], 西京城中糧匱, 簡老弱, 驅出之. 戰卒, 往往出降. 富軾知有可取之狀, 命諸將, 將起土山, 先於楊命浦山上, 竪柵列營, 移前軍據之. 發州縣卒二萬三千二百·僧徒五百五十人, 築土山. 分命將軍義甫等四人, 將精卒四千二百及北界州鎭戰卒三千九百, 爲遊軍, 以備剽掠:節要轉載].

[→[金]富軾, 以城險不急攻, 列營持久. 城中糧盡, 驅出老弱者. 富軾知可取狀, 築土山, 設砲機爲攻具:列傳40妙淸轉載].

十一月[庚午朔小盡,戊子], 癸酉[4日], 以[樞密院副使]韓惟忠爲禮部尙書·同修國史,[300] 李仲爲工部尙書·知制誥, 又以[守司空·尙書右僕射]林景淸△[爲]守司空·尙書左僕射·樞密院使·判三司事, 仍令致仕. [時, 左常侍[~~左散騎常侍~~]李仲·中書舍人李之氐上疏曰, "虎兕出於押, 龜玉毁於櫝, 是誰之過, 西賊之謀, 久矣. 一二大臣, 非獨不防閑, 反信其謀, 而張之, 致有今日之亂, 請賜明斷, 誅其黨人". 蓋指[門下侍郎平章事]文公仁·林景淸輩也. 景淸, 由是致仕:節要轉載].[301]

[某日, 五軍就前軍屯所, 起土山, 跨楊命浦, 抵賊城西南隅, 晝夜督役. 賊大驚, 日以精兵出戰, 又於城頭, 設弓弩·砲石, 盡力拒之. 官軍隨宜捍禦, 鼓譟攻城, 以分

---

299) 이는 「山淸斷俗寺大鑑國師塔碑」에 의거하였다.

300) 이때 韓惟忠은 樞密院副使로서 禮部尙書를 兼職하게 되었던 것 같다. 곧 그는 1133년(인종11) 4월 4일(己丑) 추밀원부사에 임명되었고, 1136년(인종14) 5월 7일에도 추밀원부사로서 開京[上京]의 中軍兵馬使로서 군사를 선발하여 조련하였다. 그렇지만 이때 西京 討伐의 元帥 金富軾의 뜻에 맞지 않아 서경이 함락된 후 西京 中軍兵馬使 某의 탄핵을 받아 忠州牧使로 좌천되었다(韓惟忠墓誌銘).

301) 이와 같은 기사가 열전8, 李之氐에도 수록되어 있으나 자구에 출입이 있다.

賊勢, 又有僑人趙彥獻計, 制砲機,[302] 置土山上, 其制高大, 飛石重數百斤, 城樓糜碎, 繼投火毬, 焚之. 賊不敢近, 土山高八丈, 長七十餘丈, 廣十八丈, 去賊城數丈. 五軍攻城, 不克, 錄事朴光儒死之:節要轉載].[303]

[→十一月, 諸軍就前軍屯所, 起土山, 跨楊命浦, 抵賊城西南隅. 晝夜督役, 賊驚駭, 以銳士出戰, 又於城頭, 設弓弩·砲石, 盡力拒之. 官軍隨宜捍禦, 鼓譟攻城, 以分賊勢. 有僑人趙彥獻計, 制砲機, 置土山上. 其制高大, 飛石重數百斤, 撞城樓糜碎, 繼投火毬, 焚之, 賊不敢近. 土山高八丈, 長七十餘丈, 廣十八丈, 去賊城數丈. 富軾會五軍攻城, 又不克, 錄事朴光儒死. 賊夜分軍爲三, 出攻前軍營, 富軾令僧尙崇, 荷斧逆擊, 殺十餘人, 賊兵奔潰. 將軍于邦宰·金叔·積先·金先·權正均~~權正鈞~~等,[304] 率兵追擊之, 賊棄甲入城:列傳11金富軾轉載].

[→至十一月, 中軍於揚命門, 始作距堙, 令知兵馬使池錫崇, 與臣彥頤等, 遞番到彼, 撿視積土多少. 計至數月, 可附到城上. 臣又與前軍使陳淑, 議定火攻, 令判官安正修等, 作火具五百餘石. 越九日早晨, 以趙彥所制, 石砲投放, 其焰如電, 其大如輪. 賊初亦從而滅之, 至日暮, 火氣大盛, 賊不得救. 通夜打放, 其揚命門幷行廊僅二十間, 及賊所積土山, 悉皆焚盡:列傳9尹彥頤轉載].

己卯[10日], 以[知樞密院事?]任元濬爲吏部尙書, 金富儀爲刑部尙書·寶文閣大學士.

[辛巳[12日], [城壁]並潰, 人馬可以出入. 臣[尹彥頤]卽至中軍, 具陳本末, 請及時攻擊, 無使賊設備, 人有忿然以爲不可者, 臣亦作氣力爭:列傳9尹彥頤轉載].

[癸未[14日], [尹彥頤]又至前軍, 議急擊可破, 人人皆曰, "候積土畢, 方可攻. 賊已於前所, 設木柵以禦", 臣懇請急攻, 猶未之決:列傳9尹彥頤轉載].

甲申[15日], 遣員外郞郭東珣如金, 賀正.[305]

[乙酉[16日], 月食:天文1轉載].[306]

---

302) 砲機는 石彈, 泥彈을 發射하여 城壁을 파괴하거나 人命을 살상하는 武器[投石機]로 추측된다(→고종 18년 9월 3일의 脚注). 이를 『武經總要』前集권12, 守城에 수록된 雙梢砲, 七梢砲에 비정하는 견해도 있다(金虎俊 2012년 60쪽).

303) 여기에서 사용된 弓弩와 砲石(投石機와 石彈)은 1032년(덕종1) 10월 某日의, 1231년(고종18) 9월 3일의 脚注에 각각 간단히 설명되어 있다.

304) 權正均은 權正鈞의 誤字일 것이다.

305) 郭東珣은 다음 해 正旦에 賀禮하였던 것 같다.
- ·『금사』 권4, 기4, 熙宗, 天會 14년 1월, "己巳朔, 齊·高麗·夏遣使來賀".
- ·『금사』 권60, 表2, 交聘表上, 天會 14년, "正月 己巳朔, 高麗使賀正旦".

[丙戌17日:追加],[307] 西賊, 夜分軍爲三, 出攻前軍營. 富軾令僧尙崇, 荷斧逆擊, 殺十餘人, 賊兵奔潰. 將軍于邦宰等五人, 率兵追擊之, 賊棄甲入城:節要轉載].

丁酉28日, 遣郎中文公元如金, 賀萬壽節.[308]

十二月己亥朔大盡,己丑, 甲辰6日, 慮囚.

庚戌12日, 太白晝見, 經天.

[○月犯昴星:天文1轉載].

[丙辰18日, 熒惑犯房星. 太白晝見, 經天:天文1轉載].[309]

丙寅28日, 以崔濡△爲守司空·中書侍郎平章事,[310] 中書侍郎平章事任元敱△爲判刑部事, 守司空?金克儉爲尙書左僕射,[311] 任元濬爲樞密院使, 金富儀△爲知樞密院事·知制誥, 李仲△爲同知樞密院事, [權知監察御史梁元俊爲殿中侍御史:追加].[312]

[是月癸亥25日, 金始定齊·高麗·夏朝賀·賜宴·朝辭儀:追加].[313]

[是年, 判㣲, "國學諸生, 四季私試, 通考分數, 直赴科場, 大寒·大熱兩朔, 免試": 選擧2學校轉載].

---

306) 이날 宋과 金에서도 월식이 있었다(『송사』 권52, 지5, 천문5, 月食 ; 『금사』 권20, 지1, 天文, 月五星凌犯及星變). 또 일본의 교토에서도 皆既月食이 있었다. 이날은 율리우스력의 1135년 12월 22일이고, 월식 현상이 심했던 때의 世界時는 8시 58분, 食分은 1.66이었다(渡邊敏夫 1979年 475面).

· 『中右記』, 保延 1년 11월, "十六日, 夜月蝕, 皆既, 帶蝕出東山, 曆道勘文已相葉也, 戌刻復末, 以人間之算術, 知天道之行度, 不可思議之事歟".

307) 이날의 日辰은 戊戌(17日), 또는 丁亥(18日)일 것이다.

308) 文公元은 明年(天會14) 1월 17일(乙酉) 齊·夏의 使臣과 함께 萬壽節을 賀禮하였던 것 같다.

· 『금사』 권4, 본기4, 熙宗, 天會 14년 1월, "乙酉, 萬壽節, 齊·高麗·夏遣使來賀".

· 『금사』 권60, 表2, 交聘表上, 天會 14년 1월, "乙酉, 高麗使賀萬壽節".

309) 12일(庚戌)과 18일(丙辰)의 記事는 『고려사절요』 권10에는 "十二月丙辰, 太白晝見, 經天"으로 축약되어 있다(盧明鎬 等編 2016년 265面).

310) 崔濡는 『고려사절요』 권10에는 崔儒로 되어 있으나 오자일 것이다(盧明鎬 等編 2016년 265面).

311) 이때 金克儉은 尙書左僕射·判工部事에 임명되었던 것 같다(金克儉墓誌銘).

312) 이는 「梁元俊墓誌銘」에 의거하였다.

313) 이는 다음의 자료에 의거하였다. 또 이 시기에 金은 宋使의 班列을 3品에, 高麗使와 夏使의 班列을 五品에 배치하였다고 한다.

· 『금사』 권4, 본기4, 熙宗, 天會 13년 12월, "癸亥25日, 金始定齊·高麗·夏朝賀·賜宴·朝辭儀".

· 『금사』 권38, 지19, 예11, 朝辭儀, "熙宗時, … 定制以宋使列於三品班, 高麗·夏列於五品班".

[○禁奴婢代身僧:刑法2奴婢轉載].

[○以試吏部郞中崔誠爲起居注·吏部郞中充東宮侍讀事:追加].[314]

[○以禪師<u>敎雄</u>爲大禪師:追加].[315]

[○命禪師·月峰寺住持<u>敎雄</u>移住國淸寺, 仍授大禪師, 賜滿繡袈裟一領並官誥一道:追加].[316]

[○命前靈通寺普炤院僧<u>靈炤</u>住錫光敎寺, 年二十一:追加].[317]

丙辰[仁宗]十四年, 金天會十四年, [南宋紹興六年], [西曆1136年]

1136년 2월 4일(Gre2월 11일)에서 1137년 1월 22일(Gre1월 29일)까지, 354일

春正月己巳朔大盡,庚寅, 乙亥7日, 金遣泰州管內觀察使<u>蕭綬</u>來, 賀生辰.

[某日, 以王廷燮爲慶尙道按察使:慶尙道營主題名記].

二月己亥朔小盡,辛卯, 壬寅4日, 設天帝釋道場于明仁殿三日.

[甲寅16日, <u>元帥</u>金富軾至前軍, 悉集五軍僚佐議之, 人人皆執前議. 是日, 賊又築重城, 其勢不可後之. 先是, 池錫崇在軍監役, 與<u>臣</u>尹彦頣意協, 繼有副使李愈·判官王洙·李仁實等八人, 和之. 於是, 元帥始從其議取:列傳9尹彦頣轉載].

丙辰18日, 金遣使來, 告<u>太皇太后</u>喪, 擧國素服三日.[318]

[某日~~丙辰18日~~?, <u>趙匡</u>等, 以我起土山逼之, 欲於城內, 築重城. 元帥富軾聞之曰, "賊雖築城, 何益?". 尹彦頣·池錫崇曰, "大軍之出, 今已二年, 曠日持久, 事變難料, 不如潛師突擊, 破重城, 可以成功". 富軾不聽, 彦頣固請之. 於是, 分銳兵爲三道, 陳景甫等將三千人爲中道, 池錫崇等將二千人爲左道, 李愈等將二千人爲右道, 將軍

314) 이는 「崔誠墓誌銘」에 의거하였다.

315) 이는 「國淸寺住持敎雄墓誌銘」에 의거하였다.

316) 이는 「國淸寺住持敎雄墓誌銘」에 의거하였다.

317) 이는 「靈通寺住持·僧統靈炤墓誌銘」에 의거하였다.

318) 이 기사는 지18, 禮6, 上國喪에도 수록되어 있다. 또 金의 太皇太后 紇石烈氏(太祖妃 欽憲皇后)는 1월 9일(丁丑)에 崩御하였다(『금사』 권4, 본기4, 熙宗, 天會 14년 1월 丁丑). 紇石烈[heshilie]은 部族(後日 姓氏로 바뀜)에서 由來된 複姓으로 金代의 女眞族을 구성하는 중요한 부족의 하나였다. 이는 淸代에 赫舍里氏로, 현재에는 赫氏로 改姓되었다고 한다.

公直以所領兵入石浦道, 將軍良孟亦以所領兵入唐浦道. 又使諸軍分道, 攻城, 以分賊勢. 部分訖, 厚賜軍士. 富軾還抵中軍, 至夜四鼓, 輕騎馳入前軍, 勒諸將, 大擧: 節要轉載].

丁巳19日, [昧爽:追加],[319] 中軍元帥金富軾會諸軍, 攻西京, 城陷, 趙匡自焚死, [賊奔敗, 不能拒逆, 縛僞元帥崔永·副元帥趙匡死屍, 相率出降:追加].[320]

[→丁巳, 昧爽, 景甫軍入楊命門, 拔賊柵, 進攻延正門, 錫崇軍踰城入攻含元門, 李愈軍亦踰城攻興禮門. 富軾以衙兵, 攻廣德門, 賊徒, 以我土山未就, 不設備, 諸軍突至, 惶懼無所措. 元帥富軾與知中軍兵馬事金正純督戰, 將士皆爭奮, 諸軍亦鼓譟, 縱火燒城屋. 賊兵大潰, 官軍乘勝, 恣其斬馘. 富軾令曰, 擒賊者賞, 殺降及剽掠者死, 士皆斂刃而進. 會日暮雨作, 麾兵而却. 生擒及降者, 送順化縣, 飮食之. 是夜, 城中潰亂, 趙匡罔知所措, 闔家自焚死, 郎中維偉侯·彭淑·金賢瑾, 皆縊死, 鄭璇·維漢侯·鄭克升·崔公泌·趙瑄·金澤升, 並自刎. 賊執其魁崔永等, 出降:節要轉載].

[→丁巳, 諸軍,分兵三道, 突入用事, 破如枯竹, 一無留難. 臣尹彦頤於是日, 顓掌中軍, 與判官申至冲·金鼎黃, 將軍權正鈞·房資守, 錄事林文璧·朴義臣等, 密整軍旅, 早至七星門下, 積木火之. 火發然後, 賊覺驚惶, 倉卒不得救, 燒蕩門廊, 計九十七間. 望之虛豁, 擬欲直入, 會天陰雨, 收兵入營:列傳9尹彦頤轉載].

[→仁宗十四年□□二月, 選銳卒萬餘, 分三道進攻, 賊兵大潰. 匡不知所爲, 闔家自焚死, 西都平:列傳40妙淸轉載].

[翼日戊午20日, 曉頭, 賊魁鄭德桓·維緯侯·小官四人, 潛出城, 資守令麾下捕至營. 臣尹彦頤送德桓·緯侯於元帥所, 別令別將金成器等, 率所捕小官二人, 往景昌門, 諭賊, 賊將洪傑出降. 是日, 前軍在廣德舍元門外, 賊尙閉拒, 傑與義臣商議, 捉僞元帥崔永, 仍率二領軍士來歸. 然後, 賊大將蘇黃鱗·鄭先谷·朴應素等文武二十餘人, 相繼來降, 其餘雜類, 不可勝數. 臣尹彦頤遣資守, 領李徵正及降賊徐孝寬, 率兵入城, 封宮闕倉廩府庫, 令徵正守闕, 收其鑰匙六七櫃, 納營. 而聞左軍入自北門, 縱兵發大府太府財帛, 臣尹彦頤遣義臣止之, 不聽. 更遣正鈞得止, 大府太府完. 於是, 臣尹彦頤遣臣男子讓於元帥所, 報以實, 日午, 元帥方至中軍, 更命李仁實·李軾等, 封宮闕倉

319) 이는 『동문선』 권23, 元帥金富軾平西獻捷教書詔書에 의거하였다.

320) 이는 『동문선』 권44, 平西京獻捷表(金富軾 撰)에 의거하였다. 이날은 율리우스曆으로 1136년 3월 23일(그레고리曆 3월 30일)에 해당한다.

廩·府庫, 因具表奏:列傳9尹彥頤轉載].

戊午[20日], [元帥]富軾奉表獻捷.[321)]

[→戊午, 西京降:禮6軍禮轉載].

[辛酉[23日], 富軾入城, 撫慰居民, 遣人, 祠諸城隍神廟. 遣兵馬判官魯洙, 奉表獻捷. 承制, 斬賊魁崔永及大將軍黃麟·將軍德宣·判官尹周衡·注簿金智·趙義夫·長史羅孫彥, 梟首三日. 以分司戶部尙書宋先宥, 自兵興, 稱疾杜門, 掌書記吳先覺, 佯愚不附賊,[322)] 大倉丞鄭聰, 以孝行聞, 皆旌表門閭. 醫學博士金公鼎, 知趙匡謀殺富軾所遣佐郞盧令琚, 密告令避之. 少監韋瑾英, 以有老母, 不能背賊, 與韓儒琯·安德偁·金永年, 僞爲喪輿, 若送葬者, 將出門. 事洩, 瑾英·儒琯, 被榜掠炮烙, 至死, 終不援引, 故德偁·永年等, 免害. 公鼎以下諸人與尹瞻親屬老幼·廢疾者, 皆原之. 其餘兩班竝執送京師下獄, 其勇悍抗拒者, 黥西京逆賊四字, 流海島, 其次黥西京二字, 分配鄕部曲, 其餘分置諸州府郡縣, 其妻子, 聽任便居住, 許爲良人. 趙匡崔永等七人及鄭璇·金信·信弟致, 鄭知常·李子奇·白壽翰·趙簡·妙淸·柳昷·昷子浩·鄭德桓等妻子,[323)] 並沒爲東北諸城奴婢:節要轉載].

[→妙淸·壽翰·知常·昷·匡等妻子, 並沒爲奴婢. ○[鄭]知常, 初名之元, 少聰悟, 有能詩聲. 擢魁科, 歷官至起居注. 人言, "富軾, 素與知常齊名於文字間, 積不平. 至是, 托以內應, 殺之". 知常, 爲詩, 得晩唐體, 尤工絶句. 詞語淸華, 韻格豪逸, 自成一家法:列傳40妙淸轉載].

[→富軾受之下吏, 慰諭軍民老幼婦女, 令入城保家室, 分兵守諸門. 使御史雜端李仁實, 侍御史[·前軍兵馬判官]李軾, □□[監察]御史崔子英, 入城, 封府庫. 又使[知中軍兵馬事]金正純與尹彥頤·金鼎黃, 率兵三千人, 入城, 頓觀風殿, 號令城中, 禁擄掠. 以郞中申至冲爲收拾兵仗使, [殿中]內給事李侯爲百姓和諭安居使, [刑部]員外郞朴正明爲倉庫監檢使, 閤門祗候李若訥爲客館修營使, 錄事崔褎偁·白思淸, 分爲城內左·右巡檢使:節要轉載].

---

321) 『고려사절요』 권10에는 元帥 金富軾이 戰捷을 올린 것이 戊午(20日)가 아니라 辛酉(23日)로 되어 있는데, 후자가 옳을 것이다.

322) 吳先覺에 관한 기사로 다음이 있다.

· 『선조실록』 권111, 32년 4월 甲戌[25日], "弘文館啓曰, … 掌書記吳先覺, 妙淸之亂, 佯愚不附, … 爲其所殺. 萬歷己丑年[宣祖22年], 監司尹斗壽, 皆表而立祠, 權徵繼至, 上聞賜額".

323) 柳浩는 열전11, 金富軾에는 柳浩로 되어 있다(盧明鎬 等編 2016년 267面).

[○諫官彈奏, [門下侍郎平章事]文公仁薦用妙淸等, 以至誤國, 流毒生靈. 於是, 左遷公仁△[爲]守太尉·判國子監事:節要轉載].[324]

[史臣曰, 公仁爲宰相, 首薦憸人, 以至誤國. 又不從富軾之言, 薄待尹瞻, 卒使垂降之賊復叛, 罪固大矣. 而止於左遷, 罰亦輕矣:節要轉載].

[某日, 制, "同宗支子及遺棄小兒, 三歲前節付收養者,[325] 爲收養父母, 並服三年喪. 遺棄小兒仍繼其姓, 同宗支子爲親父母期年. 異姓族人之子收養者, 服喪之制, 禮雖無據, 恩義俱重, 不可無服, 其令服大功九月四十九日":禮6五服制度轉載].

丙寅[28日], 幸長源亭.

丁卯[29日晦], 遣殿中監尹彥植·左司諫崔允義[崔允儀]如金, 弔祭.[326]

三月[戊辰朔[大盡,壬辰], 衆星自東北, 流西南:天文1轉載].

己巳[2日], 遣左承宣李之氐·殿中少監林儀,[327] 下詔, 奬諭征西將帥, 賜[元帥]金富軾衣服·鞍馬·金帶·金酒器·香藥, [知中軍兵馬事]金正純金帶,[328] 四軍兵馬使·副·判官以下, 銀絹·綾羅, 有差. 西京內外老疾·幼弱·不能自存者, 量給米賙恤, 又按行城內外寺院·祠墓, 曾經破毁者, 並令修葺.

[→三月, 王遣左承宣李之氐·殿中少監林儀, 賜富軾衣服·鞍馬·金帶·金酒器·銀藥合, 詔曰,[329] "逆雛趙匡, 以瑣瑣小醜, 據險陸梁, 逋誅旣久. 非不知乘將卒欲戰之心, 倂力剪除, 俾無遺種, 乃緣西都是始祖□[肇]興業之地, 又念生齒衆多, 皆吾赤子, 不忍一切屠滅之. 故詔命開慰[開諭], 至于再三, 庶幾□□[臣等]易心歸順, 以體朝廷矜恤

---

324) 諫官이 文公仁을 탄핵한 것은 열전38, 文公仁에도 수록되어 있다.

325) 여기에서 節付는 적절한 漢語가 아니기에 卽付로 읽어지고[讀] 있다(孫曉 等編 2014年 2041面).

326) 이 기사는 지18, 禮6, 上國喪에도 수록되어 있다. 또 尹彥植은 3월 30일(丁酉) 弔問하였던 것 같다. 또 崔允義는 崔允儀의 오자인데, 『고려사절요』 권10과 지18, 禮6, 上國喪에는 옳게 되어 있다.
· 『금사』 권4, 본기4, 熙宗, 天會 14년 3월, "丁酉, 高麗遣使來弔".

327) 이때 李之氐는 文林郞·樞密院右承宣·吏部侍郞·知制誥·賜紫金魚袋였고, 林儀는 徵事郞·殿中少監·知尙書兵部事·賜紫金魚袋였다(『동문선』 권23, 奬諭征西元帥金富軾敎書[詔書]).

328) 이때 金正純에게 내린 詔書가 『동문선』 권23, 奬諭征西都知兵馬□[使]金正純敎書[詔書]이다.
· 열전11, 金正純, "仁宗朝, 西京反[叛], 以都兵馬□[副]使, 從金富軾, 討平之. 授樞密院左副承宣, 賜金帶. 下詔奬諭曰, 昔唐近臣守謙以偏將, 從事於裵度幕下, 助平淮蔡, 以今觀之, 無愧前輩".

329) 이 詔書는 『동문선』 권23, 奬諭征西元帥金富軾敎書[詔書](鄭沆 撰)를 크게 縮約한 것이기에 兩者를 함께 읽어야 할 것이다. 添字는 이에 의거하였다.

之典, 此卿之所具知也. 自從元惡妙淸等見殲於帳下之後, 岊嶺失策, 賊情一變, □~~卌~~戡定之功, 似不可一二日期也. 卿以文武之才, 都將相之任, 寬得士心, 沉機妙物, 凡所制禦之術~~凡所臨賊制禦之術~~, □□□□~~不煩諮問~~, 已定於胸中~~已熟於胸中~~. 始築城寨~~始而排築城寨~~, 以休□~~養~~士卒, 終起土山, 以壓賊壘, □□□□~~大軍突入~~, □□□□~~巢穴皆空~~, 卒使逆類, 望風自潰, 束手出降. □□~~已而~~不頓一戈, 下全城於反掌, 決不踰時, 收萬世之偉績, 非卿□□□□~~持明果毅~~萬全之策, 不能至此:列傳11金富軾轉載].

癸未16日,　以金富軾[爲輸忠定難靖國功臣·:節要轉載]檢校太保·守太尉·門下侍中·判尙書吏部事.[330]

乙酉18日, 以陳淑爲禮部尙書·同知樞密院事兼太子賓客.

[丙戌19日, 月犯南斗:天文1轉載].

夏四月己亥朔~~戊戌朔~~大盡,癸巳, 還御壽昌宮.[331]

庚子3日, 門下侍中金富軾凱還, 王謁景靈殿, 告平西賊. [賜富軾甲第一區.[332] ○省西京官僚, 又分京畿四道, 置江東·江西·中和·順化·三登·三和六縣:節要轉載].[333]

---

330) 이때 金富軾은 檢校太保·守太尉·門下侍中·判尙書吏部事·監修國史·上柱國兼太子太傅에 임명되었던 것 같다(『동인지문사륙』 권7 : 『동문선』 권29, 宰臣金富軾讓恩命不允 ; 권34, 謝門下侍中表 ; 열전11, 金富軾).

331) 이해의 4월의 朔日은 宋曆과 日本曆에서 戊戌이고, 己亥는 2일이다. 3月이 戊辰朔이고 大盡이므로 己亥가 4월의 朔日이 될 수 없으므로 己亥朔은 戊戌朔의 잘못이다(곧 四月己亥朔이라면 3월은 31일로 구성된다).

332) 이 구절은 지18, 禮6, 軍禮 ; 열전11, 金富軾에도 수록되어 있다.

333) 이와 관련된 기사로 다음이 있다.

- 지12, 지리3, 西京留守官平壤府, "仁宗十三年, 西京僧妙淸及柳旵, 分司侍郞趙匡等叛, 遣兵斷岊嶺道. 於是, 命元帥金富軾等, 將三軍, 討平之. 除留守·監軍·分司御史外, 悉汰官班, 尋削京畿四道, 置六縣".
- 지12, 지리3, 江東縣, "仁宗十四年, 分京畿爲六縣, 以仍乙舍鄕·班石村·朴達串村·馬灘村, 合爲本縣, 置令, 仍爲屬縣, 後屬於成州".
- 지12, 지리3, 江西縣, "仁宗十四年, 分京畿爲六縣, 以梨岳·大垢·甲岳·角墓·禿村·甑山等鄕, 合爲本縣, 置令, 仍爲屬縣".
- 지12, 지리3, 中和縣, "仁宗十四年, 分京畿爲六縣, 以荒谷·唐岳·松串等九村, 合爲本縣, 置令, 仍爲屬縣".
- 지12, 지리3, 順和縣, "仁宗十四年, 分京畿爲六縣, 以楸子島·櫻遷村·龍坤村·禾山村, 合爲本縣, 置令. 仍爲屬縣. 後屬於祥原".
- 지12, 지리3, 三和縣, "仁宗十四年, 分西京畿爲六縣, 以金堂·呼山·漆井三部曲, 合爲本縣, 置令".
- 지12, 지리3, 三登縣, "仁宗十四年, 分西京畿爲六縣, 以成州所屬新城·蘿坪·狗牙等三部曲, 合爲

[→平西京, 仍置留守使:百官2西京留守官轉載].

[→命兩府大臣, 議西京官班沿革, 監軍·分司御史臺, 並仍舊, 其餘官, 並省之:百官2西京留守官轉載].

丁未[10日], 王如安和寺.

五月[戊辰朔小盡,甲午], 甲戌[7日], 中軍兵馬使奏, "樞密院副使韓惟忠, 不顧國家安危, 凡兵機, 動輒防遮. [寶文閣直學士尹彦頤, 與鄭知常, 深相結納, 罪不可赦". 於是:節要轉載], 貶□□[~~惟忠~~]忠州牧使,[334] [彦頤梁州防禦使:節要轉載].[335]

己卯[12日], 以西京平, 赦, 詔曰, "朕聞, 古典云, 無赦之國, 刑必平.[336] 然今國家灾厄之所致, 實由朕之不德. 西都人無故犯順, 不得已行師問罪, 勞弊甚重, 殺傷人命, 亦不少矣. 由是, 夙夜恐懼, 不敢遑寧, 庶幾優渥之澤, 普被於民, 咸與惟新, 以格善祥.

□一. 其犯大辟以下, 悉皆原之.

□一. 從軍將卒有功者及陣亡者, 依丁亥年[睿宗2年]論賞.

□一. 兩京館驛吏, 賜復一年.

[□一. 諸州縣兵築城者, 水軍轉輸軍餉者, 賜今年田租之半:食貨3恩免之制轉載].

□一. 侍御史金阜·內侍黃文裳·校尉盧資挺奉命, 陷賊見害, 賜其子爵一級, 無子賜姪壻一人.

□一. 尹瞻·韋瑾英在城中, 不與賊同謀, 見殺, 賜其子爵一級".

[又詔曰, "昔鄭莊公, 置姜氏于城穎[~~城穎~~], 誓之曰, '不及黃泉, 無相見也', 既而悔之, 復爲母子如初.[337] 今外舅李氏雖歿, 而親親之意, 終不可忘. 可贈檢校太師·漢

本縣, 置令".

334) ~~添字~~는 『고려사절요』 권10에 의거하였다.

335) 이때의 사정은 『동문선』 권35, 廣州謝上表(尹彦頤 撰)에 잘 서술되어 있다. 또 이때 尹彦頤와 함께 審問받은 金精은 7개월 후에 顯官에 復職하였고, 左遷된 韓惟忠은 3년 후에 復職하였다고 한다(尹彦頤의 廣州謝上表→의종 18년 是年條에 수록됨).

· 열전9, 尹彦頤, "妙淸叛, 詔以金富軾·任元敱爲帥, 彦頤爲佐討之. 先是, 瓘奉詔撰大覺國師塔碑, 不工, 其門徒密白王, 令富軾改撰. 時瓘在相府, 富軾不讓遂撰, 彦頤心嗛之. 一日, 王幸國子監, 命富軾講易, 令彦頤問難. 彦頤頗精於易, 辨問縱橫, 富軾難於應答, 汗流被面. 及彦頤爲幕下, 富軾奏, 彦頤與鄭知常, 深相結納, 罪不可赦. 於是, 貶梁州防禦□[使]".

336) 이 구절은 『中說』 권1, 王道篇, "[文中]子曰, 無赦之國, 刑必平"을 인용한 것이다.

337) 이 구절은 다음의 자료에서 따온 것인데, 城穎은 城潁(現 河南省 許昌市 襄城縣)으로 고쳐야 옳게 될 것이다.

陽公, 妃崔氏, 封卞韓國大夫人":節要轉載].

[→後三年, 召還其妻. 久之, 下詔曰, "昔鄭莊公, 置姜氏于城潁城潁, 誓曰, '不及黃泉, 無相見也.' 旣而悔之, 復爲母子如初. 秦皇迎遷母於雍, 而入咸陽, 復居甘泉. 此二君, 忘母氏之舊惡, 致人子之孝意, 朕甚慕焉. 今外舅雖沒, 而親親之意, 終不可忘. 可贈檢校太師漢陽公, 妻崔氏可封卞韓國大夫人":列傳40李資謙轉載].

[○又詔曰, "廏焚, 孔子曰, '傷人乎?' 不問馬.[338] 此聖人貴人賤畜之義也. 今法官論殺牛, 准殺人之罪, 鈒而配島, 此非律文本意. 自今以本罪, 罪之":節要轉載].[339]

[壬午15日, 月食:天文1轉載].[340]

六月[丁酉朔大盡,乙未, 淸州, 平地水涌, 漂流人家百有八十:節要·五行1水潦轉載].

戊戌2日, 王如奉恩寺.

辛亥15日, [大暑]. 慮囚.

己未23日, 太白晝見, 經天.

[是月頃, 以權適爲西京副留守, 咸有一爲留守錄事:追加].[341]

[七月丁卯朔小盡,丙申, 戊辰2日, 松岳安和寺小鍾, 自鳴:五行1鼓妖轉載].

[庚寅24日, 流星出華盖, 入文昌:天文1轉載].

[辛卯25日, 流星出津星, 入箕, 大如椀, 長七尺. 又流星出河鼓, 入南斗, 大如椀, 長二十尺許:天文1轉載].

[某日, 以元偆爲慶尙道按察使:慶尙道營主題名記].

[某日, 國子司業林光爲中書舍人:追加].[342]

· 『春秋左氏傳注疏』 권1, 隱公 1년, "九月, 及宋人盟于宿, 始通也. … [遂寘姜氏于城潁, 而誓之曰, '不及黃泉, 無相見也'. 旣而悔之. … 遂爲母子如初]".

338) 이는 『論語』, 鄕黨第10, "廏焚. 子退朝. 曰, '傷人乎?' 不問馬"에서 따온 것이다.

339) 이 기사에서 今法官 以下는 지39, 刑法2, 恤刑에도 수록되어 있다.

340) 宋에서는 하루 전인 辛巳(14일)에 月食이 있었다고 한다. 또 일본의 교토에서도 辛巳(14일)에 월식이 있었다고 한다. 이날은 율리우스력의 1136년 6월 16일이고, 월식 현상이 심했던 때인 15일(辛巳)의 世界時는 20시 36분, 食分은 1.24이었다(渡邊敏夫 1979年 476面).

· 『송사』 권52, 지5, 천문5, "紹興六年 五月 辛巳, 月食于南斗".

341) 이는 다음의 자료에 의거하였다.

· 「咸有一墓誌銘」, "乙卯歲, 西都構亂, 以胥吏從軍有功, 踰年事定, 爲西京留守錄事. 時副留權公適儒雅大人也, 嘉其淸節信任无疑".

八月[丙申朔大盡,丁酉], [辛丑[6日], 歲星入輿鬼:天文1轉載].

[癸卯[8日], 月犯鎭星:天文1轉載].

乙卯[20日], 幸長源亭.

[是月, 中書門下奏, "國學諸生, 行藝分數, 十四分以上, 直赴第三場, 十三分以下, 四分以上, 赴詩·賦場":選擧1科目轉載].

九月[丙寅朔小盡,戊戌], [庚午[5日], 太白犯大微[太微]:天文1轉載].

乙亥[10日], 遣金稚規[金稚珪]·劉待擧如宋明州,[343] 牒云, "伏審, 近商客陳舒, 賫到公憑, 今來夏國差到使人, 欲同使臣, 前去高麗議事, 差遣陳舒往高麗, 於本國掌管事務官處, 密諭此意, 仍取回報前來. 惟三韓, 自漢唐以來, 世事中原, 易其衣裳, 習其禮義. 况我祖宗, 內附二百年于玆, 受累聖待遇之恩, 至深至厚, 豈不欲一心, 以守藩臣之度哉. 而與金國, 疆域相接, 不得已請和, 設聞遣使, 與夏人偕來議事, 必爲陰與爲謀, 因此猜怒, 兵出有名, 則小國成敗, 未可得知. 若微我爲之藩屛, 則淮浙之濱, 與金爲隣, 固非上國之利也. 又上國因興師, 取道於我, 則彼亦由此以行, 然則沿海諸縣, 必警備之不暇矣. 頃楊尙書[楊應誠]至, 只欲與彼講好, 非有兵革之事, 尙不能副稱使旨, 至今擧國待罪者, 豈有他哉. 其勢, 如前所陳耳. 伏望執事, 熟計之, 無使小國, 結怨於金, 上國亦無唇亡齒寒之憂, 幸甚".

○宋明州回牒, 略云, "奉行在樞密院箚字, 奏勘會, 昨遣吳敦禮賫詔書, 兼令商人陳舒前去, 差緣朝廷, 自祖宗以來, 眷待諸國, 恩義甚厚, 至靖康兵火之後, 使命稍艱. 近者, 夏國密使, 到都督行府, 因遣敦禮, 講明舊好. 且聞, 彼與金切隣, 因臣使往來, 當得兩宮[徽宗·欽宗]安問耳. 至興兵應援, 假途徂征, 皆敦禮等, 專對之辭, 非朝廷指授, 宜深見諒, 無致自疑".

---

342) 이는 「林光墓誌銘」에 의거하였다.

343) 金惟珪(金稚規)는 宋側의 자료에는 金稚圭로 표기되어 있으며(『三餘集』 권3, 又箚子 ; 『歷代名臣奏議』 권348, 四裔), 이 시기에 宋에 파견된 金稚圭(金惟珪)와 같은 인물로 추정된다.
- 「金惟珪墓誌銘」, "主上欲□[修?]好中□[華?]□人所使, 君爲衆所薦奉使, 卽入中朝, 踰年復命, …". 이 묘지명은 刻字 또는 判讀에서 어떤 문제가 있을 것이다. 또 그는 仁宗代에 延州分道將軍이 되어 延州人 玄德秀를 開京으로 데리고 돌아와 교육시킨 金稚圭로 추측된다.
- 열전12, 玄德秀, "玄德秀, 延州人. 鐵面犀骨, 有膽略. 以意氣自高, 言語夸大, 人或譏之. 幼聰悟異常, 延州分道將軍金稚圭, 見而奇之, 携至京. 讀書通大義, 善屬文, 屢擧不第, 有疾歸鄕里".

[秋某月, 以試太府少卿金永錫, 兼御史雜端:追加].[344]

冬十月乙未朔大盡,己亥, 遣大府少卿~~太府少卿~~申至冲如金, 謝賀生辰.

辛丑7日, 盜竊元陵顯宗母獻貞皇后皇甫氏祭器, 殺守陵三人.

丙午12日, 幸天壽寺.

[戊申14日, 雷電風雨:五行1雷震轉載].

甲寅20日, 還宮.

丙辰22日, 知樞密院事金富儀卒.[345] [贈金紫光祿大夫·守司空·尙書左僕射·政堂文學·判尙書禮部事·修國史·柱國, 仍遣試將作少監申公英往彼家吊慰:追加].[346] [初, 王在東宮, 富儀選爲府屬, 以文學, 特被眷倚. 及卽位, 擢授翰林學士. 王嘗問以邊事, 對曰, "杜牧言時事云, ~~上策莫如自治~~[347], 宋神宗與文彦博·王安石, 議邊事, 彦博曰, 須先自治, 不可略近勤遠. 安石曰, 彦博言固當. 若能自治, 七十里可以王天下. 孟子曰, 未有千里而畏人者. 今以萬里之天下, 而畏人者, 由不自治也.[348] 今三韓之地, 豈特七十里而已哉? 然□而不免畏人者, 其咎在乎不自先治而已. 又聞良騎野合, 交鋒接矢, 決勝當時, 戎狄之所長, 而中國之所短也. 强弩乘城, 堅營固守, 以待其衰, 中國之所長, 而戎狄之所短也. 當先所長, 以觀其變, 此實今時之急務也. 宜令京城及諸州鎭, 高城深池, 蓄强弩·毒矢·雷石·火箭, 遣使督察主吏, 以賞罰之, 可也. 妙淸, 請營新宮於西京, 富儀上疏, 極言不可. 及妙淸反叛, 出師討之, 富儀乃上平西十策. 其大槩以爲, 西京城險糧足, 不可卒拔, 當以逸待罷, 以計取勝耳". 王嘉納之, ~~以爲左軍帥, 尋知樞密院事~~. 及平西, 皆如其策, 特賜金帶一腰. 爲人, 性坦蕩, 不事家産, 亦未嘗干勢利. 詩文豪逸, 膾炙人口:節要轉載].[349]

---

344) 이는 「金永錫墓誌銘」에 의거하였다.

345) 이날은 율리우스曆으로 1136년 11월 17일(그레고리曆 11월 24일)에 해당한다.

346) 이는 『東人之文四六』 권7(『동문선』 권23), 知樞密院□事金富儀卒,吊其孤에 의거하였다.

347) '上策莫如自治'는 『樊川文集』 권5, 罪言 ; 『신당서』 권166, 열전92, 杜佑, 牧에 수록되어 있다.

348) 이 구절은 다음의 자료를 인용한 것이다. 이에서 孟子의 말은 梁惠王章句下에 수록되어 있으나 '未有千里而畏人者也'가 아니라 '未聞千里而畏人者也'이다.
· 『속자치통감장편』 권238, 神宗, 熙寧 5년 9월 丁未2日, "直龍圖閣文彦博曰, '須先自治, 不可略近勤遠'. 安石曰, 文彦博言, 須先自治, 固當. 若能自治, 卽七十里, 百里, 可以王天下. 孟子曰, 未有千里而畏人者也. 今以萬里之天下, 而畏人, 只爲自來, 未嘗自治故也".

349) 이 내용은 열전10, 金富儀에도 수록되어 있는데, 자구에 출입이 있다. ~~添字~~는 이에 의거하였다.

十一月乙丑朔小盡,庚子, 丙子12日, 移御仁德宮.

○遣少卿李有開如金, 賀正.350)

[己卯15日, 月食:天文1轉載].351)

[乙酉21日, 東京兵庫火:五行1火災轉載].

[戊子24日, 歲星守輿鬼:天文1轉載].

己丑25日, 遣禮部侍郎李仁實如金, 賀萬壽節.352)

[庚寅26日, 先是, 樞密院知奏事鄭沆有疾, 王遣內醫診視. 是日, 疾革, 進知樞密院事·禮部尙書·翰林學士承旨:列傳10鄭沆轉載].

庚寅~~辛卯~~27日, 樞密院知奏事鄭沆卒, [年五十七. 王震悼, 輟朝弔祭, 諡文安:列傳10鄭沆轉載].353) [沆, 性穎悟, 好學, 中第, 爲尙州司錄.354) 州人以年少, 易之, 及臨事善斷, 遂皆嘆服. 久爲內侍, 掌奏事, 出納惟允, 後按察楊廣·忠淸兩道, 時資謙威勢震赫, 競聚斂以媚之, 沆獨不然. 資謙敗, 拜承宣, 勸王讀書, 王之文學日就, 沆有力焉. 及疾劇, 陞知樞密院事, 命下, 翼日卒. 王震悼, 聞其家無擔石之儲, 曰, "三十年近侍, 十一年承制, 貧如是, 可嘉也". 賻之有加, 御筆, 特諡文安:節要轉載].355)

---

350) 李有開는 다음 해 正旦에 賀禮하였던 것 같다.
· 『금사』 권4, 본기4, 熙宗, 天會 15년 1월, "癸亥朔, 齊·高麗·夏遣使來賀", 권60, 表2, 交聘表上, 天會 15년, "正月癸亥朔, 高麗使賀正旦".

351) 宋에서도 己卯(15일)의 월식이 예측되었으나 구름으로 인해 보이지 않았다고 한다(『송사』 권52, 지5, 천문5, 月食). 또 일본의 京都에서도 월식이 있었다고 한다. 이날은 율리우스력의 1136년 12월 10일이고, 월식 현상이 심했던 때의 世界時는 10시 59분, 食分은 0.32이었다(渡邊敏夫 1979年 476面).
· 『中右記』, 保延 2년 11월, "十五日, 今夕月蝕, 七分, 天陰不慥見也, 及深更正現".
· 『台記』 권1, 保延 2년 11월, "十五日己卯, 天晴, 月蝕也, …".

352) 李仁實은 明年(天會15) 1월 17일(己卯) 萬壽節을 賀禮하였던 것 같다. 그렇지만 「李仁實墓誌銘」에는 金에 파견된 사실이 반영되어 있지 않다.
· 『금사』 권4, 본기4, 熙宗, 天會 15년 1월, "己卯, 萬壽節, 齊·高麗·夏遣使來賀".
· 『금사』 권60, 表2, 交聘表上, 天會 14년 1월, "己卯, 高麗使賀萬壽節".

353) 鄭沆은 11월 27일(辛卯) 逝去하였고, 이보다 먼저 그가 病에 걸리자 仁宗이 특별히 通議大夫·知樞密院事·禮部尙書·翰林學士承旨·知制誥에 임명하였으므로(鄭沆墓誌銘), 『고려사』의 편찬에서 오류가 있었던 것 같다. 또 이날은 율리우스曆으로 1136년 11월 22일(그레고리曆 12월 29일)에 해당한다.

354) 尙州司錄은 「鄭沆墓誌銘」에는 尙州牧掌書記로 되어 있는데, 이는 大都護府나 牧의 경우 司錄兼掌書記(7品以上 1人)로 兼職된 것을 각각 略稱으로 기술한 것이다.

355) 이와 관련된 기사로 다음이 있다.
· 지18, 禮6, 諸臣喪, "十一月, 樞密院知奏事鄭沆卒, 王悼甚, 輟朝弔祭. 賻米百石·布二百匹, 御筆

[是月, 判[冊], 凡製述業, 經義·詩·賦, 連卷試取. 凡明經業試選式, 貼經二日內, 初日, 尙書徧業, 貼周易, 周易徧業, 貼尙書, 各十條. 翌日, 毛詩貼十條, 各通六條以上. 第三日以後, 讀大小經, 各十机, 破文兼義理, 通六机. 每義六問, 破文通四机. 又周易徧業, 讀尙書·毛詩·春秋, 各秩一机, 例隨秩插籌. 小經謂業經, 大經禮記.

○凡明法業式, 貼經二日內, 初日, 貼律十條, 翌日, 貼令十條, 兩日並全通. 第三日以後, 讀律, 破文兼義理, 通六机. 每義六問, 破文通四机. 讀令, 破文兼義理, 通六机, 每義六問, 破文通四机.

○凡明筭業式, 貼經二日內, 初日, 貼九章十條. 翌日, 貼綴術四條, 三開三條, 謝家三條, 兩日並全通. 讀九章十卷, 破文兼義理, 通六机, 每義六問, 破文通四机. 讀綴術四机, 內兼問義二机, 三開三卷, 兼問義二机, 謝家三机, 內兼問義二机.

○凡明書業式, 貼經二日內, 初日, 貼說文六條, 五經字樣四條, 並全通, 翌日, 書品, 長句詩一首, 眞書·行書·篆書·印文一窠, 讀說文十机, 內破文兼義理, 通六机, 每義六問, 破文通四机.

○凡醫業式, 貼經二日內, 初日, 貼素問經八條, 甲乙經二條. 翌日, 貼本草經七條, 明堂經三條, 兩日, 各通六條以上. 讀脉經十卷, 破文兼義理, 通六机, 破文通四机. 針經九卷·難經一卷并十卷, 破文兼義理, 通六机, 破文通四机, 又讀灸經, 破文通二机.

○凡呪噤業式, 貼經二日內, 初日, 貼脉經十條, 翌日, 貼劉涓子方十條, 並通六條以上. 讀小經瘡疽論七卷·明堂經三卷, 內兼義理, 通六机. 讀大經針經十机, 內兼義理, 通六机, 又讀七卷本草經二机. 凡地理業式, 貼經二日內, 初日, 貼新集地理經十條, 翌日, 劉氏書十條, 兩日, 並通六條以上. 讀地理決經八卷·經緯令二卷并十卷, 破文兼義理, 通六机, 破文通四机. 讀地鏡經四卷·口示決四卷·胎藏經一卷·謌決一卷并十卷, 破文兼義理, 通六机, 破文通四机. 又讀蕭氏書十卷. 內破文一机.

○凡何論業式, 眞書奏狀, 小貼喫筭. 讀何論十机, 孝經·曲禮各二机, 律前後帙各一机. 凡明經業監試格, 疘丁十二机, 以周易·尙書·毛詩, 各二机, 禮記·春秋, 各三机. 白丁九机, 以周易·尙書, 各一机, 毛詩·禮記, 各二机, 春秋三机. 凡書業監

特諡文安".

· 열전10, 鄭沆, "[仁宗]十四年, 沆有疾, 王遣內醫診視, 疾革, 進知樞密院事·禮部尙書·翰林學士承旨, 命下, 翼日卒, 年五十七. 王震悼, 輟朝弔祭. 聞其家無擔石之儲, 嘆曰, '三十年近侍, 十一年承制, 貧如是, 可嘉也'. 加賻米百碩·布二百匹, 御筆特諡文安".

試, 字說文三十卷內, 白丁三册, 莊丁五册, 各破文試讀, 又令眞書. 凡筭業監試, 白丁, 業經三机, 筭二机, 庒丁, 業經五机, 筭二机.

○凡律業監試, 白丁, 律二机·令三机, 庒丁, 律三机, 令三机.

○凡醫·卜·地理業, 各其本司試選.

○凡諸州貢士, 依前定額數, 若有才堪貢選, 不限其數. 所貢之人, 將申送日, 行鄕飮酒禮, 牲用小牢, 以官物充":選擧1科目轉載].

十二月[甲午朔小盡,辛丑], [庚子[7日], 群烏集靈通寺南嶺, 飛鳴相鬪, 凡五日, 往往, 墮山谷閒而死:五行1轉載].

辛丑[8日], 慮囚.

[癸丑[20日], [開城府]弘化寺大鍾, 自鳴:五行1鼓妖轉載].

[丁巳[24日], 歲星食輿鬼. 流星出攝提, 入氐, 大如炬, 長二丈許:天文1轉載].

庚申[27日], 以[中書侍郎平章事]崔濡爲太子太保, 金克儉·李資德·任元濬並△[爲]參知政事,[356] 陳淑爲兵部尙書·知樞密院事, [[禮賓少卿]文公裕爲黃州牧副使:追加],[357] [[試太府少卿]金永錫爲衛尉少卿·太子典內:追加],[358] [[殿中侍御史]梁元俊爲尙州牧副使:追加].[359]

[是年, 判[制], "無養獄囚徒, 官給贓贖錢, 以饌之":刑法2恤刑轉載].

[○判[制], "私奴婢, 背主, 因而有恨自縊者, 勿罪其主":刑法2奴婢轉載].

[○以[西京副留守]崔梓爲尙書禮部侍郎·左諫議大夫:追加].[360]

[○以[忠州牧副使]張脩爲禮部員外郞·知制誥:追加].[361]

[○以[刑部員外郞]朴正明爲右正言·知制誥, 尋爲羅州牧副使·借郞中:追加].[362]

[增補].[363]

---

356) 이때 金克儉은 守司空·參知政事·太子少師·柱國에 임명되었다(金克儉墓誌銘).

357) 이는 다음의 자료에 의거하였다.

·「文公裕墓誌銘」, "丙辰[仁宗]14[年]冬, 朝廷以淸州考未滿, 以禮賓少卿爲黃州牧副使".

358) 이는 「金永錫墓誌銘」에 의거하였다.

359) 이는 「梁元俊墓誌銘」에 의거하였다.

360) 이는 「崔梓墓誌銘」에 의거하였다.

361) 이는 「張脩墓誌銘」에 의거하였다.

362) 이는 「朴正明墓誌銘」에 의거하였다.

363) 이해의 1월 4일(癸酉) 金이 高麗에 曆日을 下賜하였는데, 이를 賀正使 郭東珣 또는 節日使

丁巳[仁宗]十五年, 金天會十五年, 南宋紹興七年[364], [西曆1137年]

1137년 1월 23일(Gre1월 30일)에서 1138년 2월 11일(Gre2월 18일)까지, 13개월 385일

春正月癸亥朔大盡,壬寅, 己巳7日, 金遣中書舍人吳激來, 賀生辰.[365]
[庚午8日, 天狗墮北方:天文1轉載].
[丁丑15日, 雨木冰:五行2轉載].
[乙酉23日, 雨水. 流星出張, 入天廟:天文1轉載].
[戊子26日, 赤氣發西北方:五行1轉載].
[某日, 以李元美爲慶尙道按察使, 旣而解職, 以李仁實代之:慶尙道營主題名記].[366]

二月癸巳朔大盡,癸卯, [乙未3日, 雨土數日:五行3轉載].
[辛丑9日, 狐鳴壽昌宮中:五行2轉載].
[甲辰12日, 熒惑犯天街:天文1轉載].
戊申16日, 移御壽昌宮.
[辛亥19日, 參知政事金克儉致仕:追加].[367]
[癸丑21日晦, 東界安邊都護府禾登戍兵庫火, 延燒七十餘家:五行1火災轉載].[368]

文公元이 受領하여 귀국하였을 것이다.
·『금사』 권4, 본기4, 熙宗, 天會 14년 1월, "癸酉, 頒曆于高麗".

364) 이해를 紹興 7년으로 표기한 사례도 있다(李公著墓誌銘 ; 秦仲明墓誌銘).

365) 乾文閣待制 吳激(1090~1142, 宋 米芾의 壻)은 前年(天會14) 10월 20일(甲寅)에 高麗王生日使로 결정되었다. 또 吳激은 1103년(숙종8) 6월 5일 고려에 도착했던 北宋의 國信副使 吳拭의 아들이다 이때 그가 지은 것으로 추측되는 시문이 찾아진다(『中州集』 권1, 吳學士激, 雞林書事, 張東翼 1997년 350面).
·『금사』 권4, 본기4, 熙宗, 天會 14년 10월, "甲寅, 以吳激爲高麗王生日使".
·『금사』 권60, 표2, 交聘表上, 天會 14년, "十月甲寅, 以乾文閣待制吳激爲賜高麗生日使".

366) 『경상도영주제명기』에는 "丁巳仁宗15年, 春夏等按察使李元美散, 李仁實"로 되어 있다. 이에서 散은 記錄者가 停職과 같은 어떤 사실을 생략하여 사용했던 言語[略語]의 하나이다. 이에 사용되었던 略語는 仍番(連任), 故(逝去), 散(解職, 明宗 17년의 崔忠獻), 遆(交替) 등이 있다.

367) 이는 「金克儉墓誌銘」에 의거하였다.

368) 禾登戍에 관한 자료로 다음이 있다
·『세종실록』 권155, 지리지, 安邊都護府, "… 禾登戍, 來姓一崔[東州], 入姓四宋[歧城], 金[農壤], 劉·林[霜陰]. … 驛十, …火燈[古作禾登, 在鶴浦縣]".
·『신증동국여지승람』 권49, 安邊都護府, 驛院, "火燈驛, 在府東五十里".

三月[癸亥朔小盡,甲辰], 丁卯[5日], 幸長源亭.

戊辰[6日], 以[中書侍郞平章事]任元敱[爲同德功臣:節要轉載]·檢校太保·守司徒·判秘書省事.

乙亥[13日], 西京地震.

[丁丑[15日], 月犯左角:天文1轉載].

[辛巳[19日], 長源亭延淨寺鍾, 自鳴:五行1鼓妖轉載].

戊子[26日], 賜李信等及第.[369)]

○以任元濬爲中書侍郞同中書門下平章事·判刑部事, [參知政事]李資德△[爲]判戶部事, 康侯顯爲吏部尙書·知門下省事·判工部事.

夏四月[壬辰朔大盡,乙巳], 辛丑[10日], [立夏]. 王如敬天寺.

癸卯[12日], 出御天壽寺.

甲寅[23日], 還宮.

○金稚規[~~金稚圭~~]·劉待擧回自宋. 詔云, "干戈震擾, 老稚轉移, 賴前好之不忘, 憫吾民之久寓, 假舟楫之利, 旣獲以歸返, 廬井之安, 各得其所. 尙慮遺氓之多有, 更煩惠澤以哀斯, 俾涉信潮, 盡離遐嶠. 畫疆而守, 雖有限於封圻, 愛人之心, 諒無分於南北, 有嘉誠節, 深副朕懷".

乙卯[24日], 雨雹.[370)]

五月[壬戌朔小盡,丙午], 乙亥[14日], □□[~~圳旱~~]巷市.[371)]

己卯[18日], 禱雨于廟社.

[壬午[21日], 會巫都省庭, 禱雨:五行2轉載].

己丑[28日], 又祭天禱雨.

庚寅[29日晦], 大雨.

六月[辛卯朔[大盡,丁未], 大雨, 震南郊人馬. 罷散祈雨巫女:五行2轉載].[372)]

---

369) 이와 관련된 기사로 다음이 있다.

· 지27, 선거1, 科目1, 選場, "[仁宗]十五年三月, 同知樞密院事李仲知貢擧, 尙書左丞康滌同知貢擧, 取進士, [~~戊子~~], 賜李信等二十八人及第".

370) 이와 같은 기사가 지7, 五行1, 水, 雨雹에도 수록되어 있다.

371) ~~添字~~는『고려사절요』권10에 의거하였다.

壬辰[2日], 王如奉恩寺.

庚子[10日], 慮囚.

乙巳[15日], 設菩薩戒道場於明仁殿.

秋七月[辛酉朔大盡,戊申], [癸酉[13日], 月犯牽牛:天文1轉載].

丙子[16日], 門下侍中致仕李公壽卒,[373)] [輟朝一日, 諡文忠:列傳8李公壽轉載]. [公壽, 嘗爲西京判官, 睿宗西幸, 公壽供頓, 不擾民, 王嘉之. 及還, 命扈駕, 辭曰, 故事, 旋駕之日, 唯知留一人扈行, 安可要恩, 以撓常典, 王從之. 選軍兵部, 凡十四年, 以稱職聞. 性閎厚勤儉, 然, 吝嗇好佛:節要轉載].

[丁亥[27日], 處暑. 流星出天困, 抵婁, 長十五尺許:天文1轉載].

[某日, 以金咸[金諴]爲慶尙道按察副使, [國子司業]崔諴爲楊廣·忠淸路按察使:慶尙道營主題名記].[374)]

[八月[辛卯朔小盡,己酉],丙申[6日], 日有暈, 赤黃色. ○月犯房星:天文1轉載].

[己未[29日晦], 前巨濟縣令秦仲明卒, 年六十:追加].[375)]

[是月, 京山府判官兼勸農使·文林郞·禮賓主簿金表民, 僊鳳寺住持洪眞, 三重大師壽淸, 天壽寺義學妙觀, 重大師尙玲等立仁同僊鳳寺大覺國師碑:追加].[376)]

---

372) 辛卯에 朔이 탈락되었다.

373) 이날은 율리우스曆으로 1137년 8월 4일(그레고리曆 8월 11일)에 해당한다.

374) 金咸은 金諴의 오자일 것이고, 崔諴은 그의 묘지명에 의거하였다.
· 「金諴墓誌銘」, "凡數年間, 屢被差出, 或以按察副使, 澄淸東南列郡, 或以兵馬副使, 折衝千里, 或以察訪使, 激濁揚淸, 所臨皆有能聲".

375) 이는 「秦仲明墓誌銘」에 의거하였는데, 이날은 율리우스曆으로 1137년 9월 16일(그레고리曆 9월 23일)에 해당한다.

376) 이는 「仁同北三僊鳳寺大覺國師塔碑」 陰記에 의거하였는데, 이 塔碑는 慶尙北道 漆谷郡 北三邑 崇烏3里 山1(金烏山의 山麓)에 있다. 崇烏3里는 筆者의 鄕里이고, 曾祖母(礪山宋氏)의 墓所는 大覺國師塔碑의 後方 稜線 200m에 있다(祖母 全州人 李海春의 生家 先塋).
· 『息山集』別集, 권4, 金烏□[岀], "金烏山, 在一善南四十里. 高麗行南嵩山, 以配大寧[海州]北嵩山. 山極峻嶄巖, 古者因壁爲城, 內有三池一溪".
· 『舫山集』 권1, 訪大覺國師塔碑幷序, "南崇山金烏, 東麓之南折, 而西呀處, 古有仙鳳寺, 寺廢數百年, 今有破塔古礎, 國師塔碑在塔東. 甲子[高宗1年]春, 余讀書于巖寺, 相距無五里, 因訪所謂國師塔碑者, 而讀之. …". 여기에서 巖寺는 金烏山 南麓의 巖穴에 있던 月南寺를 指稱하는 것 같다.

九月[庚申朔大盡,庚戌], 乙丑[6日], 慮囚.

丙寅[7日], 王如安和寺.

丁卯[8日], 出御長源亭.

[是月, 門下省奏, 國學六齋諸生, 各持所講大小經, 升堂, 博士·學諭執經, 升講, 每日不過五人, 每人不過二問, 從容論難, 悟疑辨惑:選擧2學校轉載].

冬十月[庚寅朔小盡,辛亥], 乙卯[26日], 還宮.

閏[十]月[己未朔大盡,辛亥], 戊寅[20日], 設百座道場於宣慶殿三日, 命中外齋僧三萬.

十一月[己丑朔小盡,壬子], 癸巳[5日], 遣兵部員外郞柳昴如金, 謝賀生辰.

庚子[12日], 遣工部員外郞魯洙△△[如金], 賀正.[377)]

[丁未[19日], 流星出軫, 抵庫樓:天文1轉載].

戊申[20日], 遣禮部郞中李亮如金, 賀萬壽節.[378)]

[壬子[24日], 前太子太保李公著卒, 年八十六:追加].[379)]

[甲寅[26日], 流星出天將軍, 入羽林:天文1轉載].

丁巳[29日晦], 靑赤暈貫日. 太白晝見, 經天.

十二月[戊午朔大盡,癸丑], 甲子[7日], 以[中書侍郞平章事]崔濡△[爲]守司徒·太子太傅, 金克儉△[爲]守司空·參知政事·太子少師, 李資德·任元濬△△[並爲]參知政事·太子少保,[380)] 陳淑爲兵部尙書·知樞密院事, 崔溱爲左散騎常侍·樞密院副使·太子賓客, [[衛尉少卿]金永錫爲秘

---

377) 魯洙는 다음 해 正旦에 賀禮하였던 것 같다.
- 『금사』 권4, 본기4, 熙宗, 天眷 1년 1월, "戊子朔, 高麗·夏遣使來賀".
- 『금사』 권60, 表2, 交聘表上, 天眷 1년, "正月戊子朔, 高麗使賀正旦".

378) 李亮은 明年(天眷1) 1월 17일(甲辰) 萬壽節을 賀禮하였던 것 같다.
- 『금사』 권4, 본기4, 熙宗, 天眷 1년 1월, "甲辰, 萬壽節, 高麗·夏遣使來賀".
- 『금사』 권60, 表2, 交聘表上, 天眷 1년 1월, "甲辰, 高麗使賀萬壽節".

379) 이는 「李公著墓誌銘」에 의거하였는데, 이날은 율리우스曆으로 1138년 1월 7일(그레고리曆 1월 14일)에 해당한다.

380) 任元濬은 參知政事를 역임한 후 이해의 3월 26일(戊子) 中書侍郞同中書門下平章事·判刑部事에 임명되었는데, 이때 다시 參知政事에 임명된 사유를 알 수 없다.

書□[省]少監·寶文閣待制:追加].[381)]

壬申[15日], 判國子監事文公仁卒,[382)] [謚忠懿:列傳38文公仁轉載]. [公仁, 舊名公美, 爲人, 雅麗柔曼. 侍中崔思諏以女妻之. 家世單寒, 以壻于貴戚, 恣爲豪奢. 嘗使于遼, 私贈儐者珍玩. 自是, 遼人每於行李, 必援公仁, 徵索無厭, 遂爲鉅弊:節要轉載].

[是年, 復城安戎鎭三百四十九間, 門四, 水口一, 城頭·遮城各一:兵2城堡轉載].
[○以[尙書禮部侍郞·左諫議大夫]崔梓爲尙書兵部侍郞·左諫議大夫:追加].[383)]
[○以[兵卒]申甫純爲隊正:追加].[384)]
[○詔[瑩原寺住持·大禪師]坦然, 還京闕:追加].[385)]
[○以[重大師]觀奧爲三重大師, 尋以共議轉住[天安府管內稷山縣]天興寺:追加].[386)]
[增補].[387)]

戊午[仁宗]十六年, 金天眷元年, [南宋紹興八年], [西曆1138年]

1138년 2월 12일(Gre2월 19일)에서 1139년 1월 31일(Gre2월 7일)까지, 354일

春正月[戊子朔小盡,甲寅], [癸巳[6日], 日暈有珥:天文1轉載].
甲午[7日], 金遣永州管內觀察使杜誼來, 賀生辰.
[某日, 以金靖爲慶尙道按察使:慶尙道營主題名記].
[是月戊子朔, 金改元天眷:追加].

---

381) 이는 「金永錫墓誌銘」에 의거하였다.
382) 文公仁은 門下侍郞平章事·判吏部事로서 冢宰가 되었으나 인종 14년 2월 妙淸의 叛亂에 緣坐되어 守太尉·判國子監事로 左遷되었다(열전38, 文公仁→인종 14년 2월 23일). 이날은 율리우스曆으로 1138년 1월 27일(그레고리曆 2월 3일)에 해당한다.
383) 이는 「崔梓墓誌銘」에 의거하였다.
384) 이는 「申甫純墓誌銘」에 의거하였다.
385) 이는 「山淸斷俗寺大鑑國師塔碑」에 의거하였다.
386) 이는 「修理寺住持·首座觀奧墓誌銘」에 의거하였다.
387) 이해(天會15, 建炎7)에 中原에서는 다음과 같은 일이 있었다.
· 11월 18일(丙午), 金이 傀儡政權인 齊를 崩壞시키고(8年間 存續), 汴京에 行臺尙書省을 설치하여 이 지역을 통치하게 하였다(『금사』 권4, 권77劉豫 ; 『송사』 권28, 권475劉豫 ; 『建炎以來繫年要錄』 권117 ; 『宋史全文續資治通鑑』 권20上)

二月丁巳朔小盡,乙卯, [庚申4日, 春分. 雨土:五行3轉載].

癸亥7日, 遣持禮使·閤門祗候崔洒如金東京.

[○日有暈:天文1轉載].

甲子8日, 設消災道場于明仁殿五日.

[○日有暈:天文1轉載].

乙亥19日, [淸明]. 王如興王寺.

壬午26日, 詔曰, "帝王之德, 謙遜爲先, 故老子曰, 王公自稱孤·寡·不穀.[388] 漢光武詔, 上書不得言聖,[389] 仲尼亦不居仁聖. 而今臣下, 尊君推美, 稱謂過當, 甚不合理. 今後, 凡上章䟽及公行案牘,[390] 毋得稱神聖帝王".

[甲申28日, 歲星犯軒轅. 流星出氐, 入軫:天文1轉載].

三月丙戌朔大盡,丙辰, 戊戌13日, 以知樞密院事陳淑爲右僕射, 知樞密院事李仲爲吏部尙書·判御史臺事.[391]

庚子15日, 慮囚.

○宋商吳迪等六十三人持宋明州牒來, 報徽宗皇帝及寧德皇后鄭氏崩于金.

壬子27日, 賜李大有等及第.[392]

---

388) 이는 다음의 자료에서 따온 것이다.

· 『老子道德經』 권하, 法本三十九, "侯王無以貴高, 將恐蹶. 高貴以賤爲本, 高必以下爲基. 是以侯王公自謂孤·寡·不穀. 此非以賤爲本也. 非乎".

389) 이는 다음의 자료에서 따온 것이다.

· 『후한서』 권1下, 光武帝紀第1下, 建武 7년 3月, "癸亥晦, 日有食之, 詔曰, … 其上書者, 不得言聖".

390) 案牘은 各種 文書[公私文書]를 가리킨다.

391) 이때 李仲은 知樞密院事로서 吏部尙書·判御史臺事를 兼職하였을 것으로 추측된다.

392) 이와 관련된 기사로 다음이 있다. 이때 李大有·閔令謨(열전14, 閔令謨)·兪克諧(兪克諧墓誌銘) 등이 급제하였다(『登科錄』, 朴龍雲 1990년 ; 許興植 2005년). 여기에서 兪克諧(1111?~1281)의 生沒年을 1256?년~1301년(충렬왕27, 70歲 程度)로 추정한 견해가 있지만(金昌賢 2012년), 그의 최종 관직이 檢校軍器監·分司試太府丞이고, 子女들이 散戶部令史, 文林郞·散衛尉寺丞, 將仕郞, 國子進士 등을 띠고 있는 점을 보아 몽골제국의 歷制로 관제가 개혁된 1275년(충렬왕1) 以前의 人物로 추정된다.

· 지27, 선거1, 科目1, 選場, "仁宗十六年三月, 中書侍郞平章事崔濡知貢擧, 尙書右丞李之氐同知貢擧, 取進士, 壬子, 賜李大有等二十九人及第".

· 열전14, 閔令謨, "黃驪縣人, 父懿戶部員外郞. 令謨少好學, 仁宗朝登第, … 初, 令謨赴擧, 所作賦失律, 同知貢擧李之氐欲不取, 知貢擧崔濡曰, 是篇落落, 有不凡之氣, 宜署榜尾. 他日濡謂令謨曰, '爾賦雖不中律, 然其辭有遠大之氣, 爾宜勉之'. 後令謨掌銓注, 擢用濡孫祗元·祗禮". 여

夏四月[丙辰朔小盡,丁巳], 癸亥[8日], 王如興王寺.

丁卯[12日], 雨雹.

[→雷, 雨雹:五行1雷震轉載].

五月[乙酉朔大盡,戊午], 甲午[10日], 幸普濟寺.

庚子[16日], 命有司錄囚, 詔曰, "朕以寡昧, 獲在尊位, 無德享天, 無恩及物. 綱紀日廢, 人民凋瘵, 夙夜祗懼, 不敢遑寧. 願以至誠, 格天地之和氣, 宜令有司, 備物, 致祭國內名山·大川, 自五月十六日昧爽前, 內外大辟以下罪, 悉原之, 前配流者量移. 諸色軍人·雜類, 賜物有差. 令中外官司及按察使等, 揚淸激濁, 救民疾苦. [令有司, 擧淸白守節者":選擧3薦擧轉載].[393]

[→赦, 命中外官, 揚淸激濁, 救民疾苦:節要轉載].

庚戌[26日], 改諸殿閣及宮門名, 御書額號. 會慶殿改宣慶,[394] 乾德改大觀, 文德改修文, 延英改集賢, 宣政改薰仁, 膺乾改乾始, 長齡改奉元, 宣明改穆淸, 含元改靜德, 萬壽改永壽, 重光改康安, 乾明改儲祥, 宴親改穆親, 玄德改萬寶, 明慶改金明, 慈和改集禧, 五星改靈憲, 正陽改肅和, 壽春宮改麗正. 望雲樓改觀祥, 宜春改韶暉. 閶闔門改雲龍, 神鳳改儀鳳, 春德改棣通, 大初改泰定, 會同改利賓, 昌德改興禮, 左右承天改通嘉, 延壽改敦化, 長寧改朝仁, 宣化改通仙, 開慶改皇極, 景陽改陽和, 金馬改延明, 天祐改紫宸, 通天改永通, 安祐改純祐, 興泰改芬芳, 陽春改廣陽, 大平改重明, 百福改保和, 通慶改成德, 東華改麗景, 西華改向成, 永安改興安, 大淸改淸寧, 左·右宣慶改敷祐, 左·右延祐改奉明. 唯慶寧殿·秘書閣, 不改. [是時, 改文德殿大學士·學士爲修文殿大學士·學士, 延英殿大學士·學士爲集賢殿大學士·學士. 文德·延英, 古有大學士·學士, 今隨殿改號:百官1諸館殿學士轉載].[395]

기에서 閔令謨의 父인 閔懿의 墓表는 1634년(仁祖13) 黃海道 平山府 斗城里(現 黃海北道 平山郡 地域)에서 발견되었던 것 같다(『宋子大全』 권164, 高麗僕射閔公神道碑銘幷序, "上世有諱稱道, 仕麗氏爲奉御, 奉御生少保世衡, 少保生公. 公初名慦, 後改以懿, 其曰戶部員外郞·贈檢校尙書左僕射者, 實與墓表相應, 至大明崇禎甲戌[仁祖13年]春, 墓兆始顯, 其表猶可讀.公子令謨, 孫湜·公珪, 皆大官, …").

393) 이는 지29, 선거3, 薦擧, "[仁宗]十六年, 令有司, 擧淸白守節者"를 전재한 것인데, 月次가 없지만 내용을 통해 보면 이때에 내려진 것으로 추측된다.

394) 지10, 지리1, 王京開城府에는 會慶殿이 承慶殿으로 改稱되었다고 되어 있으나 宣慶殿의 오자일 것이다(朴龍雲 1996년 30面).

六月乙卯朔[大盡,己未], 王如奉恩寺.

甲子[10日], 慮囚.

[丙寅[12日], 暴風雨, 普濟寺羅漢堂毁:五行3轉載].

己巳[15日], 睿宗貴妃王氏薨.[396)][王避正殿, 素服三日, 百官亦素服三日. 謚[諡]文貞王后:列傳1仁宗妃文貞王后王氏轉載].

[秋七月[乙酉朔小盡,庚申], 某日, 知御史臺事崔灌·[御史]雜端朴挺蕤·侍御史印毅·崔逑中·安淑等伏閤三日, 論劾樞密使陳淑, 嘗討西京, 受人臧獲寶帶. 不報. 皆杜門不出, 召諭灌等視事. 唯挺蕤·逑中, 固爭不就職. 淑竟免:節要轉載].

[→[朴挺蕤,] 嘗與知御史臺事崔灌·侍御史印毅·崔逑中·安淑等, 論樞密使陳淑, 嘗討西京, 受人奴及寶帶, 伏閤三日, 不報. 皆杜門不出. 仁宗召諭, 令視事, 挺蕤與逑中, 固爭不就職. 淑由是竟免, 挺蕤尋遷右副承宣:列傳11朴挺蕤轉載].

[乙巳[21日], 夜, 乾方有赤氣, 如火:五行1轉載].

[辛亥[27日], 夜, 亦如之[乾方有赤氣]:五行1轉載].

[某日, 以尹誼爲慶尙道按察使:慶尙道營主題名記].

秋八月[甲寅朔[大盡,辛酉], 流星, 一出婁, 入天倉, 一出參, 入天狗:天文1轉載].

乙卯[2日], 以[門下侍中]金富軾△[爲]判禮部事, 李仲△[爲]參知政事·判三司事, 崔溱爲兵部尙書·知樞密院事, 金正純·李之氐□[並]爲樞密院副使,[397)][[秘書省少監]金永錫兼知詹事府事:追加].[398)]

壬戌[9日], 出御興王寺薦福院.

○中書侍郎平章事李資德卒,[399)][年六十八. 輟朝一日, 謚莊懿:列傳8李資德轉載]. [資德, 恭謹孝友, 好學問. 又喜事佛:節要轉載].

---

395) 이는 다음의 기사를 전재하여 적절히 변개하였다. 이에서 十四年은 十六年의 오자일 것이 다(朴龍雲 2009년 237面).

· 지30, 百官1, 諸館殿學士, "仁宗十四年[十六年], 改文德殿爲修文殿, 延英殿爲集賢殿. 文德·延英古有大學士·學士, 今隨殿改號".

396) 이날은 율리우스曆으로 1138년 7월 23일(그레고리曆 7월 30일)에 해당한다.

397) 李之氐는 1개월 전에 朝散大夫·翰林侍讀學士·樞密院右承宣·尙書左丞·知制誥였다(李公壽墓誌銘).

398) 이는 「金永錫墓誌銘」에 의거하였다.

399) 이날은 율리우스曆으로 1138년 9월 14일(그레고리曆 9월 21일)에 해당한다.

戊辰15日, 謁顯宗·文宗眞殿.
[戊寅25日, 寒露. 大風拔木, 暴雨震電:五行3轉載].
[是月, 以裴景誠爲承宣:追加].400)

[九月甲申朔大盡,壬戌, 夜, 赤氣發艮方:五行1轉載].401)
[丙戌3日, 夜, 雷電, 暴雨:五行1雷震轉載].
[癸卯20日, 夜, 雷電, 雨雹:五行1雷震轉載].

冬十月甲寅朔小盡,癸亥, [己未6日, 流星出軍市, 入參. 又角星搖動:天文1轉載].
壬戌9日, 移御國淸寺.
甲子11日, [小雪]. 還新闕. 先是, 以宮闕經火, 命有司葺之. 是日, 百官陳賀, 置酒便殿, 諸王·宰樞·從官, 皆侍, 夜分乃罷.
丁卯14日, 設般若道場於大觀殿三日.
[辛未18日, 大霧:五行3轉載].
[乙亥22日, 日有暈, 內黑外赤:天文1轉載].
[戊寅25日, 雨土:五行3轉載].
[庚辰27日, 大風霧塞:五行3轉載].
[辛巳28日, 赤氣發于艮方:五行1轉載].

十一月癸未朔大盡,甲子, 乙酉3日, 金東京知禮賓司事夏睦來, 報聘.
己丑7日, 遣刑部員外郞金臣璉如金, 謝賀生辰.402)
[某日, 遣使如金, 賀正:追加].403)

---

400) 이는 「裴景誠墓誌銘」에 의거하였다.

401) 甲申에 朔이 탈락되었다.

402) 謝賀生辰使 金臣璉은 12월 22일(甲戌) 金에서 謝禮하고 方物을 바쳤던 것 같다. 이때 金臣璉은 使行의 模範을 보였던 것 같다[膚使].
· 『금사』 권4, 본기4, 熙宗, 天眷 1년 12월, "甲戌, 高麗遣使入貢".
· 『금사』 권60, 表2, 交聘表上, 天眷 1년, "十二月甲戌, 高麗使入貢".
· 「金臣璉墓誌銘」, "戊午歲仁宗16年, 以生晨迴謝使入大金國, 大金人稱爲膚使".
· 『揚子法言』(揚子雲集)권1, 淵騫篇, "… 張騫·蘇武之奉使也, 執節沒身, 不屈王命, 雖古之膚使, 其猶劣諸[李軌注, 膚, 美也], 世稱東方生之盛也"(四庫全書本37左2行).

甲午[12日], [冬至]. 遣考功員外郎劉邦遇△△[如金], 賀萬壽節.[404)]

癸卯[21日], 幸集賢殿, 命[門下侍中]金富軾講易[第26卦]大畜·[第24卦]復二卦, 令諸學士問難, 王執經而聽, 仍賜宴, 夜分乃罷.

十二月[癸丑朔小盡,乙丑], 己未[7日], 以[門下侍中]金富軾△[爲]檢校太師·集賢殿大學士·太子太師,[405)] 崔濡爲門下侍郎平章事, [中書侍郎平章事]任元敱△[爲]檢校太傅, 李仲爲檢校司徒·守司空·尙書左僕射·判戶部事·太子少師, 李之氐爲御史大夫·同知樞密院事, 金正純△[爲]同知樞密院事, [[秘書省少監]金永錫爲試禮部侍郎:追加].[406)]

癸亥[11日], 設消灾道場於明仁殿五日.

[丙寅[14日], 月犯左角. 流星, 一出王良, 入婁, 一出天市, 入南斗:天文1轉載].

[是年, 設[西京]儀曹·兵曹·戶曹·倉曹·寶曹·工曹, 各置令二人八品, 丞二人九品. 八關都監, 置副使一人, 判官一人. 東南面·西北面都監·諸學院, 各置判官一人. 聖容殿, 置直員一人. ○自[仁宗14年]平定西京後, 朝論不一, 或者以謂, 西京根本之地, 且太祖所設 因舊制便. 或者以謂, 西京叛逆之地, 宜一切革故, 如東京之制. 以故久不處置, 至是, 始置此官:百官2西京留守官轉載].

[○判[刪], "八十以上, 及篤疾人, 雖犯殺人, 除杖刑, 配島":刑法2恤刑轉載].

[○某月己酉, 雨雹:五行1].[407)]

[○王妃任氏母李氏卒, 王素服避正殿, 百官表慰, 素衣三日. 贈李氏, 辰韓國大夫人:列傳1仁宗妃恭睿太后任氏轉載].

---

403) 이는 다음의 자료에 의거하였는데, 賀正使 派遣은 『고려사』에서 탈락되었던 것 같다.
· 『금사』 권4, 본기4, 熙宗, 天眷 2년 1월, "壬午朔, 高麗·夏遣使來賀".
· 『금사』 권60, 表2, 交聘表上, 天眷 2년 1월, "壬午朔, 高麗使賀正旦".

404) 劉邦遇는 明年(天眷2) 1월 17일(戊戌) 萬壽節을 賀禮하였던 것 같다.
· 『금사』 권4, 본기4, 熙宗, 天眷 2년 1월, "戊戌, 萬壽節, 高麗·夏遣使來賀".
· 『금사』 권60, 表2, 交聘表上, 天眷 2년 1월, "戊戌, 高麗使賀萬壽節".

405) 이때 金富軾은 開府儀同三司·檢校太師·守太尉·門下侍中·集賢殿大學士·判尙書吏禮部事兼太子太師·監修國史·上柱國에 임명되었던 것 같다(寧邊妙香山普賢寺記 ; 『동문선』 권25, 除金富軾守太保並如故).

406) 이는 「金永錫墓誌銘」에 의거하였다.

407) 原文에는 "仁宗十六年己酉雨雹"으로 某月이 脫落되었으나 前年과 같은 四月일 가능성이 있다(金一權 2007년 256面).

[○以尙書兵部侍郞·左諫議大夫崔梓爲司宰卿·左諫議大夫:追加].[408]

[○以梁州防禦使尹彦頤爲廣州牧使·兵馬鈐轄·管句學事·禮部侍郞, 許令權赴:追加].[409]

[○以侍御史李軾爲廣州牧使:追加].[410]

[○以崔褒抗爲禮部員外郞充史館修撰官:追加].[411]

[○以李文著爲景靈殿判官:追加].[412]

[○賜天興寺住持·三重大師觀奧磨衲袈裟一領:追加].[413]

[○僧覺觀赴大選敎宗選, 優中之, 年十八:追加].[414]

[○僧智偁赴宗選敎宗選, 中之, 年二十七:追加].[415]

[○智異山水精社主津億立水精社記石碑, 國子司業權適撰:追加].[416]

[仁同人 張東翼 校注, 增補].

---

408) 이는 「崔梓墓誌銘」에 의거하였다.

409) 이는 『동문선』 권35, 廣州辭上表 ; 「尹彦頤墓誌銘」에 의거하였다.

410) 이는 「李軾墓誌銘」에 의거하였다.

411) 이는 「崔褒抗墓誌銘」에 의거하였다.

412) 이는 「李文著墓誌銘」에 의거하였다.

413) 이는 「修理寺住持·首座觀奧墓誌銘」에 의거하였다.

414) 이는 「玄化寺住持·僧統覺觀墓誌銘」에 의거하였는데, 覺觀(睿宗의 次妃인 淑妃 崔氏의 所生으로 추정됨)은 18세 때에 僧科에 급제하였다고 한다. 그런데 그의 묘지명에는 當睿廟十五年辛丑十一月九日誕生으로 기재되어 있는데, 睿廟十五年과 辛丑은 相應하지 않는다. 곧 이를 『고려사』의 年代記載方式(踰年稱元法)에 따르면, 睿廟十五年은 睿宗十四年己亥(1119년)이어야 하고 辛丑은 睿宗十六年辛丑(1121년)이어야 한다. 그렇지만 당시의 묘지명의 경우 干支로 표기된 年度가 더 정확하기에 辛丑을 취하여 覺觀이 급제한 시기를 이해[是年]로 판정하였다.

415) 이는 「靈通寺住持·僧統智偁墓誌銘」에 의거하였는데, 覺觀이 이해[是年]에 급제하였다면 智偁과 同年이 될 것이다.

416) 이는 다음의 자료에 의거하였는데, 權適이 前年(紹興7)에 社記를 찬술하라는 명을 받았다고 한다(『동문선』 권64, 智異山水精社記).

· 『秋江集』 권5, 智異山日課(1487년), "… 十月戊寅12日, 海閒要余强留, 余留焉. 食後與海閒·戒澄等下觀五臺寺, 寺前有前朝國子司業權迪水精社記刻在碑石, 時大宋紹興八年仁宗16年也, 水精一名如意珠, 戊子年世祖14年, 盲僧學悅建白奪取, 藏其名~~水精一顆~~洛山寺塔中. 讀碑訖, 入坐樓上, 有僧饋余柿子, 移時還上獅子庵". 여기에서 ~~添字~~(혹은 水精一枚)와 같이 고쳐야 옳게 될 것이다.

· 『세조실록』 권45, 14년 3월 庚辰20日, "承政院奉旨馳書于江原道觀察使金瓘曰, 洛山寺造成時, 聽僧學悅言, 便宜發馬, 其馬文, 令襄陽府使成給".

『高麗史』 卷十七 世家卷十七

[輔國崇祿大夫·議政府左贊成·知集賢殿經筵春秋館成均事·世子賓客·臣金宗瑞奉敎撰]

正憲大夫·工曹判書·集賢殿大提學·知經筵春秋館事兼成均大司成·臣鄭麟趾奉敎修

仁宗 三

己未[仁宗]十七年, 金天眷二年, [南宋紹興九年], [西曆1139年]

1139년 2월 1일(Gre2월 8일)에서 1140년 1월 21일(Gre1월 28일)까지, 355일

春正月[壬午朔大盡,丙寅], 戊子[7日], 金遣高州管內觀察使耶律寧來, 賀生辰.

[庚寅[9日], 日有暈, 色靑白:天文1轉載].

壬辰[11日], 宴金使于大觀殿.

乙未[14日], [雨水]. 幸神衆院.

[某日, 以劉逢爲慶尙道按察使:慶尙道營主題名記].

二月[壬子朔小盡,丁未], 戊午[7日], 大赦, 制曰, "朕承先君之末命, 襲累世之丕基, 德薄任重, 不能制御. 致使權臣跋扈, 灾禍發作於丙午[仁宗4年]二月, 靈聖祠宇·祖宗神御·<u>路寢</u>府庫, 焚盡無遺. 朕俯仰慚兢, 不遑寧處. 今者, 賴天地之陰扶, 臣民之<u>協力</u>[~~協力~~], 重修訖功, 以戊午歲[仁宗16年]冬十月入御, 斯爲慶之莫大. 宜與民而同休, 普推恩澤, 布及中外, 自大辟以下罪, 悉<u>原之</u>".[1)]

[壬戌[11日], 日有暈, 色靑白:天文1轉載].

[甲子[13日], 歸法寺住持·首座<u>玄應</u>入寂:追加].[2)]

---

1) 路寢은 帝王의 正寢, 곧 正殿·正廳을 指稱한다.

· 『毛詩注疏』 권21, 泮水八章, 章八句(魯頌, 閟宮), "路寢孔碩, 新廟奕奕, 奚斯所作". 注疏, "路寢, 正寢也, 新廟, 閔公廟也".

· 『春秋公羊傳註疏』 권9, 莊公 32년 8월, "癸亥, 公薨于路寢. 路寢者, 何正寢也. 公之正居也. 天子·諸侯, 皆有三寢, 一曰高寢, 二曰路寢, 三曰小寢. 父居高寢, 子居路寢, 孫從王父母, 處從夫寢, 夫人居小寢, …".

[丁卯16日, 雨土:五行3轉載].

庚午19日, 宴群臣於大觀殿, 賜馬人一匹.

丙子25日, 幸普濟寺.

三月[辛巳朔小盡,戊辰, 清明. 熒惑犯東井:天文1轉載].

甲申~~丙戌~~6日, 門下侍郎平章事致仕崔思全卒,[3] [年七十三. 輟朝三日, 贈賻加等, 謚莊景. □後配享仁宗廟庭:列傳11崔思全轉載]. [思全, 初, 以醫術進, 諭拓俊京, 去李資謙, 以功, 驟登宰司. 晩年, 自以起寒地, 位極寵溢, 固請致仕. 有二子, 曰弁, 曰烈. 思全, 各賜金罍一具. 及其歿, 妾竊其一, 弁, 怒欲鞭之. 烈曰, "此先君所愛, 當傾家產以恤之, 況此物耶?". 弟所得者尙存, 請以遺兄. 王聞而嘉之曰, "可謂孝且仁矣", 御筆賜名曰孝仁:節要轉載].[4]

辛卯11日, 出御興王寺薦福院.

癸巳13日, 慮囚.

乙巳25日, 召門下侍中金富軾·知樞密院事?崔溱等置酒, 命富軾, 讀司馬光遺表及訓儉文. [王嘆美久之, 曰, "光之忠義如是, 而時人謂之姦黨, 何也". 富軾對曰, "以與王安石輩, 不相能耳, 其實無罪". 王曰, "宋之亡, 未必不由此也":節要轉載].[5]

[是月頃, 中書舍人·國子祭酒林光, □□□□□掌國子監試, 取林景等:選擧2國子試額轉載].

夏四月庚戌朔大盡,己巳, 丁卯18日, 隕霜.[6]

己巳20日, 雨雹.[7]

庚午21日, 還壽昌宮.

---

2) 이는 「歸法寺住持玄應墓誌銘」에 의거하였다(金龍善 2006년 68面). 이날은 율리우스曆으로 1139년 3월 15일(그레고리曆 3월 22일)에 해당한다.

3) 崔思全은 그의 묘지명에 의하면, 3월 6일에 逝去한 것으로 되어 있음을 보아 甲申4日은 丙戌6日의 誤謬일 것이다. 이는 『고려사』의 편찬자가 『인종실록』을 축약할 때 발생한 오류로 추측된다(張東翼 2015년b). 또 이날(6일)은 율리우스曆으로 1139년 4월 6일(그레고리曆 4월 13일)에 해당한다.

4) 崔思全의 墓所는 康津縣[耽津縣] 琵琶山에 있었다고 한다(『蘆沙集』 권26, 耽津崔氏始祖墓碑).

5) 이 기사는 열전11, 金富軾에도 수록되어 있다.

6) 이와 같은 기사가 지7, 五行1, 水, 霜에도 수록되어 있다.

7) 이와 같은 기사가 지7, 五行1, 水, 雨雹에도 수록되어 있다.

五月[庚辰朔小盡,庚午], 甲申[5日], 謁景靈殿.

甲午[15日], 親醮闕庭.

丙申[17日], 幸普濟寺.

[○洪圓寺住持·僧統聽諝入寂, 年八十六, 臘七十五:追加].[8)]

乙巳[26日], 雨雹.

[→雨雹, 大如李梅:五行1雨雹轉載].

丙午[27日], 慮囚.

六月[己酉朔大盡,辛未], 庚戌[2日], 王如奉恩寺.

甲寅[6日], 賜崔伋等及第.[9)]

癸亥[15日], 王受菩薩戒于明仁殿.

戊辰[20日], 慮囚.

[丁丑[29日], 震慈雲坊女:五行1雷震轉載].

[是月, 判[輞], "東堂監試後, 諸徒[私學12徒]儒生, 都會日時, 國子監知會, 使習業五十日而罷. 曾接寺三十日, 私試十五首以上製述者, 教導精加考覈, 各其名下, 注接寺若干日, 私試若干首. 論報, 方許赴會. 諸徒教導, 不離接所, 勸學者, 學官有闕, 爲先塡差, 以示褒奬":選擧2私學轉載].

[秋七月[己卯朔小盡,壬申], 某日, 以金成[金誠]爲慶尙道按察副使:慶尙道營主題名記·金誠墓誌].

秋八月[戊申朔大盡,癸酉], 辛亥[4日], 出妃李氏卒.[10)] [卽資謙□□[第三]女也. 雖以資謙故出, 恩賚優渥:節要轉載].

辛酉[14日], 幸外帝釋院, 遂幸九曜堂.

---

8) 이는 「洪圓寺住持·僧統聽諝墓誌銘」에 의거하였다(金龍善 2006년 69面). 이날은 율리우스曆으로 1139년 6월 15일(그레고리曆 6월 22일)에 해당한다.

9) 이와 관련된 기사로 다음이 있다.
· 지27, 선거1, 科目1, 選場, "[仁宗]十七年六月, 平章事[門下侍中]金富軾知貢擧, 禮部侍郞金端同知貢擧, 取進士, □□[甲寅], 賜崔伋等二十人及第". 여기에서 平章事는 門下侍中의 오류일 것이다.

10) 廢妃[出妃] 李氏는 李資謙의 第3女 延德宮主 李氏이다(열전1, 后妃1, 仁宗). 이날은 율리우스曆으로 1139년 8월 29일(그레고리曆 9월 5일)에 해당한다.

庚午23日, 幸普濟寺.

九月戊寅朔大盡,甲戌, 壬午5日, 遣閤門祇候崔思永如金東京.
甲申7日, 王如安和寺.

冬十月戊申朔大盡,乙亥, 庚申13日, 設佛頂道場於明仁殿.
[癸亥16日, 雷:五行1雷震轉載].
己巳22日, [小雪]. 幸王輪寺.
乙亥28日, 設百座道場於宣慶殿三日, 飯僧三萬.
[某日, 禮部貢院奏, "范仲淹云, '先策·論, 以觀其大要, 次詩·賦, 以觀其全才. 以大要, 定其去留, 以全才, 升其等級, 斯擇才之本, 致理之基也'.[11] 我朝製述業, 於第三決場, 迭試策·論之無着韻·偶對者, 因此, 詩·賦學, 漸爲衰廢. 今後, 初場, 試經義, 二場, 論·策相遞, 三場, 詩·賦, 永爲格式. 且國學未立前, 初場, 試以貼經, 立學以後, 兼試大小經義, 擧子難之. 今後, 除兼經義, 只試本經義":選擧1科目轉載].

十一月戊寅朔小盡,丙子, 庚辰3日, 左常侍左散騎常侍康英俊等上疏,[12] 論事十餘條. [只許前□□同知樞密院事崔惟迪及僧義莊等, 還配本州:節要轉載].[13]
壬午5日, 遣刑部員外郞陳灌如金, 謝賀生辰.
癸未6日, 親享耆老及孝順·節義·篤癈疾者.
甲午17日, 遣尙衣奉御崔時允如金, 賀正.[14]
庚子23日, 遣戶部員外郞王正彪如金, 賀萬壽節.[15]

---

11) 이 구절은 다음을 인용한 것인데, 이는 1043년(慶曆3) 9월 3일(丁卯) 范仲淹(989~1052)이 仁宗에게 올린 時務策의 일부분이다(『속자치통감장편』 권143, 仁宗, 慶曆 3년 9월 丁卯).
· 『范文正公集』 권8, 上執政書, "儻使呈試之日, 先策·論, 以觀其大要, 次詩·賦, 以觀其全才. 以大要, 定其去留, 以全才, 升其等級. … 斯擇材之本, 致理之基也"(『皇朝文鑑』 권43, 答手詔條陳十事와 同一하다).

12) 左常侍는 左散騎常侍의 약칭으로 추측되는데, 이때 관직의 改稱은 없었다(→明宗 11년 12월 28일).

13) 樞密院事는 同知樞密院事에서 同知가 脫落되었다(→인종 5년 5월 3일).

14) 崔時允은 다음 해 正旦에 賀禮하였던 것 같지만, 그의 묘지명에는 賀正使로서의 파견이 反影되어 있지 않다.
· 『금사』 권4, 본기4, 熙宗, 天眷 3년 1월, "丁丑朔, 高麗·夏遣使來賀".
· 『금사』 권60, 表2, 交聘表上, 天眷 3년, "正月丁丑朔, 高麗使賀正旦".

辛丑[24日], 以金若溫△[爲]守太傅[·推忠守正功臣:節要轉載]·門下侍中·判戶禮部事, 仍令致仕.[16)]

甲辰[27日], [守司空·太子少師·]參知政事致仕金克儉卒,[17)] [謚祁烈:列傳10金克儉轉載]. [克儉, 無學術, 然公勤不倦. 累歷中外, 皆以果辨稱. 及當鈞軸, 但敦謹保位而已:節要轉載].

[是月, 金東路兵馬都部署司, 刷還東路宣德鎭人韓俊臣:追加].[18)]

十二月[丁未朔大盡,丁丑], 丙辰[10日], 慮囚.

丁巳[11日], 設消灾道場於明仁殿四日.

[丁卯[21日], 雨木冰:五行2轉載].

辛未[25日], 以[中書侍郎平章事]任元敳爲西京留守使, 崔溱△[爲]參知政事, 李之氐△[爲]□[同]知樞密院事,[19)] 王冲爲樞密院副使, [[尙州牧副使]梁元俊爲刑部郎中:追加].[20)]

[是年, 以王叔父·太原公侾爲佐理功臣:追加].[21)]

[○以[司宰卿·左諫議大夫]崔梓爲朝散大夫·禮賓卿·左諫議大夫:追加].[22)]

[○以[廣州牧使]李軾爲知南京留守事:追加].[23)]

[○以試禮部侍郎金永錫爲戶部侍郎:追加].[24)]

[○侍御史朴正明論外戚事, 貶爲刑部員外郞:追加].[25)]

---

15) 王正彪는 明年(天眷3) 1월 17일(癸巳) 萬壽節을 賀禮하였던 것 같다.
 ·『금사』 권4, 본기4, 熙宗, 天眷 3년 1월, "癸巳, 萬壽節, 高麗·夏遣使來賀".
 ·『금사』 권60, 表2, 交聘表上, 天眷 3년 1월, "癸巳, 高麗使賀萬壽節".

16) 金若溫의 열전에는 인종 18년으로 되어 있으나(列傳10, 金若溫, "[仁宗]十八年[十七年], 以門下侍中致仕") 17년의 오류일 것이다. 이는 『고려사』를 편찬할 때 卽位年稱元法을 踰年稱元法으로 바꾸면서 年代整理에 실패한 결과이다[繫年錯誤].

17) 이날은 율리우스曆으로 1139년 12월 20일(그레고리曆 12월 27일)에 해당한다.

18) 이는 『동인지문사육』 권4 : 『동문선』 권36, 謝回付逃背人表에 의거하였다.

19) 이때 李之氐는 同知樞密院事에 임명되었던 것 같다(『동문선』 권25, 除任元厚門下平章·崔溱中書平章·李之氐政堂文學).

20) 이는 「梁元俊墓誌銘」에 의거하였다.

21) 이는 「王侾廟誌銘」에 의거하였다.

22) 이는 「崔梓墓誌銘」에 의거하였다.

23) 이는 「李軾墓誌銘」에 의거하였다.

24) 이는 「金永錫墓誌銘」에 의거하였다.

[○詔[大禪師]坦然移住光明寺. 然之德行道譽, 爲世所仰, 每國大事, 上必以御筆, 諮問之, 由是, 名聞遐邇:追加].[26)]

庚申[仁宗]十八年, 金天眷三年, [南宋紹興十年], [西曆1140年]

1140년 1월 22일(Gre1월 29일)에서 1141년 2월 8일(Gre2월 15일)까지, 13개월 384일

春正月[丁丑朔小盡,戊寅], 癸未[7日], 金遣泰州管內觀察使完顔鬲來, 賀生辰.

乙酉[9日], [立春]. 宴金使于大觀殿.

[某日, 以崔逑中爲慶尙道按察使:慶尙道營主題名記].

二月[丙午朔大盡,己卯], 壬戌[17日], 門下侍中致仕金若溫卒,[27)] [年八十二. 輟朝三日, 謚思靜:列傳10金若溫轉載].[28)] [若溫, 古名義文, 性恭儉廉正, 力學. 歷仕中外, 所至, 人便之. 李資謙秉權, 喜利者爭附, 若溫與資謙, 爲堂兄弟, 而不相比. ~~世多其守正.~~ 位雖華顯, 未嘗以富貴驕人:節要轉載].[29)]

甲子[19日], 幸外帝釋院.

甲戌[29日], 以陳景甫爲尙書右僕射·上將軍, 尹珍爲兵部尙書·上將軍.

[戊子[某日], 雨土, 大霧:五行3轉載].[30)]

三月丙子朔[小盡,庚辰], 出御興王寺薦福院.

[甲申[9日], 大雪:五行1雨雪·節要轉載].

[丁亥[12日], 又大雪, 雨土:五行1雨雪·節要轉載].[31)]

---

25) 이는「朴正明墓誌銘」에 의거하였다.

26) 이는「山淸斷俗寺大鑑國師塔碑」에 의거하였다.

27) 이날은 율리우스曆으로 1140년 3월 7일(그레고리曆 3월 14일)에 해당한다.

28) 謚號는 尹彦頤(金若溫의 壻)의 墓誌銘에도 찾아진다.

29) ~~添字~~는 열전10, 金若溫에 의거한 것이다.

30) 이달에는 戊子가 없다.

31) 일본의 京都에서는 3월 13일 怪雨가 있었다고 하는데(中央氣象臺 1941年 2冊 758面), 이는 雨土에 대한 日本人의 理解인 것 같은데, 雨土가 마치 참깨[胡麻]처럼 보였던 것 같다.

·『百練抄』第6, 崇德, 寶延 6년, "三月十三日, 自朝及夕, 太陽不現, 非雲非霧, 四方似烟, 有如雨下者,

丁酉22日, 慮囚.

[○雨雹:五行1雨雹轉載].

[是月頃, 禮部侍郎·翰林侍讀學士崔諴, □□□□□掌國子監試, 取韓梓等:選擧2國子試額轉載].[32)]

[春某月, 以成州防禦使尹彦旼爲權知閤門祗候:追加].[33)]

夏四月乙巳朔小盡,辛巳, 以中書侍郎平章事任元敱△爲判尙書兵部事,[34)] 李冲爲中書侍郎平章事, 參知政事崔溱爲右僕射·判刑部事, 任元淑爲禮部尙書·簽書樞密院事.

甲寅10日, 還新闕.

[某日, 詔定禘禮服章之制:節要轉載].[35)]

丁卯23日, 親禘于大廟太廟, 加上九廟尊謚, 又遣使十二陵, 加上大王·王后尊謚, 還御闕庭. 下詔曰, "朕承祖宗重大之業, 夙夜祗懼, 不敢遑寧. 惟德不類, 遭時多難, 頃者, 西人無故犯順, 不得已, 行師問罪, 而賴祖宗假手之力, 誅流罪人, 西土復定. 今者, 躬行禘享, 推美加號, 庶幾恩澤布及中外. 其犯公流·私徒以下罪者, 悉原之, 二罪以上, 除刑流配, 前流配者, 量移".

[□□是時, 加謚太祖曰仁勇, 太祖妃神靜王太后皇甫氏曰柔明, 顯宗曰德威, 顯宗妃元成太后金氏曰慈聖, 德宗曰剛明, 德宗妃敬成王后金氏曰柔貞, 靖宗曰英烈, 靖宗妃容信王后韓氏曰明達, 文宗曰剛正, 文宗妃仁睿順德太后李氏曰聖善, 順宗曰英明, 順宗妃宣禧王后金氏曰恭懿, 宣宗曰寬仁, 宣宗妃思肅太后李氏曰貞和, 肅宗曰文惠, 肅宗妃明懿太后柳氏曰柔嘉, 睿宗曰明烈, 睿宗妃文敬太后李氏曰慈靖:轉載].[36)]

其形似露, 又如胡麻".

32) 이와 관련된 자료로 다음이 있다.

· 「崔諴墓誌銘」, "仁宗十九年, 以禮部侍郎·翰林侍讀學士, 典司馬試, 稱旨".

33) 이는 「尹彦旼墓誌銘」에 의거하였다.

34) 이때 任元敱의 官爵은 守司徒·中書侍郎平章事·判尙書兵部事·修國史·上柱國이었을 것으로 추측된다(『동문선』 권25, 除任元厚門下平章·崔溱中書平章·李之氐政堂文學).

35) 이와 관련된 기사로 다음이 있다.

· 지26, 輿服, 祭服, "仁宗十八年四月, 詔定禘禮服章, 王服冕九旒七章".

· 지26, 輿服, 百官祭服, "仁宗十八年四月, 詔定禘禮服章之制. 一品服, 亞獻以下, 侍中以上六員, 七旒冕五章. 二品服, 大常卿以下, 五祀獻官以上十五員, 五旒冕三章. 三品服, 功臣獻官·通事舍人·監察御史以下四十一員, 無旒冕".

36) 이들 謚號는 세가편에 수록되어 있는 여러 帝王의 기사와 열전1, 后妃1, 皇后列傳에서 발췌한

五月[甲戌朔大盡,壬午], 丙子[3日], 金東京知禮賓司事王杲來, 報聘.

戊戌[25日], 賜彭希密等及第.[37)]

六月甲辰朔[小盡,癸未], 王如奉恩寺.

戊午[15日], 王受菩薩戒于大觀殿.

[戊辰[25日], 有艮風, 凡五日, 百穀草木, 枯死過半, 蚯蚓出, 死於道路中, 可芻:五行3轉載].

[是月, 判[制], "工·商·樂人之子, 雖有功, 只賜物, 禁仕路":選擧3限職轉載].

閏[六]月[癸酉朔大盡,癸未], 丁亥[15日], 設金經道場於金明殿, 禱雨.[38)]

己丑[17日], 聚巫又禱.

辛卯[19日], 親禱于法雲寺.

壬辰[20日], 慮囚.

丁酉[25日], 醮于宣慶殿, 禱雨.

戊戌[26日], 親禱于外帝釋院.

[是時, 京師旱, 詔大禪師教雄, 往日月寺, 主講'妙法蓮華經', 以祈雨. 雄至講藥草喩品一地一雨之比, 輒大雨:追加].[39)]

[某日, 宰臣[門下侍中]金富軾·[中書侍郎平章事]任元敱·[中書侍郎平章事]李仲·[參知政事]崔溱與省郎[左諫議大夫?]崔梓·[起居注]鄭襲明等五人上書,[40)] 言時弊十條, 伏閤三日. 皆不報. 梓等乞罷, 不出:節要轉載].

[某日, 以尹彦植爲尙書左丞:追加].[41)]

것이다.

37) 이와 관련된 기사로 다음이 있다. 이때 彭希密·崔允仁(沃溝郡夫人宋氏準戶口) 등이 급제하였다(朴龍雲 1990년 ; 許興植 2005년).

· 지27, 선거1, 科目1, 選場, "[仁宗]十八年五月, □[同]知樞密院事李之氐知貢擧, 國子祭酒林光同知貢擧, 取進士, [戊戌], 賜彭希密等二十六人及第".

38) 여기에서 金經道場은 金剛經道場 또는 金光明經道場[金光明最勝王經道場]에서 缺字가 발생한 것 같다.

39) 이는 「國淸寺住持教雄墓誌銘」에 의거하였다.

40) 崔溱은 열전11, 鄭襲明에 崔奏로 되어 있으나 오자일 것이다.

41) 이는 「尹彦植墓誌銘」에 의거하였다.

[是月, 中書門下奏, "明法業, 但讀律令, 其登科甚易, 且於外敘, 必六經. 州牧, 實爲出身捷徑, 緣此, 兩班子弟及貢士, 求屬者漸多. 製述·明經兩大業及醫·卜·地理業, 國家所不可廢, 而今赴擧者少. 今後, 明法業出身者, 淸白爲公, 政譽著聞, 方許擢用, 仍禁貢士求屬是業":選擧1科目轉載].

秋七月癸卯朔小盡,甲申, [戊申6日, 鎭星守天軍, □~~凡~~十七日.[42]

<u>壬戌</u>20日, 月犯畢:天文1轉載].[43]

庚午28日, 幸普濟寺.

[○心星動搖:天文1轉載].

[某日, 王以郎舍所言, 罷執奏官. 減諸處內侍別監及內侍院別庫, 乃召左諫議大夫?崔梓等, 令出視事, 獨起居注鄭襲明, 以所言不盡從, 不起. <u>右常侍</u>~~右散騎常侍~~崔灌, 獨不預上書, 供職如常. 議者<u>鄙之</u>:節要轉載].[44]

[某日, 以李仲齊爲慶尙道按察使:慶尙道營主題名記].

八月壬申朔大盡,乙酉, 戊寅7日, <u>中書</u>~~門下~~侍郎平章事崔濡卒,[45] [年六十九, 諡莊敬:列傳11崔濡轉載]. [濡, 少敏悟, 善屬文. 以淸白公平, 備歷淸顯. 晩有疾, 步履甚難, 猶不乞退. 時人譏之:節要轉載].

[辛巳10日, 月犯牽牛:天文1轉載].

丁酉26日, 幸妙通寺.

九月壬寅朔大盡,丙戌, 戊申7日, 王如安和寺.

[○流星出五車, 入北斗:天文1轉載].

壬子11日, 幸普濟寺.

---

42) 이 기사에서 □에 凡字가 탈락되었을 것이다.

43) 20日(壬戌)과 같은 현상이 金에서도 있었다(『금사』 권20, 지1, 天文, 月五星凌犯及星變).

44) 이와 같은 기사가 열전11, 정습명에도 수록되어 있다.

45) 崔濡는 2년 전인 1138년(인종16) 12월 7일(己未) 門下侍郎平章事에 임명되었으므로 中書侍郎平章事는 門下侍郎平章事의 오류일 가능성이 있다. 또 열전11, 崔濡에는 門下侍郎平章事로 되어 있으나 그의 曾孫인 崔珙의 묘지명에는 中書侍郎平章事로 되어 있어 판가름하기가 어렵다. 그리고 이날은 율리우스曆으로 1140년 9월 19일(그레고리曆 9월 26일)에 해당한다.

乙卯[14日], 慮囚.

[癸亥[22日], 月犯軒轅:天文1轉載].

冬十月[壬申朔小盡,丁亥], [某日, 賜[門下侍中]金富軾, 金銀·鞍馬·米布·藥物. 賞平西之功也:節要轉載].

[→王遣國子祭酒林光就第, 勑賜金銀·鞍馬·米布·藥物, 賞平西之功也:列傳11金富軾轉載].

戊戌[27日], 設佛頂道場於明仁殿五日.

庚子[29日晦], 遣刑部員外郎朴純冲如金, 謝賀生辰.

十一月[辛丑朔大盡,戊子], 丁未[7日], 遣刑部員外郎黃周瞻如金, 賀正,[46] 禮部侍郎崔諴, 賀萬壽節.[47]

十二月[辛未朔大盡,己丑], 丙寅[某日48)] 以[同知樞密院事]李之氐爲禮部尙書, [同知樞密院事]金正純爲兵部尙書, 王冲△[爲]同知樞密院事, [[朝請大夫]崔梓爲秘書監·直門下省事, [戶部侍郎]金永錫爲朝散大夫·秘書監·知南京留守事, [西京副留守]權適爲承事郞·試尙書禮部侍郎·翰林侍

46) 黃周瞻은 다음 해 正旦에 賀禮하였던 것 같고, 2일(壬寅) 夏의 使臣과 함께 尊號를 올릴 것을 청하였다. 이때 高麗의 使臣은 1월 2일(壬寅) 夏의 사신과 함께 熙宗에게 尊號를 올릴 것을 請하였고, 이것이 받아들여져 10일(庚戌) 群臣들이 尊號를 올렸다. 이에 희종은 2品 以上官 및 高麗·夏의 使臣을 饗宴하였다.
· 『금사』 권4, 본기4, 熙宗, 皇統 1년 1월, "辛丑朔, 高麗·夏遣使來賀".
· 『금사』 권60, 表2, 交聘表上, 皇統 1년 1월, "辛丑朔, 高麗使賀正旦".
· 『금사』 권60, 表2, 交聘表上, 皇統 1년 1월, "壬寅, 高麗·夏使請上尊號".
· 『금사』 권4, 본기4, 熙宗, 皇統 1년 1월, "庚戌, 群臣上尊號曰, 崇天體道欽明文武聖德皇帝".
· 『금사』 권36, 지17, 禮9, 受尊號儀.

47) 崔諴은 明年(皇統1) 1월 17일(丁巳) 萬壽節을 賀禮하였던 것 같다. 또 이때 崔諴은 禮部侍郎·翰林侍讀學士였다. 또 이들 사신을 통해 金帝國이 고려의 東北界 宣德鎭의 韓俊臣이라는 越境者를 送還시켜준 것을 사례하는 표를 올렸던 것 같다(『동인지문사륙』 권4 : 『동문선』 권36, 謝回付逃背人表, 仁宗庚申, 郭東珣 作, 鄭東薰 2018년c).
· 『금사』 권4, 본기4, 熙宗, 皇統 1년 1월, "丁巳, 萬壽節, 高麗·夏遣使來賀".
· 『금사』 권60, 表2, 交聘表上, 皇統 1년 1월, "丁巳, 高麗使賀萬壽節".
· 「崔諴墓誌銘」, "是年, 以賀節使入朝大金".

48) 이달에 丙寅이 없기에 오자이다. 또 이날의 人事發令[大政]에서 權適이 試尙書禮部侍郎·翰林侍讀學士·知制誥에 임명되었던 것 같다(權適墓誌銘).

讀學士·知制誥:追加].[49]

[壬戌[某日], 大雨:五行2轉載].[50]

[是年, 判[刪], "無親子祖父母忌, 依宋制, 給暇一日兩宵":刑法1官吏給暇轉載].[51]

[○判[刪], "入流品以上者, 妻父母服, 給暇三十日, 其忌日, 依外祖父母例, 給暇一日兩宵":刑法1官吏給暇轉載].

[○以權廣州牧使尹彦頤得朝謝, 卽眞, 上謝表:追加].[52]

[→後, 爲廣州牧使, 謝上表, 因自解云, "坐廢六年, 分已甘於萬死, 銜恩一旦, 勢若出於再生, 仰天無言, 撫已揮涕. 切以上之馭下, 莫不欲忠, 臣之事君, 期於見信. 然不可必, 故或相乖, 周公, 不免於流言, 絳侯[周勃], 尙遭於縶急, [蕭]望之, 帝之傅也, 終於飮毒, 屈原, 王之親也, 卒以沉江. 聖賢猶或如之, 庸瑣何足算也. 如臣, 賦資朴鄙, 受性褊剛, 智謀, 不足以周身, 學術, 豈能於華國? 少嘗僥倖, 聖考賜之賢科, 逮更因緣, 陛下擢於要路, 時或預聞國政, 頻然入侍經筵. 妄意遭時, 過於用慮, 遇事, 輒言其中否, 橫身, 不顧於是非. 先進爲之寒心, 後生因而指目, 媒蘖所短, 傳會而文. 彈書屢至於升聞, 以爲可殺, 仁后雖知其贛直, 莫得而寬. 因竄逐於遐方, 欲保全其餘命, 而臣受貶之夕, 臨行之時, 罔知得罪之端, 徒極積憂之念". 及覩中軍所奏曰, "彦頤與知常, 結爲死黨, 大小之事, 實同商議, 在壬子年[仁宗10年]西幸時, 上請立元稱號, 又諷誘國學生奏前件事, 盖欲激怒大金, 生事乘閒, 恣意處置朋黨外人, 謀爲不軌, 非人臣意". 臣讀過再三, 然後心乃得安. 緊是立元之請, 本乎尊主之誠, 在我本朝, 有太祖·光宗之故事. 稽其往牒, 雖新羅·渤海以得爲, 大國未嘗加其兵, 小

---

49) 이는 「崔梓墓誌銘」; 「金永錫墓誌銘」; 「權適墓誌銘」에 의거하였다.

50) 이달에는 壬戌이 없고, 壬戌은 11월 22일일 것이다.

51) 이때의 宋制는 어떠한 規程을 가리키는지는 분명하지 않으나 관련된 자료로 다음이 있다(蔡雄錫 2009년 123面).
- 『大唐開元禮』 권3, 序禮下, 雜制, "私忌日, 給暇一日, 忌前之夕, 聽還私第. 凡內外官, 三年一給定省, 假三十日, 五年一給拜墓, 假十五日, 並除程. 凡遭喪, 被起者, 以服內忌日, 給假三日, 大小祥各七日, 禫五日, 每月朔望, 各一日, 祥·禫給程. 凡私家祔廟, 給五日, 四時祭, 給四日". 이 내용은 『通典』 권108, 開元禮纂類3, 序例下에도 수록되어 있다.
- 『속자치통감장편』 권62, 眞宗, 景德 3년 2월 1일(甲戌), "初, 開寶中, 文武官郞中·刺史·將軍以上, 私忌日給假, 其後, 編敕者失不載, 有司第相緣遵用, 乙亥[開寶8年], 始詔羣臣, 自今, 私忌日並給暇一日, 忌前之夕, 聽還私第".

52) 이는 「尹彦頤墓誌銘」, "至庚申朝謝並得施行, 拜官訖, 謝表略云, …"에 의거하였다.

國無敢議其失. 奈何聖世, 反謂僭行. 臣嘗議之, 罪則然矣. 若夫結爲死黨, 激怒大金, 語言雖甚大焉, 本末不相坐矣. 何則假使强敵, 來侵我疆, 夫惟禦難之未遑, 安得乘間而用事? 其指朋黨者誰氏, 其欲處置者何人? 衆若不和, 戰之則敗, 且容身之無地, 何恣意以爲謀. 況臣不預大華之言, 與知常而同異, 不參壽翰之薦, 惟陛下所洞明. 自一落於江湖, 已六更於寒暑, 祿廩久闕, 衣食難周, 親舊皆絶其交, 妻孥俱失其所. 形骸憔悴, 若枯枝, 精魄驚忪, 茫如醉夢. 活至今日, 有賴聖知重念. 臣以至弱之資, 從西征之役, 忘身以衛其國, 乃義分之當然, 成事皆因於人, 何勤勞之足道? 今將有說, 非敢爲功, 只期微懇之粗伸, 或乞宸心之一照. 昨於乙卯年仁宗13年, 中軍以賊糧盡爲策. 然兇黨未降, 日月漸久, 江冰釋盡, 計無所出, 臣於三月, 始立距堙議, 爲人所沮, 未得施行. 至十一月, 中軍於揚命門, 始作距堙, 令知兵馬使池錫崇, 與臣彦頤等, 遞番到彼, 撿視積土多少. 計至數月, 可附到城上, 臣又與前軍使陳淑, 議定火攻, 令判官安正修等, 作火具五百餘石. 越九日早晨, 以趙彦所制石砲投放, 其焰如電, 其大如輪. 賊初亦從而滅之, 至日暮, 火氣大盛, 賊不得救. 通夜打放, 其揚命門幷行廊僅二十間及賊所積土山, 悉皆焚盡, 十二日, 並潰人馬可以出入. 臣卽至中軍, 具陳本末, 請及時攻擊, 無使賊設備, 人有忿然以爲不可者, 臣亦作氣力爭. 十四日, 又至前軍, 議急擊可破, 人人皆曰, 候積土畢, 方可攻. 賊已於前所, 設木柵以禦, 臣懇請急攻, 猶未之決. □□□□□~~丙寅年二月~~十六日甲寅,[53] 元帥至前軍, 悉集五軍僚佐議之, 人人皆執前議. 是日, 賊又築重城, 其勢不可後之. 先是, 池錫崇在軍監役, 與臣意協, 繼有副使李愈·判官王洙·李仁實等八人, 和之, 於是, 元帥始從其議取. 十九日, 分兵三道, 突入用事, 破如枯竹, 一無留難. 臣於是日, 顓掌中軍, 與判官申至冲·金鼎黃, 將軍權正鈞·房資守, 錄事林文璧·朴義臣等, 密整軍旅, 早至七星門下, 積木火之. 火發然後, 賊覺驚惶, 倉卒不得救, 燒蕩門廊, 計九十七間. 望之虛豁, 擬欲直入, 會天陰雨, 收兵入營. 翼日曉頭, 賊魁鄭德桓·維緯侯·小官四人, 潛出城, 資守令麾下捕至營. 臣送德桓·緯侯於元帥所, 別令別將金成器等, 率所捕小官二人, 往景昌門, 諭賊, 賊將洪傑出降. 是日, 前軍在廣德舍元門外, 賊尙閉拒, 傑與義臣商議, 捉僞元帥崔永, 仍率二領軍士來歸. 然後, 賊大將蘇黃鱗·鄭先谷·朴應素等文武二十餘人, 相繼來降, 其餘雜類, 不可勝數. 臣遣資守, 領李徵正及降賊徐孝寬, 率兵入城, 封宮闕倉廩府庫, 令徵正守闕, 收其鑰匙六七樻, 納營. 而聞左

53) 여기에서 添字가 脫落되었을 것이다.

軍入自北門, 縱兵發大府財帛, 臣遣義臣止之, 不聽, 更遣正鈞得止, 大府完. 於是, 臣遣臣男子讓於元帥所, 報以實, 日午, 元帥方至中軍, 更命李仁實·李軾等, 封宮闕倉廩府庫, 因具表奏. 此其大略, 難以具陳. 當此之時, 自謂小輸於國事, 胡爲厥後, 翻然忽構於誣辭, 遂使惷愚, 陷於寃枉. 永惟平昔之所坐, 亦是微臣之自貽. 臣伏讀蘇軾受貶時表曰, "臣先任徐州日, 河水浸城, 幾至淪陷, 日夜守捍, 偶獲安全. 又嘗選用沂州百姓程棐, 令購捕兇黨, 致獲謀反, 妖賊李鐸·郭進等十七人. 庶幾因緣, 僥倖功過相除".[54] 以子瞻豪邁之才, 尙譊譊之若此, 况彦頤孤危之迹, 遂嘿嘿而已乎? 窮迫而然, 冒陳奚已. 而又金精, 曾經於吏訊, 浹七月而復顯官, 惟忠, 同廢於江南, 至三年而還舊位, 惟臣不肖, 與世多乖, 名旣掛於深文, 人爭逞其浮議, 論罪未解, 歷年于玆. 敢愛殺身以自明, 固貪於戀聖, 久能忍垢而假息, 有待於求伸. 豈謂皇慈, 特推大度, 憫臣火窮之狀, 憐臣無二之心, 每煩訓諭於有司, 再起孤忠於遠竄. 仰陶新化, 漸可齒於平民, 終滌惡名, 竊更期於後日, 此乃至仁無外. 厚德包荒, 念犬馬或霑盖帷, 謂簪履不忍捐弃, 救臣餘生, 衆怒交興之際, 收臣殘質. 幾年流落之中, 特賜眞除, 盡還舊祿, 罔誣僅釋. 日將出而蔀屋明, 枯朽其蘇, 春已還而時雨降, 固非木石無情之比, 敢昧乾坤造化之私? 壯氣已衰, 無復平生之髣髴, 丹心尙在, 誓殫晩節之驅馳, 雖至塡溝, 敢忘結草?":列傳9尹彦頤轉載].[55]

[○以^前選軍使^金臣璉爲尙州牧副使:追加].[56]

[○以^□□署令^徐恭爲黃州牧判官兼勸農使·閤門祗候:追加].[57]

[○命^禪師·月峰寺住持^敎雄移住國淸寺, 仍授大禪師, 賜滿繡袈裟一領並官誥一道:追加].[58]

[○以光敎寺住持靈炤爲三重大師:追加].[59]

---

54) 이는 다음의 자료를 인용한 것이다.

· 『東坡全集』 권67, 乞常州居住表, "臣軾言, … 臣先任徐州日, 以河水浸城, 幾至淪陷, 臣日夜守捍, 偶獲安全. 曾蒙朝廷降勅奬諭. 又嘗選用沂州百姓程棐, 令購捕兇黨, 致獲謀反妖賊李鐸·郭進等一十七人. 亦蒙聖恩保明放罪, 皆臣子之常分, 無涓埃之可言, 冒昧自陳, 出於窮迫, 庶幾因緣, 僥倖功過相除. 稍出羈囚, 得從所便, …"(四庫全書本10右6行).

55) 이 表의 全文이 『동문선』 권35, 廣州辭上表인데, 자구에 출입이 있다.

56) 이는 「金臣璉墓誌銘」에 의거하였다.

57) 이는 「徐恭神道碑」에 의거하였다.

58) 이는 「國淸寺住持敎雄墓誌銘」에 의거하였다.

59) 이는 「靈通寺住持·僧統靈炤墓誌銘」에 의거하였다.

辛酉[仁宗]十九年, 金天眷四年[皇統元年], 南宋紹興十一年,[60] [西曆1141年]

1141년 2월 9일(Gre2월 16일)에서 1142년 1월 28일(Gre2월 4일)까지, 354일

春正月辛丑朔小盡,庚寅, 丙午6日, [雨水]. 王太子冠.
丁未7日, 金遣同知宣徽院事趙興商來, 賀生辰.
庚戌10日, 宴金使于大觀殿.
[某日, 御史中丞崔惟淸等, 上疏論事. 不報:節要轉載].[61]
壬戌22日, 幸神衆院.
己巳29日, 金報皇帝受尊號, 改元皇統.[62]
[某日, 以崔子英爲慶尙道按察使:慶尙道營主題名記].
[是月癸丑13日, 金改元皇統:追加].[63]

二月庚午朔大盡,辛卯, 癸巳24日, 幸普濟寺.
[丁酉28日, 前玄化寺住持·僧統闡祥入寂:追加].[64]

三月庚子朔小盡,壬辰, 辛丑2日, 幸王輪寺.
丙午7日, [穀雨]. 幸外帝釋院.
[○熒惑入輿鬼:天文1轉載].

60) 이 시기에 金과 南宋의 연호가 함께 사용되었던 것 같다(圓明國師墓誌銘).

61) 이때 御史中丞 崔惟淸은 殿中少監으로 좌천되었던 것 같다(열전12, 崔惟淸, "轉御史中丞, 言事忤旨. 遷殿中少監").

62) 이때 金에서 전개된 사실은 다음과 같다.
- 1월 1일(辛丑), 高麗·夏가 使臣을 보내와 賀禮하였다(『금사』 권4, 권60交聘表).
- 2일(壬寅), 高麗·夏의 使臣이 金의 百官과 함께 尊號를 올릴 것을 요청하였다(『금사』 권36, 禮9, 尊號儀, 권60交聘表).
- 10일(庚戌), 熙宗이 尊號를 받고 2品 以上官 및 高麗·夏의 使臣을 饗宴하였다(『금사』 권4, 권36, 禮9, 受尊號儀).
- 13일(癸丑), 年號를 皇統으로 바꾸었다(『금사』 권4).

63) 이는 다음의 자료에 의거하였다. 이때 고려는 여전히 天眷四年을 稱하다가 明年(인종20) 7월 10일에 처음으로 皇統年號를 사용하였다[稱].
- 『금사』 권4, 본기4, 熙宗 皇統 1년 1월, "癸丑, 謁太廟, 大赦. 改元".

64) 이는 「前玄化寺住持·僧統闡祥墓誌銘」에 의거하였다(金龍善 2006년 72面). 이날은 율리우스曆으로 1141년 4월 6일(그레고리曆 4월 13일)에 해당한다.

壬子[13日], 以康滌爲禮部尙書·簽書樞密院事, 仍令致仕.

[是月, 禮部侍郞[·~~諫議大夫~~]李仁實, □□□□□[~~掌國子監試~~], 取卓光裕等:選擧2國子試額轉載].[65)]

夏四月[己巳朔小盡,癸巳], 癸酉[5日], 遣禮部侍郞[~~試禮部侍郞~~]權適·右司諫金永若如金,[66)] 賀上尊號. 適等至金境, 金人以妨農時, 不許入, 乃還.[67)]

戊寅[10日], 王如安和寺.

丙戌[18日], 白暈貫日.

[己丑[21日], 五教都僧統澄儼入寂, 年五十二, 臘四十三. 上聞之震悼, 輟朝三日, 册贈國師, 謚曰圓明, 勅弔會葬, 一如大覺國師故事:追加].[68)]

[某日, 判[𠕁], "諸都監使入, 則副使隱身, 判官·錄事祗迎. 副使入, 則判官隱身, 錄事祗迎. 於使, 副使一行拜, 判官·錄事, 折席拜. 於副使, 判官一行拜, 錄事折席拜. 判官·錄事, 則一行拜. 使坐東, 副使坐西, 判官·錄事, 北行坐. 各色, 則勿論職次, 雖參外員, 並一行拜, 一行坐":禮10諸都監各色官相會儀轉載].

五月[戊戌朔大盡,甲午], [庚戌[13日], 流星出河鼓, 入南斗:天文1轉載].

壬子[15日], □[守]司空瑜卒.[69)]

六月戊辰朔[小盡,乙未], 王如奉恩寺.

---

65) ~~添字~~는 「李仁實墓誌銘」에 의거하였다.

66) 權適은 『고려사절요』 권10에는 權迪으로 되어 있는데, 前者가 옳은 것 같다(盧明鎬 等編 2016년 272面).

67) 權適은 前年 12월에 承事郞·試尙書禮部侍郞·翰林侍讀學士·知制誥에 임명되었고, 이해의 5월 23일 이후에도 이 직위에 있었다(權適墓誌銘 ; 圓明國師墓誌銘). 이때 前西京留守錄事 咸有一이 隨從하였다.

· 「咸有一墓誌銘」, "… 及權公[權適]以賀上尊護使, 入北朝, 與公偕行, 一行事務皆委於公, 是仁廟之二十年也".

68) 이는 「圓明國師墓誌銘」에 의거하였는데, 이날은 율리우스曆으로 1141년 5월 28일(그레고리曆 6월 4일)에 해당한다.

· 열전3, 종실1, 肅宗王子, 圓明國師 澄儼, "仁宗十九年卒, 贈謚圓明國師".

69) 이 기사는 열전3, 肅宗王子, 帶方公俌에도 수록되어 있다. 이날은 율리우스曆으로 1141년 6월 20일(그레고리曆 6월 27일)에 해당한다.

壬午[15日], 王受菩薩戒于明仁殿.

秋七月[丁酉朔小盡,丙申], 己亥[3日], 溟州道監倉使李陽實, 遣人入蔚陵島, 取菓核·木葉異常者, 以獻.

[丙辰[20日], 夜, 赤氣發北斗:五行1轉載].

[某日, 以郭東珣爲慶尙道按察使:慶尙道營主題名記].

[是月丁未[11日], 延州普賢寺住持覺隣等建同寺事蹟碑, 王輪寺大師慧參刻字:追加].[70)]

八月[丙寅朔大盡,丁酉], 乙亥[10日], 以珹△[爲]檢校司空·上柱國.

丙戌[21日], 幸王輪寺.

九月[丙申朔大盡,戊戌], 壬寅[7日], 王如安和寺.

辛亥[16日], 還壽昌宮.

壬戌[27日], 幸普濟寺.

○復遣權適·金永若如金.[71)]

冬十月[丙寅朔小盡,己亥], [庚午[5日], 流星出南河, 入軍市, 大如木瓜, 尾長三尺:天文1轉載].

[○大霧四塞:五行3轉載].

[辛未[6日], 流星出星, 入翼, 大如木瓜, 尾長二丈:天文1轉載].

[丁亥[22日], 夜, 有赤氣衝天, 至勾陳·紫微. 又素氣十餘條, 交錯起息. 又黑氣, 長四丈許, 東西衝貫于北斗. 又電光發于天末:五行1轉載].

[壬辰[27日], 夜, 有電光:五行1雷震轉載].

癸巳[28日], 設百高座道場于禁中三日, 飯僧三萬.[72)]

---

70) 이는 「寧邊妙香山普賢寺碑」, 碑陰에 의거하였는데(金石總覽 340面 ; 寺刹史料下 245面), 이 비의 題額은 明年(1142) 11월에 御筆로 하사되었다고 한다(→인종 20년 11월 是月條 脚注). 妙香山 普賢寺는 현재 북한의 국보유적 제40호이다.

71) 權適은 11월 15일(己酉) 熙宗이 尊號를 받은 것을 하례하였다. 또 權適은 『고려사절요』 권10에는 權迪으로 되어 있는데, 前者가 옳은 것 같다(盧明鎬 等編 2016년 272面).
· 『금사』 권4, 본기4, 熙宗, 皇統 1년 11월, "己酉, 高麗國賀受尊號".
· 『금사』 권60, 表2, 交聘表上, 皇統 1년, "十一月己酉, 高麗使賀尊號".

72) 여기에서 百高座道場은 『고려사절요』 권10에는 百座道場으로 되어 있는데, 後者는 前者의 略稱

十一月[乙未朔大盡,庚子], 乙巳[11日], 遣李之茂如金, 謝賀生辰.

己酉[15日], 遣<u>朴台進</u>如金, 賀正,[73] <u>柳軌</u>, 賀萬壽節.[74]

[戊午[24日], 夜, 赤氣發於坎. 又有素氣二條, 交發, 貫北極·勾陳, 滅而復發:五行1轉載].

十二月[乙丑朔大盡,辛丑], [丁卯[3日], 日有暈, 兩旁有珥, 白氣發珥, 東西衝貫, 長數十丈:天文1轉載].

庚寅[26日], 以[守司徒·中書侍郞平章事·判尙書兵部事·修國史·上柱國]任元敳·李仲△[並]爲<u>門下侍郞平章事</u>[守太尉·門下侍郞同中書門下平章事], [守司空·尙書左僕射·參知政事·判尙書刑部事兼太子太保]<u>崔溱</u>爲中書侍郞平章事[中書侍郞平章事兼太子少師·柱國], <u>金仁揆</u>爲[守司空·]左僕射·參知政事,[75] [同知樞密院事·禮部尙書·翰林學士承旨]李之氐爲<u>政堂文學</u>·判翰林院事[金紫光祿大夫·政堂文學兼太子少保][76], 金正純·王冲△△[並爲]知樞密院事, 崔灌△[爲]同知樞密院事, [[秘書監·知南京留守事]<u>金永錫</u>爲試尙書右丞:追加].[77]

[是月, 僧<u>宗璘</u>就佛日寺受具足戒, 年十五:追加].[78]

일 것이다(盧明鎬 等編 2016년 272面). 이 法會는 『고려사』에서 原來의 名稱인 百高座仁王經道場을 위시하여 이의 略稱인 百高座仁王道場·百高座道場·百高座會·百高座, 百座仁王經道場·百座仁王道場·百座仁王會·百座法席·百座會 등으로 表記하였다(→문종 28년 4월 18일의 脚注).

· 『자치통감』 권223, 唐紀39, 代宗 永泰 1년(765), "九月庚寅朔, 置<u>百高座</u>於資聖·西明兩寺[胡三省注, 據百高座, 百尺高座也], 講仁王經[胡三省注, 所謂護國仁王經], 內出經二寶輿, 以人爲菩薩·鬼神之狀, 導以音樂·鹵簿, 百官迎於光順門外, 從至寺".

73) 朴台進은 다음 해 正旦에 하례하였던 것 같다.
· 『금사』 권4, 본기4, 熙宗, 皇統 2년 1월, "乙未朔, 高麗·夏遣使來賀".
· 『금사』 권60, 表2, 交聘表上, 皇統 2년, "正月乙未朔, 高麗使賀正旦".

74) 柳軌는 明年(皇統2) 1월 17일(辛亥) 萬壽節을 하례하였던 것 같다.
· 『금사』 권4, 본기4, 熙宗, 皇統 2년 1월, "辛亥, 萬壽節, 高麗·夏遣使來賀".
· 『금사』 권60, 表2, 交聘表上, 皇統 2년 1월, "辛亥, 高麗使賀萬壽節".

75) 이때 金仁揆(金景庸의 子)는 守司空·左僕射·參知政事에 임명되었던 것 같다(열전10, 金景庸, 仁揆).

76) 이때 任元敳·崔溱·李之氐 등에게 함께 宣麻된 大官誥(告身)가 『동문선』 권25, 除任元厚門下平章·崔溱中書平章·李之氐政堂文學이다. 위의 添字는 이 告身에 의거한 것인데, 『인종실록』또는 『고려사』의 편찬과정에서 官爵이 크게 刪削되었음을 보여주는 하나의 사례가 될 수 있다. 그러므로 『고려사』에 반영된 관직의 사례를 통해 官制의 연혁이 정리된 百官志는 여러 가지의 한계가 있음을 인식하여야 할 것이다. 또 이 시기에 任元敳는 任元厚로 改名하지 않았던 것을 崔瀣가 『東人之文四六』을 편집할 때 改書했을 가능성이 있다.

77) 이는 「金永錫墓誌銘」에 의거하였다.

78) 이는 「龍仁瑞峯寺玄悟國師塔碑」에 의거하였다(寶物 第9號, 金石總覽 405面 ; 李智冠 2004년 3册 478面).

[是年, 以[秘書監]崔梓爲右散騎常侍:追加].[79)]

[○以[禮部侍郎]崔誠爲借禮部尙書·知西京留守事:追加].[80)]

[○以[試閤門祗候]崔精爲豊州防禦使兼勸農使:追加].[81)]

[○以[刑部員外郞]朴正明爲忠淸道按察使:追加].[82)]

[○以[重大師]<u>靈炤</u>爲三重大師:追加].[83)]

[○僧<u>義光</u>移住忠州龍頭寺:追加].[84)]

壬戌[仁宗]二十年, 金天眷五年→7月高麗稱皇統二年, [南宋紹興十二年], [西曆1142年]

1142년 1월 29일(Gre2월 5일)에서 1143년 1월 17일(Gre1월 24일)까지, 354일

春正月[乙未朔[大盡,壬寅], 東南有黑氣:五行1黑眚黑祥轉載].

[○大風終日, 飛沙走石:五行3轉載].

辛丑[7日], 金遣[上京咸平路]肇州防禦使烏陵錫椐來, 賀生辰.

壬寅[8日], 以金良秀爲刑部尙書·上將軍, 李祿千爲工部尙書·上將軍.

丙午[12日], 宴金使于大觀殿.

癸丑[19日], 諫官劾奏, "秘書少監·寶文閣待制<u>金精</u>, 嘗詣樞密[知樞密院事]金正純第, 使酒詬罵. [國子司業·起居注鄭襲明, 請寓[門下侍中]金富軾別第, 失諫官體:節要轉載], 請罪之". [於是, 精,:節要轉載]. 落寶文閣待制, [襲明, 落起居注:節要轉載]. 諫官又奏, "□[精]_,[85)] 罪重罰經, 請罷其職", 從之.[86)]

---

79) 이는「崔梓墓誌銘」에 의거하였다.

80) 이는「崔誠墓誌銘」에 의거하였다.

81) 이는「崔精墓誌銘」에 의거하였다.

82) 이는「朴正明墓誌銘」에 의거하였다.

83) 이는「靈通寺住持·僧統靈炤墓誌銘」에 의거하였다.

84) 이는「崇敎寺住持·首座義光墓誌銘」에 의거하였다.

85) 添字는『고려사절요』권10에 의거하였다.

86) 이때 파직된 金精은 곧 復職하였던 것으로 추측되는데, 2년 후인 1144년(인종22)에는 文林郞·試尙書禮部侍郞·知制誥였다(許載墓誌銘).

丁巳[23日], 幸神衆院.

[○大風飛沙:五行3轉載].

[甲申[某日], 雨土:五行3雨土轉載].[87]

[某日, 以李陽升爲慶尙道按察使:慶尙道營主題名記].

[是月頃, 前儒林郞·檢校太子太保·行試尙舍奉御崔學鸞卒, 年七十一:追加].[88]

二月乙丑朔[小盡,癸卯], 幸外帝釋院.

己卯[15日], 燃燈. 金使請觀樂, 館伴金端奏請, 許之. 臺諫固諫, 又彈端及掌奏承宣裴景誠, 不聽.

[癸未[19日], 大風·雨土:五行3恒風轉載].[89]

辛卯[27日], 遣金巨公如金東京.

三月[甲午朔大盡,甲辰], [某日, 門下侍中金富軾三表, 乞致仕, 許之. 加賜同德贊化功臣號:節要轉載], [詔曰, "卿年雖高, 有大議論, 當與聞":列傳11金富軾轉載].

己酉[16日], 賜高儔等及第.[90]

[乙卯[22日], 雷, 雨雹:五行1雷震轉載].[91]

庚申[27日], 幸普濟寺.

---

87) 이달에는 甲申이 없고, 2월 20일(甲申)일 가능성이 높다. 이는 2월 19일(癸未)에 大風·雨土가 있었음을 통해 유추할 수 있을 것이다.

88) 이는 「崔學鸞墓誌銘」에 의거하였다.

89) 原文에는 癸未의 앞에 二月이 탈락되었다.

90) 이와 관련된 기사로 다음이 있는데, ~~添字~~와 같이 고쳐야 옳게 될 것이다(權適墓誌銘). 이때 高儔·皇甫諝(皇甫讓妻金氏墓誌銘)·[吏部書吏]張忠義(張忠義墓誌銘) 등이 급제하였다(朴龍雲 1990년 ; 許興植 2005년).

· 지27, 선거1, 科目1, 選場, "[仁宗]二十年三月, 樞密院使王冲知貢擧, □[試]刑部侍郞權迪[權適]同知貢擧, 取進士, [己酉], 賜高儔等三十人·明經二人·恩賜五人及第". 여기에서 ~~添字~~와 같이 고쳐야 옳게 될 것이다.

· 「王冲墓誌銘」, "大金皇統二年壬戌, 與同知貢擧權適掌禮闈, 得高儔等三十人. 不數年, 或以文材, 出入舘翰, 或以善政, 優游膴仕者, 今已二十餘人, 時謂得士, 無過此者".

91) 이때 일본 京都에서 3월 29일(壬戌) 오후 3시에서 5시 무렵 降雹이 있었다고 한다(中央氣象臺 1941年 2册 617面).

· 『台記』 권2, 康治 1년 3월, "廿九日壬戌, 申刻, 雨雹".

夏四月[甲子朔小盡,乙巳], 己巳[6日], 以[門下侍郎平章事]任元敳△[爲]判尙書吏部事, [[試刑部侍郎·翰林侍讀學士·知制誥權適]爲刑部侍郞·翰林侍講學士·知制誥:權適墓誌追加].

癸酉[10日], 王如安和寺.

[壬午[19日], 小滿. 靜邊城廊火:五行1火災轉載].

[戊子[25日], 太白動搖:天文1轉載].

己丑[26日], 幸外帝釋院.

五月[癸巳朔小盡,丙午], 丙申[4日], [守司空·左僕射·]參知政事金仁揆卒.[92] [仁揆女, 嫁李資謙子之彥, 故資謙之敗, 坐貶知春州, 旣而召還復職. 爲人寬厚, 不臧否人物, 優游不斷, 但保祿位而已. 然本茂族, 又當資謙用事, 未嘗倚以驕人, 此其可稱也:節要轉載].

庚戌[18日], 金遣大府監[太府監]完顔宗禮·翰林直學士田穀來,[93] 冊王.[94]

戊午[26日], 王受詔于宣慶殿, 詔曰, "九儀錫命, 禮本於周官, 諸侯稱王, 事從於漢制. 卿世遵信約, 躬踐令猷, 肇從嗣守之初, 克謹稱藩之儀, 累年于此, 一德不渝. 宜封冊之遂行, 飭使軺而往使, 恪守爾典, 恭聽朕言. 今遣使冊命, 仍賜九旒冠一頂·九章服一副·玉珪一面·金印一面·玉冊一副·象輅一·馬四匹, 別賜衣對·匹叚[段]·器用若干·鞍轡馬三匹·散馬四匹". ○冊曰, "昔先王疆理天下, 錫命六服, 率因世守, 用丕協[協]于大[太]公. 肆朕君臨, 若稽隆古, 亦惟崇德象賢, 以奉若天道, 咨爾楷, 英氣邁往, 淑質純茂, 粤自早歲, 以孝友誠敬, 事親有聞, 逮其纘承, 祗德彌邵. 眷爾先哲, 克篤忠貞, 以謹事大邦, 懷保惠訓, 載祀數百, 用詒燕于爾躬. 爾亦迪知忱恂, 夙夜兢翼, 芟刈祟澂. 式克敬典, 乃增裕于前烈, 朕甚嘉之. 越玆旣累年, 而典冊未稱, 大懼怫鬱公議, 今遣使持節冊命. 爾爲儀同三司·柱國·高麗國王, 永爲我藩輔. 於戲, 惟天

---

92) 이날은 율리우스曆으로 1142년 5월 30일(그레고리曆 6월 6일)에 해당한다.

93) 金에서는 太府監이므로 大府는 太府의 잘못이다(『금사』 권56, 지37, 백관2, 太府監). 또 封冊使 完顔宗禮의 官職은 明武大將軍(避諱로 인한 昭武大將軍의 改字, 正4品上)이었다고 한다(『동문선』 권34, 回封冊使, 崔惟淸 撰).

94) 金의 封冊은 1월 11일(乙巳) 결정되었고, 이때의 接伴使는 廣州牧使 尹彥頤였다.
 · 『금사』 권4, 본기4, 熙宗, 皇統 2년 1월, "乙巳, 命封高麗[國王王楷爲開府儀同三司·上柱國:追加]". 여기에서 추가된 部分[밑줄]이 탈락되었을 것이다[校正事由].
 · 『금사』 권60, 表2, 交聘表上, 皇統 2년 1월, "乙巳, 詔可高麗國王王楷開府儀同三司·上柱國".
 · 『금사』 권135, 열전73, 外國下, 高麗, "皇統二年, 詔加楷開府儀同三司·上柱國". 이 구절은 원래 '命伐高麗'로 되어 있었다고 한다(『金史』, 中華書局, 1985年 89面).
 · 「尹彥頤墓誌銘」, "壬戌, 以公爲仁宗封冊行李接伴, 公開懷與語, 不以夷狄, 待之".

難忱, 惟命不于常, 人之攸好德, 降之百祥. 義之不庸, 彊自取弱, 勿矜于貴, 勿溢于富, 勿敢怠于宴康. 聽予一人之猷訓, 以嚮受多福, 其以有民世享, 豈不偉歟". ○又加開府儀同三司·上柱國, 詔曰, "朕恭承先業, 奄有庶邦, 賓實以名, 勉徇樂推之意. 由中及外, 惟均大賚之恩, 奕世撫封, 象賢嗣爵, 夙篤尊王之義, 宜膺進秩之榮. 屬使傳之往馳, 申命書而用錫, 尙綏厥位, 永孚于休". ○故事, 受册命, 必於南郊, 今宗禮等, 奉朝廷指揮, 始於王宮, 頒詔.

六月壬戌朔大盡,丁未, 癸亥2日, 王如奉恩寺.
辛未10日, 宴金使于大觀殿.
丙子15日, 王受菩薩戒于大觀殿.
[丙戌25日, 月犯畢星:天文1轉載].

秋七月[壬辰朔小盡,戊申, 流星出天街, 入畢:天文1轉載].
辛丑10日, 始行金皇統年號, 命有司, 告于大廟太廟及十二陵.[95]
[丙午15日, 月食:天文1轉載].[96]
[丁未16日, 國淸寺住持·大禪師敎雄入寂, 年六十七, 臘五十八:追加].[97]
[某日, 以崔稱崔褎稱?爲慶尙道按察使:慶尙道營主題名記].[98]

八月辛酉朔小盡,己酉, [甲戌14日 雷電:五行1雷震轉載].
[丁丑17日, 月犯鎭星:天文1轉載].
庚辰20日, 幸王輪寺.
丁亥27日, 出御長源亭. 有一婦, 抱雙生男, 謁于路, 賜布二十匹.

---

95) 金은 前年 1월 13일(癸丑)에 연호를 皇統으로 바꾸었다.
· 『금사』 권4, 본기4, 熙宗, 皇統 1년 1월, "癸丑, 謝太廟, 大赦. 改元".

96) 이날 宋에서도 월식이 이루어졌으나 구름으로 인해 볼 수가 없었다고 한다(『송사』 권52, 지5, 천문5, 月食). 또 일본의 교토에서도 월식이 있었다고 한다. 이날은 율리우스력의 1142년 8월 8일이고, 월식 현상이 심했던 때의 世界時는 12시 17분, 食分은 0.75이었다(渡邊敏夫 1979年 476面).
· 『台記』 권2, 康治 1년 7월, "十五日丙午, 巳刻歸老, 星晝見, 月蝕正現".
· 『本朝世紀』 제25, 康治 1년 7월, "十五日丙午, 戌刻, 月蝕, 十五分上".

97) 이는 「國淸寺住持敎雄墓誌銘」에 의거하였다.

98) 崔稱은 崔褎稱(최유칭)을 轉寫할 때 缺字가 있었던 같다.

九月庚寅朔大盡,庚戌, 丙申7日, 幸敬天寺.

[○熒惑入輿鬼, 犯積尸:天文1轉載].

[戊申19日, 月犯畢星:天文1轉載].

[壬子23日, 亦如之雷電:五行1雷震轉載].[99]

[丙辰27日, 雷電, 雨雹:五行1雷震轉載].

冬十月庚申朔小盡,辛亥, 戊辰9日, 御長源亭西樓, 閱射, 中者, 賜物有差.

甲戌15日, 幸彰信寺, 遂如天壽寺.

乙亥16日, 還御新闕.

[戊寅19日, 以西南路州郡牛馬疫, 遣日官, 分道祈禳:五行3轉載].

庚辰21日, 遣同知樞密院事崔灌·□右諫議大夫崔惟清如金, 謝冊命.[100]

[癸未24日, 雷:五行1雷震轉載].

乙酉26日, [小雪]. 有事于大廟太廟, 赦.[101]

[是時, 乘金所賜象輅:輿服1轉載].[102]

丁亥28日, 遣崔褒偁如金, 謝賀生辰.

---

99) 일본의 교토[京都]에서 9월 1일, 2일 大風雨와 洪水가 있었다고 한다(中央氣象臺 1941年 1冊 27面).

· 『台記』 권2, 康治 1년 9월, "一日庚寅, 去夜大雨, 因今朝洪水, 水升宿所椽, 平地二尺許. … 二日辛卯, 今曉大風, 雨發屋, 人爲異, 水昇板敷, 因渡棧敷屋, 烏羽·朱雀大路, 如大河, 築垣悉崩, 父老云, 如此年 來之間三".

· 『本朝世紀』第25, 康治 1년 9월, "二日辛卯, 從昨日大雨, 去曉以後大風, 河邊民戶多以流亡, 日來所被堀之鴨川淵, 變爲瀨了, 徒費役夫, 已無所成. 又八省會昌門以西廻廊顚倒之間, 役夫等壓死. 件穢可爲太極殿穢之由議定畢".

100) 崔灌과 崔惟清은 12월 7일(乙丑) 金에서 책봉을 사례하였다. 이때 崔惟清은 禮部侍郎·右諫議大夫·翰林侍讀學士였다.

· 『금사』 권4, 본기4, 熙宗, 皇統 2년 12월, "乙丑, 高麗王遣使□來, 謝冊封".

· 『금사』 권60, 表2, 交聘表上, 皇統 2년, "十二月乙丑, 高麗使謝賜封冊".

· 「崔惟清墓誌銘」, "時北朝遣使冊上仁宗, 禮當□謝, 公□被?選爲介, 與□□□□使崔灌□北朝, 公擧□都椎, 周旋中□金□□□, 乃移牒宜加爵秩, □還□遷試戶部侍郎".

· 열전12, 崔惟清, "尋以諫議大夫. 如金謝冊命, 言動中禮, 金人歎服, 移牒使加爵祿. 比還, 拜戶部侍郎".

101) 이때의 행사는 어떤 祖上의 神主를 옮기는 협례[祫禮]였고, 행사에 관련된 文筆은 禮部侍郎 權適이 담당하였다고 한다(權適墓誌銘→인종 21년 5월 某日).

102) 이는 다음의 기사를 전재한 것이다.

· 지26, 輿服1, 王輿輅, "仁宗二十年五月, 金主賜象輅, 十月有事于太廟, 乘之".

十一月[己丑朔大盡,壬子], 辛卯[3日], 金東京飛騎尉[勳級從6品]蒲察忠安來, 報聘.[103]

癸巳[5日], 遣使八道, 察訪州縣官吏能否.[104]

戊戌[10日], 遣李永章如金, 進方物.

辛丑[13日], 遣李陽升, 賀正.[105]

[丙午[18日], 登仕郎·尙衣奉御同正朴宗夏卒:追加].[106]

癸丑[25日], 遣安正脩如金, 賀萬壽節.[107]

[是月, 賜御筆題額於延州普賢寺曰'妙香山普賢寺之記':追加].[108]

十二月[己未朔大盡,癸丑], [癸亥[5日], 流星入攝提, 長十尺許:天文1轉載].

乙丑[7日], 王以重脩功畢, 如奉恩寺.

[丁卯[9日], 雨土:五行3轉載].

丙戌[28日], [大寒]. 以[門下侍郞平章事]任元敱△[爲]監修國史, [政堂文學]李之氐△[爲]守司空·左

---

103) 蒲察忠安에서 蒲察은 部族(후일 姓氏로 바뀜 富察氏, fuqa)에서 由來된 複姓으로 金代의 女眞族을 구성하는 주요한 부족의 하나이다.

104) 이때 1134년(인종12) 5월 12일(辛酉) 製述業에 급제한 崔祐甫가 이후 文翰官을 거쳐 晋州牧司錄兼掌書記로 재직하다가 察訪使 金子儀로부터 考課成績 最上位[最]를 받았다고 한다(1143, 인종21). 이어서 임기가 끝난 후 上京하여 『삼국사기』의 편찬에 참여하였을 가능성이 높다. 이로 인해 『삼국사기』가 완성된 1145년(인종23) 12월 이후 김부식의 추천을 받아 儒林郞(正9品上)·尙衣直長同正(正7品)·西材場判官(丙科權務)에 임명되었던 것 같다(崔祐甫墓誌銘 ; 『三國史記』, 末尾題記).

105) 李陽升은 다음 해 正旦에 皇太子 濟安의 喪(前年 12월 26일 逝去)으로 인해 熙宗이 正殿을 피해 便殿에 居處하였기에, 宋·夏의 使臣과 함께 皇極殿에 나아가 멀리서 하례를 올렸다고 한다[遙賀].
· 『금사』 권4, 본기4, 熙宗, 皇統 3년 1월, "己丑朔, 宋·高麗·夏使, 詣皇極殿遙賀".
· 『금사』 권60, 表2, 交聘表上, 皇統 3년 1월, "己丑朔, 高麗使賀正旦".

106) 이는 「朴宗夏墓誌銘」에 의거하였는데, 이날은 율리우스曆으로 1142년 12월 6일(그레고리曆 12월 13일)에 해당한다.

107) 安正脩는 明年(皇統3) 1월 17일(乙巳)에 萬壽節을 하례하였지만, 이때 宋·夏의 使臣과 함께 皇極殿에 나아가 멀리서 하례를 올렸던 것 같다[遙賀].
· 『금사』 권4, 본기4, 熙宗, 皇統 3년 1월, "乙巳, 萬壽節, 如正旦儀".
· 『금사』 권60, 表2, 交聘表上, 皇統 3년 1월, "乙巳, 高麗使賀萬壽節".

108) 이는 다음의 자료에 의거하였다. 또 普賢寺碑 題額의 書體(仁宗御筆)는 文公裕가 쓴 本文[碑文]과 함께 고려시대의 金石文에 많이 사용되었던 歐陽詢(557~641)의 率更體(俊拔勁峭의 楷書體)가 아니라 細長[縱長], 輕快한 北宋時代의 서체인 것 같다고 한다(塚本麿充 2016年 462面).
· 「寧邊妙香山普賢寺碑」, "… 皇統二年壬戌十一月日,」內降御筆題額"(現 平安北道 香山郡 香巖里 普賢寺 境內 위치).

僕射·判禮部事特進·守司空·政堂文學·尙書左僕射·判尙書禮部事·修國史兼太子少傅, 金正純△爲守司空·知門下省事·判刑部事特進·守司空·知門下省事·兵部尙書·判刑部事兼太子少保[109], 韓惟忠爲左僕射·樞密院事樞密院使·判三司事,[110] 樞密院使王冲爲吏部尙書,[111] [刑部侍郞·翰林侍講學士·知制誥權適爲禮部侍郞·翰林侍講學士·知制誥:追加].[112]

[是年, 以右散騎常侍崔梓爲朝議大夫:追加].[113]

[○試尙書右丞金永錫爲試司宰卿·知兵部事:追加].[114]

[○以崔褒抗爲兵部郞中兼太子司議郞:追加].[115]

[○以右正言朴脩爲知洪州事:追加].[116]

[○以大官署令鄭知源爲試閤門祗候·知昇平郡事:追加].[117]

[○以試內園署令金永夫爲定州分道官, 仍爲右正言·知制誥:追加].[118]

[○賜天興寺住持·三重大師觀奧繡貼袈裟二領·一襲衣裳幷御封茶香:追加].[119]

[○僧懷正撰'金剛山神琳庵小塔記':追加].[120]

[補遺].[121]

---

109) 이때 李之氐와 金正純이 임명된 官爵은 添字와 같다(『동문선』 권25, 除李之氐·金正純並參知政事).

110) 樞密院事는 樞密院使의 오자인데, 『고려사절요』 권10과 「韓惟忠墓誌銘」에는 옳게 되어 있다.

111) 이때 王冲은 樞密院使로 吏部尙書를 겸직하였다.

112) 이는 「權適墓誌銘」에 의거하였다.

113) 이는 「崔梓墓誌銘」에 의거하였다.

114) 이는 「金永錫墓誌銘」에 의거하였다.

115) 이는 「崔褒抗墓誌銘」에 의거하였다.

116) 이는 「朴脩墓誌銘」에 의거하였다.

117) 이는 「鄭知源墓誌銘」에 의거하였다.

118) 이는 「金永夫墓誌銘」에 의거하였다.

119) 이는 「修理寺住持·首座觀奧墓誌銘」에 의거하였는데, 原文의 壽貼袈裟는 繡貼袈裟의 誤刻일 가능성이 있다.

120) 이는 다음의 자료에 의거하였는데, 藍浦硯石은 조선시대에도 소중히 다루어졌던 같다.
- 『頭陀草』冊5, 神琳庵, "庵有麗僧懷正塔記, 文頗可觀, 寺廢已久".
- 『頭陀草』冊145, 東遊錄, 4월 4일, "… 入神琳庵, 亦無僧, 荒落殊甚. 庭中有小塔, 石色黑潤, 類藍浦硯石. 塔面有刻記, 是皇統二年, 僧懷正所撰, 文頗可觀. 僧言塔中曾藏世尊舍利, 有行脚僧毁塔偸去. 寺亦因是廢云".
- 『無名子集』詩稿冊3, 藍浦縣出硯石, 余尹愭不取來, 戱吟.

121) 이해에 金의 經義進士로 及第가 하사되었던 李晏이 고려에 사신으로 파견되었을 때 지은 「高麗平州中和館後草亭」이 찾아진다(『中州集』 권2, 李承旨晏, 張東翼 1997년 356面).

癸亥[仁宗]二十一年, 金皇統三年, [南宋紹興十三年], [西曆1143年]

1143년 1월 18일(Gre1월 25일)에서 1144년 2월 5일(Gre2월 12일)까지, 13개월 384일

春正月己丑朔大盡,甲寅, 日食.[122)]

乙未7日, 金遣河北西路洺州防禦使蕭嗣貞來, 賀生辰.

戊戌10日, 宴金使于大觀殿.

壬寅14日, 以池錫崇爲兵部尙書, 崔孝升△爲攝工部尙書.

癸卯15日, 幸神衆院.

[○月食, 旣:天文1轉載].[123)]

[某日, 以金龜符爲慶尙道按察使:慶尙道營主題名記].[124)]

[是月某日, 優婆夷禹氏造成剛州德山寺盤子一口, 重五斤半:追加].[125)]

二月己未朔小盡,乙卯, 甲申26日, 幸外帝釋院.

丙戌28日, [春分]. 幸王輪寺.

[三月戊子朔大盡,丙辰, 丙申9日, 大雨雪, 人有凍斃者:節要·五行1恒寒轉載].[126)]

[是月頃, 國子祭酒·知都省事朴景山, □□□□□掌南省試, 取皇甫存等:選擧2國子試額轉載].[127)]

---

122) 이 시기에 南宋에서는 일식이 밤에 일어나 기록되지 못하였다고 한다. 또 이날(율리우스력의 1143년 1월 18일)의 일식은 북동아시아 3국이 中心食帶에서 벗어나 있었기에 관측될 수 없었다(渡邊敏夫 1979年 307面). 그리고 일본에서는 이날 일식의 실현 여부에 대한 논의가 있었다고 한다(『本朝世紀』 제26, 康治 2년 2월 1일 ; 『台記』 권3, 康治 2년 1월 己丑).

· 『송사』 권52, 지5, 천문5, 日食, "紹興八年至十二年仁宗20年, 日食多在夜, 史蒙蔽不書".

123) 이날 일본의 교토[京都]에서 皆既月食이 있었다고 한다. 이날은 율리우스력의 1143년 2월 2일이고, 월식 현상이 심했던 때의 世界時는 18시 20분, 食分은 1.72이었다(渡邊敏夫 1979年 476面).

· 『台記』 권3, 康治 2년 1월, "十五日癸卯, 月食正現, 皆既, 虧初弁復末, 如曆道申, 望月食".

124) 原文에는 金龜夫로 되어 있으나 金龜符의 오자로 추측된다(→인종 22년 12월 11일).

125) 이는 「剛州德山寺盤子銘」에 의거하였는데, 이 盤子의 出處가 慶尙北道 榮州市[옛 剛州地域] 지역이라고 한 점을 보아 德山寺는 이곳에 位置했을 가능성이 있다(國立中央博物館所藏, 文明大 1994년 4책 277面 ; 『한국금석문집성』35책, 47面).

· 銘文,"剛州在京都染令艾國妻禹氏,祝聖壽天長,」法界群生,共證菩提之願,」皇統三年癸亥正月日,德山寺懸排.」入重五斤羊半". 여기에서 羊은 半의 誤刻일 것이다.

126) 宋에서는 이달의 26일(癸丑)에 눈이 내렸다고 한다(『송사』 권62, 지15, 오행1下).

夏四月戊午朔大盡,丁巳, 丁卯10日, 王如安和寺.

戊辰11日, 隕霜, 雨雹.[128]

丁亥30日, [小滿]. 幸普濟寺.

閏[四]月戊子朔小盡,丁巳, 乙巳18日, 納王氏, 爲太子妃. [遣使下詔, 仍賜禮物:列傳1毅宗妃莊敬王后金氏轉載].

[→太子納司徒溫之女, 爲妃:節要轉載].[129]

丁未20日, 賜太子妃詔書·禮物, 遂召廣平侯源·司徒溫·門下侍郞平章事任元敱, 曲宴于密殿.

[○流星出勾陳, 入帝座, 又出招搖, 入北斗:天文1轉載].

甲寅27日, 幸外帝釋院.

五月~~丁巳朔~~小盡,戊午, [癸亥7日, 王京松川寺住持·三重大師世賢入寂:追加].[130]

丁卯11日, 延德宮火.[131]

[某日, 以前年祫禮應制功, 禮部侍郞·翰林侍講學士·知制誥權適爲檢校禮部尙書:權適墓誌追加].

六月丙戌朔大盡,己未, 丁亥2日, 王如奉恩寺.

戊子3日, [大暑]. 以王妃任氏有疾, 設消灾道場於大觀殿五日.

庚寅5日, 命太子, 設寶星道場於脩文殿三日.

庚子15日, 王受菩薩戒于大觀殿.

---

127) 朴景山의 묘지명에는 "尋遷國子祭酒·知都省事, 癸酉癸亥歲, 掌南省試"로 되어 있으나 癸酉는 癸亥의 오자일 것이다. 또 이와 관련된 기사로 「皇甫讓妻金氏墓誌銘」, "… 次曰存, ~~癸亥~~年中南省試第一"이 있다.

128) 이와 같은 기사가 지7, 五行1, 水, 霜에도 수록되어 있다. 일본의 교토에서는 3월 21일(戊寅, 高麗曆의 4월 21일) 雷雨와 降雹이 있었다고 한다(中央氣象臺 1941年 2册 423面).

·『本朝世紀』第26, 近衛, 康治 2년 3월, "廿一日戊寅, 未刻以後, 雷鳴暴雨, 氷雹共降".

129) 王氏는 宗室인 □守司徒·江陵公 溫의 딸로서 太子妃에 책봉된 후 外家의 姓氏를 따라 金氏를 稱하였던 것 같다(열전1, 后妃1, 毅宗, 莊敬王后金氏 ; 『고려사절요』 권10, 인종 21년 4월).

130) 이는 「松川寺住持世賢墓誌銘」에 의거하였는데(金龍善 2006년 78面), 이에는 五月이 丁巳朔임을 밝히고 있다(宋曆·日本曆과 同一).

131) 이와 같은 기사가 지7, 五行1, 火, 火災에도 수록되어 있다.

[○月食, 旣:天文1轉載].[132)]

戊申[23日], 還壽昌宮.

壬子[27日], 以廣平侯源△[爲]守太保·廣平公[·食邑二千戶·食實封五百戶:追加], □[守]司徒漍△[爲]守太尉·江陵侯[·食邑七百戶·食實封三百戶:追加].[133)]

[秋七月[丙辰朔小盡,庚申], 庚辰[25日], 流星出南斗, 入天田, 又出奎, 入天船:天文1轉載].

[某日, 以高瑩夫爲慶尙道按察使:慶尙道營主題名記].

八月[乙酉朔小盡,辛酉], 乙未[11日], 出御長源亭.

[○是時, 上命近臣射弓, 內侍咸有一獨破的, 上嘉之賜金帛, 咸有一卽以所賜物段, 盡賣, 具軍廚什器:追加].[134)]

[丁未[23日], 月犯歲星:天文1轉載].

[己酉[25日], □[月]食軒轅:天文1轉載].

九月[甲寅朔大盡,壬戌], 庚申[7日], [霜降]. 幸慶天寺.

[壬戌[9日], 月犯哭星:天文1轉載].

[庚午[17日], 天狗墜地, 聲如雷:天文1轉載].

癸酉[20日], 以[承宣]裵景誠△[爲]知吏部事. 景誠爲承宣, 取倡女爲妻, 諫官言, 景誠內行如此, 不可居喉舌之職, 改除知御史臺事, 諫官又言, 風憲尤非所宜, 論執不已, 故

---

132) 이날 宋에서도 같은 현상이 있었고(『송사』 권52, 지5, 천문5, 月食), 일본의 京都에서는 皆旣月食이 있었다고 한다. 이날은 율리우스력의 1143년 7월 28일이고, 월식 현상이 심했던 때의 世界時는 12시 38분, 食分은 1.57이었다(渡邊敏夫 1979年 476面).

· 『台記』 권3, 康治 2년 6월, "十五日庚子, … 月蝕, 正現云々".

· 『本朝世紀』 제26, 康治 2년 6월, "十五日庚子, … 今夜戌剋, 月蝕, 皆既".

133) 이들 기사는 열전3, 文宗王子, 朝鮮公 燾에 의거하였다.

134) 이는 다음의 자료에 의거하였는데, 句當(혹은 勾當)은 管理·管掌을 의미한다.

· 「咸有一墓誌銘」, "召入爲內侍, 令句當軍廚事, 上幸長原亭, 命近臣射弓, 公獨破的, 上嘉之賜金帛, 公卽以所賜物段, 盡賣, 具軍廚什器".

· 열전12, 咸有一, "召入內侍, 勾當軍廚事. 王嘗幸長源亭, 命近臣射, 有一中的, 受金帛. 不入於家, 盡賣之, 具軍廚什器".

· 『신당서』 권149, 열전74, 第五琦, "帝[肅宗]悅, 拜監察御史, 句當江淮租庸使, 遷司虞員外郞, 河南等五道支度使".

有是命.[135)]

[戊寅[25日], 月食建星:天文1轉載].

[己卯[26日], 流星出參, 入軍市:天文1轉載].

冬十月[甲申朔小盡,癸亥], [己丑[6日], 月犯歲星:天文1轉載].

壬戌[某日], 王還壽昌宮.[136)]

[癸卯[20日], 雷雹:五行1雷震轉載].

十一月[癸丑朔大盡,甲子], 乙卯[3日], 設百座道場於宣慶殿三日, 飯僧三萬.

己未[7日], 遣兵部員外郎林仲如金, 謝賀生辰.

丁卯[15日], 遣李德壽如金, 進方物.

辛未[19日], 遣尙食奉御尹彦旼, 賀正.[137)]

乙亥[23日], 遣庾弼, 賀萬壽節.[138)]

十二月癸未□[朔大盡,乙丑], 太史奏, "太陽當食, 不虧".[139)]

---

135) 이때 裴景誠은 承宣으로 재직하다가 臺諫의 탄핵은 받아 殿中監·知御史臺事에 임명되었다가 다시 知吏部事로 改職되었다고 한다(裵景誠墓誌銘).

136) 이달에 壬戌이 없기에 오자일 것이다. 壬戌은 9월 9일, 11월 10일이다.

137) 尹彦旼(尹瓘의 子)은 다음 해 正旦에 하례하였던 것 같다.
· 『금사』 권4, 본기4, 熙宗, 皇統 4년 1월, "癸丑朔, 宋·高麗·夏遣使來賀".
· 『금사』 권60, 表2, 交聘表上, 皇統 4년, "正月癸丑朔, 高麗使賀正旦".

138) 庾弼은 明年(皇統4) 1월 17일(己巳)에 萬壽節을 하례하였던 것 같다.
· 『금사』 권4, 본기4, 熙宗, 皇統 4년 1월, "己巳, 萬壽節, 宋·高麗·夏遣使來賀".
· 『금사』 권60, 表2, 交聘表上, 皇統 4년 1월, "己巳, 高麗使賀萬壽節".

139) 癸未에 朔이 탈락되었는데, 이날 太史가 일식을 예보하였으나 행해지지 않았다고 한 점을 통해서도 알 수 있다. 宋에서는 牽牛星에 일식이 예보되었으나 陰雲[黔雲]으로 보이지 않았다고 하고, 金에서는 이날 일식이 관측되었다고 한다. 그런데 이날(율리우스력의 1144년 1월 7일)의 일식은 南宋·金·高麗의 3국이 中心食帶에서 벗어나 있었기에 관측될 수 없었다고 한다(渡邊敏夫 1979年 307面).
· 『송사』 권52, 지5, 천문5, 日食, "紹興十三年十二月癸未朔, 日食于牛, 黔雲不見".
· 『금사』 권4, 본기4, 熙宗, 皇統 3년 12월, "癸未朔, 日有食之".
· 『금사』 권20, 지1, 天文, 日薄食煇珥雲氣.
· 『台記』 권3, 康治 2년 12월, "一日癸卯, 雖晴日不食, 司曆失之".
· 『本朝世紀』 제27, 康治 2년 12월, "一日癸卯, 卯剋日蝕十五分十四, 所注御曆也. 而天晴雲收, 全無虧輪, 今日蝕, 公家并法皇可愼御之由, 宿曜道勘申也, 剩有種々祈禱, … 今日蝕不現, 實三寶靈

[乙酉3日, 雨土:五行3轉載].

壬辰10日, ~~守司空·~~中書侍郎平章事致仕崔滋盛卒,140) [年七十九, 謚忠烈:列傳11崔滋盛轉載]. [滋盛, 性剛敏, 歷官無不稱職. 然丙午仁宗4年之亂, 就李資謙私第重興宅執事. 人以此, 少之:節要轉載].

[甲辰22日, <u>月</u>食氐星:天文1轉載].141)

丁未25日, 以李之氐△爲參知政事·判西京留守事, <u>金正純</u>△爲參知政事,142) [試司宰卿·知兵部事<u>金永錫</u>爲衛尉卿·太子右庶子, 禮部侍郎·翰林侍講學士·知制誥·檢校禮部尙書<u>權適</u>爲左諫議大夫·翰林侍講學士·知制誥, 刑部郎中<u>梁元俊</u>爲試御史中丞:追加].143)

[是年, 改<u>富城郡</u>爲富城縣令官.144) 安東府管內義城府爲義城縣令官. ○改善州爲一善縣, 置縣令官, 以尙州牧任內海平郡, 移屬一善縣, 以尙州任內軍威·孝靈縣, 還屬一善. ○改剛州爲順安縣, 置縣令官. ○置管城·大丘·綾城縣令. 又置楊廣道江陰·利川, 慶尙道巘陽·松生, 全羅道求禮·荳原, 交州道洪川·金化監務:地理志轉載].145)

驗也”.

140) ~~添字~~는 崔滋盛의 孫 崔婁抗의 묘지명에 의거하였다. 이날은 율리우스曆으로 1144년 1월 16일(그레고리曆 1월 23일)에 해당한다.

141) 이때 일본의 京都에서는 16일(戊戌)에 월식이 있었다고 한다.

- ·『台記』 권3, 康治 2년 12월, “十六日戊戌, 月食見云々”.
- ·『本朝世紀』 제27, 康治 2년 12월, “十六日戊戌, 戌剋月蝕”.

142) 열전11, 金正純에는 “仁宗<u>二十年</u>二十一年, 叅知政事. □□□二十三年, 疾篤, 加推忠定難功臣·開府儀同三司·守太尉·門下侍郎·同中書門下平章事·上柱國”로 되어 있으나 二十年은 二十一年의 오류일 것이다.

143) 이는 「金永錫墓誌銘」; 「權適墓誌銘」; 「梁元俊墓誌銘」에 의거하였다.

144) 이때 縣令官으로 개편된 郡縣은 屬縣에서 主縣으로의 陞格이므로 富城郡도 어느 州牧의 屬縣이었을 것이다.

145) 이는 다음의 자료에 의거하여 전재하였다.

- · 지10, 지리1, 富城縣, “本百濟基郡, 新羅景德王, 改爲富城郡, 高麗因之. 仁宗<u>二十二年</u>~~二十一年~~, 置縣令”. 여기에서 ~~添字~~와 같이 고쳐야 옳게 될 것이다(卽位年稱元法을 踰年稱元法으로 改書할 때 誤謬가 발생한 것임, 尹京鎭 2003년).
- ·『경상도지리지』, 安東道, 義城府, “仁宗, 皇統癸亥, <u>降爲義城縣令</u>~~降爲義城縣令官~~”. 이때 義城郡이 安東府 管內의 屬縣에서 縣令官으로 승격하였기에 ~~添字~~와 같이 고쳐야 옳게 될 것이다.
- · 지11, 지리2, 義城縣·管城縣·大丘縣, “仁宗二十一年, 置縣令”.
- · 지11, 지리2, 一善縣, “仁宗二十一年, 改今名, 置縣令”.
- · 지11, 지리2, 海平郡, “仁宗二十一年, 移屬一善”.
- · 지11, 지리2, 軍威縣, “仁宗二十一年, 還屬一善”.

[○以朝議大夫崔梓爲御史大夫:追加].146)

[○以兵部郎中崔褒抗爲試衛尉少卿兼太子司議郎:追加].147)

[○以戶部員外郎崔時允爲借戶部侍郞·安北大都護府使:追加].148)

[○以前刑部員外郎朴正明爲春州路察訪使:追加].149)

[○僧孝惇中大選上品:追加].150)

甲子[仁宗]二十二年, 金皇統四年, [南宋紹興十四年], [西曆1144年]

1144년 2월 6일(Gre2월 13일)에서 1145년 1월 24일(Gre1월 31일)까지, 354일

春正月癸丑朔小盡,丙寅, 己未7日, 金遣大太府監蕭肄來, 賀生辰.

庚申8日, 王齋宿南郊.151)

辛酉9日, [雨水]. □親祀圓丘.152)

[是時, 乘金所賜象輅:輿服1轉載].153)

壬戌10日, 宴金使.

庚午18日, 幸神衆院.

乙亥23日, 親耕籍田, [王五推, 諸王·三公七推, 尙書·列卿九推, 還宮:節要轉載]. 赦, 群臣表賀.154)

· 지11, 지리2, 求禮縣, "仁宗二十一年, 置監務". 以下 典據를 省略한다.

146) 이는 「崔梓墓誌銘」에 의거하였다.

147) 이는 「崔褒抗墓誌銘」에 의거하였다.

148) 이는 「崔時允墓誌銘」에 의거하였다.

149) 이는 「朴正明墓誌銘」에 의거하였다.

150) 僧 孝惇(尹彦頤의 4子)의 僧科 급제는 「尹彦頤墓誌銘」에 의거하였다.

151) 齋宿에 대한 설명으로 다음이 있다.

· 『아언각비』 권3, 齋宿, "享官齊宿, 謂之淸齊一宿, 然'禮記祭統'曰, 宮宰宿夫人散齊·致齊[注, 宿, 戒也]', '禮記'曰, 七日戒三日宿, 鄭注云, 戒, 散齊也. 宿致齊[鄭'祭統注'云, 宿, 讀爲肅, 戒也], 按'饋食禮'有宿尸之節, 宿者, 申戒也. 孟子稱, 客不悅曰, 弟子齊宿而後敢言, 秦繆公虜晋君以歸, 令國人齊宿, 皆非止宿之意. '淮南子'云, 將軍令祝史·太卜齊宿三日, 之太廟. '鑽靈龜', 亦謂致齊三日, 非止宿三日之謂也. 然則一宿之名, 非古意".

152) 添字는 『고려사절요』 권10에 의거하였다.

153) 이는 지26, 輿服1, 王輿輅, "仁宗二十二年正月. 乘象輅, 祀圓丘"를 전재한 것이다.

[某日, 以恩, 左諫議大夫權適爲檢校尙書右僕射:權適墓誌追加].

二月壬午朔大盡,丁卯, 丁亥6日, 幸外帝釋院.

乙未14日, 戶部尙書致仕許載卒,[155] [年八十三, 贈守太傅:追加].[156] [載, 由刀筆吏起,[157] 以淸白稱. 九城之役, 以中軍錄事, 戍吉州. 女眞來攻, 嬰城固守數月, 城幾陷, 載築重城以拒之, 女眞乃退. 以功, 拜監察御史, 然不學無術, 附李·拓, 遂登宰司. 及二人敗, 諫官極言其罪, 貶知豊州. 秩滿, 除兵部尙書, 仍令致仕, 臺諫駁之. 會西海道按察使奏, 載在豊州, 有政績, 不可棄. 遂拜戶部尙書致仕:節要轉載], [尋加開府儀同三司·檢校太尉:列傳11許載轉載].

己亥18日, 宴群臣於大觀殿, 賜馬人一匹.

[某日, 詔曰, "拓俊京, 雖失爲臣之節, 亦有衛社之功, 可授~~朝奉大夫~~檢校戶部尙書. ○數旬, 疽發背, 死于谷州. 其先, 本谷州吏, 俊京貧賤不學, 與無賴之徒遊, 求胥吏不得. 肅宗爲雞林公, 就其府, 爲從者, 遂得樞密院別駕. 九城之役, 有功, 遂顯:節要轉載].[158]

甲辰23日, 詔, 復齊民孝悌·力田者.[159]

庚戌29日, 出御長源亭.

[某日, 以左諫議大夫權適爲東北面兵馬副使, 崔思永爲慶尙道按察使:權適墓誌·慶尙道營主題名記].

[是月, 判~~冊~~, "東堂監試, 赴擧諸生, 須赴冬夏天都會, 許錄姓名, 在外生徒, 各於界首官·鄕校都會, 給狀赴試":選擧1科目轉載].

[○僧懷正等造成金剛山神琳菴小塔:追加].[160]

---

154) 이와 같은 기사로 다음이 있다.
· 지16, 禮4, 籍田, "仁宗二十二年正月乙亥, 親耕籍田, 王五推, 諸王·三公七推, 尙書·列卿, 九推".

155) 이날은 율리우스曆으로 1144년 3월 19일(그레고리曆 3월 26일)에 해당한다.

156) 이는 「許載墓誌銘」 : 열전11, 許載에 의거하였다.

157) 刀筆吏의 由來는 다음과 같다.
· 『자치통감』 권14, 漢紀6, 文帝前 3년(BC177) 8월, "… 且秦以任刀筆之吏[注, 師古曰, 刀, 以削書也, 古者用簡牒, 故吏皆以刀筆自隨也. 揚子曰, 刀不利, 筆不銛]".

158) ~~添字~~는 열전40, 拓俊京에 의거하였다.

159) 齊民은 基層社會의 절대 다수를 차지하고 있던 人民인 平民을 가리킨다.
· 『한서』 권24하, 食貨志第4下, "… 所忠言, 世家子弟富人, 或鬪雞走狗馬, 弋獵博戲, 亂齊民". "如淳曰世家, 謂世世祿秩家也. 齊, 等也. 無有貴賤, 謂之齊民, 若今言平民矣".

三月[壬子朔大盡,戊辰], [辛酉[10日], 月犯軒轅次妃星:天文1轉載].
[壬戌[11日], 穀雨. □[月]犯大微[太微]西蕃上將星:天文1轉載].
庚辰[29日], 還壽昌宮.

夏四月[壬午朔小盡,己巳], 辛卯[10日], 王如安和寺.
戊戌[17日], 幸普濟寺.
庚戌[29日晦], 雨雹.[161)]
[○流星出天市, 入東咸, 大如木瓜, 尾長五尺許:天文1轉載].
[是月某日, 優波塞林寵造成廣州牧金塔寺香埦壹坐, 重壹斤壹兩印:追加].[162)]

五月[辛亥朔大盡,庚午], 壬子[2日], 賜金敦中等及第.[163)] [敦中, 富軾之子也. 初, 擬以第二, 王欲慰其父, 升爲第一, 因屬內侍. 敦中, 年少氣銳, 後因宮庭除夕儺禮, 以燭, 燃牽龍[·隊正]鄭仲夫髥, 仲夫手搏辱之. 富軾怒白王, 將縛栲仲夫, 然王異仲夫爲人, 乃令逃免, 遂嗛敦中. 仲夫海州人, 方瞳廣顙, 白晳美鬚髥, 身長七尺餘. 初, 其州上軍籍, 封臂送京, 宰相崔弘宰見而異之, 充控鶴禁軍, 昵侍左右:節要轉載].
[→鄭仲夫, 海州人. 容貌雄偉, 方瞳廣顙. 白晳美鬚髥, 身長七尺餘, 望之可畏.

---

160) 이는 다음의 자료에 의거하였다.
· 『谷雲集』 권3, 楓嶽日記(1680年撰), "10[月]初二日, 朝起, 陰雲四塞, 稍晩開霽, … 還過天眞□[菴]下神琳菴, 有法堂頗古, 安小佛三軀, 製造出自中原麟宮, 施諸僧人云. 前有小塔, 塔面刻文, 字畫宛然, 有曰皇統四年甲子二月, 比丘懷正謹記云云". 여기에서 添字는 筆者가 추가하였다.

161) 지7, 오행1, 水, 雨雹에는 "[仁宗]二十二年三月[四月]庚戌, 雨雹"으로 되어 있으나 三月은 四月의 오자일 것이다.

162) 이는 廣州牧 金塔寺 靑銅香埦의 銘文에 의거하였다(慶熙大學博物館 所藏, 李浩官 1997년 271面 ; 文明大 1994년 3책 285面).
· 銘文, "皇統四年甲子四月日,廣州牧金塔道梁」林寵次知造納火垸壹坐,入重壹斤壹兩印」".

163) 이와 관련된 기사로 다음이 있다. 이 내용을 살펴볼 때 韓惟忠이 知貢擧가 되어 進士를 선발한 것은 5월이 아니라 4월 또는 그 以前이었을 것이다. 또 이때 金敦中·閔光文·韓楹(改彦國)·崔孝溫(以上 崔惟淸墓誌銘)·尹子固(尹彦頤墓誌銘)·朴孝晋(朴景山墓誌銘)·李知命(18歲) 등이 급제하였다(朴龍雲 1990년 ; 許興植 2005년).
· 지27, 선거1, 科目1, 選場, "[仁宗]二十二年五月, [守司空·左僕射·樞密院使]韓惟忠知貢擧, [禮部侍郎·左諫議大夫]崔惟淸同知貢擧, 取進士, [壬子], 賜金敦中等二十六人及第".
· 「崔惟淸墓誌銘」, "除禮部侍郎·左諫議大夫·同知□□□[禮部試?]貢擧, 其所考者, 金□□□二十□人, □□, 時知夕□, 時議比之 桃李在□□□[金]敦中·閔光文·韓楹·□□□·崔孝溫·□祿□並□□□□下謂公□人倫□□□矣".

初, 州上軍籍, 封其臂送京, 宰相崔弘宰選軍, 見而異之, 解其封慰勉, 充控鶴禁軍. 仁宗朝, 始補牽龍隊正. 除夕, 設儺禮, 呈雜技, 王臨視. 內侍·茶房·牽龍等, 交相騰躍爲樂, 內侍金敦中, 年少氣銳, 以燭燃仲夫鬚. 仲夫搏辱之, 敦中父富軾怒, 白王欲栲仲夫. 王允之, 然異仲夫爲人, 密令逃免. 仲夫, 由是慊敦中. 後仲夫復進, 昵侍左右:列傳41鄭仲夫轉載].

[乙丑15日, 流星出大角, 入天棓, 大如木瓜, 長十尺許:天文1轉載].[164)]

六月辛巳朔小盡,辛卯, 王如奉恩寺.

己丑9日, 慮囚.

[甲午14日, 月食:天文1轉載].[165)]

乙未15日, 王受菩薩戒于明仁殿.

[辛丑21日, 流星出箕, 入尾, 大如木瓜, 長五尺許:天文1轉載].

[丙午26日, 月犯太白:天文1轉載].

秋七月庚戌朔大盡,壬申, 庚申11日, 王妃任氏, 生子晫旼, 百官表賀.[166)]

[辛酉12日, 流星出東璧東壁, 向北行, 大如鉢, 長五尺許:天文1轉載].

[某日, 以禮部侍郞崔惟淸爲東北面兵馬副使, 安正脩安正修爲慶尙道按察使:慶尙道營主題名記].[167)]

[→崔惟淸, 後出爲東北面兵馬副使, 朔方倚如長城:列傳12崔惟淸轉載].

---

164) 紫宮[紫微垣]의 오른쪽 5星 또는 10星으로 天龍座와 武仙座에 위치한 天棓(천부)에 관한 자료로 다음이 있다.
- 『晉書』 권12, 지2, 天文中, 妖星, "三曰天棓, 一名覺星. 本類星, 末銳長四丈. 或出東北方·西方, 主奮事".

165) 이날 宋에서는 東方의 별인 女星에 월식이 있었다(『宋史』 권52, 지5, 천문5, 月食). 또 일본의 교토에서도 월식이 있었다. 이날은 율리우스력의 1144년 7월 16일이고, 월식 현상이 심했던 때의 世界時는 16시 44분, 食分은 0.21이었다(渡邊敏夫 1979年 476面).
- 『台記』 권4, 天養 1년 6월, "十四日甲午, 月食正現".
- 『本朝世紀』 제28, 天養 1년 6월, "十四日甲午, 丑剋月蝕".

166) 晫은 1197년(신종 즉위년) 10월 6일(乙亥) 神宗이 崔忠獻에 의해 擁立된 후 改名한 이름이다. 이때 그의 初名인 旼을 金 太祖 旻(阿骨打의 漢名)을 避하여 晫으로 고쳤으므로 이 기사의 晫은 旼의 잘못일 것이다(→신종 즉위년 10월 乙亥).

167) 崔惟淸은 그의 묘지명에 의거하였고, 安正脩는 『고려사』에 같은 글자인 安正修로 표기되어 있다.

八月[庚辰朔小盡,癸酉, 熒惑犯輿鬼·積尸. 流星出天將:天文1轉載].

[癸巳14日, 月犯羽林. 流星出王良, 入天船:天文1轉載].

[己亥20日, 月犯畢:天文1轉載].

辛丑22日, 幸普濟寺.

丙午27日, 出御長源亭.

九月己酉朔小盡,甲戌, 癸亥15日, 慮囚.

甲戌26日, 以旗頭軍羅信, 刃傷所生, 棄市.

乙亥27日, 閱射於西樓.

丁丑29日晦, 亦如之閱射於西樓.

[某日, 判刪, "文武員將, 人吏祇迎起居, 隔日一叙, 賀謝二叙, 祇揖, 過半躬身": 禮10文武員將人吏起居儀轉載].

冬十月戊寅朔大盡,乙亥, 庚辰3日, [立冬]. 還壽昌宮.

[○大雨, 雷電:五行2轉載].

[丙戌9日, 月犯羽林:天文1轉載].

戊子11日, 設百座道場於宣慶殿三日, 飯僧三萬.

甲午17日, 親饗耆老男女及孝順·義節·鰥寡·孤獨·篤癈疾者, 賜物有差. 王行視孝子, 親問行實, 感惻出涕.

[丙申19日, 雨雪, 雷:五行1雷震轉載].

十一月戊申朔小盡,丙子, [庚戌3日, 大雪. 日暈有珥:天文1轉載].

[壬子5日, 辰星犯太白星:天文1轉載].

甲寅7日, 遣左司郎中朴義臣如金, 謝賀生辰.

甲子17日, 遣衛尉少卿高瑩夫如金, 賀正.[168]

[丙寅19日, 市廛火, 延燒民戶數十家:五行1火災轉載].

---

168) 高瑩夫는 다음 해 正旦에 賀禮하였던 것 같다.
- 『금사』 권4, 본기4, 熙宗, 皇統 5년 1월, "丁未朔, 宋·高麗·夏遣使來賀".
- 『금사』 권60, 表2, 交聘表上, 皇統 5년 1월, "丁未朔, 高麗使賀正旦".

十二月丁丑朔大盡,丁丑, 癸未7日, 王聞金主幸東京, 遣秘書監郭東珣, 往聘.[169)]

[乙酉9日, 王師學一入寂, 年九十三, 臘八十二. 門人賫遺狀·印寶, 及遷化事狀, 乘驛聞奏. 上聞訃音至, 震悼敬歎, 輟朝三日, 遣內臣金景元·日官某, 監護葬事. 越明年仁宗23年正月二十四日, 遣使備禮, 册爲國師, 贈諡圓應, 又遣使致祭:追加].[170)]

丁亥11日, 又遣少府少監金龜符□□如金, 進方物.

辛卯15日, 遣戶部侍郎崔子英□□如金, 賀萬壽節.[171)]

戊戌22日, 以中書侍郎平章事崔溱爲太子太傅, 參知政事金正純爲尙書右僕射·西京留守使兼太子少傅, 韓惟忠△爲參知政事·判工部事兼太子少傅, 王冲爲樞密院使·判三司事, 朴挺蕤爲樞密院副使兼太子賓客, [衛尉卿·太子右庶子金永錫兼知三司事:追加].[172)]

[是年, 陞尙州牧任內一善縣爲縣令官, 仍屬海平·軍威·缶溪等三縣:轉載·追加].[173)]

[○判缺, "西京, 東·西州鎭入居軍人, 蠲本貫雜役. 若有侵擾者, 罪其色典記官": 兵1五軍轉載].

[○贈崔睿宗淑妃崔氏之父湧爲守司空·尙書右僕射·參知政事:列傳1睿宗妃淑妃崔氏轉載].

[○以御史大夫崔梓爲工部尙書:追加].[174)]

[○以試衛尉少卿兼太子司議郎崔褒抗爲秘書少監·知兵部事兼太子中允:追加].[175)]

[○前豊州防禦使崔精, 旣而年七十, 始解官:追加].[176)]

---

169) 이때 金의 熙宗은 9월 1일(乙酉己酉) 東京으로 幸次하여 12월 18일(甲午) 도착하였다(『금사』 권4, 본기4, 熙宗 皇統 4년).

170) 이는 「淸道雲門寺圓應國師塔碑」에 의거하였다.

171) 崔子英은 明年(皇統5) 1월 17일(癸亥) 萬壽節을 賀禮하였던 것 같다.
- 『금사』 권4, 본기4, 熙宗, 皇統 5년 1월, "癸亥, 萬壽節, 宋·高麗·夏遣使來賀".
- 『금사』 권60, 表2, 交聘表上, 皇統 5년 1월, "癸亥, 高麗使賀萬壽節".

172) 이는 「金永錫墓誌銘」에 의거하였다.

173) 이는 다음의 자료에 의거하였다.
- 『경상도지리지』, 尙州道, 尙州牧官, "高麗初, 所屬縣十八, 仁宗時, 皇統甲子, 一善置縣令, 以海平·軍威·缶溪等三縣屬焉".
- 『경상도지리지』, 尙州道, 軍威縣, "仁宗時, 皇統甲子, 還屬一善郡任內".
- 『경상도지리지』, 尙州道, 兼孝令縣, "仁宗時, 甲子, 還屬一善郡任內".

174) 이는 「崔梓墓誌銘」에 의거하였다.

175) 이는 「崔褒抗墓誌銘」에 의거하였다.

176) 이는 「崔精墓誌銘」에 의거하였다.

[○以內侍·句當軍廚事咸有一爲寶城郡判官:追加].177)

[○以李應璋爲內侍:追加].178)

[○金剛山神琳寺居接僧懷正造成九層靑石塔:追加].179)

乙丑[仁宗]二十三年, 金皇統五年, [南宋紹興十五年], [西曆1145年]

1145년 1월 25일(Gre2월 1일)에서 1146년 2월 12일(Gre2월 19일)까지, 13개월 384일

春正月丁未朔大盡,戊寅, 癸丑7日, 金遣翰林直學士趙洞來, 賀生辰.

乙卯9日, 親設道場於脩文殿.

丙辰10日, 宴金使於大觀殿.

[癸亥17日, 仁恩館火:五行1火災轉載].

壬申26日, 幸神衆院.

甲戌28日, 幸外帝釋院.

[某日, 以試國子祭酒·翰林學士·寶文閣學士·知制誥權適爲西北面兵馬使, 試御史中丞梁元俊爲東北面兵馬副使, 曹晋若爲慶尙道按察使:慶尙道營主題名記].180).

二月丁丑朔小盡,己卯, 丁亥11日, 樞密院副使朴挺蕤卒,181) [年五十七, 諡忠質:列傳11朴挺蕤轉載]. [挺蕤, 性寬大, 出入臺諫, 務擧大綱, 不爲苛察. 其父永侯, 嘗誡以忠孝之道, 挺蕤頗欲自力自勵. 然奪其舅妾田廬·臧獲, 使其母子飢寒. 時議薄之:節要轉載].182)

[○西京大同門及遮城左右廊五十五閒火:五行1火災轉載].183)

---

177) 이는「咸有一墓誌銘」에 의거하였다.

178) 이는「李應璋墓誌銘」에 의거하였다.

179) 이는 다음의 자료에 의거하였다.

· 『樂全堂集』 권7, 遊金剛內外山諸記(1631年), "… 自表訓□寺, 西南行數里有神琳寺, 寺前有九層靑石塔, 皇統四年懷正師所題記, 華嚴祖師棲身之地云".

180) 이는「權適墓誌銘」;「梁元俊墓誌銘」에 의거하였다.

181) 이날은 율리우스曆으로 1145년 3월 6일(그레고리曆 3월 13일)에 해당한다.

182) 自力은 열전11, 朴挺蕤에는 自勵로 되어 있는데, 後者가 더 적절할 것이다.

183) 原文인 "丁亥, 西京大同門及遮城左右廊五十五閒火"의 丁亥 앞에 '二月'이 탈락되었다. 西京의 大同門은 普通門과 함께 平壤府[西京]의 正門으로 불리면서 南北 通行人의 출입방식에 차이가

[戊戌22日, 流星出大角, 入氐, 大如木瓜, 長五尺許:天文1轉載].

三月丙午朔大盡,庚辰, 庚戌5日, 遣閤門通事舍人徐恭如金東京.

甲寅9日, 幸王輪寺. 設佛頂道場於明仁殿五日.

丁巳12日, 慮囚.

[己巳24日, 熒惑犯大微太微:天文1轉載].

辛未26日, 以戶部尙書崔梓△爲同知樞密院事兼太子賓客, [衛尉卿金永錫爲殿中監, 詹事府司直崔婁伯爲右正言·知制誥:追加].184)

壬申27日, 幸普濟寺.

[是月頃, 知奏事金永寬, □□□□□掌國子監試, 取朴彥猷等:選擧2國子試額轉載].185)

夏四月丙子朔大盡,辛巳, 戊寅3日, 賜李資謙諸子, 穀六百石.

己丑14日, 雨雹.186)

[壬辰17日, 流星出翼, 入天廟, 長十五尺許:天文1轉載]

[丙申21日, 彗星見乾方, □凡十五日, 長丈餘:天文1轉載].187)

있었다고 하는데, 고려시대에도 마찬가지였을 것이다.

· 『樊巖集』 권34, 普通門重建記, "西京, 大都會也, 其門有曰大同者, 曰普通者. 自南而來者, 由大同而出普通, 自西而上者, 先普通而後大同, 皆城之正門也, 然西京之人, 獨稱普通爲神門, 尊異之殊甚".

184) 이는 「金永錫墓誌銘」; 「崔婁伯妻廉瓊愛墓誌銘」에 의거하였다.

185) 金永寬은 4월 7일 知奏事를 띠고 있음으로 보아 이때에도 知奏事 또는 承宣으로 國子監試를 主管하였을 것이다.

186) 이와 같은 기사가 지7, 五行1, 水, 雨雹에도 수록되어 있다.

187) □에 凡字를 넣어야 옳게 될 것이다. 또 같은 현상이 18일(戊寅) 南宋에서, 21일(丙申) 金에서 각각 있었다. 그리고 일본의 京都에서는 4월 初旬부터 5월에 걸쳐 彗星이 보였던 것 같다. 또 이 彗星은 發生周期(76~79年, 平均 76.1年)로 보아 핼리혜성(1p/Halley, Halley's comet)으로 추측된다(→성종 8년 9월 16일의 脚注).

· 『송사』 권30, 본기30, 고종7, 紹興 15년, 4월, "戊寅3日, 彗星出冬防, … 丁亥12日, 以彗出大師, 癸巳18日, 彗沒".

· 『송사』 권56, 지9, 천문9, 彗孛, "紹興十五年四月戊寅, 彗星見東方, 丙申21日, 復見于參度, 五月丁巳12日, 化爲客星, 其色靑白, …".

· 『금사』 권20, 지1, 天文, 月五星凌犯及星變, "皇統五年四月丙申, 彗星見於西北, 長丈餘, 至五月壬戌17日始滅".

· 『台記』 권5, 天養 21년 4월, 5월, "四月十五日庚寅, 雨, 藤原光房來云, 爲攘彗星灾, 可被立卄二社幣, … 十六日辛卯, 晩彗星甲重, 其光指二許長, … 二十日乙未, 藤原師長來云, 自四日夜始見彗星, 閭巷說, 去月晦比始出云々, … 卄四日己亥, 天晴, 彗星光長二長許, … 五月十二日丁巳, …,

[癸卯[28日], 熒惑犯大微[太微]:天文1轉載].

[某日, 以試國子祭酒·翰林學士·寶文閣學士·知制誥·西北面兵馬使權適爲朝議大夫·國子祭酒, 餘如故:權適墓誌追加].

[是月壬午[7日], 遣右副承宣李舖予光明寺·大禪師坦然處, 傳宣以致師事之意, 不肯, 又遣知奏事金永寬, 繼傳上意, 然復牢讓, 至于再三, 而上亦勤請不已. 是時, 彗星出現, 已經二十餘日, 而又大旱, 朝野憂懼, 然不得已應之:追加].[188]

五月[丙午朔小盡,壬午], [辛亥[6日], 制可坦然爲王師官誥. 是日, 天乃大雨:追加].[189]

[壬子[7日], 上幸金明殿, 行摳衣之禮於王師坦然:追加].[190]

丙辰[11日], 政堂文學·參知政事李之氐卒,[191] [年五十四. 王遣使吊祭, 贈中書侍郎平章事, 謚文正:列傳8李之氐轉載]. [之氐, 公壽之子, 擢第狀元, 拜右正言, 持論公正. 忤時宰, 改殿中內給事, 出按西海道. 時資謙當國, 嗜利者爭附, 之氐雖與爲族, 而獨不相比. 資謙使者, 交午州郡, 爭取財賂, 之氐痛禁. 資謙惡之, 出爲平州使, 及資謙敗, 召還. 累遷爲起居注. 之氐, 風標英雅, 秉心寬厚, 文章政事, 爲一時之傑. 但吝嗇財賄, 父沒, 不分弟妹, 家奴肆橫, 或至盜劫, 不能檢制, 爲時所譏. 謚[謚]文正:節要轉載].

[己未[14日], 月食:天文1轉載].[192]

辛酉[16日], 設消災道場于脩文殿四日, 慮囚.

乙丑[20日], 賜趙文振等及第.[193]

彗星猶見, 但無光芒, 十三日又同, … 十六日辛酉, 彗星又有光芒".

· 『本朝世紀』 제29, 久安 1년 4월, "五日, 寅時, 彗星見東方, 長一丈, 色白, 自今日至某日, … 廿三日戊戌, … 自今夕彗星見西方, 廿五日, 依彗星御祈, 被立廿二社奉幣使, 上卿內大臣, 宣命云".

188) 이는 「山淸斷俗寺大鑑國師塔碑」에 의거하였다.

189) 이는 「山淸斷俗寺大鑑國師塔碑」에 의거하였다.

190) 이는 「山淸斷俗寺大鑑國師塔碑」에 의거하였다.

191) 이날은 율리우스曆으로 1145년 6월 3일(그레고리曆 6월 10일)에 해당한다.

192) 이날 宋에서는 구름으로 인해 月食이 보이지 않았다고 한다(『송사』 권52, 지5, 천문5, 月食). 또 일본의 교토[京都]에서 15일(庚申) 새벽에 월식이 있었던 것 같다. 이날은 율리우스력의 1145년 6월 6일이고, 월식 현상이 심했던 때의 世界時는 20시 45분, 食分은 0.17이었다(渡邊敏夫 1979年 476面).

· 『台記』 권5, 天養 2년 5월, "十五日庚申, 今曉月蝕, 雨下不現".

· 『本朝世紀』 제29, 久安 1년 5월, "十五日, 月食".

丙寅[21日], 幸外帝釋院.

[己巳[24日], 流星出攝提, 入軫:天文1轉載].

[某日, 輸養都監奏, "令諸道州縣, 地品不成田畝, 桑栗漆楮, 隨地之性, 勸課栽植", 從之:食貨2農桑轉載].

六月乙亥朔[大盡,癸未], 日食.[194)]

丙子[2日], 王如奉恩寺.

[甲申[10日], 大水, 東界文·湧二州, 山崩水涌, 漂沒城門人戶, 甚多:節要·五行1水潦轉載].

己丑[15日], 王受菩薩戒于大觀殿.

○金橫宣使·太府監完顏思海來.

壬辰[18日], 宴金使于大觀殿.

[戊戌[24日], 流星出攝提, 入軫, 大如木瓜:天文1轉載].

秋七月[乙巳朔小盡,甲申], [己未[15日], 日暈:天文1轉載].

[某日, 以朝議大夫·國子祭酒·翰林學士·寶文閣學士·知制誥權適爲檢校太子太保, 行本職:追加].[195)]

[某日, 以林仲爲慶尙道按察使:慶尙道營主題名記].

[□□[是月]],[196)] 北界昌·朔·龜·義·靜·龍·鐵等七州及西海道海州, 蝗.

---

193) 이와 관련된 기사로 다음이 있다.

· 지27, 선거1, 科目1, 選場, "[仁宗]二十三年 五月, [門下侍郎平章事]任元敱知貢擧, 尹彦頤同知貢擧, 取進士, □□[乙丑], 賜趙文振等三十二人及第".

194) 이날 宋에서는 남쪽에 있는 별인 井宿[井, 東井]에 일식이 있었다고 한다. 또 金에서도 일식이 관측되었다(『송사』 권52, 지5, 천문5, 日食 ; 『금사』 권4, 본기4, 熙宗, 皇統 5년 6월 乙亥朔 ; 권20, 지1, 天文, 日薄食煇珥雲氣). 그리고 일본의 京都에서는 일식이 예측되었으나 비로 인해 관측되지 않았던 것 같다. 이날은 율리우스력의 1145년 6월 22일이고, 開京에서 일식 현상이 심했던 시간은 9시 3분, 食分은 0.93이었다(渡邊敏夫 1979年 307面).

·『台記』 권5, 天養 2년 6월, "一日乙亥, 自昨日甚雨, 仍日食不現".

·『本朝世紀』 제29, 久安 1년 6월, "一日乙亥, 日食, 依雨不現".

195) 行本職은 權適이 임명된 檢校太子太保는 職事가 없는 檢校職(名譽職)이었기에 本職인 國子祭酒·翰林學士·寶文閣學士·知制誥를 遂行하게 하였다는 의미일 것이다(權適墓誌銘).

196) 이에서 是月이 들어가야 적절할 것이다.

[○太史奏, "今蝗蟲四起, 此乃國多邪人, 朝無忠臣, 居位食祿如蟲, 宜擧有道之人, 置之列位, 以弭其災":節要·五行2轉載].[197]

八月[甲戌朔大盡,乙酉], 己卯[6日], 以[參知政事]韓惟忠△[爲]判尙書禮部事·脩國史·太子少保, 王冲△[爲]守司空·參知政事·判工部事·太子少保, 崔灌爲樞密院使·判三司事, 李仁實△[爲]同知樞密院事·太子賓客.

丙戌[13日], 參知政事金正純卒,[198] [年六十, 謚忠襄:列傳11金正純轉載]. [正純, 起自寒素, 尙氣任俠, 善射御. 常語人曰, 男兒當立邊功, 以取名位, 安能鬱悒, 苟活里閭間哉? 適國家伐女眞, 請從軍, 有功, 出守和·水二州. 素不閑吏事, 然不以簿書介意, 但擧大體, 亦無廢事. 及從金富軾, 平西都, 遂登政府. 疾篤, 拜推忠定難功臣·守太尉·門下侍郎同中書門下平章事. 正純, 天資勇悍, 意豁如也, 但不學好貨, 專事侈靡, 爲時所短:節要轉載].

九月[甲辰朔小盡,丙戌], 庚戌[7日], 王如安和寺.
[○王師坦然入住普濟寺:追加].[199]
[辛亥[8日], 太白犯心星:天文1轉載].
癸丑[10日], 慮囚.

冬十月[癸酉朔小盡,丁亥], 丁丑[5日], 幸普濟寺.
甲申[12日], 設百座道場於宣慶殿三日, 飯僧三萬.[200]

十一月[壬寅朔大盡,戊子], 丙午[5日], 右常侍[~~右散騎常侍~~]裴景誠·□[左]諫議大夫崔誠等[六人:節要轉載]上疏言事.[201] 不報. 郎舍皆乞罷, 歸, 省中爲空二日.

---

197) 이때 太史의 上奏文은 다음의 자료를 참조하였던 것 같다(東亞大學 2011년 15책 200面).
· 『후한서』志15, 五行3, 蝗, 安帝 永初 5년의 注釋, "京房占曰, 天生萬物·百穀, 以給民用. 天地之性人爲貴. 今蝗蟲四起, 此爲國多邪人, 朝無忠臣, 蟲與民爭食, 居位食祿如蟲矣. 不救, 致兵起, 其救也, 擧有道置於位, 命諸侯試明經, 此消災也".

198) 이날은 율리우스曆으로 1145년 8월 1일(그레고리曆 8월 8일)에 해당한다.

199) 이는 「山淸斷俗寺大鑑國師塔碑」에 의거하였다.

200) 三日은 東亞大學本에 二日과 같이 되어 있으나(東亞大學 2008년 5책 514面), 이는 오자가 아니라 印刷할 때 잘못된 것이다.

[○上幸普濟寺, 以禮致謁王師坦然, 贈赤黃羅地繡帖袈裟:追加].[202]

[戊申[7日], 日暈:天文1轉載].

[○前安北大都護府使崔時允卒, 年六十二:追加].[203]

乙卯[14日], 幸法雲寺.

丙辰[15日], [大雪]. 金東京承信校尉[正7品上]·飛騎尉[勳從6品]王好古來, 報聘.

閏[十一]月壬申□[~~朔~~小盡,戊子], 遣借衛尉卿井彥深如金, 謝賀生辰.[204]

丙子[5日], 遣借戶部侍郎安綽裕□□[~~如金~~], 謝橫宣.

癸未[12日], 遣借殿中少監李之正□□[~~如金~~], 賀正.[205]

甲申[13日], 遣借禮賓少卿李仁威□□[~~如金~~], 進方物.

庚寅[19日], 遣借禮部侍郎芮樂全□□[~~如金~~], 賀萬壽節.[206]

十二月[辛丑朔大盡,己丑], [乙卯[15日], 秘書少監·知兵部事兼太子中允崔褒抗卒于官, 年四十七:追加].[207]

[丁巳[17日], 立春. 夜, 天有聲, 如雷:五行鼓妖1轉載],[208] [太史占曰, 立春一, 天鳴有聲, 至尊憂且驚:節要轉載].[209]

---

201) 이 구절에서 右常侍는 右散騎常侍의 약칭이다. 다음 해[明年]에 서거한 裴景誠(1083～1146)의 묘지명에 의하면 그의 관직이 左散騎常侍에 이르렀다고 한다(裴景誠墓誌銘→명종 11년 12월 28일). 또 이때 崔誠은 左諫議大夫·司宰卿·修文殿學士였다(崔誠墓誌銘).

202) 이는 「山淸斷俗寺大鑑國師塔碑」에 의거하였다.

203) 이는 「崔時允墓誌銘」에 의거하였는데, 이날은 율리우스曆으로 1145년 11월 22일(그레고리曆 11월 29일)에 해당한다.

204) 壬申에 朔이 탈락되었다.

205) 李之正은 다음 해 正旦에 賀禮하였던 것 같다.
· 『금사』 권4, 본기4, 熙宗, 皇統 6년 1월, "辛未朔, 宋·高麗·夏遣使來賀".
· 『금사』 권60, 表2, 交聘表上, 皇統 6년 1월, "辛未朔, 高麗使賀正旦".

206) 芮樂全은 明年(皇統6) 1월 17일(丁亥) 萬壽節을 賀禮하였던 것 같다.
· 『금사』 권4, 본기4, 熙宗, 皇統 6년 1월, "丁亥, 萬壽節, 宋·高麗·夏遣使來賀".
· 『금사』 권60, 表2, 交聘表上, 皇統 6년 1월, "丁亥, 高麗使賀萬壽節".

207) 이는 「崔褒抗墓誌銘」에 의거하였는데, 이날은 율리우스曆으로 1146년 1월 28일(그레고리曆 2월 4일)에 해당한다.

208) 이날 일본의 京都에서는 흐리다가 때때로 비가 조금씩 내렸고, 밤에 風雪이 있었다고 한다.
· 『台記』 권5, 久安 1년 12월, "十七日丁巳, 陰, 時々小雨, 入夜風雪".

209) 이는 다음의 자료를 인용한 것이다.

壬戌[22日], ~~門下侍中致仕~~<u>金富軾</u>進所撰~~新羅·高句麗·百濟~~'<u>三國史</u>'.[210]

[○遣內侍<u>崔山甫</u>, 就第奬諭, 賜花酒<u>優厚</u>:節要轉載].[211]

丙寅[26日], 以[門下侍郞平章事]任元敱△[爲]守太保·<u>判西京留守使</u>~~判西京留守事~~,[212] <u>崔溱</u>爲門下侍郞平章事,[213] 韓惟忠爲中書侍郞~~同中書~~門下平章事·太子少師,[214] <u>王冲</u>·崔灌△[並]爲尙書左·右僕射,[215] 崔梓爲戶部尙書·知樞密院事, [[殿中監]<u>金永錫</u>爲試兵部尙書:追加],[216] [石受珉爲禮賓郞·鷹揚軍大將軍·太子左監門率府率:追加].[217]

[是年, <u>判</u>[制], "兵馬員吏, 衛身從卒, 以閑人·白丁·公私奴子率行, 仍給公料. 元帥·副元帥各十人, <u>都知兵馬</u>~~都知兵馬使~~六人,[218] 各軍使十五人, 各軍知兵馬使十二人, 各軍副使十人, 各軍判官八人, 各軍軍候使用藥員五人, 各軍諸色員各四人, 各軍兵馬人吏·諸色人吏各二人":兵1五軍轉載].

[○<u>判</u>[制], "西北面諸城州鎭官馬, 齒老及物故者, 以官馬寶及他諸寶, 公須屯田科, 空亡雜位所收, 買賣充立, 勿使<u>徵歛</u>[徵斂]貧乏百姓":兵2馬政轉載].

· 『수서』 권20, 지15, 天文中, 天占, "<u>鴻範</u>[洪範]五行傳曰, … 天列見人, 兵起國亡. 天鳴有聲, 至尊憂且驚, 皆亂國之所生也".

210) ~~添字~~는 『고려사절요』 권10에 의거하였다. 또 金富軾이 王命을 받아 『삼국사기』를 편찬할 때 儒林郞·西材場判官·尙衣直長同正을 띠고서 參考를 담당했던 崔祐甫가 讎校가 되어 새롭게 밝힌 것이 많았다고 한다. 이를 통해 볼 때 『삼국사기』는 編修 金富軾을 위시한 參考 8人, 管句 2人의 分撰에 의해 완성되었을 가능성이 있을 것이다. 또 이날은 율리우스曆으로 1146년 2월 4일(그레고리曆 2월 11일)에 해당한다.

· 「崔祐甫墓誌銘」, "… 及秩滿朝京師, 相國樂浪公金富軾, 被命撰三國史, 公時爲讎校, 多所發明. 相國以公才藝, 爲後進之秀, 屢言於上及執政·喉舌之地, 由是, 始爲西材場判官, 歷直翰林院, …".

211) 이 기사는 열전11, 金富軾에도 수록되어 있다.

212) 判西京留守使는 判西京留守事의 오자인데, 『고려사절요』 권10과 열전8, 任元厚에는 옳게 되어 있다.

213) 이후 崔溱은 門下侍中으로 致仕하였던 것 같고, 死後에 忠懿라는 시호가 내려졌던 것 같다(崔溱妻林氏墓誌銘).

214) 이때 韓惟忠의 관직은 中書侍郞同中書門下平章事일 것인데, 縮約하여 中書侍郞門下平章事로 記載하였을 것이다. 그의 묘지명에는 中書侍郞平章事로 더욱 간략하게 표기하였다.

215) 이때 王冲은 守司徒·參知政事에 임명되었다고 한다(王冲墓誌銘).

216) 이는 「金永錫墓誌銘」에 의거하였다.

217) 이는 「石受珉墓誌銘」에 의거하였다.

218) 都知兵馬는 唐制를 통해 볼 때 都知兵馬使에서 使가 탈락되었을 것이다. 『고려사』에서는 都知兵馬使와 都知兵馬事가 並用되었는데, 後者가 誤字일 가능성이 있다.

[○以前廣州牧使尹彦頤爲戶部尙書:追加].[219)]

[○以刑部郞中元沆爲司宰少卿:追加].[220)]

[○以起居郞劉碩爲安西大都護府副使, 不果行:追加].[221)]

[○以金閱甫爲良醞丞同正:追加].[222)]

[○以三重大師觀奧爲首座, 賜磨衲掩脊一領追:加].[223)]

[○以重大師義光爲三重大師, 賜繡帖磨衲袈裟:追加].[224)]

[增補].[225)]

[是年頃, 召東北面兵馬副使崔惟淸爲吏部侍郞·樞密院左承宣:追加].[226)]

丙寅[仁宗]二十四年, 金皇統六年, [南宋紹興十六年], [西曆1146年]

1146년 2월 13일(Gre2월 20일)에서 1147년 2월 1일(Gre2월 8일)까지, 354일

春正月辛未朔小盡,庚寅, 丁丑7日, 金遣河北西路衛州防禦使完顏昇來, 賀生辰.

戊寅8日, 王命太子, 引禮部侍郞鄭襲明, 講書大禹謨.[227)]

壬午12日, 宴金使於大觀殿, 遂不豫.

丁亥17日, [驚蟄]. 赦, 二罪以下.

---

219) 이는 「尹彦頤墓誌銘」에 의거하였다.

220) 이는 「元沆墓誌銘」에 의거하였다.

221) 이는 「劉碩墓誌銘」에 의거하였다.

222) 이는 「金閱甫墓誌銘」에 의거하였다.

223) 이는 「修理寺住持·首座觀奧墓誌銘」에 의거하였다.

224) 이는 「崇教寺住持·首座義光墓誌銘」에 의거하였다.

225) 이해에 金帝國은 御寶인 御前之寶와 書詔之寶를 제작하였는데, 前者는 宋에 보내는 國書와 平素의 上奏한 條目[常例奏目]에, 후자는 고려와 夏에 보내는 詔書 또는 조서를 반포할 때의 문서에 捺印하였다고 한다(『금사』 권31, 지12, 禮4, 寶玉).

226) 이는 「崔惟淸墓誌銘」; 열전12, 崔惟淸, "後出爲東北面兵馬副使, 朔方倚如長城, 召拜承宣"에 의거하였다.

227) 이때 鄭襲明은 右承宣으로 禮部侍郞을 兼職하였을 것이다. 이는 前年 12월 金富軾이 『삼국사기』를 仁宗에게 바칠 때, 鄭襲明의 官職이 右承宣·尙書工部侍郞·翰林侍講學士·知制誥였음을 통해 알 수 있다.

辛卯21日, 王疾篤. 卜曰, "李資謙爲祟". 遣內侍韓綽, 徙置資謙妻子於仁州.

壬辰22日, 百官就禱于普濟寺, 飯僧二千.

甲午24日, 又禱于十王寺.

[戊戌28日, 夜, 雷:五行1雷震轉載].[228]

己亥29日晦, 禱于廟社.

[某日, 以林敬林徹爲慶尙道按察使:慶尙道營主題名記].[229]

二月庚子朔大盡,辛卯, 癸丑14日, 燃燈, 停作樂.

乙卯16日, 門下侍郎平章事任元敱與百官. 會宣慶殿, 禱于皇天上帝曰,[230] "天遠而幽, 固難議擬, 人微且賤, 可表信誠, 輒殫犬馬之悰, 仰黷神明之鑑. 昔者, 武王在位, 遘疾不瘳, 周公作書, 以身請代, 古今雖異, 忠義則同. 此臣等, 所以泣血書辭, 呼天請命者也. 惟冀蒼旻, 曲從悃愊, 願以吾王之疾, 移於臣等之軀, 使歷數以更增, 致宗祧之有托. 則臣等, 敢不蹈自新之路, 謝旣往之愆. 迪上則陳善而閉邪, 爲民則興利而除害. 不作貪惏之行, 勿爲詭詐之方, 淸白惟勤, 死生無變. 苟渝盟於異日, 必見殛於明神".

丙辰17日, 巫覡謂, 拓俊京爲祟. 追復俊京△爲門下侍郎平章事, 召還其子孫, 官之.

戊午19日, 赦.

己未20日, 晋康伯演卒.[231]

庚申21日, 以巫言, 遣內侍奉說, 決金堤郡新築碧骨池堰.

甲子25日, 王疾大漸, 傳位于太子晛, 制曰, "朕以凉德, 叨贊丕業, 臨深馭朽, 不知所圖. 天降之孽, 疾疹不瘳, 上懼天心, 下愧民望, 夙夜靡遑, 思免厥咎. 庶政萬機, 不可久曠, 神器大寶, 不可暫虛. 太子晛, 處震之長, 重離之明, 元良之德, 格于上下. 是故, 惟先王立愛之模, 法三代與子之義, 付之重任, 主之三韓, 必能稽若典章,

---

228) 이때 일본의 京都에서는 26日(丙申)부터 27일(丁酉)에 걸쳐 비가 내렸던 것 같다.
· 『台記』 권6, 久安 2년 1월, "廿七日丁酉, 自昨日雨降".
· 『本朝世紀』 제30, 久安 2년 1월, "廿七日丁酉, 雨降, 雖可有朝覲之幸, 仍雨濕延引畢".

229) 林敬은 『고려사』에는 林徹으로 달리 표기되어 있다(열전12, 申淑).

230) 皇天上帝는 道敎에서 天地萬物을 주관하던 最高의 神[至高神, 至高無上之神]으로 추앙하던 昊天上帝(혹은 天帝)의 다른 표기이다.

231) 이 기사는 열전3, 文宗王子, 辰韓侯愉에도 수록되어 있다. 이날은 율리우스曆으로 1246년 4월 2일(그레고리曆 4월 9일)에 해당한다.

以凝庶績. 自今已往, 凡軍國事務, 並取嗣君處斷”.

丁卯[28日], 遺詔曰,[232] “~~詔內外文虎百僚等,~~ 朕荷皇天之眷命, 承列聖[祖宗]之遺休, 撫有三韓, 二十五載. 今者, 憂勤積慮[久], 疾恙累旬, 有加無瘳. 遂至大漸, 於戲, 聖哲之道, 知其存亡, 佛老之言, 一乎生死, 此盖事之必至, 理之自然. 歸者順變以不留, 存者抑哀而善孝, 此天下之達道也. 咨爾王太子晛, 忠孝之美, 天資夙成, 德業之隆[豊], 人望攸屬, 可卽王位. ~~存王妣爲太后,~~ 喪服以日易月, 山陵制度, 務從儉約. 思蹈聖賢之懿則, 無忝祖宗之耿光. ~~於戲, 有生必死, 聖智所同,~~ 文武百寮[~~文虎百僚~~], 同心協德[~~協德~~], 贊襄國政[~~輔我元子~~], 保乂[~~永康~~]王家. 布告中外[~~咨示在庭~~], 咸知朕意[~~當體予意~~], □□[~~主者施行~~]”. 遂薨于保和殿, 移殯于乾始殿.[233] 在位二十四年, 壽三十八, 上謚恭孝, 廟號仁宗, 葬于城南, 陵曰長陵,[234] 高宗四十年加謚克安.

史臣金富軾贊曰, “仁宗自少, 多才藝, 曉音律, 善書畵. 喜觀書, 手不釋卷, 或達朝不寐. 及卽位, 聞明經申淑貧甚, 召入內侍, 受春秋經傳. 性又儉約, 嘗不豫, 宰樞入內問疾, 所御寢席, 無黃紬之緣, 寢衣無綾錦之飾. 初年, 宮中宦寺及內僚之屬, 甚多, 每黜以微罪, 不復補, 至末年, 不過數人. 日再視事, 或奏事者稽遲, 必使小臣趣之. 專以德惠安民, 不欲興兵生事. 及金國暴興, 排群議, 上表稱臣, 禮接北使甚恭. 故北人, 無不愛敬. 詞臣應制, 或指北朝, 爲胡狄[胡狄], 則瞿然曰, ‘安有臣事大國, 而慢稱如是耶’. 遂能世結歡盟, 邊境無虞. 不幸資謙恣橫, 變生宮闈, 身遭幽辱, 然以外祖之故, 曲全其生. 至如拓俊京, 亦棄過錄功, 俾保首領, 斯可以見度量之寬矣. 故其薨也, 中外哀慕, 雖北人聞之, 亦且嗟悼, 廟號曰仁, 不亦宜哉. 惜乎, 惑妙淸遷都之說, 馴致西人之叛, 興師連年, 僅乃克之, 此其爲盛德之累也”.

史臣金莘夫□[贊]曰, “睿廟末年, 屬念房帷, 馴致外家貪恣之行. 仁宗幼冲卽位, 宰相[中書侍郞平章事]韓安仁等, 不能長慮却顧, 潛奪其權, 而悁忿生事, 反被竄戮, 徒使奸兇跋扈, 毒流三韓. 至於射黃屋, 焚寢廟, 脅至尊, 置私第, 殺戮左右, 併奪國衡. 祖宗之業, 幾於墜地, 可以鑑矣. 又惑於淨心[妙淸]·壽翰陰陽之說, 卒致西都之叛逆者, 何也.

---

232) 이 遺詔의 일부가 『東人之文四六』 권7 : 『동문선』 권23, 仁王遺敎[遺詔]인데(撰者 不明), 위의 기사와 字句에 출입이 있지만 모두 原形을 상실하였다. ~~添字~~는 『동인지문사륙』에 의거하였지만, 『고려사』에서 더 들어간 글자[衍字]도 있으므로 兩者를 비교하여 검토할 필요가 있다.

233) 이날은 율리우스曆으로 1246년 4월 10일(그레고리曆 4월 17일)에 해당한다.

234) 長陵은 이 기사에서 開城府[城南]에 있었다고 하고, 『신증동국여지승람』에서 개성의 서쪽 벽곶동[碧串洞]에 있었다고 한다(권5, 開城府下, 陵寢, 仁宗陵, 號長陵, 在城西碧串洞). 이의 위치는 지난날 京畿道 開豊郡 長道面(現 開城市 長豊郡)에 있었다고 한다(鄭良謨 1992년 1책 146面).

盖以天性，一於慈愛，優游不斷故耳．是以，典刑未正於丙午仁宗4年之逆類，處置不均於西都之叛民．又深信浮屠，增益生民之弊．惜哉，其不喜遊宴，減省宦寺，恭儉以飭身，誠信以交隣，雖古帝王，何以加焉”.[235]

［仁宗在位年間］1

［○仁宗朝，更定祿俸之制

▽妃主祿

［第一科］三百石［王妃］.

［第二科］二百石［貴·淑妃，諸公主，宮主］.

▽宗室祿

［第一科］六百石［國公］.

［第二科］三百五十石［諸公，尙書令］.

［第三科］三百石［諸侯］.

［第四科］二百四十石［諸伯］.

［第五科］二百二十石［諸守司空］.

▽文武班祿

［第一科］四百石［門下侍中，中書令］.

［第二科］三百六十六石十斗［門下平章門下侍郞平章事，中書平章中書侍郞平章事］.

［第三科］三百三十三石五斗［參知政事，左·右僕射］.

［第四科］三百石［六部尙書，左·右常侍左·右散騎常侍，御史大夫，判閤門事，上將軍］.

［第五科］二百五十石［判國子監事，守太尉］.

［第六科］二百四十六石十斗［判五寺·三監事，國子□監大司成］.

［第七科］二百三十三石五斗［國子祭酒，秘書·殿中監，大府太府·大僕太僕·禮賓·衛尉·司宰卿，尙書左·右丞，判少府·將作事，大將軍，試六尙書·左·右常侍左·右散騎常侍·御史大夫，攝上將軍］.

［第八科］二百十三石五斗［試國子□監大司成］.

235) 金莘夫의 史論을 인용하면서 淨心(妙淸의 改名)을 妙淸으로 고쳐 쓰지 않았으나『고려사절요』 권10에는 옳게 되어 있다. 또 金莘夫는 1152년(의종6) 6월 28일에서 10월 24일 사이에 文林郞·權知監察御史로 재직하였다(林光墓誌銘, 金龍善 2006년 131面).

［第九科］ 二百石[判大醫[太醫]·司天事, 諸曹侍郎, 給事中, 中書舍人, 御史中丞, 諸將軍, 試祭酒·五寺卿·左右丞·秘書·殿中監, 攝大將軍].

［第十科］ 一百七十三石五斗[少府·將作·軍器·司天監, 判太廟事].

［第十一科］ 一百六十石[閤門引進使].

［第十二科］ 一百五十三石五斗[太醫監, 國子司業, 閤門使, 五寺少卿, 秘書·殿中·少府·將作少監, 試諸曹侍郎·給舍·中丞·少府·將作·軍器·司天監].

［第十三科］ 一百二十石[司天·軍器少監, 閤門副使, 諸曹郎中, 起居舍人, 起居郎, 秘書·殿中丞, 諸中郎將, 試太醫監·司業少卿·將作·少府·秘書·殿中少監·閤門引進使·閤門使, 攝將軍].

［第十四科］ 九十三石五斗[侍御史].

［第十五科］ 八十石[閤門引進副使, 太史令].

［第十六科］ 七十六石十斗[殿中侍御史, 左·右司諫, 太醫少監, 六局奉御, 閤門通事舍人, 諸曹員外郎, 試秘書·殿中丞·諸曹郎中·□□[閤門]引進副使·起居郎·起居舍人·司天·軍器少監, 近仗·諸衛郎將, 攝中郎將].

［第十七科］ 六十六石十斗[左·右正言, 監察御史, 殿中內給事, 四官正, 諸陵·太廟令, 試諸曹員外郎·奉御·閤門[閤門]通事舍人·太醫少監].

［第十八科］ 五十三石五斗[閤門祗候, 內庫使, 七寺丞, 六衛長史, 秘書郎, 尙藥侍御醫, 試太史令·殿中內給事·司天四官正].

［第十九科］ 四十六石十斗[軍器丞, 六局直長, 門下錄事, 中書注書, 試諸陵·太廟令·近仗·諸衛別將, 攝郎將].

［第二十科］ 四十石[司天丞, 掖庭內謁者監, 七寺主簿, 尙書都事, 試閤門祗候·六衛長史·秘書郎·侍御醫·七寺丞].

［第二十一科］ 三十三石五斗[掖庭內侍伯, 試門下錄事·中書注書·軍器丞·六局直長, 近仗·諸衛散員, 攝別將].

［第二十二科］ 三十石十斗[太史丞, 司天主簿, 大倉[太倉]·大官·大盈·大樂·掌冶·京市·中尙·內園·供驛·典廐令, 左·右侍禁, 試七寺主簿·□□[三司]都事·司天丞].

［第二十三科］ 三十石[國子博士, 東·西頭供奉官].

［第二十四科］ 二十七石[太學博士].

［第二十五科］ 二十三石五斗[諸陵·太廟丞, 左·右班殿直, 攝散員, 校尉].

［第二十六科］ 二十石[軍器主簿, 內庫副使, 六衛錄事, 四門博士, 秘書校書郎, 明經博士, 翰林醫官, 都染·雜織·司儀·守宮·良醞·典獄令, 京市·中尙丞, 太史靈臺郎, 保章正, 試國子博士·掖庭內

侍伯·太學博士·司天主簿·太史丞·諸署七品令].

[第二十七科] 十六石十斗[太醫丞, 律學博士, 太史挈壺正, 掖庭內謁者, 大倉[太倉]·大官·大樂·掌冶·典廐·內園·供驛丞, 都校·掌牲令, 諸王府典籤, 試諸陵·太廟丞, 諸衛隊正].

[第二十八科] 十石[秘書正字, 明經學諭, 國子學諭·學正, 書·算學博士, 太醫醫正, 太史司曆·監候·司辰, 司天卜正, 呪噤博士, 諸王府錄事, 尙食食醫, 尙藥醫佐, 律學·太醫助教, 司儀·典獄·都校·掌牲·都染·守宮·良醞·雜織丞].

▽**權務官祿**

[第一科] 六十石[五部·興王都監·八關寶·內莊宅使].

[第二科] 四十石[五部·興王都監·八關寶·內莊宅副使, 都祭·都齋·奉先庫·含慶殿·玄德·延慶·明福宮使].

[第三科] 二十六石十斗[都祭·都齋·奉先庫·含慶殿·玄德·明福·延慶·興盛宮副使, 東·西大悲院·濟危寶·興德·昌樂等諸宮使].

[第四科] 十六石十斗[興德·昌樂等諸宮副使].

[第五科] 二十石[直翰林□[院], 直史舘, 殿前承旨].

[第六科] 十三石五斗[式目都監·都兵馬□[使]·五部錄事, 刪定·四面·興王都監判官, 內莊宅·八關寶·寶文閣校勘等甲科判官·錄事, 御書留院官, 勾覆院判官].

[第七科] 十石十斗[都齋·都祭·奉先·弓箭庫·惠民局·景靈殿·倉庫·行廊都監判官, 迎送都監·典牧·幞頭·慶仙店·含慶殿·玄德·延慶·明福宮錄事].

[第八科] 十石[國學直學].

[第九科] 八石十斗[秘書校勘, 大常府·同文院·書籍店·祭器·鹵簿·給田都監·東西大悲院·濟危寶錄事, 昌樂·承慶等諸宮錄事, 東·西材場判官, 六窯直, 諸牧監直, 都塩院·延祐宅衙典, 安昌宅·景昌·福昌院·萬齡殿典, 諸陵直].

▽**東宮官祿**

[第一科] 四十六石十斗[詹事府丞].

[第二科] 四十石[春坊通事舍人, 詹事府司直].

[第三科] 三十三石五斗[試詹事府丞].

[第四科] 三十石十斗[詹事府主簿, 試春坊通事舍人, 詹事府司直].

[第五科] 二十六石十斗[太師, 太傅, 太保, 少師, 少傅, 少保].

[第六科] 二十石[賓客, 詹事, 少詹事, 知府事, 充東宮侍衛左·右僕射上將軍].[236]

[第七科] 十六石[左·右庶子, 左·右諭德, 攝詹事, 充東宮侍衛六尙書上將軍].

［第八科］ 十三石五斗[侍講學士, 中舍人, 中允, 家令僕, 率更令, 充東宮侍衛大將軍, 左右司禦率府率, 左·右淸道率府率, 左·右監門率府率, 左·右衛率府率].

［第十一科］ 十石[左·右贊善大夫, 東宮侍讀事, 典內, 洗馬, 左右率府率, 文學, 司儀郞, 宮門郞, 詹事府錄事].

［第十二科］ 五石[司經, 率更事, 率更丞, 旅賁中郞將].

［第十三科］ 四石[藥藏郞, 藥藏丞].

▽致仕官祿

［第一科］ 三百石[門下侍中, 中書令].

［第二科］ 一百八十石五斗[門下平章[門下侍郞平章事], 中書平章[中書侍郞平章事]].

［第三科］ 一百六十六石十斗[參知政事, 左·右僕射].

［第四科］ 一百五十石[尙書, 上將軍].

［第五科］ 一百二十三石五斗[判禮賓·衛尉·大府[~~太府~~]·大僕[~~太僕~~]·司宰寺·秘書·殿中省事, 大司成].

［第六科］ 一百十六石十斗[試尙書, 判少府·將作事, 左·右常侍[左·~~右散騎常侍~~], 御史大夫, 尙書左·右丞, 攝上將軍·大將軍, 五寺三監等官卿·監].

▽外官祿[237]

［第一科］ 二百石[西京留守].

［第二科］ 一百六十六石十斗[東·南京留守].

［第三科］ 一百二十石[安西·安北大都護副使, 安邊·安南小都護使, 八牧副使].

［第四科］ 八十六石十斗[東·西·南京判官, 安邊·安南都護副使, 安北·安西都護判官, 八牧判官, 諸知州府郡事].

［第五科］ 六十石[雲·龍·延·昌·靜·朔·麟·孟·定·長·義等州, 寧德·定戎·平虜·威遠·寧朔·淸塞·寧仁·宣德·元興·耀德·寧遠等鎭副使].

［第六科］ 四十六石十斗[西京錄事[~~司錄~~], 宣·鐵·和·金·梁·蔚·禮·溟·豊等州副使].[238]

---

236) 동궁관록에서 太師, 太傅 이하의 여러 職責이 詹事府丞보다 액수가 적은 것은 本職이 아닌 兼職으로 운영된 追加分이기에 數値가 적을 것이다(李鎭漢 2000년).

237) 仁宗代에 개정되었다는 外官祿의 守令 名單 가운데 무신집권기에 主縣으로 승격한 군현이 있음을 지적하여 이 祿俸表가 明宗 때의 상황을 반영한 것이라는 견해가 있다(浜中 昇 1979年). 이 점은 향후 보다 치밀한 검토가 있어야 하겠지만, 筆者는 인종 때에 개정된 외관의 녹봉표에 후일 主縣으로 승격했던 군현들이 追記된 문서를 『고려사』의 찬자가 전후를 고려하지 않고, 그대로 轉載하였을 것으로 판단한다.

238) ~~添字~~와 같이 고쳐야 옳게 될 것이다(浜中 昇 1979年).

[第七科] 四十石[東·西·南京掌書記, 安邊·安南都護判官, 安北·安西都護·八牧司錄兼掌書記, 諸知州府副使, 雲·龍·麟·延·孟·昌·義·靜·朔·長·定等州判官, 定戎·淸塞·平虜·威遠·寧仁·寧朔·宣德·寧德·元興·寧遠等鎭判官, 靜邊·永興·鎭溟·龍津·長平·朝陽·白嶺白翎等鎭將,[239] 撫·渭·博·嘉·肅·慈·郭·殷·成·順·德·高·文·豫·龜·泰·宜·交等州副使, 安義鎭副使].

[第八科] 三十三石五斗[宣·鐵·和·金·梁·禮·溟·豊·蔚等州判官, 龍岡·咸從·通海·永淸·金壤·瓮津·翼嶺·高城·杆城·三陟·蔚珍·固城·巨濟等縣令].

[第九科] 二十六石十斗[成·順·德·撫·郭·嘉·龜·泰·渭·肅·慈·殷·高·文·豫·宜·谷·平·春·東·交·水·仁·原·洪·公·俠·昇等州判官, 昇天·天安·長興·安東·京山·開城等府判官, 南原·古阜·靈岩·靈光·實城寶城·密城判官, 安義·陽岩·雲林·隘守等鎭將, 靜邊·龍津·長平·朝陽·白嶺白翎等鎭副將, 鎭溟縣尉, 西京六縣令, 江華·耽羅·長湍·海陽·遂安·嘉林·富城·金口金溝·臨陂·進禮·金堤·南海·珍島·綾城·管城·大丘·一善·義城·基陽·順安·延日·東萊·萬頃·牛峯·盈德·金浦等縣令].[240]

[第十科] 二十三石五斗[龍岡·咸從·通海·永淸·高城·杆城·金壤·翼嶺·三陟·蔚珍·瓮津·固城·等縣尉, 安戎鎭將].

[第十一科] 二十石[東·西·南京·安北·安西都護, 黃·廣·淸·忠·全·羅·晋·尙·龍等州法曹, 永豊·樹德等鎭將, 十三倉判官, 西京六縣尉, 嘉林·富城·臨陂·進禮·金堤·海陽·綾城·耽羅·管城·大丘·一善·江華·義城·順安·東萊·遂安等縣尉, 諸監務].

[第十二科] 十六石十斗[安南都護法曹, 溟州·豊州法曹].

[第十三科] 十五石十斗[安邊都護法曹].

[第十四科] 十三石五斗[開城·昇平昇天·安東·京山等府·春·公·洪等州法曹].[241]

○圍宿軍[242]

廣化門, 職事將校一, 散職將相六, 監門衛軍五. 同門事知將校一, 監門衛軍二. 同門水口將校一.

通陽門, 散職將相二, 監門衛軍二.

朱雀門, 散職將相二, 監門衛軍二.

安祥門, 散職將相二, 監門衛軍二.

延秋門迎秋門, 散職將相二, 監門衛軍二.[243]

---

239) 白嶺은 白翎의 誤字일 것이다.

240) 實城은 寶城의, 金口는 金溝의 오자일 것이다.

241) 昇平은 昇天의 오자일 것이다(第9科 昇平府判官, 浜中 昇 1979年).

242) 이하 圍宿軍에 대한 사항은 지38, 兵3, 위숙군을 전재하였다.

243) 延秋門은 迎秋門의 誤字이거나 別稱일 것이다(→지10, 지리1, 王京開城府, 京都羅城).

通德門, 散職將相二, 監門衛軍二.

玄武門, 散職將相二, 監門衛軍二.

金曜門~~金耀門~~, 散職將相二, 監門衛軍二.[244)]

太和門~~泰和門~~, 散職將相二, 監門衛軍二.[245)]

上東門, 散職將相二, 監門衛軍二.

朝宗門, 散職將相二, 監門衛軍二.

青陽門, 散職將相二, 監門衛軍二.

宣仁殿 東紫門, 大將軍一, 將軍一. 同殿侍衛中郎將二, ○南紫門, 中郎將一, 加差將相一. 同門末門, 將相一.

康安殿南門, 將相一. 同殿東末門, 將相一.

千齡門, 將相一, 同門西廊後壁 將相一.

儲祥門, 將相一.

靜德宮東門, 將相一.

景靈殿, 將校一, ○同殿屛障 將相一.

集賢殿東門, 將相一.

穆清殿東門, 將相一.

奉元門, 將相一.

宣慶殿北門, 將校一.

宴親殿, 將校一.

永壽殿, 將相一.

雲興門, 將相一.

儀鳳門, 將相一.[246)]

---

244) 金曜門은 中原의 사례를 볼 때 金耀門의 誤字일 것 같다(→지10, 지리1, 王京開城府, 京都羅城).

245) 太和門과 泰和門은 同音, 同訓의 異字로 통용되었던 것 같다(→지10, 지리1, 王京開城府, 京都羅城).

246) 이 자료에서 儀鳳門의 존재는 圍宿軍의 배치를 정리한 이 資料의 作成時期를 유추할 수 있는 단서를 제공할 수 있다. 곧 儀鳳門은 儀鳳樓(혹은 威鳳樓)에 있는 門인데, 1031년(덕종 즉위년) 6월을 전후하여 神鳳樓와 神鳳門으로 改稱되었다가 1138년(인종16) 5월 16일(庚子) 殿閣과 宮門을 개칭할 때 儀鳳樓와 儀鳳門으로 바뀌었다. 이는 1362년(공민왕11) 1월 무렵 현재의 滿月臺一帶(현 북한의 국보유적 제122호)에 존재하였던 고려의 宮城이 紅巾賊에 의해 燒盡될 때까지 존재하였던 것 같다. 또 玄陵(恭愍王陵)의 존재를 통해 볼 때 이 자료는 1138년(인종

棣通門前, 將軍一, 將相一, 加差散職將相五.

泰定門前, 將軍一, 將相一, 加差將相八. ○同門水口, 將校一.

麗景門, 將相·將校各一, 加差散職將相五.

安興門, 將相·將校各一, 加差將相五.

向成門, 將相·將校各一, 加差將相五.

宣敎門, 將相·將校各一, 加差散職將相五.

掖庭局, 將校二, 雜職將校四.

望雲樓, 將校一.

歸仁門, 將校一, 散職將校二, 監門衛軍二.

長平門, 職事將校一, 散職將相二, 監門衛軍二.

宣仁門, 職事將校一, 散職將相二, 監門衛軍二. ○同門水口, 監門衛軍二.

福源宮, 雜職將校二, 散職將相二.

承德宮, 散職將相二.

延德宮, 散職將相二.

興慶宮, 散職將相二.

永昌宮, 散職將相二.

玄德宮, 散職將相二.

福寧宮, 散職將相二.

明福宮, 散職將相二.

安和寺眞殿·弘圓寺眞殿·興王寺眞殿·天壽寺眞殿·大雲寺眞殿·重光寺眞殿·弘護寺眞殿·玄化寺眞殿·國淸寺眞殿·崇敎寺眞殿·乾元寺眞殿, 散職將相各二.

奉恩寺眞殿, 散職將相四.

深陵·良陵·壽陵太祖妃~~皇甫氏~~·宣陵顯宗·濟陵·懷陵顯宗妃·明陵顯宗妃·隱陵獻宗·德陵~~忠宣王~~·貞陵太祖妃~~金氏~~[247]·齊陵·質陵德宗妃·宜陵顯宗妃·永陵~~忠惠王~~·定陵·豊陵·成陵順宗·慈陵睿宗妃·穆陵·戴陵文宗妃·昌陵世祖·寧陵·恭陵·端陵·莊陵·玄陵恭愍王·夷陵·幽陵景宗妃·元陵景宗妃·仁陵宣宗·翼陵·惠陵·堅陵·平陵·乾陵安宗·崇陵德宗妃·靈陵·容陵·和陵·節陵·悼陵·

---

16) 5월 이후 어느 때의 事實을 일괄 정리한 것이고, 무신정권 이후의 改變이 追記된 것으로 판단된다.

247) 貞陵은 太祖妃 神成王太后 金氏의 墳墓로서 開城市 板門郡의 남서쪽에 위치한 禾谷里에 있다(보존급 유적 583호, 洪榮義 2018년).

信陵·靜陵·匡陵·簡陵·肅陵·周陵, 散職將相各二.

憲陵[光宗]·順陵[惠宗]·義陵[穆宗]·景陵[文宗]·顯陵[太祖]·英陵[肅宗]·康陵[成宗]·安陵[定宗]·榮陵[景宗]·泰陵[戴宗], 散職將相各四.[248]

裕陵[睿宗]·綏陵[睿宗妃], 散職將相各六.

延陽門, 散職將相二, 監門衛軍二.

紫安門, 散職將相二, 監門衛軍二.

安和門, 散職將相二, 監門衛軍二.

德山門, 散職將相二, 監門衛軍三.

鷲溪門, 散職將相二, 監門衛軍二.

安定門, 散職將相二, 監門衛軍二.

弘仁門, 散職將相二, 監門衛軍二.

成道門, 散職將相二, 監門衛軍二.

崇仁門, 將校一, 軍人二, 散職將相二, 監門衛軍二. ○同門水口, 散職將相二.

靈昌門, 將校一, 軍人二, 散職將校二, 監門衛軍一.

宣旗門, 將校一, 軍人二, 散職將相二, 監門衛軍二. ○同門水口, 散職將相二.

長覇門, 將校一, 軍人二, 散職將相二, 監門衛軍三. ○同門水口, 散職將相二.

會賓門, 將校一, 軍人二, 散職將相二, 監門衛軍一.

泰安門, 將校一, 軍人二, 散職將相二, 監門衛軍一.

永同門, 將校一, 軍人二, 散職將相二, 監門衛軍一.

豊德門[~~德豊門~~], 將校一, 軍人二, 散職將相二, 監門衛軍一.[249]

仙溪門, 將校一, 軍人二, 散職將相二, 監門衛軍二.

宣義門, 將校一, 軍人二, 散職將相二, 監門衛軍一.

乾陽門, 將校一, 軍人二, 散職將相二, 監門衛軍一.

保泰門, 將校一, 軍人二, 散職將相二, 監門衛軍一.

永平門, 將校一, 軍人二, 散職將相二, 監門衛軍二.

狡猊門[~~狻猊門~~], 將校一, 軍人二, 散職將相二, 監門衛軍一.[250]

---

248) 이들 王陵의 諸樣相과 15世紀 以後에 이루어진 保存, 管理에 대한 검토가 최근에서야 이루어졌다(洪榮義 2018년).

249) 豊德門은 開城府 南部에 德豊坊이 있는 것을 볼 때 德豊門의 誤字[轉倒]일 것이다(→지10, 지리1, 王京開城府, 京都羅城).

仙嚴門, 將校一, 軍人二, 散職將相二, 監門衛軍一.

光德門, 將校一, 軍人二, 散職將相二, 監門衛軍一.

昌信門, 將校一, 軍人二, 散職將相二, 監門衛軍一:食貨3祿俸轉載].[251)]

[仁宗在位年間]2

[○以鄭諴爲內侍·西頭供奉官, 以太子乳媼爲妻:列傳35鄭諴轉載].[252)]

[○金存中, 龍宮郡人. 性聰慧, 有詩名. 仁宗時, 爲春坊侍學, 登第, 補詹事府錄事, 與宦官鄭諴相善:列傳36金存中轉載].

[○以共議[天興寺住持·首座]觀奧轉住原州法泉寺, 賜彩綾地官誥:追加].[253)]

[○以[三重大師]德謙爲首座, 每下詔赴闕, 諮問妙理. 朝廷聞法泉寺僧衆橫恣轉甚, 上命德謙移住之, 不數月, 寺僧淸肅, 尋加僧統. 又命撰'金剛明經疏', 盖撮要也, 書成三卷以獻, 上益加敬焉:追加].[254)]

---

250) 狡猊門(교예문)은 狻猊門(산예문)의 오자일 것이다(→지10, 지리1, 王京開城府, 京都羅城).

251) 以上의 祿俸에 관한 기록은 지34, 食貨3, 祿俸을 전재하였다.

252) 이는 다음의 기사를 전재하였다.

· 열전35, 火者, 鄭諴, "仁宗時, 爲內侍西頭供奉官, 以毅宗乳媼爲妻".

253) 이는 「修理寺住持·首座觀奧墓誌銘」에 의거하였다.

254) 이는 「玄化寺住持·僧統德謙墓誌銘」에 의거하였다.

毅宗 一

毅宗·莊孝·□□剛果大王,[1] 諱晛, 字日升,[2] 古諱□昌·徹,[3] 仁宗長子, 母曰恭睿太后任氏, 仁宗五年丁未四月庚午11日生, 二十一十一年, 封爲太子.[4]

二十四年二月丁卯28日, 仁宗薨, 受遺詔, 卽位於大觀殿.

三月庚午朔大盡,壬辰, [某日, 遣禮部侍郞李之茂如金, 告哀:追加].[5]

[甲戌5日, 王及百官·國人成服:禮6國恤轉載].

甲申15日, 葬仁宗于長陵.[6]

[癸巳24日, 王以下釋服:禮6國恤轉載].

戊戌29日, 尊母后爲王太后. [殿曰厚德, 立府曰善慶, 置官屬. 初, 后愛次子, 欲立爲太子, 以故王怨之. 一日, 侍坐語侵, 后跣下殿, 仰天而誓, 忽雷雨大震, 電光入

---

1) 이에서 毅宗은 묘호이고, 莊孝大王은 시호인데, 이는 1175년(명종5) 5월에 毅宗의 陵[禧陵]이 마련될 때 붙여진 것이다. 그런데 의종은 1253년(고종40) 10월 3일(戊申) 剛果가 덧붙여졌으나, 이 기사에 반영되어 있지 않다.

2) 『익재난고』 권9상, 忠憲王世家에는 毅宗의 字가 日新으로 되어 있으나, 元宗의 字가 日新이므로 잘못일 것이다.

3) 毅宗의 初名은 알 수 없고, 인종 9년 2월 12일(己卯) 昌으로, 2개월 후인 4월 12일(戊寅) 再次 徹로 改名되었다(→인종 9년 2월 己卯, 4월 戊寅).

4) 二十一年은 十一年의 誤字이다. 毅宗은 1133년(인종11) 2월 17일 皇太子로 책봉되었다.

5) 이는 『동문선』 권39, 告哀表·稱嗣表(崔惟淸 撰)에 의거하였는데, 이때 李之茂는 朝議大夫·尙書禮部侍郞·輕車都尉·賜紫金魚袋를 띠고 있었다. 또 李之茂는 5월 4일(壬申) 金에서 喪을 告하였다.
· 『금사』 권4, 본기4, 熙宗, 皇統 6년 5월, "壬申, 高麗王楷薨".
· 『금사』 권60, 表2, 交聘表上, 皇統 6년, "五月 壬申, 高麗國王王楷薨, 子晛嗣位, 遣使來, 報喪".
· 『금사』 권135, 열전73, 外國下, 高麗, "六年, 楷薨, 子晛嗣立".

6) 이 기사는 지18, 禮6, 國恤에도 수록되어 있다. 또 이날 副葬한 謚册(玉册, 國立博物館 所藏)에 謚號가 孝恭大王으로 되어 있어 『고려사』의 내용과 일치하고 있다(→인종 24년 3월 28일). 또 長陵에서 謚册과 함께 발견된 翡色의 靑磁가 국립중앙박물관에 소장되어 있고, 同種의 磁器가 大阪市立東洋陶磁博物館에도 있다고 한다. 이들과 유사한 陶片이 全羅南道 康津郡 沙堂里의 窯地에서 발견된다고 한다(大阪市立東洋陶磁博物館 2014年 252面).

座. 王驚懼, 俛入太后衣下, 俄而震殿柱. 王悔悟, 遂爲母子如初:列傳1仁宗妃恭睿太后任氏轉載].

夏四月庚子朔小盡,癸巳, 庚戌11日, 大雨雹.[7)]

○以王生日爲河淸節, 受群臣朝賀.

癸丑14日, 東宮時僚屬, 並加恩賞.

[甲寅15日, 月食, 旣:天文1轉載].[8)]

乙巳~~乙卯~~16日, 以門下侍郎平章事任元敱爲門下侍中·定安侯, [王冲爲中書侍郎平章事, 崔梓爲正議大夫·刑部尙書·樞密院使·判三司事, 試兵部尙書金永錫爲朝議大夫, 右正言崔婁伯爲右司諫:追加].[9)]

[□□~~是時~~, 令□□□~~任元敱~~朝會上殿行禮, 諫官論駁:列傳8任元厚轉載].

戊午19日, [芒種]. 御儀鳳樓, 大赦.[10)]

[是月, 張脩, □□□□□掌國子監試, 取金大年等:選擧2國子試額轉載].

五月己巳朔大盡,甲午, 庚午2日, 幸妙通寺.

壬午14日, 江陵侯溫卒.[11)]

[某日, 賜宦者·內侍·西頭供奉官鄭諴, 甲第一區, 乳媼夫也:節要轉載], [授內殿崇班:列傳35鄭諴轉載].

---

7) 이와 같은 기사가 지7, 五行1, 水, 雨雹에도 수록되어 있다.

8) 이날 宋에서도 월식이 있었고(『송사』 권52, 지5, 천문5, 月食), 일본의 교토에서도 월식이 관측되었던 것 같다. 이날은 율리우스력의 1146년 5월 27일이고, 월식 현상이 심했던 때의 世界時는 13시 57분, 食分은 1.52이었다(渡邊敏夫 1979年 476面).

· 『本朝世紀』 제30, 久安 2년 4월, "十五日甲寅, … 今夕, 月蝕也".

9) 이달의 기사는 庚戌(11일), 癸丑(14일), 乙巳(6일), 戊午(19일)로 구성되어 있으며, 이 順序는 『고려사절요』 권10에도 날짜[日辰]는 없지만 동일하다. 그러므로 乙巳(6일)는 乙卯(16일)의 오자일 가능성이 높다. 또 이날에 王冲이 中書侍郎平章事에, 崔梓가 正議大夫·刑部尙書·樞密院使·判三司事에 임명되었던 것 같다(王冲墓誌銘 ; 崔梓墓誌銘 ; 金永錫墓誌銘 ; 崔婁伯妻廉瓊愛墓誌銘).

10) 이때 戶部尙書 尹彦頤의 政案에 기록된 罪名이 삭제되었던 것 같다.

· 「尹彦頤墓誌銘」, "公誤爲人忌憚, 罪名錄在政案, 仁宗尤所痛惜, 特降指揮削去, 有司堅執. 今上卽位剛斷, 遂掃除, 所謂知臣莫若君也".

11) 이날은 율리우스曆으로 1246년 6월 24일(그레고리曆 7월 1일)에 해당한다.

六月己亥朔[小盡,乙未], 王如奉恩寺. 雨雹.[12]

[秋七月[戊辰朔大盡,丙申], 丙子[9日], 前行大盈令金復尹卒:追加].[13]
[某日, 以金諭爲慶尙道按察使:慶尙道營主題名記].

[八月戊戌朔[大盡,丁酉]:追加].

秋九月[戊辰朔小盡,戊戌], [己卯[12日], 善慶府詹事裴景誠卒, 年六十四:追加].[14]
壬午[15日], 慮囚.
○平章事[~~中書侍郎平章事致仕~~]李俊陽卒. □□[~~俊陽~~], 本全州吏, 以淸白達.[15]
甲申[17日], □[~~前~~]平章事韓惟忠卒,[16] [年六十七, 諡敬烈:追加], 輟朝三日. □□[~~惟忠~~], 以勤儉正直, 見重於時.[17]
丙申[29日晦], 幸外帝釋院.

[秋某月, 覺華寺住持·比丘誠源, 聞永嘉郡龍頭山藪名勝, 遂占地於古寺址南數百步, 始立屋數間, 爲舍那. 後上命日者榮緯[~~榮儀~~]省其地, 賜號龍壽寺:追加].[18]

---

12) 이와 같은 기사가 지7, 五行1, 水, 雨雹에도 수록되어 있다.

13) 이는「金復尹墓誌銘」에 의거하였는데, 이날은 율리우스曆으로 1246년 8월 27일(그레고리曆 8월 24일)에 해당한다.

14) 이는「裴景誠墓誌銘」에 의거하였는데, 이날은 율리우스曆으로 1246년 10월 19일(그레고리曆 10월 26일)에 해당한다.

15) 李俊陽의 관직은 中書侍郎平章事致仕로 추측되는데, 이는 그가 1132년(인종10) 6월 28일(辛亥) 中書侍郎平章事에 임명된 점을 考慮한 것이다. ~~添字~~는『고려사절요』권10에 의거하여 추가한 것이다. 이날은 율리우스曆으로 1246년 10월 22일(그레고리曆 10월 29일)에 해당한다.

16) 이날은 율리우스曆으로 1246년 10월 24일(그레고리曆 10월 31일)에 해당한다.

17) 韓惟忠은 이해(1146년) 2월 毅宗이 즉위한 후 中書侍郎平章事에서 파직되어 守司空·左僕射·判秘書省事로 좌천되어 視事하지 않았다. 또 死後에 옛 관직인 中書侍郎平章事에 복직되었으므로, 이 기사의 平章事는 前平章事라고 하여야 옳게 될 것이다(韓惟忠墓誌銘). ~~添字~~는『고려사절요』권10에 의거하여 추가한 것이다.

18) 이는 다음의 자료에 의거하였다(拓本, 天理大學 所藏, 許興植 1986년 656面).
· 「安東龍頭山龍壽寺開刱記」, "… 越毅廟元年丙寅秋, 覺華寺住持·比丘誠源, 聞其境勝而悅之, 遂占地於舊基南數百步, 始立屋數間, 未幾源師沒, 而門人處~~彝~~繼」之, … 上心頗喜, 卽命日者榮緯[~~榮儀~~]往省其地, 緯[~~儀~~]復命曰, '弘大法利國家, 非此地莫可'. 於是, 賜號龍壽寺, 申命守土之臣, 管其務, …".
· 『신증동국여지승람』권25, 禮安縣, 佛宇, "龍壽寺, 在龍頭山南. 高麗僧誠源始構, 毅宗爲僧釋胤

冬十月[丁酉朔大盡,己亥], 戊戌[2日], 金遣[河北東路]淸州防禦使烏延遵禮·少府少監烏居仁來, 祭仁宗. 其文曰, "惟靈, 撫有藩封, 踐修遺訓, 忠勤著於三世, 功利被於一方. 遽爾考終, 玆焉茹嘆, 式馳使傳, 往致奠儀. 庶其有知, 歆此至意".

庚子[4日], 同知中京路都轉運司事蕭謙來, 弔慰.

壬寅[6日], 簽書會寧府事曹衮來, 命王起復.[19]

癸丑[17日], 宴金使于大觀殿.

甲子[28日], 設百座會於宣慶殿,[20] 王親聽講經, 遂幸毬庭, 飯僧三日.

十一月[丁卯朔小盡,庚子], [丁丑[11日], 月犯歲星:天文1轉載].

己卯[13日], 遣趙可仁如金, 賀正.[21]

庚辰[14日], 設八關會, 御幕次, 受賀, 命去殿上女樂, 遂幸法王寺.

癸未[17日], 遣李陽實如金, 謝恩.[22]

乙酉[19日], 遣金陽晋□□[~~如金~~], 進方物.

丙戌[20日], 攝行虞祭.[23]

○[中書侍郞]平章事王冲乞致仕. 詔, "冲淸儉公平, 身尙康强, 其賜几杖, 令視事".

己丑[23日], 遣梁元俊如金, 賀萬壽節.[24]

改構, 賜名龍壽, 命崔詵記之".

19) 金의 弔祭使와 起復使의 파견은 6월 27일(乙丑)에 결정되었다.
- ·『금사』 권4, 본기4, 熙宗, 皇統 6년 6월, "乙丑, 遣使弔祭高麗, 幷起復嗣王晛".
- ·『금사』 권60, 表2, 交聘表上, 皇統 6년, "六月乙丑, 遣使祭弔高麗".

20) 百座會는 『고려사절요』 권10에는 百座道場으로 달리 표기되어 있다.

21) 趙可仁은 다음 해 正旦에 賀禮하였던 것 같다.
- ·『금사』 권4, 본기4, 熙宗, 皇統 7년 1월, "乙丑朔, 宋·高麗·夏遣使來賀".
- ·『금사』 권60, 表2, 交聘表上, 皇統 7년 1월, "乙丑朔, 高麗使賀正旦".

22) 이때 李陽實이 가져간 謝表가 『동문선』 권33, 謝勑祭仁王表·謝物狀·謝勑祭仁王表(崔惟善 撰) 등일 것이다.

23) 仁宗의 崩御와 葬儀節次에 대한 다음의 기사가 있다. 이에서 丙戌이 적절하지 않으므로 위의 기사를 감안하면, a를 b와 같이 고쳐야 옳게 될 것이다.
- ·a지18, 禮6, 國恤, "三月甲戌, 王及百官·國人成服. 甲申, 葬于長陵. 癸巳, 王以下釋服. 丙戌, 虞".
- ·b지18, 禮6, 國恤, "三月甲戌[5日], 王及百官·國人成服. 甲申[15日], 葬于長陵. 癸巳[24日], 王以下釋服. □□□[~~十一月~~]丙戌[20日], 虞".

24) 梁元俊은 明年 1월 17일(辛巳) 萬壽節을 賀禮하였던 것 같고, 이때 그는 淸廉하였다고 한다.
- ·『금사』 권4, 본기4, 熙宗, 皇統 7년 1월, "辛巳, 萬壽節, 宋·高麗·夏遣使來賀".
- ·『금사』 권60, 表2, 交聘表上, 皇統 7년 1월, "辛巳, 高麗使賀萬壽節".

甲午[28日], 御史臺奏, "鴨江都部署副使尹粹彦及兵船十一艘·軍卒二百九人, 溺死, 兵馬使不能指揮, 以致於此, 請罪之", 從之.

[是月, 太史奏, "立冬以來, 無大雪, 請祈雪":五行1無雪轉載].25)

十二月[丙申朔小盡,辛丑], [甲辰[9日], 月犯歲星:天文1轉載].

丙午[11日], 詔, "來丁卯年燃燈, 用正月望, 以二月, 仁宗忌月, 故改行之, 爲恒式".

丁未[12日], [大寒]. 醮本命于內殿.26)

己酉[14日], 慮囚.

[○白氣貫月, 及天市垣紫微宮:天文1轉載].

乙卯[20日], 國子祭酒·翰林學士權適卒, [年五十三:追加].27)

[某日, 以王沖爲門下侍郎平章事, 崔梓爲守司空·尙書左僕射·參知政事·判禮部事, 尹誧爲檢校太師·守司徒·參知政事·柱國, [試兵部尙書]金永錫爲兵部尙書, [右司諫]崔婁伯爲左司諫:追加].28)

· 「梁元俊墓誌銘」, "丙寅冬, 以万壽節日使, 使于大金國, 彼朝曾服公清儉, 不以雜冗煩公, 其名振異朝邦".

25) 이해[是年]의 立冬은 9月 23일(庚寅)이다.

26) 本命은 어떤 인물의 태어난 해[出生年]의 干支를 가리킨다. 毅宗은 1227년(仁宗五年丁未) 4월 11일(庚午)에 탄생하였기에 丁未가 그의 本命日(혹은 本命年)이 된다.

· 『삼국지』 권29, 魏書29, 方技, 管輅, "管輅, 字公明, 平原人也, … 正元二年, 弟辰謂輅曰, '大將軍待君意厚, 冀當富貴乎?' 輅長歎曰, '吾自知有分直耳, 然天與我才, 明不與我壽年, 恐四十七八間, 不見女嫁兒娶婦也. 若得免此, 欲作洛陽令, …', 辰問其故, 輅曰, '… 又吾本命在寅, 加月食夜生. 天有常數, 不可得諱, 但人不知耳. 吾前後相當死者過百人, 略無錯也'. 是歲八月, 爲小府丞. 明年二月卒, 年四十八".

· 『신당서』 권139, 열전64, 李泌, "… 初, 肅宗重陰陽巫祝, … 德宗素不爲然, 及嗣位, 罷內道場, 除巫祝. 代宗將葬, 帝護送□[于]承天門, 而轀車行不中道, 問其故, 有司曰, '陛下本命在牛, 故避之'. 帝泣曰, '安有枉靈駕, 以謀身利?', 命直午而行". 여기에서 巫祝은 鬼神을 섬기는 人物을 가리킨다.

· 『속자치통감』 권50, 宋기50, 仁宗皇祐 1년 1월, "庚戌[17日], … 太傅致仕鄧國公張士遜卒. 車駕臨奠, 翼日, 謂輔臣曰, '昨有言庚戌是朕本命, 不宜臨喪, 朕以師臣之舊, 故不避'. [參知政事]文彥博曰, 唐太宗辰日哭張公謹, 陛下過之遠矣". 여기에서 仁宗 趙禎(眞宗의 第6子) '大中祥符三年庚戌四月十三日生'이기에 그의 本命日은 庚戌이 된다(『속자치통감』 권36, 宋紀36, 天聖元年 冒頭).

· 『周易注疏』 권9. 下經, 巽, "… 九二, 巽在牀下, 用史巫紛若吉, 無咎[孔穎達疏, … 史謂祝史, 巫謂巫覡, 竝是接事鬼神之人也]. … 象曰, 得中者, 用卑巽於神祇, 是行得其中, 故能致紛若之吉也".

27) 이는 「權適墓誌銘」에 의거하였는데, 이날은 율리우스曆으로 1147년 1월 23일(그레고리曆 1월 30일)에 해당한다.

28) 이는 「王沖墓誌銘」; 「崔梓墓誌銘」; 「尹誧墓誌銘」; 「金永錫墓誌銘」; 「崔婁伯妻廉瓊愛墓誌銘」에 의거하였다. 또 尹諧는 이 시기, 곧 1146년(의종 즉위년) 12월 무렵에 尹誧로 改名하였던 것

[是年, 以王叔父·太原公<u>侾</u>爲輔靜功臣·食邑四千戶·食實封七百戶:追加].[29)]

[○~~知樞密院事~~李仁實知貢擧, ~~右散騎常侍~~崔誠同知貢擧, 取黃文富等:選擧1選場轉載].[30)]

[○以安<u>御胎</u>, 陞永州郡任內新寧縣爲知新寧郡事官:追加].[31)]

[○遣內臣於普濟寺王師<u>坦然</u>, 上金襴袈裟, 以表其德:追加].[32)]

[○以戶部尙書尹彦頤爲集賢殿學士:追加].[33)]

[○秘書監張脩累上表, 乞致仕:追加].[34)]

[○以左承宣崔惟淸爲知奏事·國子監大司成:追加].[35)]

[○以試將作監元沆爲試禮部侍郞:追加].[36)]

[○以殿中侍御史朴脩爲知制誥:追加].[37)]

[○以殿中內給事·知制誥金永夫爲殿中侍御史:追加].[38)]

[○以任忠贇爲掌牲署丞:追加].[39)]

[○以寶城郡判官咸有一爲內侍·明福宮錄事:追加].[40)]

[○以前起居郞劉碩爲內侍, 復掌奏事:追加].[41)]

[○以朴璜爲西京全德·興土部錄事:追加].[42)]

갇다.

·「尹誧墓誌銘」, "… 又於大金皇統六年毅宗卽位年纂大平廣記撮要詩一百首隨表進呈, 上敎遣知奏事<u>崔惟淸</u>奬諭曰, 卿年高聰明, 藻思如新, 嘉歎不忘. 其年冬十有二月, 加檢校太師守司徒·參知政事·柱國".

29) 이는「王侾廟誌銘」에 의거하였다.

30) 이는 지27, 선거1, 科目1, 選場에서 전재하였고, <u>添字</u>는「李仁實墓誌銘」;「崔誠墓誌銘」에 의거하였다. 이때 黃文富·上舍第2人李文鐸(丙科, 李文鐸墓誌銘) 등이 급제하였는데, 이에서 上舍 第2人은 國子監試에서 2等을 합격한 인물이라는 뜻으로 추측된다.

31) 이는 다음의 자료에 의거하였다.

·『경상도지리지』, 安東道, 新寧縣, "皇統六年丙寅, 安御胎, 升爲知新寧郡事".

32) 이는「山淸斷俗寺大鑑國師塔碑」에 의거하였다.

33) 이는「尹彦頤墓誌銘」에 의거하였다.

34) 이는「張脩墓誌銘」에 의거하였다.

35) 이는「崔惟淸墓誌銘」에 의거하였다.

36) 이는「元沆墓誌銘」에 의거하였다.

37) 이는「朴脩墓誌銘」에 의거하였다.

38) 이는「金永夫墓誌銘」에 의거하였다.

39) 이는「任忠贇墓誌銘」에 의거하였다.

40) 이는「咸有一墓誌銘」에 의거하였다.

41) 이는「劉碩墓誌銘」에 의거하였다.

42) 이는「朴璜墓誌銘」에 의거하였는데, 全德·興土部는 西京의 5部인 大興·隆德(龍德)·隆興(龍興)·全

[○以僧統德謙爲玄化寺住持:追加].[43]

[○以三重大師宗璘爲首座, 尋改爲僧統:追加].[44]

丁卯[毅宗]元年, 金皇統七年, [南宋紹興十七年], [西曆1147年]

1147년 2월 2일(Gre2월 9일)에서 1148년 1월 22일(Gre1월 29일)까지, 355일

[春正月乙丑朔大盡,建壬寅, 戊寅14日, 燃燈:追加].[45]

[某日, 以李元長爲慶尙道按察使, 左正言鄭知源爲全羅道按察使:慶尙道營主題名記].[46]

[二月乙未朔小盡,建癸卯, 某日, 遣使如金, 謝弔祭·起復:追加].[47]

[是月, 迎入僧統宗璘大內, 使削太弟某玄曦頂髮, 禮儀之盛, 古無與備:追加].[48]

[三月甲子朔大盡,建甲辰, 戊辰5日, 先是, 普濟寺王師坦然, 以老乞歸于晋州斷俗寺, 是日得請, 出寓天和寺. 而上又欲瞻禮, 乃迎入光明寺, 然不能自已:追加].[49]

[春某月, 以左司諫崔婁伯爲侍御史:追加].[50]

德(川德)·興土部 중의 2개 部일 것이다(『태종실록』 권11, 6년, 6월 5일(癸亥) ; 『세종실록』 권154, 지리지, 平壤府). 이에서 ( )의 部名은 조선시대에 改稱된 것으로 추측된다.

43) 이는 「玄化寺住持·僧統德謙墓誌銘」에 의거하였다.

44) 이는 「龍仁瑞峯寺玄悟國師塔碑」에 의거하였다.

45) 燃燈會는 前年(인종24, 1146)까지 2월 14일(小會), 15일(大會) 개최되어 되었으나 仁宗이 같은 달 28일 崩御하였기에, 이해[是年]부터 1178년(명종8)까지 1월에 실시되었던 것 같다(→명종 8년 2월 某日).

46) 鄭知源은 그의 묘지명에 의거하였다.

47) 이는 다음의 자료에 의거하였다.
- 『금사』 권4, 본기4, 熙宗, 皇統 7년 3월, "戊寅15日, 高麗遣使謝弔祭·起復".
- 『금사』 권60, 표2, 交聘表上, 皇統 7년, "三月戊寅, 高麗使來, 謝弔祭".

48) 이는 「龍仁瑞峯寺玄悟國師塔碑」에 의거하였는데, 毅宗의 太弟에 해당하는 인물은 元敬國師 玄曦(改名 沖曦)일 것이다.
- 열전3, 종실, 仁宗五子. "恭睿太后, 生毅宗·大寧侯暻·明宗·元敬國師沖曦·神宗".

49) 이는 「山淸斷俗寺大鑑國師塔碑」에 의거하였다.

50) 이는 「崔婁伯妻廉瓊愛墓誌銘」에 의거하였다.

夏四月甲午朔小盡,建乙巳, 辛酉28日, 幸外帝釋院. [自是, 遊幸寺院, 不可勝紀:節要轉載].
壬戌29日晦, 雨雹.51)
[是月頃, 李之茂, □□□□□掌國子監試, 取朴紱等:選擧2國子試額轉載].

五月癸亥朔大盡,建丙午, 甲子2日, [芒種]. 賜李愈昌等及第.52)
[己巳7日, 大雨暴風, 發屋折木:五行3轉載].
庚午8日, 宋都綱黃鵬·陳誠等八十四人來.
[丙子14,日 有素氣, 從北方, 指巽如布:五行2轉載].
丁丑15日, 禱嗣于靈通寺, 講華嚴經五十日.
甲申22日, 臺諫上章言事.
[乙酉23日, 夜, 暴風雨, 震人于內帝釋院:五行1雷震轉載].53)
丁亥25日, 臺諫以言事不報, 歸第. 王乃下毬杖各六·鞍二于御史臺. 臺奉詔, 鏁壽昌宮北門, 以禁群小出入. 王遊北園, 謂左右曰, "吾擊毬之技, 無復試矣". 已而, 取毬擊之, 人莫有及者.
庚寅28日, 臺諫復就職.

六月癸巳朔小盡,建丁未, 王如奉恩寺.
辛丑9日, 慮囚.
丁未15日 王受菩薩戒于明仁殿, 又受菩薩戒于魂堂.
[丙辰24日, 流星出河鼓, 入須女:天文2轉載].

秋七月壬戌朔大盡,建戊申, 甲子3日, [立秋]. 命翰林學士崔惟淸,54) 講書說命三篇, 命參

---

51) 이와 같은 기사가 지7, 五行1, 水, 雨雹에도 수록되어 있다.
52) 이와 관련된 기사로 다음이 있다. 이를 통해 볼 때 金永寬이 知貢擧가 되어 進士를 選拔한 것은 5월이 아니라 4월 또는 그 以前이었을 것이다. 이때 李愈昌·尹惇信(尹彦頤墓誌銘) 등이 급제하였다(朴龍雲 1990년 ; 許興植 2005년)
· 지27, 선거1, 科目1, 選場, "毅宗元年五月, 金永寬知貢擧, 金子儀同知貢擧, 取進士, 甲子, 賜李愈昌等三十二人及第". .
53) 이때 일본의 교토에서 20일(壬午)에 비가 많이 내렸다고 한다(『台記』 권7, 久安 3년 5월, "二十日壬午, 甚雨").
54) 이때 崔惟淸은 知奏事·大司成·翰林學士였던 것 같다(崔惟淸墓誌銘).

知政事崔梓等聽講, 右司諫李元膺問難.

[戊辰7日, 京畿大水, 人馬多溺死:五行1水潦轉載].

[壬申11日, 夜, 虎入選軍. 太史奏, "邇來, 猛虎入選軍·兵刑部·興國寺及閭巷. 夫虎者, 山林之獸也. 握鏡曰, 虎狼入國, 府中將空荒":五行2轉載].[55]

[甲戌13日, 光明寺王師坦然, 潛發向斷俗寺, 上知不可以勸留, 乃遣中貴人內侍金存中·右街僧錄翰周陪行:追加].[56]

[某日, 以趙可仁爲慶尙道按察使:慶尙道營主題名記].

是月, 海州蝗.

○太史奏, "太白自六月望後, 晨見經天, 今又連日晝見".

[○海州牛耳山大石頹:五行3轉載].

八月壬辰朔大盡,建己酉, 戊戌7日, 太白晝見.

己亥8日, 夜, 虎入大明宮.

壬寅11日, 命刑官, 覆奏重刑.

甲辰13日, 日本都綱黃仲文等二十一人來.

[某日, 取升補試任裕公等五十五人, 升補試始此:節要轉載].

[→ 升補試, 卽生員試, 毅宗元年, 始置. 試以詩·賦·經義, 取任裕公等五十五人:選擧2升補試轉載].

己未28日, 平章事中書侍郞同中書門下平章事?致仕任元濬卒.[57]

[○歲星犯東井:天文2轉載].

九月壬戌朔小盡,建庚戌, [甲子3日, 王師坦然入斷俗寺, 然雖退處山林, 祝聖之誠, 日益彌篤, 誨人不倦, 故玄學之徒, 雲臻輻湊:追加].[58]

---

55) 이 구절은 『握鏡』이 現存하지 않아 확인되지 않는다. 또 『握鏡』은 梁의 陶弘景이 軍事의 陰陽에 대해 저술한 『握鏡方』 3권, 『握鏡圖』 1권을 가리키는 것 같다(『通志』 권68, 藝文略6, 兵家). 또 이 기사에 수록된 『握鏡』의 내용은 찾아지지 않지만, 虎狼의 入國에 대해서는 木星[歲星, Jupiter]과 관련된 내용이 『開元占經』 권25, 歲星占3, 歲星犯北方七宿에서 찾아진다.

56) 이는 「山淸斷俗寺大鑑國師塔碑」에 의거하였다.

57) 이날은 율리우스曆으로 1147년 9월 24일(그레고리曆 10월 1일)에 해당한다.

58) 이는 「山淸斷俗寺大鑑國師塔碑」에 의거하였다.

· 『研經齋全集』續集16册, 書畫雜識, 題大鑑國師碑, "此碑在知異山斷俗寺, 金大定十二年建, 其文卽李辛未10日, 慮囚.

壬申11日, 虞祭于魂堂.

癸酉12日, 出御長源亭.

[戊寅17日, 月暈·畢·鎭星:天文2轉載].

[庚辰19日, 霜降. 太白犯大微~~太微~~右執法:天文2轉載].

甲申23日, 太白經天二日.

○御西樓, 觀擊毬戲.

[己丑28日, 流星出, 抵弧矢:天文2轉載].

冬十月乙未朔~~辛卯朔~~大盡,建辛亥, 觀擊毬於西樓.[59]

[乙未5日, 雷, 雨雹:五行1雷震轉載].

[→雷, 雨雹, 太史奏曰, "大陽弱, 陰氣逆, 故雷發聲, 必有伏匿之謀, 若退强暴, 扶老弱用賢良, 猶可及救":節要轉載].

丁酉7日, 御西樓, 觀擊毬凡四日.

丙午16日, 還宮.

戊申18日, 設百高座會於宣慶殿.

[○雷震, 雨雹:五行1雷震轉載].

己酉19日, 幸百高座會, 聽經, 遂行毬庭, 飯僧三日.

己未29日, 親饗老人·孝順·義節于毬庭.

庚申30日, 賜設鰥寡·孤獨·篤癈疾.

十一月辛酉朔大盡,建壬子, [戊辰8日, 前朝議大夫·戶部尙書金誠卒, 年七十二:追加].[60]

之茂所製, 不知何人所書. 然意機俊僧筆也, 筆甚工巧有法, 但少踈放, 漸啓麗後一種跳盪之趣".

59) 十月乙未朔은 宋曆·日本曆의 10월 辛卯朔과 4日의 차이가 있다. 고려력·송력·일본력 등에서 月次의 大小[大盡·小盡]에 의해 1~2일의 차이는 인정되지만, 4일의 차이를 보이는 것은『고려사』의 편찬과정에서 어떤 착오가 있었던 것으로 추측된다. 이는 다음 달인 11월은 朔日이 나타나 있지 않지만, 甲戌에 八關會를 개최하였는데, 이날은 宋曆·日本曆의 11월 辛酉朔으로 計算하면 14일에 해당하여, 일반적으로 11월 14일에 개최되는 팔관회(小會)와 날짜[日辰]가 일치한다. 그러므로 十月乙未朔은 十月辛卯朔의 오류임이 분명할 것이다. 또 지7, 五行1에 "十月乙未, 雷, 雨雹"이 있으나 乙未에 朔이 붙어 있지 않다.

60) 이는「金誠墓誌銘」에 의거하였는데, 이날은 율리우스曆으로 1147년 12월 2일(그레고리曆 12월 9

甲戌14日, 設八關會, 幸法王寺.

乙亥15日, 遣裴承古如金, 賀正.61)

丙子16日, 西京人李淑·柳赫·崇晃等伏誅. 初, 金祭奠使還, 淑等附書曰, "大國兵直到西京, 請爲內應". 事覺誅之.

丁丑17日, 金遣完顏宗道來, 賀生辰.

[己卯19日, 日珥:天文1轉載].

庚辰20日, 遣王軾如金, 獻方物.

甲申24日, 王擊毬于北園.

[○祈雪:五行1無雪轉載].

丁亥27日, 遣殿中侍御史?朴儵如金, 賀萬壽節.62)

○刑部奏, "監察御史李玄夫, 以雲興倉米十七石, 與其義子及富商, 請□□□加鞫問, 徵還本倉, 罷職禁身", 制可.63)

十二月辛卯朔小盡,建癸丑, 乙未5日, 以李時敏爲左散騎常侍·同知樞密院事.

丁酉7日, [小寒]. 尙書左丞·知御史臺事文公裕·左正言鄭知源等, 三日伏閤, 言事[於長源宮:追加].64)

[是時, 左遷侍御史崔婁伯, 爲禮部員外郎, 左正言鄭知源爲試尙衣奉御. 知源, 尋遷□部員外郎·龍州防禦使:追加].65)

甲辰14日, 御史臺奏, "壽昌宮北門, 嘗奉詔關鑰, 散員史直哉·校尉鄭仲夫等擅開,

일)에 해당한다.

61) 裴承古는 다음 해 正旦에 賀禮하였던 것 같다.
- 『금사』 권4, 본기4, 熙宗, 皇統 8년 1월, "庚申朔, 宋·高麗·夏遣使來賀".
- 『금사』 권60, 表2, 交聘表上, 皇統 8년, "正月庚申朔, 高麗使賀正旦".

62) 朴儵는 明年(皇統8) 1월 17일(丙子) 萬壽節을 賀禮하였던 것 같고, 使行의 模範이 되었다고 한다[膺使].
- 『금사』 권4, 본기4, 熙宗, 皇統 8년 1월, "丙子, 萬壽節, 宋·高麗·夏遣使來賀".
- 『금사』 권60, 表2, 交聘表上, 皇統 8년 1월, "丙子, 高麗使賀萬壽節".
- 「朴儵墓誌銘」, "嚮者, 奉使大金, 不以財利, 掛心, 動有光華, 不辱君命".

63) 添字는 『고려사절요』 권11에 의거하였다.

64) 이때 文公裕는 尙書左丞·知御史臺事였고, 鄭知源은 左正言·知制誥였다(文公裕墓誌銘 ; 鄭知源墓誌銘).

65) 이는 「崔婁伯妻廉瓊愛墓誌銘」 ; 「鄭知源墓誌銘」에 의거하였다.

出入自恣, 請下吏". 王不聽, 慰解之.

[→毅宗初, 鄭仲夫爲校尉. 御史臺奉詔, 鎖壽昌宮北門, 禁群少出入, 仲夫與散員史直哉擅開出入自恣. 御史臺請下吏, 王不聽:列傳41鄭仲夫轉載].

戊申18日, 慮囚.

丁巳27日, 以高兆基△爲守司空·上柱國, 李仁實爲尙書右僕射·參知政事·判刑部事, 金永寬爲吏部尙書·樞密院使, 禮部尙書林光△爲知樞密院事, 樞密院副使·翰林學士承旨崔惟清爲御史大夫·同知樞密院事, 庾弼爲樞密院知奏事·吏部侍郎, [文公裕爲國子監大司成:追加].[66]

[某日, 禁堂姑從姊妹·堂姪女·兄孫女相婚. 其禁前相婚, 所生子孫, 勿令禁錮:節要轉載].[67]

[○判冊, "大小功親內, 只禁四寸以上犯嫁, 五六寸親黨, 不曾禁嫁, 緣此, 多相昏嫁,[68] 遂成風俗, 未易卒禁. 已前犯產人, 許通仕路, 今後, 一皆禁錮":選擧3限職轉載].

[是年, 御史臺奏, "當兩界軍資輸運時, 諸宮院權勢, 賫品惡匹叚匹段布貨, 及絲·銀, 就兩界, 依付當道別常, 高價納之, 收價於西南, 西南·兩界之民, 俱受其弊. 今後, 兩界兵馬使及臺監·按察使, 推考執送,[69] 別常不能禁者及指揮者, 並科罪":刑法2禁令轉載].

[○以集賢殿學士尹彦頤爲選軍別監:追加].[70]

---

66) 이때 文公裕가 國子監大司成·寶文閣學士·知都省事에 임명되었던 것 같다(文公裕墓誌銘).

67) 이와 관련된 기사로 다음이 있는데, 毅宗卽位는 毅宗元年으로 고쳐야 보다 옳게 될 것이다.
· 지38, 刑法1, 奸非, "毅宗卽位, 始禁堂姑·從姊妹·堂姪女·兄孫女相婚".

68) 多相昏嫁는 連婚[聯婚, 連昏]을 가리키는 것 같다.
·『자치통감』권30, 漢紀22, 成帝河平 4년(BC25), "三月癸丑朔, 日有食之. 琅邪太守楊肜與大將軍王鳳連昏[注, 如淳曰, 連昏者, 昏家之姻戚也], 其郡有災害, 丞相王商按問之. …".

69) 推考에 대한 설명으로 다음이 있다.
·『아언각비』권2, 推考, "推考者, 推覈以考驗也. 謂之問備者. 臺官有問難, 被者有備列也. 大明之制, 有揭帖問難, 即官師相規之意[注, 揭帖見諸文集]. 我朝問備之法, 百官凡有差失, 臺官必以書牘問難, 謂之緘辭, 被者亦以書牘備列[備陳其事情], 或示屈伏, 或自暴明, 謂之緘答. 見'星湖僿說', 此之謂推考, 今所謂推考, 空言而已. 其重者別有緘辭推考[如古例], 其實推考必緘辭, 不緘辭, 非推考".

70) 이는 다음의 자료에 의거하였는데, 이후 尹彦頤는 수년에 걸친 田民의 訟事를 모두 해결하였고, 軍士 20여 만을 훈련시켰다고 한다.

[○以前起居郞劉碩爲尙書禮部郞中充史館修撰官·秘書少監:追加].[71)]

[○鷹揚軍大將軍石受珉請致仕, 允之:追加].[72)]

[○以朴正明爲西京監軍使:追加].[73)]

[○命三重大師義光爲移住洪州管內伊山縣伽倻寺, 尋爲首座:追加].[74)]

[○以王叔·禪師之印爲大禪師:追加].[75)]

戊辰[毅宗]二年, 金皇統八年, [南宋紹興十八年], [西曆1148年]

1148년 1월 23일(Gre1월 30일)에서 1149년 2월 9일(Gre2월 16일)까지, 13개월 384일

春正月庚申朔大盡,甲寅, 放朝賀. 遣母弟晛及晧, 告朔于虞宮.

戊辰9日, 設帝釋道場于修文殿七日.

癸酉14日, 燃燈, 王如奉恩寺.

丙子17日, 以參知政事李仁實△爲權判都兵馬事, 知樞密院事林光爲都兵馬使.

二月庚寅朔小盡,乙卯, 庚子11日, 以池深爲右僕射·兵部尙書·鷹揚軍上將軍, 權正鈞爲刑部尙書·龍虎軍上將軍, 于方宰于邦宰爲戶部尙書·左右衛上將軍.[76)]

[○流星出虛, 入危:天文2轉載].

乙卯26日, 進奉使王軾還自金云, 金人言, "進奉表頭, 不書王名, 差使不書陪臣. 命法司科罪".

丁巳28日, 設仁宗大祥齋于靈通寺, 太后又設齋于奉恩寺, 行香.[77)]

· 「尹彦頣墓誌銘」, "丁卯爲選軍別監, 積年未決田民諍訟, 一切立斷, 又鍊定軍隊二十萬餘人, 人皆服之".

71) 이는 「劉碩墓誌銘」에 의거하였다.

72) 이는 「石受珉墓誌銘」에 의거하였는데, 이해에 그는 71세이다.

73) 이는 「朴正明墓誌銘」에 의거하였는데, 원문에는 西京監軍坐使로 되어 있다고 하지만, 刻字 또는 判讀에서 오자가 발생한 것 같다.

74) 이는 「崇敎寺住持·首座義光墓誌銘」에 의거하였다.

75) 이는 「海東廣智大禪師之印墓誌銘」에 의거하였다.

76) 于方宰는 于邦宰(張允文의 外祖)의 오자일 것이다(張允文墓誌銘→의종 7년 2월 11일).

77) 이 기사는 지18, 禮6, 國恤에는 "丁巳, 大祥"으로 축약되어 있다.

戊午[29日晦], 以文公裕爲西北面兵馬使, 安正修爲東北面兵馬使, [崔思永爲慶尙道按察使:慶尙道營主題名記].

[某日, 以[善慶府舍人]金之祐爲閤門祗候·安西都護府判官:追加].[78]

三月己未朔[小盡,丙辰], 王如靈通寺, 謁仁考眞殿.

[○雨雪:五行1雨雪轉載].[79]

辛酉[3日], 右常侍~~右散騎常侍~~崔誠·中書舍人崔允儀等, 請黜內侍金巨公·宦者元淑等七人. 王不聽, 誠等伏閤力爭, 凡三日, 乃從之.[80]

[→右常侍~~右散騎常侍~~崔誠·中書舍人崔允儀等, 論巨公及宦者金昷等七人, 請黜之, 王不聽. 誠等伏閤, 力爭三日, 乃從之:列傳12金巨公轉載].

甲子[6日], 奉安仁宗神御于景靈殿.

丙寅[8日], 以高兆基爲政堂文學·判戶部事, 金永寬△[爲]知門下省事·判工部事, 林光爲樞密院使·判秘書省事, 崔惟淸△[爲]知樞密院事·判三司事, 文公元△[爲]同知樞密院事, 李軾爲右僕射, [[兵部尙書]金永錫兼善慶府詹事, [禮部員外郞]崔婁伯爲禮部郞中·淸州牧副使:追加].[81]

丁卯[9日], 出御國淸寺, 留十三日.

[○雨土:五行3轉載].

[戊辰[10日], 淸明. 日無光:天文1轉載].

壬申[14日], 以文公裕△[爲]試右散騎常侍, 改崔誠爲國子監大司成, 崔允儀△[爲]試禮部侍郞.[82]

[是日頃, 以[朝散大夫·國子祭酒]元沆爲朝請大夫·國子祭酒, 林景和爲權知監察御史:追加].[83]

---

78) 이는 「金之祐墓誌銘」에 의거하였다.

79) 이날 일본의 京都에서도 비가 내렸던 것 같다(『台記』 권8, 久安 4년 3월, "一日己未, 欲出川原, 依雨停").

80) 崔誠은 2년 전인 1146년(의종 즉위년)에 右散騎常侍에 임명되었으므로(崔誠墓誌銘」), 이 기사의 右常侍는 右散騎常侍의 약칭일 것이다. 이는 같은 달 壬申(14일)에 試右散騎常侍가 나옴을 통해 알 수 있다(→明宗 11년 12월 28일).

81) 이는 「金永錫墓誌銘」; 「崔婁伯妻廉瓊愛墓誌銘」에 의거하였다.

82) 이때 文公裕는 □[右]散騎常侍·寶文閣學士에 임명되었고, 崔誠은 國子監大司成·翰林學士에 임명되었다(文公裕墓誌銘」; 崔誠墓誌銘).

83) 이는 「元沆墓誌銘」; 「林景和墓誌銘」에 의거하였다.

乙亥17日, 慮囚.

庚辰22日, 出御興王寺.

乙酉27日, 還壽昌宮.

夏四月戊子朔大盡,丁巳, 丙申9日, 雨雹.

[→暴風, 雨雹:五行3轉載].

[戊申21日, 試刑部侍郞兼國學直講朴得齡卒, 年六十:追加].[84)]

[是月, 試禮部侍郞崔允儀, □□□□□~~擧成均試~~, 取詩賦梁忠贊等十一人, 十韻詩朴有時等八十人:選擧2國子試額轉載].[85)]

五月戊午朔小盡,戊午, 癸亥6日, 幸王輪寺.

甲子7日, 金遣完顔愼之來, 命王落起復.

丁卯10日, 宴金使於大觀殿.

庚午13日, □□~~金遣~~大理卿完顔宗安·禮部侍郞蔡松年來, 冊王爲開府儀同三司·上柱國·高麗國王.[86)]

[是月, 遣使如金, 謝冊封:追加].[87)]

六月丁亥朔大盡,己未, 戊子2日, 王如奉恩寺.

辛卯5日, 宴金使於大觀殿.

---

84) 이는 「朴得齡墓誌銘」에 의거하였는데, 이날은 율리우스曆으로 1148년 5월 10일(그레고리曆 5월 17일)에 해당한다.

85) 이에서 國子監試를 成均試로 표기한 것은 「崔允儀墓誌銘」에 의거하였다. 또 이때 吳□實(1130~1184)이 19세로 國子監試[司馬試]에 합격하였다(吳□實墓誌銘).

86) 冊封使 完顔宗安은 2월 25일(甲寅) 金에서 派遣이 결정되었다. 또 完顔宗安은 『동문선』 권34, 謝冊表[又]에 完顔宗海로 달리 표기되어 있다. 그리고 이때 尹彦頤의 노력에 의해 고려의 帝王이 皇城의 正門으로 추측되는 承平門 밖에 나가서 契丹의 封冊使를 맞이하던 慣例를 바꾸었다고 한다. 또 이때 蔡松年이 지은 시문 4首가 찾아진다(『中州集』 권1, 蔡丞相松年, 高麗館中二首, 西京道中 ; 『中州樂府』, 蔡丞相松年, 石州慢, 張東翼 1997년 352·353面).
- 『금사』 권4, 본기4, 熙宗, 皇統 8년 2월, "甲寅, 以大理卿宗安等爲高麗王晛封冊使".
- 「尹彦頤墓誌銘」, "戊辰, 禮行今上封冊, 不使主上出迎昇平門外例也".

87) 이는 다음의 자료에 의거하였다.
- 『금사』 권4, 본기4, 熙宗, 皇統 8년 6월 乙卯29日, "高麗王遣使謝封冊".
- 『금사』 권60, 표2, 交聘表上, 皇統 8년, "六月, 高麗使謝封冊".

癸巳7日, 慮囚.

[丁酉11日, 夜, 大雨, 靈通寺山水湧出, 人多漂沒. 又松嶽諸山, 大水暴出, 土石崩毁:五行1水潦轉載].

辛丑15日, 王受菩薩戒于大觀殿.

○金橫宣使孛散守道僕散守道來.[88]

戊申22日, 宴于大觀殿.

秋七月丁巳朔小盡,庚申, [己未3日, 流星出奎, 入羽林:天文2轉載].

乙丑9日, 王上册于王太后.

丙寅10日, 宴群臣.

乙亥19日, 大赦, 賜文武官階爵.

[某日, 以申叔申淑爲慶尙道按察使:慶尙道營主題名記].[89]

是月, 良醞令同正宋彦升殺其妻, 配有人島, 檢校少監楊秀英殺母弟, 配全羅道海際縣.

八月丙戌朔大盡,辛酉, 己丑4日, 以獄空, 設般若道場於典獄署五日.

辛卯6日, 納故奉御崔端女, 爲妃.[90]

[○軫星犯東井:天文2轉載].

是月, 宋都綱郭英·莊華·黃世英·陳誠·林大有等三百三十人來.

閏[八]月丙辰朔大盡,山橡, 丁卯12日, 謁顯陵太祖.

庚午15日, 御史臺伏閤言事, □凡三日.[91]

癸酉18日, 以任元淑爲中書侍郎同中書門下平章事, 仍令致仕, 任克忠爲樞密院副使, 右僕射尹彦植△爲□□□□□□銀靑光祿大夫·守司空, 兵部尙書金永錫爲修文殿學士, 李之茂

88) 金에서 橫宣使(혹은 橫賜使)의 파견은 2월 23일(壬子)에 결정되었다. 이때 고려에 온 橫宣使는 僕散守道이므로 哥魯葛波古는 夏에 파견된 인물로 추측된다.
· 『금사』 권4, 본기4, 熙宗, 皇統 8년 2월, "壬子, 以□□□□僕散守道·哥魯葛波古等爲橫賜高麗·夏國使". 여기에서 添字가 추가되어야 옳게 될 것이다.

89) 申叔은 申淑의 오자로 추측된다.

90) 崔氏는 毅宗의 次妃로서 死後에 莊宣王后로 追尊되었던 것 같다(열전1, 毅宗妃, 莊宣王后崔氏).

91) 添字는 『고려사절요』 권11에 의거하였다.

爲右諫議大夫.[92]

戊寅[23日], 謁昌陵[世祖].

[辛巳[26日], 流星出八穀, 入閣道:天文2轉載].

壬午[27日], 謁長陵[仁宗].

[某日, [政堂文學]高兆基知貢擧, 庾弼同知貢擧, 取進士:選擧1選場轉載].[93]

九月丙寅朔[~~丙戌朔~~小盡,壬戌], [霜降]. 賜柳庭堅等及第.[94]

[戊子[3日], 夜, 雷電:五行1雷震轉載].

丁酉[12日], 慮囚.

[秋某月, 以[權知監察御史]林景和爲殿中內給事·知溟州郡事:追加].[95]

冬十月[乙卯朔大盡,癸亥], 丁卯[13日], 親祫于大廟[~~太廟~~], 赦.[96]

○初, [國子司業]李深·智之用[智之勇], 與宋人張喆同謀, 深變名, 稱東方昕, 通書宋大師[~~太師~~]秦檜, 以爲, 若以伐金爲名, 假道高麗, 我爲內應, 則高麗可圖也. 之用以其書及柳公植家藏高麗地圖, 附宋商彭寅, 以獻檜. 至是, 宋都綱林大有得書及圖來, 告. 囚喆·深·之用于獄鞠之, 皆伏, 深·之用死獄中, 喆伏誅, 其妻皆配遠島.[97]

---

92) 尹彦植은 前年(의종1)에 光祿大夫·尙書右僕射兼三司使에 임명된 후, 이때 銀靑光祿大夫·守司空에 昇級하고 尙書右僕射兼三司使를 그대로 띠게(餘如故) 되었다고 한다(尹彦植墓誌銘). 또 이때 金永錫은 朝議大夫·兵部尙書로서 修文殿學士를 兼職한 것이다(金永錫墓誌銘).

93) 이는 지27, 선거1, 科目1, 選場에서 전재하였다.

94) 九月丙寅朔은 九月丙戌朔의 오자이다. 또 이 기사와 관련이 있는 것으로 다음이 있다.
· 지27, 선거1, 科目1, 選場, "[毅宗]二年閏八月, [政堂文學]高兆基知貢擧, 庾弼同知貢擧, 取進士, [~~九月丙戌朔~~], 賜柳廷堅等二十五人及第". 여기의 柳廷堅은 上記 記事와『고려사절요』권11에는 柳庭堅으로 달리 表記 되어 있다(盧明鎬 等編 2016년 280面).

95) 이는「林景和墓誌銘」에 의거하였다.

96) 毅宗의 在位年間에 太廟에서 禘祫을 擧行할 때, 昭穆은 다음과 같았다고 한다.
· 지15, 禮3, 吉禮大祀, "毅宗時, 禘祫, 太祖東向, 惠·文·睿, 並南向爲昭, 顯·順·宣·肅·仁, 並北向爲穆, 四時臘享·朔望·寒食, 並室內南向".

97) 이와 관련된 기사로 다음이 있다. 이에서 宋商 彭寅이 어떤 임무를 띠고 고려에 파견되었으나 중간에 차질이 생겨 결실을 맺지 못했다는 것이지만, 그 내용은 上記의 기사에 잘 언급되어 있다.
· 열전7, 智蔡文, 祿延, "… 子之勇, 後與李深, 謀變伏誅".
·『靄齋鉛刀編』권30, 跋高麗李司業送彭顯道詩後, 名寅, "金富軾, 其名見於大觀中徐兢奉詔所作'高麗錄', 李深詩詞, 亦可觀. 顯道, 以孤身要萬里之功, 中道而躓, 談者惜之. 今須髮將白, 與之語, 雄傑

[○睿宗淑妃之母前參知政事崔湧妻金氏卒, 年八十一:追加].[98]

十一月乙酉朔大盡,甲子, 遣宋公贊如金, 謝賀生辰.

丁亥3日, [冬至]. 遣李之和□□如金, 謝落起復.

戊子4日, 尊仁宗次妃金氏, 爲王太妃·延壽宮主.[99]

己丑5日, 冊弟暻爲大寧侯, 晧爲翼陽侯.[100]

庚寅6日, 冊王妹, 上公主爲承慶宮主, 二公主爲德寧宮主.

乙未11日, 遣許進升如金, 謝橫宣.

戊戌14日, 設八關會, 幸法王寺.

己亥15日, 遣尙書左僕射李軾·金永夫如金, 謝冊封,[101] 廉直諒, 賀正.[102]

辛丑17日, 金遣高景山來, 賀生辰.

癸卯19日, 遣殿中侍御史李公升如金, 進方物.

[→時, 使金者, 歛斂麾下軍贄, 人各銀一斤, 以爲例. 公升不取一錢, 世服其淸:節要轉載].

[→毅宗初, 李公升, 轉殿中侍御史, 奉使如金. 時, 使金者, 例收管下軍銀人一斤, 公升不取一錢, 人服其淸. 王嘗乘月遊淸寧齋, 目公升曰, 秋月澄霽, 無一點塵, 正如公升胸中:列傳12李公升轉載].

[甲辰20日, 白氣貫月, 長丈餘:天文2轉載].

丙午22日, 宴金使于大觀殿.

丁未23日, 遣金禮雄如金, 賀萬壽節.[103]

之氣, 略不少衰, 男兒功名遂, 亦在老大時, 顯道其自愛"(張東翼 2000년 492面).

98) 이는 「崔湧妻金氏墓誌銘」에 의거하였는데, 이날은 율리우스曆으로 1148년 11월 25일(그레고리曆 12월 2일)에 해당한다.

99) 이와 같은 내용이 열전1, 仁宗妃, 宣平王后金氏에도 수록되어 있다.

100) 이 기사는 열전3, 仁宗王子, 大寧侯暻에도 수록되어 있다.

101) 중국 측의 자료에는 고려의 謝封冊使가 이해의 6월 29일(乙卯) 謝禮하였다고 하는데 오류일 것이다. 또 이와 관련된 자료로 다음이 있다.
- 『금사』 권4, 본기4, 熙宗, 皇統 8년 6월 乙卯29日, "高麗王遣使, 謝封冊".
- 「李軾墓誌銘」, "皇統八年, 上受大金皇帝冊命, 遣使稱謝, 公以大使, 將命稱旨".

102) 廉直諒은 다음 해 正旦에 賀禮하였던 것 같다.
- 『금사』 권4, 본기4, 熙宗, 皇統 9년 1월, "甲申朔, 宋·高麗·夏遣使來賀".
- 『금사』 권60, 表2, 交聘表上, 皇統 9년 1월, "甲申朔, 高麗使賀正旦".

○以弟興王寺法尊<u>玄曦</u>, 爲拯世僧統.

[某日, 贈故禮州防禦使金守雌, 爲吏部侍郞·翰林侍讀學士·□□□[~~知制誥~~]. 吏部奏, "守雌於丙午[仁宗4年]之亂, 以直史館入直, 不惜身命, 移藏國史, 俾得完全. 昔, 唐<u>韋述</u>爲史官, 祿山之亂, 抱國史, 藏南山, 身陷賊, 汙僞官. 賊平, 流渝州, 死. 廣德初, 以功補過, 贈右散騎常侍. 述終汙僞官, 至於流死, 猶論其功. 今, 守雌一無所累, 例補外官而死. 未蒙顯賞, 深可惜也, 乞依古例, 追贈官爵". 故有<u>是命</u>:節要轉載].[104]

[是月, 熒惑入氐星, 十餘日:天文2轉載].

[○朝請大夫·國子祭酒<u>元沆</u>上表, 請致仕. 下制, 以正三品祿, 歸老于家:追加].[105]

十二月[乙卯朔小盡,乙丑], 丙辰[2日], 宋商譚全·陳寶等十四人來.

[戊午[4日], 前特進·戶部尙書兼三司使<u>金義元</u>卒, 年八十三:追加].[106]

[○大霧:五行3轉載].

壬戌[8日], 王擊毬於北園.

丁卯[13日], 以[參知政事]李仁實△[爲]權判吏部事, [政堂文學]高兆基△[爲]權判兵部事.

[庚午[16日], 天鳴:五行1鼓妖轉載].

[癸酉[19日], 熒惑犯房上相:天文2轉載].

[乙亥[21日], 月食東南星:天文2轉載].

[己卯[25日], 日暈, 色靑黑:天文1轉載].

辛巳[27日], 以[門下侍中]任元敱△[爲]守太尉·定安公[→宣忠安社佐理同德功臣·三重大匡·開府儀同三司·守太尉·上柱國·定安公·食邑二千戶·食實封六百戶, 開府曰壽寧, 置僚屬:列傳8任元厚轉載], [門下侍中致仕]金富軾△[爲]守太保·樂浪郡開國侯[~~食邑一千戶·食實封四百戶~~],[107] [仍令致仕:節要轉載], [命撰'仁宗實錄':列傳11金富軾轉載]. 李仁實爲中書

---

103) 金禮雄은 明年(皇統9) 1월 17일(庚子) 萬壽節을 賀禮하였던 것 같다.

· 『금사』 권4, 본기4, 熙宗, 皇統 9년 1월, "庚子, 萬壽節, 宋·高麗·夏遣使來賀".

· 『금사』 권60, 表2, 交聘表上, 皇統 9년 1월, "庚子, 高麗使賀萬壽節".

104) 이와 같은 기사가 열전11, 金守雌에도 수록되어 있는데, ~~添字~~는 이에 의거하였다. 또 韋述(?~757)에 대한 내용은 『구당서』 권102, 열전52, 韋述에 수록되어 있다.

105) 이는 「元沆墓誌銘」에 의거하였다.

106) 이는 「金義元墓誌銘」에 의거하였는데, 이날은 율리우스曆으로 1149년 1월 15일(그레고리曆 1월 22일)에 해당한다.

107) ~~添字~~는 열전11, 金富軾에 의거하여 추가한 것이다.

侍郎同中書門下平章事·判吏部事, 高兆基△爲參知政事·判兵部事, 金永寬△爲參知政事·判工部事, 尹彦頤爲政堂文學·判刑部事,[108] 崔惟清爲□□□□樞密院使·兵部尙書,[109] 文公元爲御史大夫·知樞密院事·判三司事, 庾弼爲樞密院副使, 兵部尙書金永錫爲吏部尙書,[110] 李之茂爲左諫議大夫, 崔允儀△爲知御史臺事.[111]

[是年, □□□□□□改國子監試式, 試以賦及十韻詩:選擧2國子監試轉載].

[○以選軍別監尹彦頤爲翰林學士:追加].[112]

[○以禮部郎中劉碩爲右副承宣·知兵部事:追加].[113]

[○以梁元俊爲試尙書右丞:追加].[114]

[○以西京監軍使朴正明爲給事中, 充史館修撰, 尋貶爲兵部侍郎, 充史館修撰:追加].[115]

[○以田起爲博州副使:追加].[116]

[○以劉邦儀爲三和縣令:追加].[117]

[○招致伊山縣伽倻寺住持·首座義光大內百座法會, 親賜磨衲衣:追加].[118]

---

108) 이때 尹彦頤는 銀青光祿大夫·政堂文學·戶部尙書·判尙書刑部事에 임명되었던 것 같다(尹彦頤墓誌銘 ; 淸道雲門寺圓應國師塔碑).

109) 이때 崔惟清은 樞密院使·兵部尙書에 임명되었을 것으로 추측된다.

110) 이때 金永錫은 兵部尙書·修文殿學士에서 吏部尙書로 轉職하였다(金永錫墓誌銘).

111) 이때 崔允儀는 刑部侍郎·知御史臺事·寶文閣直學士·知制誥에 임명되었던 것 같다(崔湧妻金氏墓誌銘).

112) 이는 「尹彦頤墓誌銘」에 의거하였다.

113) 이는 「劉碩墓誌銘」에 의거하였다.

114) 이는 「梁元俊墓誌銘」에 의거하였다.

115) 이는 「朴正明墓誌銘」에 의거하였다.

116) 이는 「田起妻高氏墓誌銘」에 의거하였다.

117) 이는 「劉邦儀墓誌銘」에 의거하였다.

118) 이는 다음의 자료에 의거하였다.

· 「正覺首座義光墓誌銘」, "明年戊辰, 赴大內百座法會, 上親賜磨衲衣".

己巳[毅宗]三年, 金皇統九年[12月以後, 天德元年],[119)]

[南宋紹興十九年], [西曆1149年]

1149년 2월 10일(Gre2월 17일)에서 1150년 1월 30일(Gre2월 6일)까지, 384일

春正月甲申朔[大盡,丙寅], 放朝賀.

[庚寅[7日], 流星似天狗, 自東指西:天文2轉載].

壬辰[9日], 設帝釋道場於修文殿七日.

丙申[13日], 以方資壽爲工部尙書·神虎衛上將軍.

丁酉[14日], 燃燈, 王如奉恩寺.

癸卯[20日], [鸞駕]. 上王太后玉册·金寶, 曲宴于康安殿.

戊申[25日], 閱兵.

己酉[26日], 親醮二十七位神於內殿.

[庚戌[27日], 飛星出天一·大一[太一], 入大微[太微]中五帝座北, 大如鉢, 尾長二尺許:天文2轉載].

[某日, 以李光升爲慶尙道按察使:慶尙道營主題名記].

[是月, 判[制], "兄弟三人登製述·明經科者, 其父授職, 其母別賜米二十石, 沒者封贈".:選擧2崇奬轉載].

[○□[制], "三子赴戰有功者父母, 依三子登科例, 封贈賜米":選擧3封贈轉載].

二月[甲寅朔小盡,丁卯], 丁巳[4日], 閱兵.

[己未[6日], 流星出紫微, 入尾:天文2轉載].

甲子[11日], 親醮毬庭.

丁卯[14日], 幸外帝釋院.

庚午[17日], 選驍勇騎士十八人, 觀擊毬于後庭.

[辛未[18日], 月犯心星:天文2轉載].

---

119) 이해의 12월 9일(丁巳, 平章政事 完顔亮(完顔廸古乃, 太祖의 庶長子 宗幹의 次子, 廢帝 海陵王)이 쿠데타에 의해 卽位하고, 11일(己未) 年號를 天德으로 바꾸었으나 高麗는 1150년(天德2, 의종4) 4월 무렵까지 皇統年號를 사용하였던 것 같다(是年 末尾 李坦之의 脚注).

· 「金景輔墓誌銘」, "… 以年八十二, 於大金皇統十年庚午歲[毅宗4年]四月十七日癸亥卒于家, 以七月十七日乙酉葬于五龍山".

[某日, 以尙州·慶州饑, 遣使賑之:節要·食貨3水旱疫癘賑貸之制轉載].

壬午29日晦, 王以仁宗忌辰, 如靈通寺, 行香.[120)]

三月癸未朔小盡,戊辰, 日食.[121)]

[某日, 御史雜端申淑·侍御史宋淸, 伏閤言事三日. 不報, 淑等謝病歸第:節要轉載].[122)]

辛卯9日, 出御長源亭.

乙未13日, 慮囚.

[○前龍州防禦使鄭知源卒, 年六十:追加].[123)]

丁酉15日, 御西樓, 觀擊毬三日.

[丁未25日, 流星出軒轅, 入北河, 尾長七尺許:天文2轉載].

夏四月壬子朔大盡,己巳, 甲寅3日, 還宮.

辛酉10日, 以李仁實△爲守司空·門下侍郎平章事,[124)] 高兆基爲中書侍郞平章事, 庾弼爲秘書監,[125)] 吏部尙書金永錫爲[尙書右僕射:追加]·三司使,[126)] 崔誠爲工部尙書, 承宣鄭襲明爲翰林學士.[127)]

己巳18日, 雨雹.[128)]

---

120) 仁宗의 忌日은 2월 28일이므로 壬午(29일)는 罷祭日이다.

121) 이날 宋에서도 일식이 豫告되었으나 구름[霧]으로 인해 보이지 않았다고 하며, 金에서는 일식이 있었다(『송사』 권52, 지5, 천문5, 日食 ;『금사』 권4, 본기4, 熙宗, 皇統 9년 3월 癸未·권20, 지1, 天文, 日薄食煇珥雲氣). 일본의 京都에서는 일식이 예측되었으나 관측되지 않았던 것 같다. 이날은 율리우스력의 1149년 4월 10일이고, 開京에서 일식 현상이 심했던 시간은 5시 28분, 食分은 0.53이었다(渡邊敏夫 1979年 307面).

·『本朝世紀』 제35, 久安 5년 1월, "一日癸未, 日蝕也, … 而蝕不正現, 尤可謂禎祥也".

122) 이와 같은 기사가 열전12, 申淑에도 수록되어 있다.

123) 이는 「鄭知源墓誌銘」에 의거하였는데, 이날은 율리우스曆으로 1149년 4월 22일(그레고리曆 4월 29일)에 해당한다.

124) 이후 李仁實은 守司徒·門下侍郞平章事로서 1년 정도 門下侍中을 代身하여 判吏部事를 兼職하였다고 한다(李仁實墓誌銘).

125) 이때 庾弼은 樞密院副使 또는 그 上位職인 同知樞密院事로서 秘書監을 겸직하였을 것이다(→ 의종 2년 12월 27일).

126) 이때 金永錫은 尙書右僕射·三司使에 임명되었다(金永錫墓誌銘).

127) 이때 鄭襲明은 承宣으로 翰林學士를 兼職하였을 것이다.

128) 이와 같은 기사가 지7, 五行1, 水, 雨雹에도 수록되어 있다.

[庚午[19日], 流星出張, 入庫樓, 大如杯. 太史奏, 邇來, 熒惑失度, 守箕, 光芒盛大: 天文2轉載].

戊寅[27日], 王妃王氏生元子.

己卯[28日], 禱雨于山川及諸神祠.

辛巳[30日], 百官賀生元子.

五月[壬午朔小盡,庚午], 甲申[3日], 以元子生, 親告于景靈殿.

辛卯[10日], 再雩.

丁酉[16日], 親醮南斗于內殿.

庚戌[29日晦], 守司空·左僕射尹彥植卒.[129]

[是月, 左承宣鄭襲明, □□□□□[掌國子監試], 取詩賦吳光允等十四人, 十韻詩趙梃時等四十人:選擧2國子試額轉載].

六月<u>壬子朔</u>[~~辛亥朔~~小盡,辛未], 王如奉恩寺.[130]

乙丑[15日], 王受菩薩戒于大觀殿.

戊辰[18日], 醮三界神於宣慶殿, 以禳蝗蟲.

庚午[20日], 設般若道場於修文殿.

[甲戌[24日], 流星自西而東, 大如缶, 有二小星隨之, 滅後, 有聲如雷:天文2轉載].

[某日, 三和縣令劉邦儀卒于官, 年五十八:追加].[131]

秋七月[庚辰朔大盡,壬申], 壬辰[13日], 宴寶文閣學士文公裕·<u>直閣</u>[~~直寶文閣~~]高瑩夫于清讌閣, 略君臣之禮.

丙申[17日], 又宴[中書侍郞]平章事高兆基等于清讌閣.

丙午[27日], 諫官伏閤言事, □[凡]二日.[132]

---

129) 이날은 율리우스曆으로 1149년 7월 6일(그레고리曆 7월 13일)에 해당한다.

130) 이해의 6월은 宋曆과 日本曆에서 辛亥朔이고, 壬子는 2일에 해당한다. 高麗曆에서 壬子朔이 옳다면 일반적으로 帝王이 6월 15일에 菩薩戒를 받았는데, 이달에는 14일에 받은 셈이다. 壬子朔은 辛亥朔의 오류일 가능성이 있어, 여기서는 辛亥朔으로 계산하였다.

131) 이는 「劉邦儀墓誌銘」에 의거하였다.

132) 添字는 『고려사절요』 권11에 의거하였다.

○宋都綱丘迪·徐德榮等百五人來.

[某日, 以申叔~~御史雜端申淑~~爲慶尙道按察使:慶尙道營主題名記].

八月庚戌□~~朔~~大盡,癸酉, 宋都綱寥悌等六十四人來.[133]

丁巳8日, 宋都綱林大有·黃辜等七十一人來.

己未10日, 出御長源亭.

庚申11日, 宋都綱陳誠等八十七人來.

[某日, 中軍兵馬使奏, "古制, 天子六軍, 大國三軍, 次國二軍, 小國一軍, 請改五軍爲三軍", 從之~~制可~~:節要·兵1五軍轉載].[134]

[庚午21日, 前朝請大夫·國子祭酒元沆卒, 年七十:追加].[135]

壬申23日, 御西樓, 觀擊毬.

○以李公升爲右司諫·知制誥, 柳公林爲侍御史.

癸酉24日, 引見中書侍郎平章事高兆基, 知樞密院事·御史大夫文公元, 中書舍人王軾, 左承宣鄭襲明, 置酒論國事, 遂御西樓, 觀擊毬.

[某日, 西北面兵馬使曹晋若奏, "定烽燧式, 平時, 夜火晝烟各一, 二急二, 三急三, 四急四, 每所防丁二·白丁二十人, 各例給平田一結":兵1五軍轉載].

九月庚辰朔小盡,甲戌, [辛巳2日, 流星出五車, 入天倉. 又有流星, 出畢, 入天囷, 大如杯, 尾長丈許:天文2轉載].

壬午3日, 政堂文學尹彦頤卒,[136] [年六十. 輟朝三日, 贈銀靑光祿大夫·守司空·中書侍郎平章事·柱國:追加].[137] [謚文康:列傳9尹彦頤轉載]. [彦頤, 少登科, 工文章, 嘗作易解, 傳於世. "晩年酷嗜佛法, 請老退居坡平, 自號金剛居士. 嘗與僧貫乘, 爲空門友, 貫乘作一蒲菴, 止容一座, 約先逝者坐此而化. 一日, 彦頤跨牛造貫乘, 告

---

133) 庚戌에 朔이 탈락되었을 것이다.

134) ~~添字~~는 지35, 兵1, 五軍에서 달리 표기된 글자이다.

135) 이는 「元沆墓誌銘」에 의거하였는데, 이날은 율리우스曆으로 1149년 9월 24일(그레고리曆 10월 1일)에 해당한다.

136) 이날은 율리우스曆으로 1149년 10월 6일(그레고리曆 10월 13일)에 해당한다.

137) 이때 尹彦頤는 政堂文學으로 中軍兵馬判事兼東北面行營兵馬判事를 兼職하고 있었고, 死後에 守司空·中書侍郎平章事·判尙書刑部事·柱國에 추증되었다(尹彦頤墓誌銘).

別徑還. 貫乘遣人送蒲菴, 彥頤笑曰, 師不負約, 遂坐蒲菴而逝]. 彥頤身爲宰輔, 不以國家風俗爲意, 敢爲詭異之行, 以惑愚民, 識者譏之":節要轉載].138)

癸未4日, 御西樓, 觀擊毬.

乙酉6日, 又觀擊毬·戲馬.

[○流星出狼, 入弧星:天文2轉載].

丁亥8日, 引見知門下省事崔惟清, 知樞密院事·御史大夫文公元等六人, 置酒. 遂御西樓, 觀擊毬.

[○大雷雨:五行2轉載].139)

庚寅11日, 慮囚.

癸巳14日, 御西樓, 觀擊毬二日.

[甲午15日, 大霧:五行3轉載].

丙申17日, 夜, 又御西樓, 觀擊毬.

庚子21日, 幸觀德亭, 閱兵, 賜物有差.

辛丑22日, 宴宰樞·侍臣.

[○流星出弧, 入軍市, 太如大如木瓜, 尾長六尺許:天文2轉載].

壬寅23日, 閱兵.

癸卯24日, 還壽昌宮.

冬十月己酉朔大盡乙亥, [辛酉13日, 小雪. 命知門下省事崔惟清撰先覺國師道詵塔碑:追加].140)

甲子16日, 設消灾道場於大觀殿六日.

[乙丑17日, 歲星守大微太微西蕃上將, 五日:天文2轉載].

[丙寅18日, 白虹貫月:天文2轉載].

---

138) 이 逸話는 『보한집』卷上에 수록되어 있는 내용을 축약한 것이다. 그런데 仙佛에 대해 일정한 知見이 있었던 그의 弟인 彥旼의 墓誌銘에 의거하여 上記 逸話의 主人公은 尹彥旼일 가능성이 있다는 견해도 있지만, 知識人[識者]들이 宰相인 尹彥頤의 行爲가 적절하지 못했다고 한 점을 보아 수긍하기에 어려운 점이 없지 않다(金龍善 2006년 140面 ; 李鍾文 1998년, 蔡雄錫敎授의 敎示).

139) 일본에서는 9월 2일 京都에서 雷風이 있었다고 한다.
· 『本朝世紀』第36, 久安 5년 9월, "二日辛巳, 申剋, 俄自西北, 暴風吹來, 其勢唯直也. 事若是蛟蛇之渡天歟. 酉剋小雨, 雷鳴一聲, 甚以猛也"[筆者 未確認]. 이 기사는 中央氣象臺 1941年 2册 504面에 의거하였는데, 吉川弘文館本에는 없다.

140) 이는 「光陽玉龍寺先覺國師證聖慧燈塔碑」에 의거하였다.

[庚午22日, 月犯大微太微:天文2轉載].

壬申24日, 設百座會於宣慶殿三日, 飯僧于毬庭.

[○流星出婁, 入天棓, 大如鉢, 尾長丈許, 聲如雷:天文2轉載].

[丙子28日, 流星出觜, 入天苑. 又流星出北斗, 入紫微東蕃:天文2轉載].

十一月己卯朔大盡,丙子, [甲申6日, 福源宮三淸殿小鍾, 自鳴:五行1鼓妖轉載].

丁亥9日, 遣李之中如金, 謝賀生辰.

己丑11日, 設八關會, 幸法王寺.

辛卯13日, 遣洪源滌如金, 賀正.[141]

乙未17日, 金遣完顔多祐來, 賀生辰.

○遣持禮使金景元如金東京.

辛丑23日, 遣許純如金, 進方物.

丁未29日, [小寒]. 遣韓靖□□如金, 賀萬壽節.

十二月己酉朔大盡,丁丑, [丙辰8日, 歲星犯大微太微西蕃上將, 五日:天文2轉載].

戊午10日, 慮囚.

己未11日, 以中書侍郞平章事高兆基△爲權判吏部事.

[辛酉13日, 日珥:天文1轉載].

甲子16日, 檢校少府少監高元仁, 盜所守官絹百八匹, 罪當絞, 以犯在赦前, 杖脊, 配遠島.

壬申24日, 以王沖爲門下侍中, 仍令致仕, 中書侍郞平章事高兆基△爲判尙書吏部事, 金永寬爲中書侍郞同中書門下平章事·判尙書兵部事, 崔惟淸△爲參知政事·判尙書刑部事, 李彦林爲兵部尙書, 文公裕△爲試刑部尙書, 金端爲左散騎常侍.[142]

[○月犯心星:天文2轉載].

---

141) 이때의 賀正使는 12월 9일(丁巳) 平章政事 完顔亮(廢帝 海陵王)이 熙宗을 弑害하고(31歲), 卽位함에 따라 12월 27일(乙亥) 宋·夏의 正旦使들과 함께 廣寧(現 遼寧省 北寧)에서 귀환되게 되었다. 또 이 달에 파견된 進封使·節日使도 賀正使와 함께 귀환하였을 것이다.

· 『금사』 권5, 본기5, 海陵, 天德 1년 12월 乙亥, "宋·高麗·夏賀正旦使, 中道遣還".

· 『금사』 권60, 表2, 交聘表上, 天德 1년, "十二月, 高麗賀正旦使至廣寧, 遣人諭以廢立之事, 於中路遣還".

142) 이때 文公裕는 刑部尙書·修文殿學士·知制誥에 임명되었다고 한다(文公裕墓誌銘).

[是月, 鎭星蝕東井:天文2轉載].[143]

[是月丁巳9日, 金熙宗合剌完顏亶遇弑, 海陵王完顔亮卽位, 己未11日, 改元天德:追加].[144]

[是年, 復城嘉州, 門五, 水口一, 城頭二十六:兵2城堡轉載].

[○降新寧郡爲慶州府任內:追加].[145]

[○判衛尉寺事·御書檢討官朴景山請致仕, 依允:追加].[146]

[○以右副承宣·知兵部事劉碩爲兵部侍郞·寶文閣學士:追加].[147]

[○以兵部侍郞朴正明爲東北面兵馬副使, 秩滿爲吏部侍郞·御書檢討官:追加].[148]

[○以李坦之爲京山府醫師, 尋以疾被劾免:追加].[149]

[○賜王叔·大禪師之印法號曰廣智. 叢林衲子, 無不羨望, 印以爲虁寵, 非衲子之意, 乞歸京山府管內管城縣智勒寺, 上不許:追加].[150]

---

143) 이때 일반적으로 사용하던 食字를 蝕字로 달리 사용하고 있는 점이 異色的이다.

144) 이는 다음의 자료에 의거하였는데, 寢殿小底는 宮廷에서의 侍從을 가리키는 것 같다[宦者?].
- 『금사』 권4, 본기4, 熙宗, 皇統 9년, "十二月己酉朔, 上至自獵所. 丙辰8日, 殺妃裴滿氏於寢殿. 而平章政事完顔亮因群臣震恐, 與所親駙馬唐括辯·寢殿小底大興國·護衛十人長忽土·阿里出虎等謀爲亂. 丁巳9日, 以忽土·阿里出虎當內直, 命省令使李老僧於興國. 夜二鼓, 興國竊符, 矯詔開宮門, 召辯等. 亮懷刀與其妹夫特厮隨辯入宮門, 守者以辯駙馬, 不疑, 內之. 及殿門, 衛士覺, 抽刃劫之, 莫敢動. 忽土·阿里出虎至帝前, 帝求榻上常所置佩刀, 不知已爲興國易置其處, 忽土·阿里出虎遂進弑帝, 亮復前手刃之, 血濺滿其面與衣. 帝崩, 時年三十一. 左丞相完顔秉德等遂奉亮坐, 羅拜呼萬歲, 立爲帝. 降帝爲東昏王, 葬于皇后裴滿氏墓中".
- 『금사』 권5, 본기5, 海陵王, 皇統 9년(天德1), "… 十二月丁巳9日, 護衛十人長忽土·阿里出虎內直. 是夜, 興國取符鑰啓門納海陵·秉德·辯·烏帶·徒單貞·李老僧等入至寢殿, 遂弑熙宗. 秉德等未有所屬. 忽土曰, '始者議立平章, 今復何疑?'. 乃奉海陵坐, 皆拜, 稱萬歲. 詐以熙宗欲議立后, 召大臣, 遂殺曹國王宗敏·左丞相宗賢, 是日, 以秉德爲左丞相兼侍中·左副元帥, 辯爲右丞相兼中書令, 烏帶爲平章政事, … 己未11日, 大赦. 改皇統九年爲天德元年".

145) 이는 『경상도지리지』, 安東道, 新寧縣, "天德元年己巳, 屬慶州任內"에 의거하였다.

146) 이는 「朴景山墓誌銘」에 의거하였다.

147) 이는 「劉碩墓誌銘」에 의거하였다.

148) 이는 「朴正明墓誌銘」에 의거하였다.

149) 이는 다음의 자료에 의거하였다.
- 「李坦之墓誌銘」, "至皇統九年屠維大荒落被己巳, 朝旨出赴岱州, 宜佐居, 无何因病投劾, 果得至」銀海寺, …".

150) 이는 「海東廣智大禪師之印墓誌銘」에 의거하였다.

庚午[毅宗]四年, 金天德二年[高麗稱皇統十年],[151)]
[南宋紹興二十年], [西曆1150年]

1150년 1월 31일(Gre2월 7일)에서 1151년 1월 19일(Gre1월 26일)까지, 354일

春正月己卯朔[小盡,戊寅], 放朝賀.

壬辰[14日], 燃燈, 王如奉恩寺.

[○月犯歲星:天文2轉載].

庚子[22日], □[遣]密進使朴純冲如金, 不至而復.[152)]

○□□□□[~~西北面報~~], "金平章政事完顔亮[海陵王], 弑其主亶[熙宗], 而自立, 改元天德".[153)]

辛丑[23日], 以池深△[爲]守司空.

[甲辰[26日], 流星出天市, 入南斗:天文2轉載].

[某日, 以[國子監大司成·翰林學士]崔諴爲□□路兵馬使, 高瑩夫爲慶尙道按察使:慶尙道營主題名記]. [□[而]諴至營, 未數月, 召拜同知樞密院事:追加].[154)]

[是月, 玄化寺住持·僧統德謙示疾. 上聞之, 遣御醫官朴景端·崔遇等侍之, 命權知承宣·尙書戶部員外郞金存中, 往賜氷沈香一百二十八兩·熱藥十五物, 共盛白銀盤一具. 又賜宸翰慰諭之:追加].[155)]

[二月[戊申朔大盡,己卯], 戊午[11日], 玄化寺住持德謙入寂, 年六十八, 臘五十五:追加].[156)]

[某日, 金遣使來, 以廢立事宣諭:追加].

---

151) 이해를 '皇統十年'으로 표기한 사례로 忠淸北道 淸州市 興德區 雲泉洞 866번지의 興德寺址(사적 제318호)에서 발견된 靑銅鉢의 刻字인 '皇統十年興德寺'가 있다. 또 이 지역에서 여러 破片으로 발견된 金口, 飯子(혹은 半子)에 다음과 같은 銘文이 찾아졌다고 하는데, 시기의 判定에는 더 많은 생각이 필요할 것이다(忠淸北道 1986년).

· 金口 銘文, "□□甲寅五月 日,西原府興德寺禁口壹坐,□[改?]造入重參拾貳斤印".

· 飯子 銘文, "己巳六月 日,□陽寺□[飯]子一面,重十三斤八兩,棟樑道人悳長改造,大匠仍及三".

152) 이 기사에서 遣이 탈락되었을 것이다.

153) 廢帝 海陵王이 年號를 天德으로 바꾼 것은 12월 11일(己未)이므로(『금사』 권5, 본기5, 海陵, 皇統 9년 12월, "己未, 大赦, 改皇統九年爲天德元年"), ~~添字~~가 脫落되었을 것이다.

154) 崔諴은 그의 墓誌銘에 의거하였다.

155) 이는 「玄化寺住持·僧統德謙墓誌銘」에 의거하였다.

156) 이는 「玄化寺住持·僧統德謙墓誌銘」에 의거하였다.

[某日, 遣尙書左僕射·知樞密院事文公裕, 殿中監朴純冲如金, 賀卽位:追加].[157)]

[三月戊寅朔小盡,庚辰, 癸巳16日, 樞密院知奏事禮部尙書·同知樞密院事鄭襲明卒←毅宗5年3月에서 移動해옴].[158)] [襲明, 迎日縣人, 倜儻奇偉, 力學能文, 以鄕貢擢第. 初, 王爲太子, 襲明侍讀, 仁宗慮太子不克負荷, 任后亦愛次子大寧侯暻, 將立爲太子.[159)] 襲明盡心調護, 故得不廢. 襲明久居諫職, 有諍臣風, 仁宗深加器重, 擢授承宣, 傅東宮. 及不豫, 謂太子曰, "治國當用襲明之言". 王嗣位, 怨太后前事, 一日侍坐, 語侵之. 太后跣而下殿, 仰天而誓, 忽雷雨大震, 電光入座. 王驚懼, 俛入太后衣下, 俄而震殿柱. 王悔悟, 遂爲母子如初. 襲明自以先朝顧托, 知無不言. 王憚之. 金存中·鄭諴, 日夜短之, 會襲明告病, 以權知承宣金存中權代其職, 襲明揣知王意, 却藥而死:節要轉載].[160)]

[某日, 以試尙書右丞梁元俊爲借戶部尙書·知西京留守事:追加].[161)]

[春某月, 以廣州牧副使尹彦旼爲試工部郎中:追加].[162)]

---

157) 이는 다음의 자료에 의거하였다. 여기에서 b, c의 두 資料는 字句를 고쳐야 옳게 될 것이다(『金史』, 中華書局, 1985年 118面).

- a『금사』 권5, 본기5, 海陵, 天德 2년 1월 乙巳27日, "遣侍衛親軍步軍都指揮使完顔思恭等, 以廢立事報諭宋·高麗·夏國".
- b『금사』 권5, 본기5, 海陵, 天德 2년 3월 丙戌9日, "宋·高麗遣使賀卽位". 宋은 잘못 들어간 글자[衍字]일 것이다.
- c『금사』 권5, 본기5, 海陵, 天德 2년 6월, "丙子朔, 高麗宋遣使賀卽位". 高麗는 宋의 오류일 것이다.
- d『금사』 권60, 표2, 交聘表上, 海陵天德二年, "正月辛巳, 以名諱告諭高麗. 再遣使報諭高麗. 三月丙戌, 高麗遣知樞密院事文公裕·殿中監朴純冲賀登寶位".
- e「文公裕墓誌銘」, "… 又以金紫光祿大夫·尙書左僕射·知樞密院事·南平郡開國子·食邑三百戶, 爲金國賀登極使".

158) 이는「鄭襲明墓誌銘」에 의거하여 의종 5년 3월에서 移動하여 왔고, 이에 의거하여 날짜[日辰]와 官職을 추가하였다(金龍善 2012년). 이날은 율리우스曆으로 1150년 4월 15일(그레고리曆 4월 22일)에 해당한다.

159) 太子는 鄭襲明列傳에는 元子로 되어 있는데, 後者가 옳을 것이다(盧明鎬 等編 2016년 282面). 곧 鄭襲明이 마음을 다하여 元子 徹(毅宗)을 訓育, 輔佐하였기에 1133년(인종11) 2월 17일 徹이 皇太子에 임명될 수 있었다고 한 점을 통해 알 수 있다.

- 열전11, 鄭襲明, "… 初, 毅宗爲元子, 襲明侍讀, 仁宗慮元子不克負荷, 任后亦愛次子, 將立爲太子, 襲明盡心調護, 故得不廢".

160) 이에서 毅宗과 母后인 恭睿太后 任氏에 대한 내용은 열전1, 仁宗妃, 恭睿太后任氏에도 수록되어 있다.

161) 이는「梁元俊墓誌銘」에 의거하였다.

[夏四月丁未朔小盡,辛巳, 癸亥17日, 檢校太子少保金景輔卒, 年八十二:追加].[163)]

[是月某日, 淸州牧管內興德寺住錫重大師領仁, 造成佛鉢一盒, 入重二斤六兩:追加].[164)]

[五月丙子朔大盡,壬午:追加].

[六月丙午朔小盡,癸未, 某日, 禪師思遠等開板'大日經等一代聖敎諸經中所說一切秘密陀羅尼'於西京廣濟鋪:追加].[165)]

[秋七月乙亥朔小盡,甲申, 癸未9日, 三重大師處實造成先覺國師道詵塔碑, 以明年五月撰者崔惟淸貶職事, 未立, 其石委棄於國淸寺門蕪之下二十餘年:追加].[166)]

[某日, 以閔角閔瑴爲慶尙道按察使:慶尙道營主題名記].[167)]

[八月甲辰朔大盡,乙酉:追加].

[增補].[168)]

162) 이는 「尹彦旼墓誌銘」에 의거하였다.

163) 이는 「金景輔墓誌銘」에 의거하였다(→熙宗元年 冒頭 天德元年의 脚注, 이에서 卒日의 日辰인 '大金皇統十年庚午歲四月十七日癸亥卒于家'는 당시의 曆日과 일치한다). 이날은 율리우스曆으로 1150년 5월 15일(그레고리曆 5월 22일)에 해당한다.

164) 이는 「皇統十年銘興德寺鉢盂」에 의거하였다(윤희봉 2019년).

· 銘文, "皇統十年庚午四月日, 興德寺依止重大師領仁, 往生淨土之愿, 佛鉢一盒具鈒雲, 入重二斤六兩印".

165) 이는 慶尙北道 安東市 中區洞 西部2里 산50-7 普光寺 木造觀音菩薩坐像 腹藏에서 발견되었다는 다음의 자료에 의거하였다(보물 제1571호, 林基榮 2014년 ; 郭丞勳 2021년 116面).

· 『梵書摠持集』卷末刊記, "時庚午歲六月卜日, 海東長安」廣濟鋪開板印施, 無窮」奉祝」聖壽萬年, 兼冀法界有識」含靈公證菩提者,」禪師思遠 重校".

166) 이는 「光陽玉龍寺先覺國師證聖慧燈塔碑」의 碑文과 陰記에 의거하였다(崔惟淸 撰).

167) 閔角은 閔瑴의 오자로 추측된다.

168) 이달의 16일(己未, 高麗曆과 同一) 일본의 京都에서 皆既月食이 있었다고 한다. 이에서 駒牽은 일본 古代에 지방의 支配層들이 8월 보름에 馬를 끌고 가서 貢物을 宮中에 바치던 것에서 유래한 것이다. 이때 월식이 예측되었고, 이 행사는 월식이 행해진 후 거행되었던 것 같다.

· 『師守記』, 康永 4년 8월 10일, 駒遣當月蝕例, "久安六年八月十六日, 今夜月蝕, 先於讀經, 次內印, 又有駒牽事. … 十四日乙丑, … 久安六年八月十六日, 月蝕, 皆既".

九月[~~甲戌朔~~小盡,丙戌][169)], 丁丑[4日], 幸南京.

○太白晝見, 經天二日.

甲午[21日], [大駕]至自南京, 赦.

乙未[22日], 慮囚.

○築毬場于北園.

[○月犯北河南星:天文2轉載].

[○雉集于康安殿:五行1轉載].

冬十月癸卯朔[大盡,丁亥], 設仁王經道場於明仁殿, 以禳天災.

丙午[4日], 閱兵于東郊.

[某日, 諫官劾[中書侍郞]平章事高兆基, 左遷爲尙書左僕射:節要轉載].

[→時[右承宣]金存中用事, [高]兆基屈己偸合, 時議非之. 爲諫官所劾, 降爲尙書左僕射, 賴存中救, 不數月[是年12月], 復拜平章事:列傳11高兆基轉載].

[庚戌[8日], 雷雨:五行2轉載].

[癸丑[11日], 太白犯歲星. 熒惑失次, 縮行:天文2轉載].

[丙辰[14日], 震電:五行1雷震轉載].

庚午[28日], 郞舍伏閤, 言事三日.

[乙酉[某日], 震雲興倉:五行1雷震轉載].[170)]

[是月, 恒燠:五行1轉載].[171)]

十一月[癸酉朔大盡,戊午], 丙子[4日], 遣[前西北面兵馬使]曹晋若如金, 謝宣諭.

丙戌[14日], 設八關會, 幸法王寺.

[○熒惑·太白, 入氐:天文2轉載].

丁亥[15日], 遣庾祿公如金, 賀正.[172)]

---

169) 『고려사절요』 권11에는 秋가 들어 있다.

170) 이달에는 乙酉가 없고 11월 13일(乙酉)이다. '乙酉, 震雲興倉'의 앞에 年次 또는 月次가 탈락되었을 것이다.

171) 恒燠은 恒奧로도 表記하며 계속하여 이어지는 더위[暑]를 指稱한다(『書經』, 洪範, 庶徵, "曰豫恒燠若. 따뜻할[豫, 緩舒] 때는 장기간에 걸쳐 더위[暑]가 따라 온다", 加藤常賢 1993年 165面, →예종 16년 11월 是月의 脚注).

己丑17日, 金遣<u>耶律羅</u>松來, 賀生辰.

[辛卯19日, 行都齋庫副使·檢校太子少保<u>閔瑛</u>卒, 年七十六:追加].[173]

壬辰20日, <u>遣韓縝</u>如金, 進方物.

乙未23日, 宴金使於大觀殿.

○遣<u>林景猷</u>□□~~如金~~, 賀龍興節.[174]

丙申24日, 御康安殿, 命內侍祗候以下擊毬.

十二月癸卯朔大盡,己丑, 己酉7日, 親醮十一曜於內殿.

辛亥9日, 以中書侍郎同中書門下平章事金永寬△爲判吏部事, 中書侍郎平章事<u>高兆基</u>△爲判兵部事.[175]

[癸丑11日, <u>月蝕</u>昴星:天文2轉載].[176]

[甲寅12日, 熒惑犯房上相:天文2轉載].

乙卯13日, 慮囚.

○親醮天曹於內殿.

癸亥21日, 慮囚.

戊辰26日, [大寒]. 以中書侍郎同中書門下平章事金永寬△爲監修國史·<u>知西京留守事</u>~~判西京留守事~~,[177] 參知政事崔惟淸爲中書侍郎~~同中書門下~~平章事,[178] 文公元△爲參知政事, 庾弼△爲知樞密院事, <u>崔諴</u>爲□□□□□同知樞密院事·<u>兵部尙書</u>,[179] 崔子英爲左散騎常侍·同知樞密院

---

172) 庾祿公은 다음 해 正旦에 賀禮하였던 것 같다.
- 『금사』 권5, 본기5, 海陵, 天德 3년 1월, "癸酉朔, 宋·夏·高麗遣使來賀".
- 『금사』 권60, 表2, 交聘表上, 天德 3년, "正月癸酉朔, 高麗使賀正旦".

173) 이는 「閔瑛墓誌銘」에 의거하였는데, 이날은 율리우스曆으로 1150년 12월 9일(그레고리曆 12월 16일)에 해당한다.

174) 林景猷는 明年(天德3) 1월 16일(戊子) 皇帝(廢帝 海陵王)의 生日인 龍興節을 賀禮하였던 것 같다. 그런데 『금사』 권60, 表2, 交聘表上, 皇統 9년에는 宋·高麗·夏 등의 節日使[賀龍興節使]에 대한 기록이 없는데, 이는 組版過程에서 탈락되었을 것이다.
- 『금사』 권5, 본기5, 海陵, 天德 3년 1월, "戊子, 生辰, 宋·高麗·夏遣使來賀".

175) 高兆基는 10월에 諫官의 彈劾을 받아 尙書左僕射로 左遷되었으나 곧 復職하였던 것 같다.

176) 이 기사에서 表記된 月蝕은 『고려사』에서 일반적으로 月食으로 표기했던 것과 차이가 있다.

177) 知西京留守事는 判西京留守事일 것이다. 이때 知西京留守事에 임명되었다는 金永寬이 冢宰로서 判吏部事였던 점에서 類推할 수 있다.

178) ~~添字~~는 다음의 자료에 의거하였다.
- 「崔惟淸墓誌銘」, "毅宗五年庚午, 上幸南都, □□□從, 判事扈□駕□恩, □爲中書侍郎同中書門下□□平章事".

事, 李彦林爲工部尙書, 金子儀爲右散騎常侍.180)

壬申30日, 設除夜道場於大觀殿.

[是年, 參知政事文公元知貢擧, 李之茂同知貢擧, 取安永有等:選擧1選場轉載].181)

[○門下侍郎平章事·判吏部事李仁實請致仕, 依允:追加].182)

[○改樹州爲安南都護府:地理1轉載].

[○城延州, 門十, 水口五, 城頭十九, 遮城八:兵2城堡轉載].

[○以吏部侍郎朴正明爲試衛尉卿·知都省事:追加].183)

[是年頃, 參知政事尹誧據'唐玄奘法師西域記', 撰進'五天竺國圖'. 上覽之, 賜燕糸七束:追加].184)

辛未[毅宗]五年, 金天德三年, [南宋紹興二十一年], [西曆1151年]

1151년 1월 20일(Gre1월 27일)에서 1152년 2월 7일(Gre2월 14일)까지, 13개월 384일

春正月癸酉朔小盡,庚寅, 放朝賀.

丙戌14日, 燃燈, 王如奉恩寺.

丙申24日, 親醮二十七位神於內殿.

---

179) 이때 崔誠은 同知樞密院事에 임명되었다고 한 점을 보아(崔誠墓誌銘), 兵部尙書·同知樞密院事에 임명되었던 같다. 이는 그의 다음 순서인 崔子英이 左散騎常侍·同知樞密院事에 임명된 것을 통해 알 수 있다.

180) 이때 金子儀는 朝請大夫·右散騎常侍·翰林學士·知制誥에 임명되었던 것 같다(尹彦頤墓誌銘). 또 김자의는 前年(1149, 의종3) 8월경 朝請大夫·試國子監大司成·知尙書都省事·知制誥에 在職하고 있었다(尹彦頤墓誌銘 ; 尹彦植墓誌銘).

181) 이는 지27, 선거1, 科目1, 選場에서 전재하였고, 이와 관련된 자료로 다음이 있다.
·「文公元墓誌銘」, "庚午歲毅宗4年, 掌貢擧, 門生皆當世賢豪士大夫, 由是, 多公之鑒識".

182) 이는「李仁實墓誌銘」에 의거하였다.

183) 이는「朴正明墓誌銘」에 의거하였다.

184) 이는 다음의 자료에 의거하였는데, 金存中이 右承宣에 임명된 것은 知奏事 鄭襲明이 逝去한 1150년(의종4) 3월 16일 이후이다.
·「尹誧墓誌銘」, "~~毅宗4年以後,~~ 又據唐玄奘法師西域記, 撰進五天竺國圖. 上覽之, 賜燕糸七束, 仍命右承宣金存中, 諮問樂譜. 其遭遇之盛, 千載一時歟".

[○歲星犯進賢:天文2轉載].

[戊戌[26日], 雨水. 歲星蝕進賢, 二日:天文2轉載].

[某日, 以許純爲慶尙道按察使:慶尙道營主題名記].

二月[壬寅朔大盡,辛卯], [乙巳[4日], 有流星, 都人驚譟:天文2轉載].

戊申[7日], 門下侍中致仕金富軾卒.[185] [富軾, 豊貌碩體, 面黑目露, 以文章名世. 仁宗時, 宋使路允迪·徐兢來, 富軾爲接伴, 兢見富軾善屬文, 通古今, 樂其爲人. 著圖經, 載富軾世家, 又圖形以歸, 奏于帝, 乃詔司局, 鏤板以傳. 由是, 名振天下, 後奉使如宋, 所至, 素聞其名, 待之以禮. 再掌禮闈[三掌禮闈],[186] 以得士稱. 卒, 年七十七, 贈中書令, 諡文烈, 有文集二十卷, 配享仁宗廟庭:節要轉載].

辛未[30日], 王如靈通寺.

三月[壬申朔大盡,壬辰], [癸酉[2日], 日有黑子, 大如雞卵:節要·天文1轉載].

戊寅[7日], 以權正鈞爲兵部尙書, [中書侍郎平章事]高兆基爲中軍兵馬判事兼西北面兵馬判事.

[癸未[12日], 日中, 有黑子, 大如雞卵:節要·天文1轉載].

[翌日[甲申13日], 亦如之[日中有黑子]:節要·天文1轉載].

己丑[18日], 幸妙通寺.

[庚申[19日], 熒惑犯哭星:天文2轉載].

壬辰[21日], 慮囚.

[○樞密院知奏事鄭襲明卒→의종 4년 3월 16일로 移動함].

[春某月, 西北面兵馬使, 差定寧州人宋子淸爲精勇弟監·隊正:追加].[187]

夏四月壬寅朔[小盡,癸巳], 參知政事致仕陳淑卒, 輟朝三日.[188]

---

185) 이날은 율리우스曆으로 1151년 2월 24일(그레고리曆 3월 3일)에 해당한다.

186) 再掌禮闈는 열전11, 金富軾에는 三掌禮闈로 되어 있는데(盧明鎬 等編 2016년 282面), 後者가 옳을 것이다. 그는 1124년(인종2) 4월 兵部侍郞으로 同知貢擧를, 1130년(인종8) 4월 知樞密院事로 知貢擧를, 1139년(인종17) 6월 門下侍中(選擧志에는 平章事로 되어 있으나 誤謬임)으로 知貢擧를 각각 歷任하였다.

187) 이는 「宋子淸墓誌銘」에 의거하였다.

甲辰[3日], 御明仁殿, 視朝.

[○流星出虛·危, 入室壁:天文2轉載].

[某日, 引見乙丑年[仁宗23年]以來新及第等, 賜宴閤門, 仍賜釋褐:節要轉載]. 謂諫臣曰, "自今欲每日視朝, 凡庭諍之事, 姑且除之". 故諫臣無庭諍者.

丙午[5日], 雨雹.[189]

己酉[8日], 王以沈香木, 命工刻成觀音像, 置內殿, 仍飯僧.

丙辰[15日], 以[門下侍郞同中書門下平章事]崔惟淸△[爲]判兵部事,[190] [參知政事]文公元△[爲]判刑部事, 庾弼△[爲]知門下省事, 崔誠△[爲]知樞密院事,[191] 文公裕爲禮部尙書, 金端爲戶部尙書,[192] 安正修△[爲]試刑部尙書, [[刑部尙書]文公裕爲知西京留守事:追加].[193]

戊辰[27日], 少府少監韓令臣, 嘗爲典解庫判官, 以私麤布, 潛換官布三十匹, 收職田, 放還田里.

[是月, 金永胤, □□□□□[掌國子監試], 取詩賦高英瑾等十五人, 十韻詩河梃材等七十二人:選擧2國子試額轉載]

[閏四月[辛未朔小盡,癸巳]:追加],[194] 癸酉[3日], [門下侍郞]平章事致仕李仲卒, 輟朝三日.[195]

乙亥[5日], 以旱, 禱雨于名山·大川及諸神祠. 設佛頂道場於修文殿七日.

丙戌[16日], 封第三妹爲昌樂宮主, 第四姝[四妹]爲永和宮主.[196]

---

188) 이날은 율리우스曆으로 1151년 4월 19일(그레고리曆 4월 26일)에 해당한다.

189) 이와 같은 기사가 지7, 五行1, 水, 雨雹에도 수록되어 있다. 이때 일본의 京都에서는 4월 2일(癸卯) 서리가 내렸다고 한다.

· 『本朝世紀』 제39, 仁平 1년 4월, "二日癸卯, 天晴, 近曾寒氣猶甚, 今朝霜降".

190) 이때 崔惟淸은 門下侍郞同中書門下平章事이었던 것 같다(光陽玉龍寺先覺國師證聖慧燈塔碑).

191) 이때 崔誠은 知樞密院事·翰林學士承旨에 임명되었다(崔誠墓誌銘).

192) 金端은 그의 아들 金閱甫의 묘지명에는 水州人으로 特進·守司空·尙書右僕射에, 外孫인 任益惇의 묘지명에는 守司空·左僕射에 이르렀다고 한다.

193) 이는 다음의 자료에 의거하였다

· 「文公裕墓誌銘」, "天德三年[毅宗5年]夏, 爲西京知留".

194) 癸酉의 앞에 閏四月[閏月]이 탈락되었지만, 『고려사절요』 권11에는 옳게 되어 있다(盧明鎬 等編 2016년 283面).

195) 李仲은 『고려사』에 入傳되지 않았으나 그의 아들 李文著의 墓誌銘에 李沖으로 표기되었고, 陜州人으로 예종·인종대에 正直하며 忠言을 잘 하였다고 하며 문하시랑평장사·판호부사를 역임하였다고 한다. 이날은 율리우스曆으로 1151년 5월 20일(그레고리曆 5월 27일)에 해당한다.

· 「李文著墓誌銘」, "考沖, 門下侍郞平章事·判戶部事, 歷仕睿·仁兩朝, 以謇諤稱".

丁亥[17日], 封王妃王氏爲興德宮主. [將宴, 侍臣就坐, 諫議[~~右諫議大夫~~]王軾, 見宦者·內殿崇班鄭諴帶犀, 指臺員曰, "臺官可謂無目者也". 御史雜端李綽升, 憤然作色曰, "君安知爲不爲耶?". 卽令臺吏李份, 取其帶. 諴以賜物不肯與. 份强取之. 諴白于王. 王大怒, 命內侍李成允, 執份, 份走入臺門, 成允執他吏閔孝旌以來, 囚于宮城所. 王不悅, 罷宴, 卽解所御犀帶, 賜諴, 下孝旌于刑部獄. 臺官知王怒未霽, 還其帶于內侍院. 內侍執事韓儒功曰, "汝旣取矣, 何用送爲?". 遂却之. 往來再三, 而後受之. 臺諫伏閤, 論成允等. 王不聽. 臺諫杜門不出, 王乃黜成允·儒功等五人, 臺官視事: 節要轉載].

[→王封德興[~~興德~~]宮主,[197] 設曲宴, 右諫議□□[大夫]王軾見諴帶犀, 譏臺員曰, "此而不彈, 臺官無目者也". 御史雜端李綽升作色曰, "君安知不彈耶". 卽令臺吏李份取其帶. 諴以賜物不肯與, 份强取之. 諴訴于王, 王大怒, 命內侍李成允執份. 份走入臺門, 乃執他吏閔孝旌以來, 中禁抄奴等歐縛之, 囚宮城所. 王不悅, 罷宴, 解所御犀帶賜諴, 下孝旌刑部獄. 臺官知王怒未霽, 還其帶于內侍院, 內侍執事韓儒功曰, "汝旣取矣, 何用還爲?". 遂却之, 往來再三, 而後受之. 臺諫伏閤論成允等, 王不聽, 臺諫杜門不出, 黜成允·儒功等五人. 諫官不出, 臺官出視事. 尋以諴權知閤門祗候, 臺官以宦者叅朝官無古制,[198] 爭之, 不聽. 臺官又不出, 王召諭之曰, 已收諴祗候制矣. 臺官拜謝而退: 列傳35鄭諴轉載].

[某日, 以鄭諴△[爲]權知閤門祗候. 御史臺以宦者參朝官, 無古制, 爭之.[199] 不聽. 臺官復不出. 召臺官諭之曰, "已收諴祗候制矣". 臺官拜謝: 節要轉載].[200]

五月[庚子朔大盡,甲午], 乙巳[6日], 親醮南斗于內殿.

---

196) ~~添字~~와 같이 고쳐야 옳게 될 것이다.

197) ~~添字~~와 같이 고쳐야 옳게 될 것이다(東亞大學 2006년 27冊 514面).

198) 朝官은 廣義의 의미로 百官을 지칭하지만, 宋制에서는 常參官(升朝官)을 가리키며, 이에 미치지 못한 官員을 京官(不常參官, 未升朝官)으로 呼稱하였다고 한다(虞雲國 2009年 7面). 上記에서 기사에서 朝官은 常參(常參官)을 가리키는 것 같다.

199) 이 구절은 지29, 選擧3, 宦寺에도 수록되어 있다.

200) 鄭諴과 관련된 기사로 다음이 있다.
- 열전12, 庾應圭, "[庾弼,] 毅宗朝, 累官至門下侍郞平章事·修文殿大學士·判吏部事. 王嘗拜宦官鄭諴爲祗候, [庾]弼論執不署告身. 王再三諭之, 竟不從, 故終弼之身, 諴不得拜, 其剛正類此". 이 기사에서 기술된 庾弼은1155년(의종9) 12월에 逝去하였다.

丁未[8日], 左諫議□□[大夫]王軾等上疏, 論鄭敍等罪. [[右承宣]金存中贊之, 軾·元膺, 皆存中族也:節要轉載].

[某日, 宰相[門下侍郞平章事]崔惟淸·[參知政事]文公元·[知門下省事]庾弼等率諫官崔子英·[左諫議大夫]王軾·金永夫·朴𠍱等, 伏閤請曰, [禮部侍郞]鄭敍交結大寧侯□[暻], 邀致其第, 宴樂遊戲. 又鄭諴以私怨, 謀陷臺諫, 罪不可赦. ○御史臺, 以鄭敍陰結宗室, 夜聚宴飮, 囚敍及秘書正字梁碧·戎器色判官金義鍊·大寧府典籤劉遇·錄事李施. 王皆宥之, 罷大寧府, 流暻奴金旵於懷仁, 笞樂工崔藝等, 流之. ○史臣曰, 毅宗, 不能制其私人, 使之陵轢風憲, 以撓國法, 已過矣. 不聽臺諫之言, 屈法宥之, 宜及於群小之禍也:節要轉載].

[○時, 王弟大寧侯暻, 有度量, 得衆心. [宦者]鄭諴謀陷臺諫, 密誘散員鄭壽開, 誣告臺省及李份等, 怨大家[王], 謀推暻爲主, 王惑之, 欲去諫臣. 金存中諫止之, 請令有司按問, 果不驗, 黥壽開, 配黑山島,[201)] 流份於雲梯縣. 諴思欲免咎, 又讒言外戚·朝臣, 出入大寧侯之門, 諴不誣矣. 先是, 存中亦與太后女弟夫內侍·郞中鄭敍, 母弟承宣任克正有隙. 敍性輕薄, 有才藝, 交結大寧侯, 相與遊戲. 存中·諴等, 構飛語以聞, 王亦疑之. ○存中嘗爲春坊侍學, 與諴相善, 王卽位, 以舊恩屬內侍, 特被寵幸, 及鄭襲明卒, 諴懇奏, 擢存中爲右承宣, 自是出入禁中, 圖議國政, 勢傾朝野:節要轉載].[202)]

[→毅宗卽位, [金存中,] 以春坊舊恩, 屬內侍, 特被寵幸. 累遷刑部郞中·起居注. 及

---

201) 羅州牧 管轄 아래에 있던 黑山島는 西海의 南端에 위치한 有人島 중의 가장 큰 섬이며, 현재의 木浦에서 90km(羅州에서 900餘里) 정도 떨어진 곳에 있다고 한다. 이곳에는 中原의 使臣이 머문 宿所가 있었고, 死罪에서 減刑된 사람들이 流配[流竄, 追放][된 곳이라고 한다. 또 이곳은 潮水가 南北으로 왕래하기 때문에 水路는 가시밭길과 같이 험악하여 舟行하기가 어렵다고 한다.
- 『고려도경』 권35, 海道2, 黑山, "黑山, 在白山之東南, 相望甚邇. … 昔海程, 亦是使舟頓宿之地, 館舍猶存. 今取道更不抛泊. 上有民居聚落. 國中大罪得貸死者, 多流竄於此. 每中朝人使舟至, 遇夜於山顚, 明火於逢燧, 諸山次第相應, 以迄王城, 自此山始也".
- 『세종실록』 권109, 27년 7월 戊戌[26日], "諭全羅道監司, 制倭之策, 無踰戰艦, 而船材松木將盡, 實爲可慮. 近有人啓, '黑山島多有船材, 倭人來往造船, …'. 去年前監司啓, 黑山島潮水, 南北往來, 水路險惡, 行船爲難".
- 『영조실록』 권4, 1년 3월 甲子[26日], "上御晝講. 講畢, 領事閔鎭遠所啓, … 鎭遠曰, '庚申[肅宗6年]逆獄, 先臣[閔維重]爲判義禁□□[府事]. 逆黨分配時, 僚議欲定配所於黑山島', 先臣曰, '古語云, 此路荊棘五十年, 黑山非人所居, 何可開路乎? 終不許矣". 여기에서 閔維重은 閔鎭遠의 父이기에 先臣으로 表記된 것 같다.
- 『영조실록』 권40, 11년 4월 乙丑[25日], "正言洪啓裕上疏, 略曰, … 況彼黑島海險, 瘴惡最於棘路, …".

202) 大寧侯와 鄭敍에 관한 기사는 열전3, 仁宗王子, 大寧侯暻 ; 열전10, 鄭敍에도 수록되어 있으나 자구에 출입이 있고, 以後의 기사에서도 마찬가지이다.

知奏事鄭襲明卒，王欲得有名望者代之，宦官鄭誠力薦，擢爲右承宣．自是，出入禁中，圖議國政，勢傾朝野：列傳36金存中轉載］.[203]

己酉10日，親醮太一於內殿.

辛亥12日，設消灾道場於宣慶殿五日.

［癸丑14日，流星出亢，入房，大如木瓜：天文2轉載］.

［甲寅15日，熒惑犯羽林，二十日：天文2轉載］.

丙辰17日，召諫官於殿門，慰諭之，特引諫議左諫議大夫王軾，入便殿，賜酒宴，語從容.

甲子25日，臺諫伏閤言事．［知臺事知御史臺事崔允儀直入王所，爭之．召還臺吏李份，杖流郎中鄭敍于東萊，梁碧于會津，金義鍊于淸州，金昷于固城縣樸島．○又論門下侍郎平章事崔惟淸，當敍之宴諸王也，借助器皿，失大臣之體，貶爲南京留守．□□御史雜端李綽升，於臺省之論敍也，在家不預，貶爲南海縣令，皆敍妹婿也．敍等旣流，金存中益寵幸．○罷內殿崇班鄭誠，以諫官論請不已也：節要轉載］.[204]

［→時，郎中鄭敍坐陰結大寧侯流外．崔惟淸敍妹壻也，敍宴大寧，惟淸假器皿．臺諫劾以失大臣體，貶南京留守使：列傳12崔惟淸轉載］.[205]

丁卯28日，以中書侍郎同中書門下平章事金永寬△爲守司徒·判國子監事，文公元爲中書侍郎平章事·判吏部事，庾弼△爲參知政事·判兵部事，金永錫爲政堂文學［·判禮部事：追加］,[206] 崔子英△爲知門下省事，知樞密院事崔誠△爲判三司事,[207] 崔允儀爲御史大夫·同

---

203) 原文에는 金存中의 歷官이 “累遷刑部郎中·起居注·寶文閣同提擧”로 되어 있으나 寶文閣同提擧는 1151년(의종5) 11월 18일에 임명되었다.

204) 이후 鄭敍는 鄭瓜亭을 지었던 것 같고, 鄭誠은 파면되었다고 한다.
- 지25, 樂2, 俗樂, 鄭瓜亭, “鄭瓜亭, 內侍·郎中鄭敍所作也. 敍, 自號瓜亭, 聯昏外戚, 有寵於仁宗. 及毅宗卽位, 放歸其鄕東萊曰, 今日之行, 迫於朝議也, 不久當召還. 敍在東萊日久, 召命不至, 乃撫琴而歌之, 詞極悽惋”.
- 열전10, 鄭敍, “敍將行, 王謂曰, 今日事迫於朝議也, 行當召還. 敍旣流, 召命久不至. 乃撫琴作歌, 詞極悽惋. 敍自號瓜亭, 後人名其曲爲鄭瓜亭”.
- 열전36, 嬖幸1, 金存中, “右承宣金存中與內侍·郎中鄭敍有隙, 以敍交結大寧侯暻, 與誠等交構, 嗾其族左諫議□□大夫王軾·起居注李元膺等, 上疏論之, 流敍于東萊”.
- 열전35, 宦者, 鄭誠, “誠怨之, 密誘人誣告, 臺省及份等, 推戴大寧侯暻爲王. 按問不驗, 宰相·諫官伏閤奏, 誠以私怨, 謀陷臺諫, 罪不可赦. 論請不已, 乃罷其職, 黜之”.

205) 崔惟淸이 南京留守使로 貶職된 事由는 宦官 鄭誠의 閤門祗候 임명에 반대한 것이라는 기록도 있다.
- 「崔惟淸墓誌銘」, “中官鄭□誠□□媢□侍幸, 除閤門祗候, 批□中書, □公謂名器不可□人堅執不下誠深□□風□□劾奏, 公以非罪貶南京留守使, 連□貶忠□州, □尋移廣州, 公雖久淹州牧, 怡然無□色, □至皆有政”.

知樞密院事,[208] 任克忠爲樞密院副使, 劉碩爲樞密院知奏事[·司宰卿:追加],[209] 知西京留守事梁元俊爲左承宣,[210] 文公裕爲禮部尙書.

六月庚午朔小盡,乙未, [大暑]. 王如奉恩寺.

壬申3日, 命寶文閣學士·待制及翰林學士, 日會精義堂, 校册府元龜.

[○檢校禮部侍郞·尙書左司郞中吳孝元卒:追加].[211]

丙子7日, 慮囚.

[丁丑8日, 月犯房:天文2轉載].

壬午13日, 金□遣橫賜使·少府少監蕭忠來.

[某日, 吏部請錄前郞中鄭敍·前門下侍郞平章事崔惟淸·前御史雜端李綽升罪于政簿, 從之:節要轉載].

甲申15日, 王受菩薩戒於修文殿.

乙酉16日, [立秋]. 夜, 召入內侍李陽允·史官李仁榮等十三人於奉元殿庭, 賜坐, 給紙筆, 王占韻, 令賦石榴花七言四韻詩, 限以燭刻, 李陽允等七人中格, 臨軒賜酒, 翼日丙戌17日, 又賜酒果於翰林院, 仍賜絲絹有差.[212]

己丑20日, 宴金使於大觀殿.

[○西京梯淵, 至普賢經坊, 地鏡見:五行1地境轉載].[213]

癸巳24日, 慮囚.

甲午25日, 王走筆, 賦禱雨詩, 宣示諸學士.

---

206) 이때 金永錫은 政堂文學·判禮部事에 임명되었다(金永錫墓誌銘).

207) 이때 崔誠은 知樞密院事로서 判三司事를 兼職하였다(崔誠墓誌銘).

208) 이때 崔允儀는 朝議大夫·同知樞密院事·御史大夫·知制誥에 임명되었던 것 같다(崔允儀妻金氏墓誌銘).

209) 이때 劉碩은 樞密院知奏事·司宰卿에 임명되었다(劉碩墓誌銘).

210) 이때 梁元俊은 尙書左丞·樞密院左承宣·知三司事에 임명되었다(梁元俊墓誌銘).

211) 이는 「吳孝元墓誌銘」에 의거하였는데, 이날은 율리우스曆으로 1151년 7월 18일(그레고리曆 7월 25일)에 해당한다.

212) 이와 관련된 기사로 다음이 있다(金龍善 2010년).

· 「李陽允墓誌銘」, "天德三年夏六月, 上御康安殿, 賞石榴花, 仍召禁內儒臣, 占韻賦之, 刻燭爲限, 公乃援筆立成, 詞義□□, 天子覽之, 憮然可歎, 乃榜爲獨步, 賞賚尤厚之".

213) 原文에는 "毅宗五年六月乙丑, 西京梯淵, 至普賢經坊, 地鏡見"으로 되어 있으나 乙丑은 己丑의 오자일 것이다.

丁酉[28日], 以旱禁扇.

秋七月[己亥朔小盡,丙申], 庚子[2日], 詔, "今年累月不雨, 禾穀不登, 內外人民, 將至飢困, 大可憂也. 塗有餓殍, 而不知發, 豈爲政之道乎? 都兵馬使與宰樞, 其熟議救恤之方, 使吾赤子, 毋或飢餓".[214]

辛丑[3日], [處暑]. 以李軾爲尙書左僕射·參知政事, 尋卒.[215]

壬寅[4日], 設龍王道場於貞州船上, 禱雨七日.

[癸卯[5日], 參知政事李軾卒, 年六十二, 謚貞靖:追加].[216]

甲辰[6日], 詔, "文班四品以上·武班三品以上, 設五百羅漢齋于普濟寺, 禱雨".

乙巳[7日], 醮七十二星於內殿.

[○月犯心星:天文2轉載].

丙午[8日], 宋都綱丘通等四十一人來.

丁未[9日], 雨. 設消災道場於修文殿三日.[217]

丙辰[18日], [白露]. 以[參知政事]庾弼爲寶文閣提擧, [右承宣]金存中爲同提擧.

[○是時, 置提擧·同提擧·管勾·同管勾, 皆以中樞內臣兼之. 後加置大學士一人:百官2寶文閣轉載].[218]

[甲子[26日], 前閤門祗候·安西都護府判官金之祐卒, 年四十四:追加].[219]

乙丑[27日], 幸外帝釋院.

○宋都綱丘迪等三十五人·徐德英[~~徐德榮~~]等六十七人來.[220]

---

214) 이때 일본의 京都에서도 4월부터 6월까지 거의 비가 내리지 않아 火災가 많이 발생하였던 것 같다(『本朝世紀』 제39, 仁平 1년 4~6월).

215) 이때 李軾은 金紫光祿大夫·參知政事·判尙書戶部事에 임명되었다(李軾墓誌銘).

216) 이는「李軾墓誌銘」에 의거하였는데, 이날은 율리우스曆으로 1151년 8월 18일(그레고리曆 8월 25일)에 해당한다.

217) 日本에서는 7월 7일 京都에서 風雨와 洪水가 있었다고 한다(中央氣象臺 1941年 1冊 29面).
· 『本朝世紀』第40, 仁平 1년 7월, "七日乙巳, 終日大雨, 至夜殊甚. … 八日乙巳, 雨止, 終日大風, 今晩洪水, 壞山襄陵, 近年殆無比類云々, 宇治橋流了".
· 『百練抄』第7, 近衛, 仁平 1년 7월, "八日, 洪水, 近年少類".

218) 이 기사는 다음의 기사를 전재한 것이다. 이에서 中樞內臣은 中樞的 位置에 있는 大臣[樞要大臣]과 帝王側近의 核心的 文翰官僚[近侍]를 가리키는 것으로 추측된다(朴龍雲 2009년 229面).
· 지31, 百官2, 寶文閣, "又置提擧·同提擧·管勾·同管勾, 皆以中樞內臣兼之, 後加置大學士一人".

219) 이는「金之祐墓誌銘」에 의거하였는데, 이날은 율리우스曆으로 1151년 9월 8일(그레고리曆 9월 15일)에 해당한다.

220) 徐德英은 1049년(의종3) 7월 27일, 1162년(의종16) 6월 25일, 1163년 7월 16일, 1173년(명종

[某日, 以金陽[金子陽]爲慶尙道按察使:慶尙道營主題名記].[221]

八月[戊辰朔[大盡,丁酉], 流星出紫微東蕃, 入勾陳:天文2轉載].

壬申[5日], 宋都綱陳誠等九十七人來.

癸酉[6日], [宋都綱]林大有等九十九人來.

丙子[9日], 諫官及侍御史金諹等伏閤, 言事三日, 不報.

癸未[16日], 省宰皆乞罪, 不視事. 召[中書侍郎平章事]文公元·[參知政事]庾弼·[政堂文學]金永錫·[知門下省事]崔子英及諫官金子儀·王軾·朴脩·李元膺·李陽伸·尹鱗瞻·臺官[御史大夫]崔允儀[222]·金諹·閔懿·韓靖, 慰諭視事, 皆不奉詔, 夜二鼓, 乃退.

乙酉[18日], 醮三界於內殿.

丙戌[19日], [寒露]. 省宰及臺諫被召, 詣闕待命, 皆不報, 省宰及御史大夫先退. 王引騎士於後庭, 伐鼓擊毬. 正言李知深伏閤, 力爭二日.

丁亥[20日], 王遊北園, 命騎士擊毬.

庚寅[23日], 召省宰謂曰, "已從臺諫所奏矣". 然只黜[內殿崇班]鄭誠耳.

[癸巳[26日], 流星出角·亢間, 經大微[太微]中·下台·文昌·天船·大陵·八穀·天將軍, 抵奎·婁間, 大如杯, 尾長七尺:天文2轉載].

甲午[27日], 以崔允淑爲西北面兵馬使, 劉邦支爲東北面兵馬使.

[是月, 闕南梨樹, 華:五行1轉載].

[○海州, 蟲食松, 自去歲至是, 爲蝗蟲所損. 太史奏曰, "海東古賢讖記, 鵠嶺有松, 城松爲君臣, 蚉蜆爲小人. 蠊食松之時, 文虎亂政, 松變鵠木之歲, 天下白色": 五行2轉載].[223]

---

3) 6월 23일 등의 徐德榮의 다른 표기[同音異字]로 추측된다(朴玉杰 1997년).

221) 金陽은 金子陽에서 子가 탈락되었을 것이다. 이때의 按察使는 金子陽으로 추측되는 기사가 있다(→명종 3년 8월 20일).
· 열전41, 李義旼, "及壯, 身長八尺, 膂力絶人, 與兄二人, 橫於鄕曲, 爲人患. [毅宗5年] 按廉使金子陽收掠栲問, 二兄瘦死獄中, 獨義旼不死, 子陽壯其爲人, 選補京軍. 乃携妻負戴, 至京". 여기에서 按廉使는 按察使의 오류로 추측되는데, 이 시기의 전후에 職名의 改定은 없었다.

222) 崔允儀는 같은 해 5월 28일(丁卯) 御史大夫에 임명되었다.

223) 蚉蜆에서 앞의 글자[前字]는 무슨 의미인지를 알 수 없고, 蜆[회]는 다음과 같은 벌레라고 한다.
·『顏氏家訓』 권上, 勉學篇第8, (影印本 41面 左·右 位置), "吾初讀莊子蜆二首, 韓非子曰, '虫有蜆者, 一身兩口, 爭食相齕, 遂相殺也'. 茫然, 不識此字何音, 逢人輒問了, 無解者. 案爾雅諸書, 蠶蛹名蜆[音潰]. 又非二首兩口, 貪害之物. 後見古今字譜, 此亦古之蠶字, 積年凝滯, 豁然霧解"(蠶은

[增補].[224]

九月戊戌朔小盡,戊戌, 乙巳8日, 醮三淸於內殿.
丙午9日, 謁景靈殿.
戊申11日, 慮囚.
甲子27日, 幸妙通寺.

冬十月丁卯朔大盡,己亥, 戊辰2日, 御康安殿, 閱國馬.
[庚午4日, 太僕卿·知工部事致仕朴正明卒, 年六十七:追加].[225]
壬申6日, [小雪]. 設百座會於宣慶殿, 飯僧毬庭三日.
[辛巳15日, 參知政事致仕崔梓卒, 年七十三:追加].[226]
乙酉19日, 親祫于大廟太廟, 錄囚.

十一月丁酉朔大盡,庚子, 己亥3日, 遣宋瓌如金, 謝賀生辰.
癸卯7日, 遣趙端臣□□如金, 謝橫賜.
戊申12日, 遣吳日就□□如金, 賀正.[227]
庚戌14日, 設八關會, 幸法王寺.
癸丑17日, 金遣東京路兵馬都總管府判官蕭子敏來, 賀生辰.[228]

四庫全書本에는 虺[虺]로 되어 있다).

224) 이달[是月]에 일본에서는 다음과 같은 일이 있었다.
- 8월 7일, 이 보다 먼저 肥前國 宇野廚內 小値賀嶋의 辨濟使인 是包가 高麗의 船舶을 攻擊한 적이 있는데, 이로 인해 地頭職을 박탈당했다고 한다. 地頭[지토]는 가마쿠라 바쿠후[鎌倉幕府] 이래 在地 有力者를 가리키는 명칭으로 하나의 職名化되었는데, 莊園 내의 토지관리·조세 징수·치안 유지 등을 담당하였다. 이들은 武士였으며 地主였다.
- 「靑方文書」, 安貞二年三月十三日付關東裁許狀案, "太宰少貳資能所進嶋住人等,元久二年申狀偁, 當嶋事, 是包知行之間".

225) 이는 「朴正明墓誌銘」에 의거하였는데, 이날은 율리우스曆으로 1151년 11월 13일(그레고리曆 11월 20일)에 해당한다.

226) 이는 「崔梓墓誌銘」에 의거하였는데, 이날은 율리우스曆으로 1151년 11월 24일(그레고리曆 12월 1일)에 해당한다.

227) 吳日就는 다음 해 正旦에 賀禮하였던 것 같다.
- 『금사』 권5, 본기5, 海陵, 天德 4년 1월, "丁酉朔, 宋·高麗·夏遣使來賀".
- 『금사』 권60, 表2, 交聘表上, 天德 4년 1월, "丁酉朔, 高麗使賀正旦".

○遣徐淳如金, 進方物.

[甲寅18日, 月蝕軒轅:天文2轉載].[229]

戊午22日, [小寒]. 宴金使於大觀殿.

己未23日, 遣崔應淸□□如金, 賀龍興節.[230]

十二月丁卯朔大盡,辛丑, 壬午16日, 慮囚.

戊子22日, 以中書侍郎平章事文公元△爲守司空, 庾弼爲中書侍郎平章事, 任克忠△爲同知樞密院事, 王軾爲御史大夫·同知樞密院事, 李彦林爲尙書右僕射, [文公裕爲刑部尙書:追加],[231] 金澤△爲試刑部尙書, 安正修△爲試工部尙書, 李之茂△爲知御史臺事.

[是年, 始置文牒所於寶文閣, 以文士十四人及寶文閣校勘, 專掌其事, 命□守司空·左僕射·判秘書省事林光爲別監:百官1寶文閣轉載].[232]

[○册王妹恭睿太后四女爲昌樂宮公主:列傳4仁宗公主轉載].

[○以庾應圭爲內侍:追加].[233]

[○以朴仁碩爲春坊學友:追加].[234]

[補遺].[235]

---

228) 金에서 蕭子敏의 파견은 9월 13일(庚戌)에 결정되었다.

· 『금사』 권5, 본기5, 海陵, 天德 3년 9월 庚戌, "以東京路兵馬都總管府判官蕭子敏爲高麗生日使".

· 『금사』 권60, 表2, 交聘表上, 天德 3년, "九月, 以東京路兵馬都總管府判官蕭子敏爲高麗生日使".

229) 이때 사용된 '月蝕'은 『고려사』에서 일반적으로 '月食'을 사용했던 점과 차이가 있는 표기이다.

230) 崔應淸(崔奇遇의 子)은 明年(天德4) 1월 16일(壬子) 皇帝(廢帝 海陵王)의 生日인 龍興節을 賀禮하였던 것 같다.

· 『금사』 권5 본기5, 海陵, 天德 4년 1월, "壬子, 生辰, 宋·高麗·夏遣使來賀".

· 『금사』 권60, 表2, 交聘表上, 天德 4년 1월, "壬子, 高麗使賀生辰".

231) 이는 「文公裕墓誌銘」에 의거하였다.

232) 林光은 樞密院使·判秘書省事로 在職하다가 이해의 여름에 身病으로 휴가를 받았으나 臺官의 건의에 의해 守司空·左僕射·判秘書省事로 改職되었다(林光墓誌銘).

233) 이는 「庾應圭墓誌銘」에 의거하였다.

234) 이는 「朴仁碩墓誌銘」에 의거하였다.

235) 이해에 金의 及第試에 합격한 王寂(1128~1194)이 고려에 사신으로 파견되는 인물에게 증여한 詩文 4首가 찾아진 있다(『中州集』 권2, 王都運寂 ; 『拙軒集』 권2, '別高麗大使二首·권3, 送田元長接伴高麗告奏使 ; 『中州集』 권2, 送張仲謀使三韓, 張東翼 1997년 347·348面).

壬申[毅宗]六年, 金天德四年, [南宋紹興二十二年], [西曆1152年]

1152년 2월 8일(Gre2월 15일)에서 1153년 1월 26일(Gre2월 2일)까지, 354일

春正月丁酉朔[小盡,壬寅], 放朝賀.

辛亥[15日], 燃燈, 王如奉恩寺.

癸丑[17日], 御康安殿, 觀綵棚·伶官兩部樂. 以前夕, 已經燃燈大會, 皆已撤去, 王亟命復之, 樂觀忘倦, 至日午, 乃罷.

戊午[22日], [驚蟄]. 幸神衆院.

[某日, 以崔守全爲慶尙道按察使:慶尙道營主題名記].

二月[丙寅朔大盡,癸卯], 庚午[5日], 親設齋于外帝釋院.

乙未[30日], 王如靈通寺, 遂幸興聖寺.

[是月, 判[制], "京市案付恣女, 失行前所產, 限六品職, 失行後所產, 禁錮":選擧3限職轉載].

三月丙申朔[小盡,甲辰], 地震.

庚子[5日], 諫官伏閣, 言事三日, 不報.

[某日, 右諫議□□[大夫]申淑等伏閤諫諍, [中書侍郞]平章事文公元·知門下省事崔子英, 始預議而不至:節要轉載].

壬寅[7日], 作佛事于明仁殿, 王行香.

丙午[11日], 放輕繫.

戊申[13日], 醮于內殿.

[壬子[17日], 雨土:五行3轉載].[236]

乙卯[20日], 宴于賞春亭, 使伶官, 交奏雜戲.

壬戌[27日], 詔曰, "旱魃爲虐, 朕甚懼焉, 將博採忠言, 勵精求理, 以召和氣. 於是, 臺諫各上封事, 指陳時政得失".

[癸亥[28日], 夜, 禁苑林木間, 有光, 爛然如火焰. 外人疑爲失火, 聚闕門外欲救, 知

---

236) 이때 일본의 京都에서는 17일(壬子)은 맑았으나 18일(癸卯) 밤에 비가 내렸다고 한다.
·『本朝世紀』 제42, 仁平 2년 3월, "十七日壬子, 天晴, … 十八日癸丑, 入夜雨降 …".

非火, 乃退, 時人謂, 以王好秉燭, 故有此異:五行1火災·節要轉載].

[是月, 判[刪], "僧人子孫, 限西南班七品":選擧3限職轉載].

[春某月, 命內侍李陽允, 監考五敎大選:追加].[237)]

夏四月乙丑朔[大盡,乙巳], 醮太一於內殿.

丙寅[2日], 地震.

丁卯[3日], 宴萬壽亭, 至晩乃罷. [先是, 內侍尹彦文聚怪石, 築假山于壽昌宮北園, 構小亭其側, 號曰萬壽, 以黃綾被壁, 窮極奢侈, 眩奪人目, 宴將罷, 假山頹, 牝雞鳴:節要轉載].

[某日, 御史中丞高瑩夫·侍御史韓靖·崔均深等, 伏閤三日, 請黜尹彦文·韓就·李大有·榮儀等. 不聽, 臺官杜門不出, 御史大夫崔允儀不至:節要轉載].[238)]

[某日, 召臺官宣諭, 右諫議□□[大夫]申淑·給事中林僜等, 復上疏切爭. 王勉從之, 黜彦文等四人:節要轉載].[239)]

壬申[8日], 醮北斗於內殿.

丁丑[13日], 夜, 宴于賞春亭.

己卯[15日], 禱雨于山川及諸神祠. 醮三界於內殿, 太一於福源宮.[240)]

庚辰[16日], 以[中書侍郎平章事]文公元爲西京留守使, [中書侍郎平章事]庾弼△[爲]修國史, [政堂文學]金永錫·[知門下省事]崔子英△[爲]檢校司徒, [同知樞密院事]崔允儀爲修文殿學士, 文公裕爲刑部尙書, 金子儀爲□[試]禮部尙書,[241)] 金澤爲工部尙書, [[尙書左司郎中]金永夫爲中書舍人:追加].[242)]

---

237) 이는 다음의 자료에 의거하였다.
· 「李陽允墓誌銘」, "明年春, 適有五敎大選, 特詔公監之".

238) 이 구절과 같은 기사로 다음이 있다.
· 열전36, 嬖幸1, 榮儀, "御史中丞高瑩夫·侍御史韓惟靖[韓靖]·崔均深等, 伏閤三日, 請黜之, 不聽".
이에서 韓惟靖은 韓靖의 誤謬, 또는 잘못 새겨진 글자[衍字]인 것 같다. 곧 1127년(인종5) 國子監試의 試官 尹誧의 묘지명, 韓靖의 壻인 李侃의 묘지명에는 모두 韓靖으로 되어 있고, 韓惟靖은 찾아지지 않는다.

239) 萬壽亭에 관련된 기사는 열전12, 申淑에도 수록되어 있다.

240) 일본에서는 6, 7월 京都에서 旱魃이 있었다고 한다(中央氣象臺 1941年 2冊 530面).
· 『本朝世紀』第43, 仁平 2년 6월, 7월, "[6月]卅日, 大秡也, … 近日, 炎旱之愁尤甚, … [7月]廿九日壬戌, 雨降. 今夜, 未斷輕犯之者百餘人厚免".

241) 이때 金子儀는 朝散大夫·試禮部尙書·知制誥에 임명되었던 것 같고, 이 官職을 띠고서 是年 8

辛巳[17日], 諫官伏閤, 諫擊毬, 不聽, 諫官遂留宿翰林院, 王賜酒慰諭, 乃曰, 所言至切, 何敢不從.

翌日[壬午18日], 悉出群馬, 命日官, 塞北門.

丙戌[22日], 禱雨于山川及諸神祠.

庚寅[26日], [芒種]. 賜金儀等及第.[243)]

[丙申夜, 宦者給事李鈞, 自投東池死, 王痛惜泣下→5月로 옮겨 감].[244)]

[是月, 前登仕郎·檢校太醫少監·京山府醫師李坦之卒, 年六十七:追加].[245)]

五月[乙未朔小盡,丙午], [丙申[2日], 夜, 宦者給事李鈞, 自投東池死, 王痛惜泣下←4月에서 옮겨옴].

壬寅[8日], 御大觀殿親試, 賜劉羲等及第.[246)]

甲辰[10日], 移御安和寺.

六月甲子朔[大盡,丁未], 王如奉恩寺.

辛未[8日], 放輕繫.

월 무렵에 僕射 朴某의 묘지명을 修撰하였다(朴僕射墓誌銘).

242) 이는「金永夫墓誌銘」에 의거하였다.

243) 이와 관련된 기사로 다음이 있다. 이때 金儀·吳□實(1130~1184, 吳□實墓誌銘) 등이 급제하였는데(朴龍雲 1990년 ; 許興植 2005년), 吳□實은 國子監生으로 帝命에 의해 製述業의 初場·中場을 거치지 않고 바로 終場에 應擧하여[直赴] 급제하였던 것 같다.

· 지27, 선거1, 科目1, 選場, "[毅宗]六年四月, [中書侍郎平章事]庾弼知貢擧, [同知樞密院事]任克忠同知貢擧, 取進士, [庚寅], 賜金儀等二十七人及第".

·「吳□實墓誌銘」, "年十九登司馬, 二十一入太學, 涉二歲, 爲直赴第三□[場], □□□於春官, …".

244) 丙申은 5월 2일이므로, 5월의 壬寅(8일) 앞으로 移動시켜야 한다[校正事由].

245) 이는「李坦之墓誌銘」에 의거하였다.

246) 이와 관련된 기사로 다음이 있다. 또 崔滋는 劉羲를 劉曦로 표기하였고, 그의 아들이 高宗代의 大司成 劉冲基라고 하였다.

· 지27, 선거1, 科目1, 選場, "[毅宗六年]五月□□[壬寅], 親試, 取劉羲等三十五人及第".

·『고려사절요』권11, 의종 6년 5월, "御大觀殿, 以詩賦親試, 賜劉羲等三十五人及第".

·『보한집』권상, "學士劉曦, 毅廟時, 應御試中壯元. 嘗投人詩略云, 狀元及第尋常有, 天子門生有幾人? 及爲密城守, 道過華封院書憩, 書壁云, '謫宦南行十六驛, 今朝始踐尙原境'. … 劉公嗣子大司成冲基, 操行孤潔, 文章洪贍, 有父之風, 其所著述皆散亡, 不得錄".

·『신증동국여지승람』권26, 密陽都護府, 名宦, "劉曦, 毅宗時應御試中狀元. 嘗作詩, '狀元及第尋常有, 天子門生有幾人?', 後出爲州倅".

戊寅[15日], 王受菩薩戒.

己卯[16日], 親醮太一于內殿.

庚辰[17日], 饗飢饉疾疫人於開國寺.

癸未[20日], 幸妙通寺, 設摩利支天道場.

○是日, 還壽昌宮, 醮七十二星於明仁殿, 又醮天皇大帝·太一及十六神, 以禳疾疫.[247]

[辛卯[28日], 立秋. 守司空·左僕射·判秘書省事林光卒, 年六十五:追加].[248]

秋七月甲午朔[小盡,戊申], 禱雨于山川及諸神祠. 醮三界於內殿.

[某日, 右諫議□□[大夫]申淑等伏閤切諫, 凡三日. 時[中書侍郞]平章事文公元·[中書侍郞平章事]庾弼·政堂文學金永錫·知門下省事崔子英, 又不至:節要轉載].

甲寅[21日], 宋都綱許序等四十九人來.

乙卯[22日], 臺諫伏閤論諫, 乃黜內侍十四人·茶房五人.

丙辰[23日], 宋都綱黃鵬等九十一人來.

[某日, 以尹鱗瞻爲慶尙道按察使:慶尙道營主題名記].

[是月, 取□□□[升補試]吳世文等二十五人:選擧2升補試轉載].

八月[癸亥朔小盡,己酉], 丙寅[4日], 刑部奏重刑, 王與大臣, 審覆斷之.

[丁卯[5日], 太白·鎭星同舍:天文2轉載].

己巳[7日], 宋都綱寥悌等七十七人來.

庚午[8日], 醮三界於新闕.

---

247) 金에서는 前年(天德3, 의종5)에 燕京城(現 北京)을 擴張하여 宮室을 축조할 때 날씨가 더워서 勞役에 동원된 人夫[役徒]들이 疾疫에 걸렸다고 한다. 南宋에서는 12월에 永嘉(溫州)에서 寒疫이 유행하였다고 한다(龔勝生 2015年).

- 『금사』 권83, 열전21, 張浩, "天德三年, 廣燕京城, 營建宮室, … 旣而暑月, 工役多疾疫, 詔發燕京五百里內醫者, 使治療, 官給藥物, …".
- 『금사』 권311, 열전69, 方伎, 李慶嗣, "天德間, 歲大疫, 廣平尤甚, 貧者往往闔門臥病, 慶嗣携藥與米, 分遺之, 全活者衆".
- 『中興小紀』 권35, 紹興 21년 12월, "壬午, 宰執奏事, 上曰, '昨晩寒甚, 便得雪, 甚可喜, …'. 自此, 二麥可望, 不惟時豊, 疫病自消矣".

248) 이는 「林光墓誌銘」에 의거하였는데, 이날은 율리우스曆으로 1152년 7월 31일(그레고리曆 8월 7일)에 해당한다.

丁亥[25日], 設消灾道場於大觀殿五日.

[某日, 召還[前內殿崇班]鄭諴, 復充<u>內侍</u>:節要轉載].[249]

九月壬辰朔[大盡,庚戌], 設金剛經道場於大觀殿.

[癸巳[2日], 三角山負兒石頹:五行3轉載].

戊戌[7日], 百官詣萬寶殿, 賀太后坤寧節.

庚子[9日], 御東池, 選善射御者, 觀射<u>終月</u>[~~終日~~][250].

辛丑[10日], 放輕繫.

丙辰[25日], 幸外帝釋院, 設羅漢齋.

冬十月[壬戌朔小盡,辛亥], 癸亥[2日], 幸妙通寺.

十一月[辛卯朔大盡,壬子], 戊戌[8日], 遣柳公材如金, 謝賀生辰.

庚子[10日], 遣<u>朴彥樞</u>□□[~~如金~~], 賀正.[251]

甲辰[14日], 設八關會, 幸法王寺.

○金遣[都水使者]<u>完顔持正</u>來, 賀生辰.[252]

○遣李惇如金, 進方物.

壬子[22日] 宴金使於大觀殿.

[甲寅[24日], 熒惑犯歲星:天文2轉載].

乙卯[25日], 遣<u>閔懿</u>如金, 賀龍興節.[253]

---

249) 이 기사는 열전35, 宦者, 鄭諴에도 수록되어 있다.

250) 終月은 終日이 옳을 것이다(東亞大學 2008년 5책 536面).

251) 朴彥樞는 다음 해 正旦에 賀禮를 드리지 못하고 方物만 獻上하였던 것 같다.

· 『금사』 권5, 본기5, 海陵, 貞元 1년 1월, "辛卯朔, 上不視朝. 詔有司受宋·高麗·夏·回紇貢獻".

· 『금사』 권60, 表2, 交聘表上, 貞元 1년, "正月辛卯□[朔], 以皇弟<u>袞</u>薨, 不視朝. 命有司受高麗貢獻".

· 『금사』 권76, 열전14, 太宗諸子, 袞, "天德四年十二月晦, 薨. 明日, 貞元元年元旦, 海陵爲<u>袞</u>輟朝, 不受賀. 宋·夏·高麗·回鶻賀正旦使, 命有司受其貢獻".

252) 完顔持正은 『금사』에는 都水使者 完顔麻潑로 되어 있으며, 그는 9월 15일(丙午) 高麗生日使로의 파견이 결정되었다. 또 完顔持正은 『금사』에서 찾아지지 않음을 보아 完顔麻潑의 다른 표기일 가능성이 있다.

· 『금사』 권5, 본기5, 海陵, 天德 4년 9월 丙午, "以都水使者<u>完顔麻潑</u>爲高麗生日使".

· 『금사』 권60, 表2, 交聘表上, 天德 4년, "九月, □[以]都水使者<u>完顔麻潑</u>爲高麗生日使".

[丙辰26日, 月犯房星:天文2轉載].

十二月辛酉朔大盡,癸丑, 丙寅6日, 以中書侍郎平章事庾弼爲太子太師, 同知樞密院事崔允儀爲太傅.

丁卯7日, 中書侍郎同中書門下平章事致仕崔灌卒, 輟朝三日, [諡靖順. 子洪胤, 官至門下侍郎同中書門下平章事:追加].254)

辛未11日, 放輕囚.

乙亥15日, 夜, 王觀百戱于內殿.

丙戌26日, 以文公元·庾弼□並爲門下侍郎同~~中書門下~~平章事, □□□~~仍令致仕~~, 255) 政堂文學·判禮部事金永錫爲中書侍郎平章事,256) 崔子英△爲參知政事, 崔諴爲樞密院使,257) 崔允儀△爲知樞密院事,258) 同知樞密院事?任克忠爲翰林學士, 金子儀爲禮部尙書, 文公裕爲兵部尙書,259) 金澤爲刑部尙書, 吳仁廣△爲試工部尙書, 金貽永△爲知都省事, [金永

---

253) 閔懿은 明年(貞元1) 1월 16일(丙午) 皇帝(廢帝 海陵王)의 生日인 龍興節을 賀禮하였던 것 같다. 그런데 『금사』 권60, 表2, 交聘表上, 貞元 1년에는 宋·高麗·夏 등의 節日使[賀龍興節使]에 대한 기록이 없는데, 이는 組版過程에서 탈락되었을 것이다.

· 『금사』 권5, 본기5, 海陵, 貞元 1년 1월, "丙午, 生辰, 宋·高麗·夏遣使來賀".

254) 崔灌의 官職과 諡號, 子 崔洪胤은 崔瑞의 墓誌銘에 의거하였다. 이날은 율리우스曆으로 1153년 1월 3일(그레고리曆 1월 10일)에 해당한다. 또 後世의 기록이지만 崔灌에게는 다음과 같은 逸話가 있다고 한다.

· 『筆苑雜記』 권2, "… ~~予~~徐居正嘗見高麗仁宗朝平章事崔璀崔灌, 年八十餘, 閱少時卜筭, 嘆曰, '平生所歷, 一如前定, 但晩生貴子, 是虛言耳'. 未幾隣有一達官家將納胥, 胥暴死不果, 璀灌遣女奴求婚, 父母不能決. 一日閨中從容語女曰, '以家閥女, 嫁與微官而偕老, 寧一日作宰相妻乎?', 女率爾曰可矣. 遂婚有娠, 越七月而璀灌卒, 生子曰洪胤, 終身守節, 洪胤擢明王癸巳之乙科第一, 官至平章事. 一主司馬, 四開禮闈, 母夫人康强享福. …".

255) 이때 文公元과 庾弼은 實職으로 門下侍郎平章事에 임명된 것이 아니라 致仕職으로 임명된 것 같다. 이는 문공원(1084~1156)의 묘지명에 그의 최종 관직이 中書侍郎平章事·判吏部事·修國史로 되어 있는데, 이는 그가 의종 5년 5월 28일에 임명되었던 관직이다. 또 그는 이해에 70세로서 停年退職[致仕]의 시기이다. 그리고 庾弼은 平州 出身인 睿宗의 後宮 安氏의 壻이며, 庾應圭의 父, 良吏 庾碩의 曾祖父이며 諡號는 恭肅이다.

· 「庾應圭墓誌銘」, "先夫人安氏, 裕陵侍女之子也".

· 열전34, 良吏, 庾碩, "碩曾祖母, 睿宗後宮出也. 睿宗嘗幸西都, 平州吏女在道左, 觀之, 姿甚艶, 睿宗召入, 生女, 遂嫁弼. 以國庶之後, 不得踐臺諫·政曹".

· 「庾自偶墓誌銘」, "玄祖弼, 皇□毅廟配享輸忠同德佐理功臣·守太保·門下侍郎同中書門下平章事·判尙書吏部事·監修國史兼太子太師恭肅公".

256) 이때 金永錫이 中書侍郎平章事에 임명된 것은 그의 墓誌銘에도 반영되어 있다.

257) 이때 崔諴은 樞密院使·吏部尙書에 임명되었다(崔諴墓誌銘).

258) 이때 崔允儀는 禮部尙書·知樞密院事에 임명되었던 것 같다(金義元墓誌銘).

夫爲尙書兵部侍郞·右諫議大夫:追加].260)

[庚寅30日, 試軍器少監鄭復卿卒, 年六十六:追加].261)

[是年, 尙書右丞金臣璉, 以年七十, 乞退, 依允:追加].262)

[○以尙書右丞李公升爲西北面兵馬副使:追加].263)

[○以前樞密院堂後官李文著爲知洪州事:追加].264)

[○以隊正申甫純爲校尉:追加].265)

[○梵學大師道輝開板梵字'一切如來心秘密全身舍利寶篋陀羅尼'於海眞寺:追加].266)

[仁同人 張東翼 校注, 增補].

259) 이때 文公裕는 兵部尙書·權三司使에 임명되었다(文公裕墓誌銘).

260) 이는 다음의 자료에 의거하였다.
· 「金永夫墓誌銘」, "天德四年拜中書舍人, 未半歲, 轉尙書兵部侍郞·右諫議大夫".

261) 이는 「鄭復卿墓誌銘」에 의거하였는데, 이날은 율리우스曆으로 1153년 1월 25일(그레고리曆 2월 2일)에 해당한다.

262) 이는 「金臣璉墓誌銘」에 의거하였다("壬申歲, 年當七十, 上章乞退").

263) 이는 다음의 자료에 의거하였는데, 李公升이 延州城을 600餘間 增築했다는 것이 주목된다. 또 이에서 丞轄은 尙書左·右丞을 指稱한다.
· 「李公升墓誌銘」, "天德四年, 繇丞轄之職, 當推轂之寄, 出爲西北面兵馬副使, 立節北轅. 加築延州城六百間, 成於不日, □北狄聞風, 而讋服, 邊陲仰化, 以阽安".
· 『五百家播芳大全文粹』 권13, 賀啓, 賀姜工侍啓, 張安國, "承轄, 左丞·右丞".

264) 이는 다음의 자료에 의거하였다.
· 「李文著墓誌銘」, "毅廟天德四年, 出守洪州. 先是, 此州屬縣諸□谷間, 盜賊蜂起, 爲害□甚, 公下車, 飭戒軍校, 盡捕逐之, 境內之民安, 土樂業, 無外顧之憂, 於□□渠引水, 漑田五六千頃, 以足民食, 倉廩實, 府庫充, 合境歎息, 故□□申其□□, 上錄其名姓, 秩滿, 拜監察御史".

265) 이는 「申甫純墓誌銘」에 의거하였다.

266) 이는 Sanskrit語[梵字]로 작성된 『一切如來心秘密全身舍利寶篋陀羅尼』 下段의 漢字刊記에 의거하였다(南權熙 2002년 315面).
· 刊記, "梵學大師 道輝 書,」海眞寺 開板,」時天德四年月日記」".

新編高麗史全文

세가4책 인종-의종 6

초판 1쇄 인쇄 | 2023년 05월 23일
초판 1쇄 발행 | 2023년 05월 30일

지은이 | 張東翼
발행인 | 한정희
발행처 | 경인문화사
편집부 | 김지선 유지혜 한주연 이다빈 김윤진
마케팅 | 전병관 하재일 유인순
출판번호 | 제406-1973-000003호
주소 | 경기도 파주시 회동길 445-1 경인빌딩 B동 4층
전화 | 031-955-9300 팩스 | 031-955-9310
홈페이지 | http://www.kyunginp.co.kr
이메일 | kyungin@kyunginp.co.kr

ISBN 978-89-499-6709-7 94910
978-89-499-6754-7 (세트)
값 23,000원